Richard Faber und
Bernhard Kytzler (Hrsg.)

Antike heute

Königshausen & Neumann

Die Deutsche Bibliothek — CIP-Einheitsaufnahme

Antike heute / Richard Faber und Bernhard Kytzler (Hrsg.). —
Würzburg : Königshausen und Neumann, 1992
    ISBN 3-88479-598-8
NE: Faber, Richard [Hrsg.]

© Verlag Königshausen & Neumann GmbH, Würzburg 1992
Umschlag: Hummel / Homeyer, Würzburg
Druck: Verlag Königshausen & Neumann GmbH
Gedruckt auf säurefreiem, alterungsbeständigem Papier
Bindung: Rimparer Industriebuchbinderei GmbH
Printed in Germany
ISBN 3-88479-598-8

Faber / Kytzler (Hrsg.) — Antike heute

Inhaltsverzeichnis

Vorwort

Die Bedeutung der antiken Tradition für die moderne Kultur und ihr Selbstverständnis ist unstrittig, die explizite Beschäftigung mit der Antike aber nicht mehr selbstverständlich. Zugleich haben weite Bereiche der Altertumswissenschaften den Bezug zur Gegenwart verloren. Beiden Fehlentwicklungen will der vorliegende Sammelband begegnen, indem Phänomene der *Antike heute* vorgeführt und analysiert, bedenkliche Entwicklungen benannt und alternative Vorschläge unterbreitet werden. Um diesen Zwecken zu dienen, ist nicht nur der Sammelband, sondern auch jeder einzelne Beitrag interdisziplinär ausgerichtet, ganz gleich, ob der jeweilige Referent Altertumswissenschaftler, Kunsthistoriker, Philosoph, Religionswissenschaftler oder Soziologe ist.

I.

Der Band beginnt mit einem kunsthistorischen Beitrag Moshe Baraschs, der die ganz augenfällige Gegenwart der Antike in der bildenden Kunst der klassischen Moderne aufzeigt und interpretiert. Dabei wird der Akzent auf den Traditionsbruch gelegt, der die Präsenz der Antike im Werke Pablo Picassos konstituiert. Es rekurriert, überrepräsentativ in "Guernica", auf eine nicht- und antiklassizistische Antike.

Karin Wilhelm beschäftigt sich mit dem Gebrauch (und Mißbrauch) von Versatzstücken antiker und klassizistischer Architektur beim "postmodernen" Entwurf Hans Holleins für das Berliner Kulturforum. Dabei sind Wilhelms Kriterien nicht nur ästhetische, sonder auch soziologische. Die Kunsthistorikerin fragt primär nach dem Funktionswandel eines Forums vom republikanischen und kaiserzeitlichen Rom über die Renaissance und Französische Revolution bis zu Sempers Wiener Kaiserforum und – Holleins Berliner Kulturforum.

Thomas Beutelschmidt und Manuel Köppen wenden sich *dem* antiken Denkmal Berlins zu, dem Pergamon–Altar: Gehört er wirklich (nach) Berlin? Wie kam er dahin, wie wurde er "angeeignet" und wie mit ihm umgegangen? Wie stellt sich schließlich die Problematik seiner Rezeption heute dar – nach dem Fall der Mauer? Dieser ist ein internationales Ereignis (gewesen) und hat also auch das türkische Bergama betroffen, das sich als Heimat des seit dem Kaiserreich immer wieder "eingedeutschten" Pergamon–Altars versteht.

Burkhard Fehr problematisiert die wissenschaftliche und didaktische Konzeption Archäologischer Parks. Sie scheinen ihm antike Überreste mehr zu inszenieren als zu präsentieren, gerade indem sie die historische Distanz weitestgehend aufzuheben versuchen. "Simmulation als Fälschung", so lautet Fehrs Verdacht.

Peter Wülfing untersucht Rolle und Bedeutung der Gestik in modernen Massenmedien, indem er auf die antike Rhetorik rekurriert, doch im ständigen Bewußtsein der kulturellen Differenz. Unbeschadet dessen vertritt Wülfing die Ansicht, daß die einfachere und "ganzheitlichere" Kommunikationsweise der Antike kritische Anfragen an die Gegenwart erlaubt bis aufdrängt.

II.

Helmut Schneider plädiert für eine sozialwissenschaftliche, also emphatisch moderne Orientierung der Altertumswissenschaften und der Alten Geschichte speziell. Dabei ist er in der glücklichen Lage, daraufhinweisen zu können, daß die moderne Sozialwissenschaft zunächst auch ihrerseits nicht wenig der Auseinandersetzung mit der Antike verdankte. Montesquieu, Hume,

Smith, Ferguson, Millar, Marx, Comte und Max Weber sind ohne diese Auseinandersetzung nicht zu denken. Ihr je unterschiedlicher Begriff der Moderne ergibt sich aus dem Kontrast zur Antike, deren in gewisser Weise "primitiven" Charakter heute vor allem die Religions– und Sozialanthropologie herausstellt.

Renate Schlesier spricht in ihrem Aufsatz geradezu von einer Konjunktur, die die Anthropologie der Antike heute in den Altertumswissenschaften vieler Länder besitzt. Schlesier stellt die unterschiedlichen Paradigmen der Anthropologie vor, geht auf ihre Vorgeschichte ein, die bis ins 18. Jahrhundert und teilweise in die Antike selbst zurückreicht, und benennt die sehr unterschiedlichen politischen Positionen, die von der Anthropologie der Antike heute vertreten werden – von Burkert einerseits bis Vernant andererseits.

Jean Bollack reflektiert als Hermeneut die philologische Methode, die (nicht nur) im Zentrum der "Altphilologie" stand und stehen wird. Dabei plädiert er, Gegner des Poststrukturalismus, der er ist, für die strikte Beachtung der Autorenintention und für das Ernstnehmen des Werkcharakters der "Werke". Für Bollack, der ein erstrangiger Kenner ihrer Interpretationsgeschichte ist, sind die "großen Werke" selbst hermeneutisch, kritisch und – aktuell.

III.

Jede literarische Antike–Rezeption mit ihrem Drang zur Aktualisierung wird Bollacks These nicht einfach gelten lassen können. Walter Benjamin etwa, mit dem sich Norbert Bolz' Aufsatz beschäftigt, gewinnt spezifisch modernen Phänomenen einen antiken Charakter ab: denen der Großstadt und dieser selbst. – Antik heißt für Benjamin mythisch, *deshalb* wird der an den mythischen Aspekten der Moderne interessierte Zeitdiagnostiker zum Archälogen Berlins und Paris'. Doch gerade als solcher ist er zugleich Prophet: Für Benjamin hält die Antike auch ein utopisches Potential der Moderne bereit. Jene ist nicht zuletzt ein Antidot gegen den die modernen Mythen produzierenden Kapitalismus. In marxistischem Klartext ist *er* Benjamins Wort für die Moderne. Das "Passagenwerk" interpretiert die antikische Sakralarchitektur des Hochkapitalismus.

Bernd Seidenstickers Untersuchung wendet sich der Antike–Rezeption in der deutschsprachigen Literatur nach 1945 zu, die mit dem "Heimkehrer" Odysseus begonnen und in der frauen- und friedensbewegten "Kassandra" einen vorerst letzten Höhepunkt erreicht hat. Nicht zuletzt die Literatur der DDR (in der es so gut wie keinen altsprachlichen Unterricht gab!) war stark auf die Antike bezogen, sowohl formal wie material. Faszinierten zunächst in der Nachfolge Brechts ihre verfremdenden, so später immer mehr ihre verdeckenden, die Zensur umgehenden Möglichkeiten, zugleich aber und andauernd die ästhetischen Qualitäten der antiken Literatur.

IV.

Carsten Colpes religionshistorischer Beitrag arbeitet Lion Feuchtwangers Josephus–Trilogie zeitgeschichtlich nach. Diese Anstrengung gilt dem in der BRD lange Zeit unzugänglichen Meisterwerk des Antifaschisten Feuchtwanger, vor allem aber dem graeco–jüdischen Historiker und römischen Ritter Flavius Josephus als dem Repräsentanten einer nicht um ihr Judentum gebrachten Antike.

Jürgen Ebach analysiert die "amputiert" Antike, ihre Ursachen und Folgen. Dabei geht es ihm nicht nur um den Antijudaismus in deutscher Altertumswissenschaft und Theologie, sondern auch um den jeweils verengten Blick auf die Antike, der dadurch entsteht, daß Altertumswissenschaft und Theologie sie sich "aufteilen". Die ganze Antike – so Ebachs These – ist jüdisch–griechisch–römisch oder, noch allgemeiner, orientalisch–okzidental.

Richard Faber präsentiert im Kontext der deutschen Vergil-Philologie des 20. Jahrhunderts Ludwig Strauß' "Fahrt zu den Toten", eine Konfrontation des "Virgilius christianus" mit Auschwitz – durch einen Schriftsteller, der sich noch in seiner palästinensischen Wahlheimat verstand als "jüdisch, römisch, deutsch zugleich". – Unabhängig davon stellt 1933 selbstverständlich eine Zäsur für den aus Deutschland vertriebenen Autor dar *und* für seine Stellung zu Vergil, der wie christlich, so auch deutsch "interpretiert" worden ist.

V.

Hanna Gekle wendet sich dem mit Strauß und Benjamin vergleichbaren Chiliasten Ernst Bloch zu, als dem Utopisten einer antiklassizistischen Antike. In kritischer Auseinandersetzung mit Nietzsche (und seinen präfaschistischen Rezipienten) beerbt Bloch dessen Sehnsucht nach einer Neuen Welt. Sein apollinisch erhellter Dionysos ist, nur scheinbar paradox, ein Gott des Exodus und, wie seine "Brüder" Prometheus und Christus ein Opponent, gegen den "Zeus" oder "Jahwe" geheißenen Vatergott und seine repressive Ordnung. Blochs Dionysos ist, Nietzsche entgegen, aber parallel zum "Weinstock Jesus" des "allerchristlichsten Bauernkriegs", ein revolutionärer Sklavengott und Bürge irdischer wie kommunistischer Glückseligkeit. Damit ist Dionysos endgültig zum Archetypus geworden, was allein schon problematisch erscheinen mag. Die Freud und insofern auch Nietzsche verpflichtete Metapsychologin Gekle kritisiert jedoch primär Blochs utopische Entspannung des Tragischen menschlicher, sprich "ödipaler" Existenz.

Bernhard Kytzler gibt einen Abriß des utopischen Dichtens und Denkens seit der griechisch-römischen Antike bis zur Gegenwart, die manchem als "Postmoderne" erscheint. Diese glaubt, jede Utopie verabschieden zu können bzw. zu müssen. Kytzler begegnet solchem Skeptizismus mit Skepsis, zugleich fragt aber auch er nach der Aktualität der die Moderne antizipierenden Utopien, vom Renaissancehumanismus an. Dieser war insgesamt prämodern, *indem* er auf die Antike und ihre utopischen Ansätze rekurrierte.

VI.

Hubert Cancik befragt die neuhumanistische Tradition von Niethammer bis Marx und heute, wobei "heute" ganz konkret die Wende in der DDR meint. Cancik *geht* von diesem vorerst letzten Diskurs des Humanismus auf deutschem Boden *aus*, um dessen Wort- und Bedeutungsgeschichte seit 1800 zu rekonstruieren – nicht zuletzt im kontrastierenden Vergleich zur christlichen Dogmatik. Darüberhinaus gibt Cancik im Sinne des polnischen Aphoristikers Lec vorsichtige Hinweise auf den gesellschaftlichen und kritischen Charakter eines Humanismus, der die Menschheit *nicht* überleben würde.

Norbert Wokart führt die von Cancik begonnene Diskussion des Humanismus fort, indem er speziell die Erblast des (Neu-)Stoizismus problematisiert. Im Mittelpunkt steht dabei dessen reduzierter Begriff von der "Würde des Menschen". Gegen die verfehlte Tradition der späteren und restaurierten Stoa eines Seneca bzw. Lipsius erinnert Wokart an den umfassenden Begriff menschlicher Würde, wie er sich zuerst beim Renaissance-Humanisten Pico della Mirandola findet. Ihm weiß er höchste Aktualität für die gegenwärtige Moral- und Rechtsphilosophie, aber auch die politische Praxis abzugewinnen. Würden Wokarts Überlegungen ernst genommen, müßte Artikel 1 des Grundgesetzes völlig anders interpretiert und angewandt werden: "Die Würde des Menschen ist unantastbar."

Die drei letzten Beiträge unseres Bandes berühren immerhin die politische Theorie, teilweise sogar tagespolitische Fragen. Insgesamt bleibt aber das Thema "Antike politisch" ausgespart. Eine wichtige Lücke, die sich bedeutend vergrößert, wenn man , im Zeichen der Ökologie, das Thema erweitert auf: "Antike, *Natur* und Politik". Andererseits ist das Formalobjekt fast aller Beiträge durchaus ein politisches, jedenfalls ein ideen- und wissenschafts-, ein *kultur*politisches Formalobjekt.

Der Sammelband dokumentiert eine Ringvorlesung, die im Wintersemester 1990/91 an der Freien Universität Berlin veranstaltet wurde. Wir danken für finanzielle und technische Hilfe dem Präsidialamt unserer Universität, besonders Frau Dr. Renate Kunze, aber auch einem privaten Mäzen und der Werner–Reimers–Stiftung in Bad Homburg, mit deren Unterstützung und in deren Räumen wir eine vorbereitende Tagung durchführen konnten. Nicht zuletzt gilt unser Dank Frau Ina Lehmann, die die Korrekturen las und das Layout erstellte.

Richard Faber/Bernhard Kytzler   Berlin, Mai 1992

Antike und klassische Moderne.
Über Pablo Picasso

von

Moshe Barasch

I

Die Auseinandersetzung mit der Antike, als historisches Erbe und als immer wieder erneuertes Vorbild, ist, wie wohl kaum gesagt zu werden braucht, ein wesentlicher Bestandteil der europäischen Geistesgeschichte. Das gilt natürlich auch für die bildende Kunst und für die ihre ganze Geschichte begleitenden und sie oft erklärenden intellektuellen Entwicklungen, die Kunstphilosophie und die Kunstkritik. Es gibt keine größere Epoche in der Kunstgeschichte, die diese Auseinandersetzung nicht kennt und auf die eine oder andere Weise von ihr geprägt ist. Das Phänomen der "Renaissancen", ein für die Kunstgeschichte typisches Phänomen, ist immer als eine Wiederbelebung der Antike verstanden worden, auch wenn in der Tat das Unantike in diesen Renaissancen oft vorwiegt.[1] Selbst Epochen , deren künstlerische Schöpfung sich von dem von der Antike ererbten Kanon weit entfernt zu haben scheinen (wie z.B. in gewissen Kreisen und Stätten im Mittelalter), waren mit dem Phänomen des antiken Erbes vertraut und haben immer wieder versucht, ihre eigene Stellung zu diesem Erbe zu formulieren. Gilt das auch für die Kunst unserer Zeit? Oder fällt die künstlerische Welt unseres Jahrhunderts aus dieser langen Geschichte völlig heraus?

Auf den ersten Blick mag es recht schwierig erscheinen, die Auseinandersetzung mit der Antike als ein bedeutendes Motiv in der Kunst unseres Jahrhunderts zu sehen. Sowohl die Tendenzen, die das künstlerische Werk unserer Zeit bestimmen, als auch die theoretischen Probleme, die in diesem Zusammenhang enstehen und im Vordergrund des Interesses stehen, scheinen in eine ganz andere Richtung zu weisen. Die Antike scheint aus dem Horizont dieses Zeitalters immer mehr verdrängt zu werden. Dieses Zeitalter beginnt mit dem Expressionismus und führt zum "Abstract Expressionism", oder es beginnt mit dem Einbruch des Primitiven, wie wir es z.B. an Gauguin oder noch besser an Picassos *Demoiselles d'Avignon* sehen können, und kommt zu einem seiner Höhepunkte in *Guernica*. Kann ein solches Zeitalter in der Antike auf irgendeine Weise ein Vorbild sehen? Was kann die Antike einem solchen Zeitalter überhaupt sagen?

Es kann hier natürlich nicht versucht werden, das Problem in seinem ganzen weiten Umfang zu behandeln. In den folgenden Bemerkungen wollen wir - indem wir uns auf ein einzelnes, wenn auch zentrales Werk konzentrieren - nur zu zeigen versuchen, daß in unserem Jahrhundert und innerhalb einer zentralen Bewegung der neuen Kunst sich bestimmte, nicht traditionelle Vorstellungen über den Charakter der antiken Kunst herauskristallisiert haben. Die Ausbildung dieser Vorstellungen stellt eine tiefgehende Auseinandersetzung mit der antiken Kunst dar. Diese Auseinandersetzung mit der Antike, das soll ferner betont werden, gehört zu den Schöpfungen von avantgardistischen Künstlergruppen und Kunsttheoretikern. Ich werde ferner zu zeigen versuchen, daß, wenn große zeitgenössische Künstler - ich beschränke mich auf das Beispiel Picassos - ein spezifisch modernes Erlebnis darstellen wollten, sie Motive und Formen benutzten, die sie aus dem Schatzhaus der antiken Kunst entnahmen. Diese moderne Benutzung antiker Motive und Formen, das soll noch angedeutet werden, zeigt, daß auch in der Kunst selbst die Tendenz bestand, zu einem neuen, nicht-konventionellen Verständis der Antike zu

---

[1] Vgl. Panofsky, Renaissance and Renascences in Western Art, 1956 .

gelangen, und daß auch die Malerei teilnahm an den umfassenden und vielseitigen Bemühungen unseres Jahrhunderts, ein neues Bild der Antike zu schaffen.

II

Die Entwicklung der modernen Kunst war von vielen theoretischen Überlegungen und Diskussionen begleitet, ganz besonders in den frühen Jahren unseres Jahrhunderts. Verfolgt man nun, was in diesen Überlegungen und Diskussionen behauptet wurde, so kann man nicht umhin festzustellen, daß der Antike gegenüber ein kritischer, ja abweisender Ton vorherrschend ist. Die Frage, die sich hier aufdrängt, ist recht einfach: Warum wurde die Antike abgewiesen? Wir fragen hier nicht nach den zugrundeliegenden Motivationen dieser Haltung, sondern einfach nach dem, was in der Diskussion vorgebracht wurde. Es müssen ja bestimmte Inhalte oder Eigenschaften gewesen sein, die man für die antike Kunst als charakteristisch empfand und die dann kritisch verneint wurden. Mit anderen Worten: Es muß sich eine bestimmte Vorstellung von der antiken Kunst herausgebildet haben. Was war nun diese Vorstellung?

Eine der in den Künstlerkreisen unseres Jahrhunderts geläufigsten Definitionen der antiken, vornehmlich der griechischen Kunst, sagt, daß sie eine dem Körperlichen völlig verhaftete Kunst sei, eine Kunst der Körperlichkeit. Gerade weil sie eine typisch "körperliche" Kunst ist, wurde sie von jenen künstlerischen Strömungen, die über das Körperliche hinausgehen wollten, als ungenügend kritisiert. Diese Anschauung wurde von vielen Künstlern und Kunsttheoretikern des frühen zwanzigsten Jahrhunderts geteilt, sie wurde auf verschiedene Weise ausgedrückt. Wohl die bekannteste und einflußreichste Formulierung dieser Ansicht findet man in Wilhelm Worringers bekannter Schrift *Abstraktion und Einfühlung,*[2] die ein zentrales Dokument der eingangs erwähnten Diskussion ist.

Gleich zu Beginn unseres Jahrhunderts hat Wilhelm Worringer zwei grundlegende Haltungen dargestellt, die auch das Kunstwerk in seiner Art bestimmen und ihm den einen oder den andern Charakter aufprägen. "Abstraktion" und "Einfühlung" sind sowohl Haltungen des Künstlers (und seines Publikums) als auch Stileigenschaften des Kunstwerks selbst. Was uns hier interessiert, ist vornehmlich der Typus der "Einfühlung", weil er die Manifestation der Körperkunst ist. Zu diesem Typus gehören die klassische Kunst und die der Renaissance.

Zwei Merkmale sind es, die Worringer an der Körperkunst hervorhebt. Die eine ist die organische, als lebendig empfundene Form, die die klassischen Figuren auszeichnet. Es ist offenbar nicht einfach, diesen organischen Charakter der klassischen Figur zu definieren. Worringer spricht von der "stofflichen Individualität" der Gestalt,[3] vom "Rhythmus des Organischen" innerhalb der Figur,[4] von einem "Vertraulichkeitsverhältnis zwischen dem Menschen und der Außenwelt".[5] Am deutlichsten wird der der Einfühlung gemäße Typus in der ihn erfüllenden Bewegung. Worringer spricht von der "Beweglichkeit des Organischen".[6] Auch wenn dieses organische Wesen der klassischen Figur nicht in eine einfache Formel gefaßt werden kann, ist der Charakter doch deutlich.

---

[2]Wilhelm Worringer, *Abstraktion und Einfühlung,* 1908.
[3] Worringer, S. 109.
[4] Worringer, S. 115, 119.
[5] Worringer, S. 60.
[6] Worringer. S. 113.

10

Das andere Merkmal der Körperlichkeit ist, daß die Figur von dem sie umgebenden Raum deutlich geschieden ist. Die klare Differenzierung und Abtrennung von Masse und Raum, vom Körper und seiner leeren Umgebung galten für Worringer wie auch für seine Zeitgenossen als ein Merkmal der klassischen Auffassung und der aus ihr entsprungenen Kunst. Diese Unterscheidung kann man natürlich nur in der Malerei (und zum Teil auch im Relief) untersuchen, aber sie spielt natürlich auch in der Architekturplastik eine bedeutende Rolle. Diese Unterscheidung hat Heinrich Woelfflin mehr als alle anderen Kunsthistoriker betont und sie zum Merkmal des Klassischen gemacht. Wenn auch sein Hauptwerk erst 1915 erschienen ist[7], so waren doch seine Ideen schon in den ersten Jahren unseres Jahrhunderts weit verbreitet.

Das Unklassische, dem Klassischen Entgegengesetzte, ob wir es nun mit Worringer "Abstraktion" nennen oder "kristallinische Schönheit", wie Alois Riegl es schon vorher getan hat[8] besteht vor allem in der Negierung dieser beiden Merkmale, der organischen Gestalt und der Scheidung von Körper und Raum. Auch in einer der bedeutendsten Kunstrichtungen, die gerade um dieselbe Zeit auftritt und die Kunst Europas prägt, im Kubismus, werden gerade diese beiden Merkmale, in denen man die Signatur des Klassischen sah, bewußt überwunden und transformiert. Sehen wir uns nur das bekannteste Beispiel dieser neuen Malerei an, Picassos *Les Demoiselles d'Avignon* (Abb. 1), das 1907 entstand. Wenige Werke der modernen Kunst wurden so eingehend besprochen wie dieses. In vielen Beschreibungen lesen wir Aussagen über die "barbarische" (das heißt doch wohl letzten Endes, die ungriechische) Behandlung der Körper. Wohl erinnern einzelne Gestalten, insbesondere die drei Akte zur Linken des Bildes, an frühe heroische Venusgestalten, aber die geometrischen, scharfwinkligen Muster, in die die Gestalten gepreßt sind, zerstören jene "Schönlebendigkeit", den organischen Charakter und den fließenden Rhythmus der Linien, die man gewohnt war als für das Klassische charakteristisch zu sehen. Die "barbarische, dissonante Kraft" wurde als die hervorstechendste Stileigenschaft der Figuren angesehen.[9] Dieser Ausbruch einer barbarischen Kraft kommt der Annullierung der klassischen Zurückhaltung gleich.

Picasso, Demoiselles d' Avignon (Abb. 1)

[7] Heinrich Woelfflin, *Kunstgeschichtliche Grundbegriffe*, 1915.
[8] Alois Riegl, *Spätrömische Kunstindustrie*, 1901.
[9] Robert Rosenblum, *Cubism and Twentieth-Century Art*, 1976, S. 15 ff. Rosenblum erinnert daran, daß kurz nachher auch die Musik eine interessante Parallele für dieses Interesse am Barbarischen liefert. 1910 hat Bartok sein *Allegro barbaro* komponiert, 1914 schrieb Prokofyew seine *Skythische Suite*.

Auch das andere Merkmal der klassischen Kunst, die klare Separierung von Körper und Raum, ist in Picassos großem Jugendwerk bewußt negiert. Einerseits ist hier die traditionelle Auffassung von Masse oder Körper bedroht; was wir hier sehen, ist eigentlich eine Fragmentierung der Masse, des Körpers, die die übergreifende Einheit der Figur in Frage stellt. Andererseits hat der Raum aufgehört, die bloße, gestaltlose Ausdehnung zu sein, als der er seit Jahrhunderten gedacht wurde. Er wird materialisiert, er gewinnt einen Grad von eigener Substantialität, die sich nicht von der Subtantialität der Körper unterscheidet, und er übernimmt dieselben geometrischen, winkligen Formen, die auch die Körper beherrschen. Ein anderer Aspekt derselben Problematik, die Differenzierung von nahem Körper und entferntem Raum, wird auch negiert: Der materialisierte Raum wird dem Beschauer so nahe gebracht, wie es die Figuren selbst sind. Die Konturen der Gestalten, insbesondere auf der rechten Seite des Bildes, die ein mehr fortgeschrittenes Stadium von Picassos Entwicklung darstellt, sind so doppeldeutig, daß sie mit den sie umgebenen materialisierten Stücken des abstrakten Raumes zusammenfließen.

Das Aufheben der klaren Grenze zwischen Körper und Raum ist natürlich Teil einer Auseinandersetzung mit dem antiken Erbe und mit der Sprache der antiken Kunst, wie sie im frühen zwanzigsten Jahrhundert verstanden wurde.

Der Einbruch des "Primitiven" in die geistige Welt der modernen Kunst - und in den Schatz ihrer Vorbilder - zeigt einen andern Aspekt der Interpretation der Antike und der Auseinandersetzung mit ihr. Dieser Aspekt, der sich mit dem bisher Gesagten berührt, wird zu einer Gegenüberstellung der primitiven und der klassischen antiken Figur. Welche dieser Gestalten, die primitive oder die antike, ist die natürliche Figur, welche ist von kulturellen Konventionen bestimmt? Dies ist die Frage, die im Hintergrund aller dieser modernen Gegenüberstellungen steht. Uns geht es hier, wie auch vorher, nicht darum, ob diese Fragestellung und daher auch die auf sie gegebenen Antworten "richtig" sind; wir wollen nur die Einstellung beschreiben.

Um die Jahrhundertwende und in den frühen Jahrzehnten unseres Jahrhunderts wurde das Primitive als der Gegensatz des Klassischen dargestellt, besonders der "hochklassischen" Kultur und Kunst Athens im fünften und vierten Jahrhundert v. Chr. Wir können auf die Gültigkeit einer solchen Gegenüberstellung hier nicht eingehen. Was hier betont werden soll, ist nur, daß eine solche Gegenüberstellung eine deutliche Auffassung des Klassischen, der Antike, enthält oder sie andeutet. Griechische Kunst wird als die nicht-primitive Kunst verstanden; anders gesagt, sie ist eine Kunst, die aus einer hohen und bewußten Kultur hervorgegangen ist und den Charakter dieser Kultur in sich aufgenommen hat. Da die primitive Kunst in dieser Zeit oft als "reine" Kunst angeschaut wird, so erscheint die nicht-primitive antike Kunst als eine "Kulturkunst". Paul Gauguin hat dieser Auffassung eine fast poetische Formulierung verliehen, wenn er sagte: "Der große Irrtum war griechisch, so schön er auch sein mag."[10]

Diesen Auffassungen der antiken Kunst sowohl als einer Körperkunst als auch als einer Kulturkunst liegen Anschauungen zu Grunde, die im späten achtzehnten und frühen neunzehnten Jahrhundert vor allem in der deutschen Literatur und Philosophie ausgebildet und formuliert wurden. Eine vollständige und abschließende Darstellung findet man in Hegels *Ästhetik*.

In Hegels Konstruktion der Kunstgeschichte werden bekanntlich drei wesentliche Stufen oder historische Stadien unterschieden: Die vorklassische Kunst, vor allem die Kunst Ägyptens und des Ostens, ist die Kunst des "dämmernden Symbols".[11] Die nachklassische Kunst, die des Christentums, ist die "Kunst der Spiritualität". Die erste hat den vollständingen, belebten und bewußten Körper noch nicht erreicht, die letzte ist über ihn hinausgegangen. Zwischen beiden steht die klassische Kunstform, in der der belebte, individuelle Körper die Harmonie von Leib

---

[10] So schreibt Gauguin im Oktober 1897 an Georges-Daniel de Montfried. Siehe *Lettres*, 1920, S. 187.
[11] Siehe Hegel, *Ästhetik*, 1835, I., S. 391 ff.

und Geist verwirklicht. Die griechischen Götterfiguren stellen eine "substantielle Individualität" dar, sie sind die "unmittelbar natürliche und sinnliche Existenz der Idee."[12]

Die Auffassung der griechischen Kunst als einer "Kultur"-Kunst beginnt schon mit Winckelmann. Zwar ist bei Winckelmann kein Abgrund aufgetan zwischen dem Natürlichen und dem aus der Kultur Gewonnenen. Die idealische Bildung der griechischen Figur erklärt er einerseits aus dem Einfluß eines "sanften und reinen Himmels," andererseits aber aus den "frühzeitigen Leibesübungen", die von den Olympischen Spielen, einer zentralen Kulturinstitution also, bestimmt wurden.[13] Die grundlegenden Werte aber, die das Wesen der griechischen Kunst bestimmen, wie die Mäßigung, die Zurückhaltung im Ausdruck des Schmerzes und der Leidenschaften (Laokoon schreit nicht laut) - sie alle sind aus einer langen Kultur gewonnen.

Noch Jakob Burckhardt erklärt den Stil der griechischen Plastik als das Produkt einer kontinuierlichen Erziehung und allgemeinen Kultur. Nicht nur ist "der Mythus eine Vorbedingung der Kunst",[14] selbst die "Eleganz" der Figuren, selbst eine "Mischung von Schönheit und Vornehmheit" erklärt er als die im Zeitalter der Demokratie noch lebendige und zur Vollkommenheit gebrachte Erinnerung an die Vornehmheit des vergangenen Königsalters.[15] Es folgt aus Burckhardts Schriften, daß die Eleganz von Linie und Proportion, die im Werke Lysipps so vollkommen verkörpert ist, immer vom Mangel an Kultur bedroht ist.

Um es zusammenzufassen: Die Künstler und Theoretiker der modernen Kunst haben ein Bild der Antike gehabt, die aus diesen Quellen hervorgegangen ist. Ihre Auseinandersetzung mit der antiken Kunst war zugleich Auseinandersetzung mit dieser Interpretation.

III

Zu den bekannten, für uns vielleicht am meisten charakteristischen Erscheinungen im geistigen Leben unserer Zeit gehört wohl die weitgehende Transformation im Bild der Antike. Seit Nietzsche und auch Burckhardt, Edith Hamilton und James G. Frazer bis E. R. Dodds hin wurden bekanntlich jene Elemente in der griechischen Kultur, die wir als "irrationale" bezeichnen, immer mehr in den Vordergrund gerückt. Dieser Prozeß besteht nicht so sehr in der Entdeckung von neuen Texten oder Kunstwerken; er besteht vor allem in einer Akzentverschiebung in der Interpretation und im Gesamtbilde der griechischen Kultur. Den modernen Interpreten der klassischen Kultur wurde es immer deutlicher, daß die antike Welt nicht so blind war für die nicht-rationalen Faktoren, wie man es vorher oft glaubte. Dieser Prozeß der erneuerten Interpretation ist zu bekannt, um auch nur in seinen allgemeinen Zügen nachgezeichnet zu werden. Wir fragen nur: Hat die moderne Kunst (und auch Kunstinterpretation) einen Anteil an diesem Prozeß?

Um die Jahrhundertwende, als die eben erwähnten Verschiebungen der Akzente in der Antikeninterpretation vor sich gingen, zeigten sich auch in der Kunstwissenschaft und in der Kunst selbst interessante, wenn auch nicht offenbare Parallelen. Es mag besser sein, mit der Kunstwissenschaft zu beginnen.

---

[12] Hegel, *Ästhetik*, II., S. 73, 68.
[13] Winckelmann, Werke I, Dresden 1808, S. 9.
[14] Siehe Jakob Burckhardt, Antike Kunst in der Gesamtausgabe der *Werke* Burckhardts, Band XIII, 1934, S. 134 ff.
[15] *ibid.* S. 59 ff.

Es war vor allem die sogenannte Warburgschule, eine der bedeutendsten und wirkungsreichsten modernen Traditionen der Kunstinterpretation, die eine weitreichende Umwälzung in der Vorstellung von der griechischen Kunst mit sich brachte. Schon in Warburgs Dissertation, die 1893 erschienen ist, fragt er, was eigentlich die Künstler späterer Perioden, besonders in der italienischen Renaissance, im Erbe der antiken Kunst gesucht haben.[16] Er betont jene merkwürdigen Motive, an die wir uns sowohl in der antiken als auch in der Renaissance-Kunst so sehr gewöhnt haben, daß wir sie kaum noch bemerken: den frei flatternden Haarschopf, auch wenn die dargestellte Szene ein solches Flattern gar nicht berechtigt; das mächtige, windgebauschte Gewand, auch wenn die Handlung, die gezeigt wird, nicht an den Wind erinnert; die vielen tanzenden Figuren von Mänaden, die so oft das vom Inhalt verlangte Bewegung an Maß und Heftigkeit weit überschreiten. Diese Motive wurden später von Warburg und hauptsächlich von seinen Nachfolgern "Pathosformeln" genannt.[17] Die Künstler der Renaissance und auch späterer Epochen - das war eine von Warburgs Thesen - suchten im Erbe der antiken Kunst nicht nur die Formulierung der strahlenden, harmonischen Schönheit, also des "Apollinischen", um diese bekannte Formel zu benutzen, sondern auch die Vorlagen für den Ausdruck von Schmerz, von Gewalttätigkeit, von "dionysischer" Leidenschaft. Die Betonung dieser Elemente stellt ein klares Abrücken von Winckelmanns Bild der Antike dar, von der "stillen Einfalt und edlen Ruhe", die mehr als ein Jahrhundert die Deutung der griechischen Kunst beherrscht hat. Was in Warburgs Versuch gleichsam enthalten ist, geht über eine Interpretation der Antike hinaus. Nicht nur die antike Kunst selbst versucht er neu zu sehen, sondern auch die Antikerezeption vieler Jahrhunderte, also das Verhältnis dieser Zeiten zur Antike und das Bild, das sie von ihr hatten.

Das Beispiel Warburgs zeigt, daß die Kunstforschung Teil hatte an der allgemeinen Transformation des Bildes der Antike. Es war dieselbe Tendenz, die man im Studium der Religion, der Literatur und der allgemeinen Kultur der Antike fand, die Hervorhebung der Leidenschaften und des Schmerzes, die sich auch in der Kunstbetrachtung ausdrückte.

Gilt das auch für die Kunst dieser Zeit? Wieder rufen wir Picasso zum Zeugen an. Ich will auf das vielleicht bekannteste Werk Picassos hinweisen, auf sein großes Bild *Guernica* (Abb. 2).

Picasso, Guernica (Abb. 2)

---

[16] Siehe Aby Warburg, *Sandro Botticellis "Geburt der Venus" und "Frühling"*, 1893, S. 11 ff.

[17] Der Begriff "Pathosformel" wird von Warburg in seinem 1906 gehaltenen Vortrag "Dürer und die italienische Antike" gebraucht. Siehe Warburg 1905, S. 125 ff., insb. 126.

Dieses Bild, ein zentrales Monument der Kunst des zwanzigsten Jahrhunderts, ist eines der vielschichtigsten und meist komplexen Werke der Kunstgeschichte.[18] Hier nimmt Picasso Stellung nicht nur zur Zeitgeschichte (die Bombardierung der spanischen Stadt Guernica), sondern auch zu vielen Schichten und Erinnerungen aus der Kunstgeschichte. Ich will hier nur kurz einige Beispiele für Picassos Anwendung von antiken Pathosformeln nennen und ihre Bedeutung in unserem Zusammenhang kurz umreißen.

Das allgemeine Thema des Bildes sind der Schrecken und der Tod, die die Bombardierung von Guernica mit sich brachten. Aber dieses allgemeine Thema ist in einzelne Motive gegliedert. Die wichtigsten dieser Motive sind aus dem Formelschatz der Antike genommen.

Im Vordergrund des Bildes, die unterste Schicht der ganzen rechten Halfte füllend, ist die (offenbar tote) Figur eines Kämpfers; er liegt auf dem Rücken, das Gesicht nach oben gewandt, in der Rechten ein zerbrochenes Schwert. Wir können die Gestalt nicht genau verfolgen, sie ruft aber den Eindruck einer orthogonalen Position hervor. Obwohl sie eine Waffe in der Hand hält, können wir doch nicht sagen, daß es sich um einen uniformierten Krieger handelt; die Arme, die einzigen Glieder, die klar sichtbar sind, sind nackt. Es ist eine dramatische Formel für den Ausdruck völliger und tragischer Hilfslosigkeit angesichts einer ganz überlegenen und tötenden Macht.

Dieses Audrucksmotiv, eine wahre "Pathosformel", geht eindeutig auf die Antike zurück. Es gibt eine Klasse von römisch-imperialen Denkmälern, die dieses Motiv in verschiedenen Formen und Variationen anwenden. Der unterlegene, auf dem Boden liegende (tot oder um Gnade flehend) Gegner, über den hinweg der Sieger, oft hoch zu Ross, weiter stürmt, ist natürlich in zahlreichen Variationen schon aus der hellenistischen Kunst bekannt. Ein so berühmtes Werk wie die Stele des Dexileos (Abb. 3) zeigt die bekannteste Form. Diese Figuren, die auf griechischen und römischen Denkmälern sehr zahlreich sind, liegen gewöhnlich in klarem Profil, parallel zum Bildgrund und sind oft aufgestützt.

Stele des Dexileos (Abb. 3)

[18] Anthony Blunt, *Picasso's "Guernica"*, 1969.

Weniger berühmt, aber völlig klar gestaltet ist eine andere Variation des Motivs, der Picasso in seiner Figur sehr nahe kam. Der unterlegene, offenbar schon tote Krieger liegt flach auf dem Boden, sein Gesicht nach oben gewandt, die Arme ganz ausgebreitet, die Gestalt fast nackt. Der tote Krieger liegt in orthogonaler Position, sein Leib ist in scharfer Verkürzung gesehen. Ein besonders deutliches Beispiel dieses spezifischen Motivs findet man an der Siegessäule des Marcus Aurelius (Abb. 4).[19] Moderne Forscher haben die steinartige oder gipsartige Textur des Kopfes dieser Picassofigur beobachtet;[20] was mir viel wichtiger erscheint, ist die Position der ganzen Figur und ihr Ort in der Gesamtkomposition.

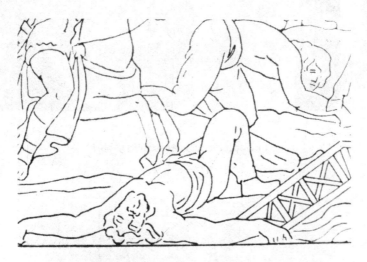

Siegessäule des Marcus Aurelius, Ausschnitt (nach Reinach, Repertoire des Reliefs) (Abb. 4)

Ein anderes Motiv, das ich hier nur kurz erwähnen möchte, sind die Gesichter mit weit offenem Mund. Der Schreckens- und Klageschrei, an dem selbst das Pferd teilnimmt, ist ja ein zentrales Thema des ganzen Werkes. Besonders eindrucksvoll ist das helle, leuchtende, vielleicht auch bleiche Gesicht der Frau, die in der vorgestreckten Hand die Lampe hält; auffallend ist hier die nicht übliche Zusammenfügung von einem schönen, edlen Gesicht und einem offenen Mund (Abb. 5).

Nun, eine solche Zusammensetzung ist wirklich in der Kunstgeschichte sehr selten, aber wir kennen sie aus einer sehr berühmten Quelle - der tragischen Theatermaske, wie sie uns aus der Antike in zahlreichen Kopien und Bearbeitungen überliefert ist. Sie wurde zu einem geprägten Motiv, dessen Bedeutung sowohl Adel als auch tragisches Schicksal war. Als einziges Beispiel will ich das bekannte Relief aus der Villa Albani in Rom nennen, das zwei Dichter darstellt, die eine weibliche tragische Maske mit geöffnetem Mund betrachten (Abb. 6).[21] Eine Verwandtschaft von Picassos Figur mit einer Maske solcher Art scheint mir deutlich zu sein. Wenn ich es recht verstehe, handelt es sich hier nicht nur um die Übernahme eines formalen Motivs (das Profil einer jungen Frau mit offenem Mund), sondern auch darum, daß Picasso hier die Sprache

---

[19] Hier abgebildet nach Salomon Reinach, *Repertoire des Reliefs Grecs et Romains*, I, Paris 1909, S. 322,1; es handelt sich um Szene 114 der Saule.

[20] Rudolf Arnheim, *The Genesis of a Painting: Picasso's Guernica*, Berkeley, 1962, S. 19; Herschel B. Chipp, *Picasso's Guernica*, Berkeley, 1988, S. 131.

[21] Siehe Reinach, *Repertoire des Reliefs*, III, S. 150.

Picasso, Guernica, Ausschnitt (Abb. 5)

Anikes Relief, Villa Albani, Rom (nach Reinach, Repertoire des Reliefs) (Abb. 6)

Noch ein Motiv, das Picassos Auseinandersetzung mit antiken Pathosformeln illustriert, soll hier gezeigt werden; es ist die Gebärde des zurückgeworfenen Kopfes als ein Ausdruck der auf das Höchste gesteigerten Emotion. In *Guernica* verwendet Picasso dieses Motiv mehrere Male. Für unsern Zweck genügt es, die klagende Mutter an der rechten Seite des Bildes näher zu betrachten (Abb. 7). Der lange, gestreckte Hals und der in scharfem Winkel zurückgeworfene Kopf haben Picasso in der Vorbereitung seines großen Bildes viel beschäftigt. Manche vorbereitende Zeichnungen zeigen das deutlich (Abb. 8).[22]

Picasso, Guernica, Ausschnitt (Abb. 7)   Picasso, Studie zu Guernica (9. Mai 1937) (Abb. 8)

Auch dieses Motiv, das in der europäischen Kunstgeschichte nicht unbekannt ist, geht letzten Endes auf die Antike zurück; wie der geöffnete Mund ist es fast zu einer Signatur geworden für den Einbruch antiker Vorstellungen in die Kunst späterer Epochen. In der griechischen und römischen Kunst finden wir dieses Motiv fast ausschließlich in der Darstellung von rasenden Mänaden; es ist also eine Formel für gesteigerte Leidenschaft, für Wahnsinn geworden, aber es konnte auch für die Darstellung des Sterbens angewandt werden. Vielleicht das bekannteste antike Beispiel ist die rasende Mänade auf einer Münchner Vase, Kleophrades zugeschrieben (Abb. 9). Die Mänade in dieser Haltung hat ein sehr reiches Nachleben.

---

[22] Die hier abgebildete Zeichnung ist vom 9. Mai 1937 datiert. Man vergleiche aber auch die Zeichnung vom 13. Mai 1937, die eine weitere Entwicklung desselben Motivs zeigt.

Kleophradesmaler, Vase, München (Abb. 9)

Sieht man sich Picassos klagende Figur (Abb. 7) genauer an, so kann man nicht umhin, die Verwandtschaft des modernen Künstlers mit der antiken Tradition zu bemerken. Dieses Motiv gesteigerter Bewegung wird hier ausschließlich zur Klagegebärde. Picasso wie auch manche anderen antiken Künstler sehen von den anatomischen Möglichkeiten der Körperbewegung völlig ab; Picasso fragt nicht, wie so viele Generationen, die mit dem antiken Erbe vertraut waren, es getan haben, ob ein lebendiger Körper eine so scharfe Bewegung in der Tat durchführen kann. Sowohl in der antiken Tradition als auch bei Picasso ist es nur der Ausdruck des Leidens und der Leidenschaft, der die Formen bestimmt. Wieder muß man sagen, daß es sich hier nicht nur um die Übernahme eines isolierten Motivs handelt. Picasso spricht hier in einer antiken Formensprache.

Das Beispiel von Picassos Guernica zeigt, daß auch in der Kunst unserer Zeit die kreative Auseinandersetzung mit der Antike nicht unterbrochen wurde. Es handelt sich hier nicht um die Frage, ob die moderne Kunst im Erbe der Antike Vorbilder gesucht und gefunden hat (das hat ja die Kunst aller Zeiten getan), sondern vielmehr um die Art und den Charakter der Motive und Formen, die sie aus dem Schatzhaus der Antike hervorholte. Die Künstler unseres Jahrhunderts haben im antiken Erbe nach bestimmten Motiven und Ausdrucksformeln gesucht, vor allem nach den Formeln für Schmerz und Verzweiflung. Das sind wahre "Pathosformeln". Hier zeigt sich nicht nur, daß Picasso und Warburg Zeitgenossen sind, daß die künstlerische Auseinandersetzung mit dem klassischen Erbe und die intellektuelle Interpretation der Antike in unserem Jahrhundert eine tiefe Gemeinsamkeit haben; es zeigt sich auch, daß schöpferische Kunst und intellektuelle Erfassung teilnehmen an der neuen Vorstellung von der Antike, die für das zwanzigste Jahrhundert charakteristisch ist.

Antike heute? Das Berliner Kulturforum von Hans Hollein

von

Karin Wilhelm

Antike findet in der bildenden Kunst und Architektur unserer Tage wieder als Stilzitat statt. Dieser Tatbestand ist in der Geschichte der Künste nun keineswegs neuartig. "Jede Epoche", so liest man im Ausstellungskatalog "Berlin und die Antike" 1979, "fast jede Generation hat ihre eigene Sicht der griechischen und römischen Antike."[1] Und so kennt die Kunst- und Baugeschichte in ihren fein säuberlich getrennten Stilepochen, die der griechischen Antike folgten, deren römische Variante und stets auch deren Renaissancen, Klassizismen und Neoklassizismen, mithin antikisierende Formen, die im je aktuellen Kleide Antike neu beschworen haben. Antike bleibt derart, ob affirmiert oder kritisch verworfen, anerkannte Folie, vor der die bildenden Künste wie die Baukunst die Wahl ihrer Themen, Mittel und Darstellungsformen reflektierten, ja ihre Geschichte und ihren Schönheitssinn erst in ihrem Spiegel offenbarten. "Antike heute" bedeutet in den Erscheinungsformen postmoderner Bildnerei und Architektur aber nicht die Rückkehr eines durch den Modernisierungsprozeß verdrängten, unschuldigen Antikenrepertoirs. Vielmehr bedient sich die postmoderne Baukunst programmatisch aller Antikenvarianten, einschließlich jener, die die klassische Moderne in konstruktiver Hinsicht ausgeprägt hat, aber, das sei betont, zumeist als Fragment und Bruchstück.

Ich schicke diesen Tatbestand voraus, weil wir die Frage nach einer postmodernen Antike und ihrer Spezifik solange nicht ernsthaft beantworten können, wie es uns nicht gelingt, die postmoderne Architekturästhetik von ihrem selbstgesetzten Verdikt zu trennen, die Architektur der klassischen Moderne, also Bauten von Adolf Loos, Le Corbusier oder Ludwig Mies van der Rohe, seien vollkommen traditionslos, bloß modernistisch gewesen und als ökonomisierte Produkte technischer Phantasie anzusehen.

Ein derartiges Zerrbild moderner Architekturen, wie es schon in den dreißiger Jahren im zunächst gutgemeinten Begriff des "International Style" zutage trat und welche, mit dem Etikett "Funktionalismus" versehen, zur Homogenität gepreßt worden waren, mochte dem postmodernen Selbstverständigungsprozeß durchaus nützlich sein. Der nachmodernen Bauentwicklung von New Orleans bis Rom, von Paris bis Frankfurt am Main und Berlin, verhalf es wirkungsvoll zur Legitimität. Der vielbehauptete Paradigmenwechsel, der die Rückgewinnung der Geschichtlichkeit für sich verbuchte und damit die antike und antikisierende Architektur und deren Würdeformen, die Säulen, Tempelgiebel, Gebälke und Ornamentdetails aus ihrer Verbannung durch modernes Bauen zu erlösen trachtete, hat aber nur bedingt und äußerlich Bestand.

Es bleibt unbezweifelt, daß die Ergebnisse, die Architekten einst und jetzt aus der Beschäftigung mit der Antike entwickelt haben, einander wahrlich widerstreben. Während die modernen Architekten aus der Antikenrezeption die Ablehnung der nachahmenden Stilformen begründet haben, so ihre postmodernen Enkel im Gegenzuge deren Wiederbelebung. Wie aber läßt sich diese Umwertung erklären?

Für die Ausprägung der modernen Avantgarde-Architektur hat das 1922 erschienene Buch des Schweizer Architekten Le Corbusier "Vers une Architecture"[2] eine außerordentliche Rolle gespielt. Knapp fünfzig Jahre später sollte das Buch des Amerikanischen Architekten Robert Venturi "Complexity and Contradiction in Architecture"[3] für die Programmatik der postmodernen

---

[1] Wolfram Hoepfner/Volker Michael Strocka, Einführing, in: Berlin und die Antike, Katalog, Ausstellung Berlin 1979, S. 13

[2] Le Corbusier, Vers Une Architecture, 1922. Dt.: Ausblick auf eine Architektur, Gütersloh/Berlin 1969

[3] Robert Venturi, Complexity and Contradiction in Architecture, New York 1966. Dt.: Komplexität und Widerspruch in der Architektur, Braunschweig 1978

Abkehr vom Formenkanon jener Avantgarde eine ebenso große Bedeutung erlangen. Beide Programmschriften konstruierten ihre neue Architektur-Ästhetik aus der Anschauung antiker Bauten, beide, Le Corbusier und Robert Venturi, haben sich ihre Argumentationen im Stadtraum Roms erschritten. Das ist ihr gemeinsamer Ausgangspunkt und zugleich ihre einzige Gemeinsamkeit.

Für Le Corbusier war die Stadt in ihrer bauhistorischen Vielfalt vor allem ein Lernort, an dem sich Architekten schulen konnten, um aus vielen unterschiedlichen Antikenvariationen jene Elemente zu aktivieren, die für eine moderne, authentische Architektur-Entwicklung nach wie vor Geltung hätten. Selbstverständlich zeigte sich Le Corbusier beeindruckt vom antiken Rom, näher jedoch war ihm der Byzantinismus der Stadt, in dem er Griechenland weiterwirken sah und den so bewunderten Sinn der Griechen für, wie er schrieb, "Beziehungen und Mathematik"[4]. Das Rom der Renaissance, das des Barock,war ihm verhaßt, nur Michelangelo fand seine Hochachtung, seiner "gigantischen Geometrie" wegen, die, mit Leidenschaft und Pathos gepaart, das "Drama Architektur" eröffnet hätte. "Die Baumasse als Ganzes ist eine einzige ergreifende Neuheit im Wörterbuch der Architektur"[5], so schrieb er, und dieses neue Wort hatte man, wir staunen, dem Genius des Manierismus der Architektur zu danken. Le Corbusiers' Liebe für Baumassen und Bauformen, sein Rationalismus, erschlossen ihm diese Spielart des Antiken, wie die "Lehre" des Antiken selbst. Er entnahm sie der römischen Baukunst mit einem der maschinellen Präzision und Konstruktion verfallenen Blick. "Das Wort 'römisch' hat einen tiefen Sinn. Einheit im Verfahren, Kraft der Intention, Klassifizierung der einzelnen Bauelemente. Die ungeheuren Kuppeln, die Tamburs, die sie abstützen, die mächtigen Gewölbebögen, alles das hält mit römischem Mörtel und bleibt Gegenstand der Bewunderung. Es waren wirklich Unternehmer großen Stils. Kraft der Intention, Klassifizierung der Bauelemente beweisen eine ganz bestimmte geistige Haltung: Strategie, Gesetzgebung. Die Baukunst ist für solche Absichten empfänglich; sie zeigt sich erkenntlich. Das Licht umschmeichelt die reinen Formen: sie leben. Die einfachen Baukörper enthalten riesige Flächen, die ausgeprägten mannigfaltigen Charakter zeigen, je nachdem, ob es sich um Kuppeln, Gewölbe, Zylinder, rechtwinklige Prismen oder um Pyramiden handelt. Die Dekoration der Außenflächen folgt dem gleichen geometrischen Prinzip. Pantheon, Kollosseum, Aquädukte, Cestius-Pyramide, Triumphbogen, Konstantins-Basilika, Thermen des Caracalla. Keine Phrasen, dafür Ordnung, Einheit der Idee, Kühnheit und Einheit der Konstruktion, Verwendung der elementaren Körperformen. Eine gesunde Ethik. Übernehmen wir neue 'Römer' doch den römischen Backstein, den römischen Mörtel und den Travertinstein - und verkaufen wir den Milliardären den römischen Marmor."[6]

Die Reduktion des bauhistorischen Befunds auf elementare Körperformen, das Herausdestillieren geometrischer und stereometrischer Grundformen aus dem jeweiligen Bautypus, der in seinen Fassadenbildern über konkrete Gebäudefunktionen und Repräsentanzen berichtet hatte, die enthistorisierende Formenabstraktion bildete den Brückenschlag zur Architektur des antiken Rom. Diese Sicht nahm nicht allein Le Corbusier ein, viele Architekten der Moderne folgten ihm darin. Die vielfältige Rede der einzelnen Architektur- und Schmuckformen jedoch, die Erzählungen aus Säulen, Pilastern, Eierstäben und Akanthusblättern komponiert, verflüchtigten sich vor dieser Elemtargeometrie. Sie mochten nun dem mediokren Repräsentationsbedürfnis dienend zustehen; und tatsächlich ist der Marmor oder Wandschmuck Pompejis durch postmoderne Architekten in amerikanischen Milliardärsvillen unserer Tage wieder aufgetaucht. Le Corbusier jedenfalls besetzte diese gewonnene Leere mit der irdenen Ethik der Kargheit, deren Vorbild und Meisterwerk er im griechischen Tempel, auf der Akropolis, im Parthenon gebildet sah. Ein Bild reiner, autonomer Architektur des Geistes, das seine, wie er bekannte, "Seele" an-

---

[4] op. cit. Anm. 2, S. 124

[5] op. cit. Anm. 2, S. 128

[6] op. cit. Anm. 2, S. 123

rührte[7]. "Von hier aus", so schrieb er, "wird eine Begriffsbestimmung der Harmonie möglich: Moment der Übereinstimmung mit der Achse, die im Menschen ruht, also Übereinstimmung mit den Gesetzen des Universums, Rückkehr zur Weltordnung, wenn man vor dem Parthenontempel stehen bleibt, so deshalb, weil sein Anblick eine innere Saite in uns zum Klingen bringt; die Achse wird berührt, die Dinge der Natur und die Werke der Berechnung sind klar gestaltet; sie sind ohne jede Zweideutigkeit aufgebaut. Man kann ihre Harmonie klar erkennen, klar lesen, erfahren und spüren. Ich halte fest: Das Kunstwerk muß klar formuliert werden."[8]

Dieser Forderung nach klarer Formulierung, nach struktureller Eindeutigkeit wird Venturi später seine Gegenposition der Vieldeutigkeit entgegenhalten. Wir aber entdecken vorerst den Erben Winckelanns: Le Corbusiers Sehnsucht nach der "stillen Größe" und die humanistische Vision von Griechenlands Mündigkeit, die Goethe einst staunen ließ. Die moderne Seele hatte Griechenland gesucht, doch was sie fand, war, wie einst Athena, dem Kopf entsprungen. "Leidenschaft, Großzügigkeit, Seelengröße", so Le Corbusier über die Tempel der Akropolis, "wie viele solcher Tugenden haben sich in der Geometrie der Durchformung niedergeschlagen; Größen, die in präzise Beziehungen miteinander gebracht sind. Die Sinne werden gebannt, der Geist wird entzückt. Es handelt sich keineswegs um religiöse Dogmen, um symbolische Beschreibung, um natürliche Darstellung: Es sind lediglich reine Formen, in präzise Beziehungen miteinander gebracht."[9]

Geometrische Klarheit, baukörperliche Einheit und proportionale Harmonie wehten aus dem gezügelten appolinischen Hellenismus als Prinzipien einer neu zu denkenden Architekturstruktur, als während Prinzipien der Baukunst in die Moderne. Die Villa Erazuris, die Le Corbusier 1930 in Chile bauen konnte, zeigt diese Übertragung arkadischer Gelüste in nuce, Natur und Architektur vollenden einander. Es war also nicht der Bautypus, die Säule oder das Dekorum, nicht das historisch präzise Stilzitat mit der historischen Beweiskraft archäologischen Wissens, die Beständigkeit erhielten, kein: "Es war einmal". (Walter Benjamin).

An dem aber, was einmal war, knüpfte Venturi an. Er hat die Straßen und Plätze Roms nicht in Richtung Hellas verlassen, ihn fesselten die manieristischen Rätsel und barocken Verklärungen im römischen Stadtbild. Sein Blick verfing sich gleichermaßen im historischen Beieinander historischer Bauformen wie in der Komplexität und Vielfalt der architektonischen Symbole. Venturi zog seine Konsequenzen und formulierte: "Le Corbusier, der Mitbegründer des modernen Purismus, sprach von den 'großen ursprünglichen Formen', die, wie er verkündete, bestimmt und ohne alle Fehldeutigkeit seien. Von wenigen abgesehen, vermieden alle modernen Architekten das Vieldeutige."[10] Und er folgerte: "Eine Architektur der Komplexität und des Widerspruchs muß eher eine Verwirklichung der schwer erreichbaren Einheit im Mannigfachen sein als die leicht reproduzierbare Einheitlichkeit durch die Illumination des Mannigfachen."[11]

Die Rückgewinnung des Mannigfachen war hier aus der Akzeptanz aller in italienischen Stadtbildern, vorzugsweise dem römischen, aufgefundenen Bau- und Stilformen postuliert. Rom fungierte nicht länger als Lernort für Architekten, an dem sie gute und schlecht gelöste Bauten zu unterscheiden lernten, die Stadt in ihrer Gesamtheit, in ihrer komplexen historisch gewachsenen Widersprüchlichkeit, ihre Baugeschichte von der Antike bis in die Gegenwart hinein wurde zum Vorbild erklärt. Damit hatte Venturi letztlich die Tür, die die moderne Architektur nun in der Tat geschlossen hatte, geöffnet. Sie führte in die Geschichte der Architektur zurück, die in ihrer Typologie und ihren bauplastischen Schmuckformen abrufbar wurde.

Dies jedoch sollte nicht willkürlich geschehen, sondern hatte die historisch gewachsene Topo-

---

[7] op. cit. Anm. 2, S. 151

[8] op. cit. Anm. 2, S. 153

[9] op. cit. Anm. 2, S. 161

[10] op. cit. Anm. 3, S. 25

[11] op. cit. Anm. 3, S. 24

graphie zu berücksichtigen. Das meinte die Forderung Aldo Rossis, nach der, wie er es nannte, "Analogie des Ortes". Darin begriffen war ein weiterer zentraler Topos postmoderner Architekturtheorie, der Begriff des Archetypus, vom Italiener Paolo Portoghesi propagiert. Portoghesi faßte darin ebenso die Urbilder der Architektur, die Höhle, die Hütte, den Turm, das Tor usw., wie die geometrischen und stereometrischen Grundfiguren. Deren neuerliche Aneinanderbindung erlaubte es nun im Umkehrschluß, die abstrakte Geometrie der Avantgarde-Architektur zu resemantisieren, die Elementargeometrie in eine Bedeutungsgeometrie zu verwandeln. Portoghesi hat diesen Vorgang 1982 beschrieben: "Der Archetyp der Säule ist der Zylinder. Das Giebelfeld und das Walmdach gehen auf eine nicht weniger elementare Form zurück, auf das Prisma, das ein gleichseitiges Dreieck als Basis hat. Das Fenster findet im Quadrat, bei dem keine der beiden Seiten vorwiegt, sein eigenes, autonomes Gleichgewicht und das Maximum an Einfachheit. In diesem geometrischen Identifikationsprozeß wird die Kuppel zur Halbkugel oder zur Pyramide, und die Mauer formt Trennwände."[12]

Das war wahrlich postmodern gedacht, nicht mehr modern und auch nicht historistisch, nicht als ein entweder geometrischer oder stilgeschichtlicher Archetypus, sondern als deren Verschmelzung, worin sich wie in einem Vexierbild dem Betrachter einmal der geometrische Archetypus, ein andermal seine historische Bedeutungsform offenbaren mochte. Dieses Theoriegeflecht eröffnete die Baukunst in ihrer Gesamtheit, nicht nur die der Antike, die Corbusier einst wertete, und im Kontext des hellenistischen Ideals strukturell zu neuem Leben weckte. Jetzt stand vielmehr Antike in allen ihren Ausformungen wertfrei zur Verfügung, die antiken Originale ebenso wie die Abgüsse und Umformungen in der Baugeschichte, ihre Renaissancen, Klassizismen, Neoklassizismen, auch die im Nazideutschland dann gepflegten, der Klassizismus Albert Speers und Ludwig Troosts.

Diesem Prozeß hat der Architekt Leon Krier 1985, zur Zeit der Historikerdebatte, in seinem Buch über den seiner Meinung nach "bedeutendsten Architekten des 20. Jahrhunderts"[13], Albert Speer, mit bemerkenswerter Unbedarftheit Gestalt gegeben. "Architektur und Schicksal" lautete der bedeutungsschwangere Titel einer darin publizierten Zeichnung, worin Krier die Vorbehalte gegen neoklassizistische Architekturformen nach 1945 schlicht als unsinniges Rückgriff-Verbot einer unzulässigen "Gesinnungsästhetik" denunzierte - ein Begriff, den ich der Debatte um die Redlichkeit der Christa Wolf entlehne. Kriers visuelle Argumentation liest sich ebenso schlicht wie dümmlich in etwa so: Jahrtausende lang haben wir es in den architektonischen Archetypen, hier der dorischen Säule, mit schönen und guten Ideen zu tun gehabt. Allein ihre - gemessen an den Jahrtausenden zuvor - lächerlich kurze zwölfjährige Verwendung als "Naziidee" habe sie offenbar derart korrumpiert, daß jene Gesinnungsästheten zum Verbot der Säule in der Architektur und letztlich der antikisierenden Bautraditionen in ihrer Gesamtheit gegriffen hätten; dabei sich blind zeigend vor dem Tatbestand, daß sie als Archetypen sind und bleiben, was sie immer waren: unschuldige Urbilder der Baukunst, was immer man auch ihnen angetan.

Diese Negation der konkreten Geschichtlichkeit von Kunstformen, die sich aber allein darin realisierenden und interpretierbaren Bedeutungen, ist ein Grundzug der postmodernen Bauauffassung und ihrer theoretischen Begründung. "Je größer ein Werk", schrieb Max Horkheimer, "umso tiefer verwurzelt es in der konkreten historischen Situation."[14] Aus diesem Kontext aber hat sich postmodernes Bauen durch einen Widerspruch herausgestohlen: Mit der augenscheinlichen Wiederbelebung vergangenen ästhetischen Materials wurde das, was sich daran als historische Besonderheit ereignet hatte, die inkorporierte historische Semantik, abgestoßen. Unsere Augen sehen Baugeschichte, unsere Erfahrung mit ihr wird dupiert.

Denn was sehen wir und erleben wir in jener Ferienstadtplanung von 1987 für Teneriffa, die ihr

---

[12] Paolo Portoghesi, Ausklang der modernen Architektur, Zürich/München 1982, S. 145

[13] Leon Krier (Hrsg.), Albert Speer. Architecture 1932-1942, Bruxelles 1985, S. 217 (Übersetzung: K.W.)

[14] Max Horkheimer, Philosophie als Kulturkritik, in: Sozialphilosophische Studien, Frankfurt/M. 1981, S. 96

Entwerfer Leon Krier beziehungsreich "Atlantis" nannte? (Abb. 1) Ein Imitat antiker Städte und ein Stilgemisch griechisch-römischer Bautraditionen mit deutlich imperialem Gestus. Und was Mitte des 18. Jahrhunderts davon im Bruchstück registriert worden war, Fragmente einer Kolossalstatue des Kaisers Konstantin aus dem 4. nachchristlichen Jahrhundert, erscheint nach mehr als 200 Jahren im sogenannten Atrium-Karree auf Teneriffa als wiederhergestellter Fingerzeig , dem die Risse und Sprünge, die die Geschichte an ihm hinterließ, wie durch ein Wunder nicht mehr anhaften. (Abb. 2) Kulturindustrielle Vermarktung vollbringt diese wundersame Heilung , denn der Fingerabguß Konstantins hat seinen Platz vor jenen Wandinschriften mit den Namen der Kapitaleigner, die hier weihevoll als Stifter fungieren. Noch einmal begegnen wir dem Epigonentum, das schon das 19. Jahrhundert im Historismus geboren hatte und von dem Ernst Bloch bemerkte, daß der Historismus vornehm liefere, was das Kapital interessiert verlange und "kulturpädagogisch" verbreite: "...er liefert den kleinbürgerlichen Massen in ihre gebildete Mußezeit die gelähmte Muse, den nicht fernhintreffenden Appollo. Der Historismus glaubte einen Hegel als Vorläufer zu haben, doch gerade Hegel wandte sich a limine gegen dieses Museum der Entfremdung, mit selber Entfremdeten als Fremdenführern ... Wirklich, nämlich selber geschichtsbildend erfahrene Geschichte liefert kein Erbe zum Erbbegräbnis ihrer selbst oder zum kontemplativen Sonntagsraum. Sie ist vielmehr, nach Ludwig Börnes vortrefflichem Gleichnis, ein Haus, das mehr Treppen als Zimmer hat, sie gleicht eher einer unfertigen Vorstadt als einem numerierten Ruinenfeld ..."[15].

Leon Krier, Atlantis. Ansicht von Osten und Schnitt durch das Theater, 1986/87 (Abb. 1)

Leon Krier, Atlantis. Atrium-Carree. In den Seitenwänden sind die Namen der Stifter zu sehen (Abb. 2)

---

[15] Ernst Bloch, Das Prinzip Hoffnung, Bd. 2, Frankfurt/M. 1976, S. 1070 f

So scheint sich diesem postmodernen, durchnumerierten Sonntagsraum des Leon Krier, das unschuldig Kindliche in Gestalt des kleinen Mädchens aus Alices-Wunderland-Zeit - der Zeichnung als Sehnsuchtsmetapher nach ursprünglicher Reinheit der Antike eingewoben - zu entwinden. "Eine der wirksamsten Verfremdungen jeder Öffentlichkeit ist das Hereinbrechen von Kindern,"[16] schrieben Oskar Negt und Alexander Kluge 1977 in "Öffentlichkeit und Erfahrung". Kriers versteinerter Stadtraum entdeckt seine Starrheit ganz ungewollt im Gegenbild der kindlichen Gebärde. Wir erkennen die Versteinerungsobsessionen eines manisch Erwachsenen, der sich mit imperialem Machtgestus umgibt und diesen zugleich exekutiert. Das Lebendige, auch das der Geschichte, wird so vor aller Augen ausgetrieben. Das Mädchen wird diesen Platzraum bald verlassen.

Dem Eklektizismus Krierscher Provenienz und der Wiederbelebung historischer Stilsysteme begegnen wir im Entwurf des Wiener Architekten Hans Hollein für das Kulturforum im ehemaligen Westberlin im Tiergarten aus dem Jahre 1983 nicht wieder. Sehr wohl einigen Archetypen der Baukunst wie der Säule beispielsweise, die als Signum der antiken Baukunst und ihrer Rezeption auf besondere Liebe postmoderner Architekten stieß. Ihre Rückkehr kündigte sich zunächst ganz leichtfüßig und eher unernst an. Bernhard Schneider ließ sie 1975 mit einem amerikanischen Straßenkreuzer einfahren oder auf Stöckelschuhen dahertrippeln; ganz ähnlich hatte einst die Dada-Künstlerin Hannah Höch die Säulenkultur als Bildungsgut ironisch verabschiedet. 1980 nahm sich auch Hans Hollein der Säule an. Mit dem bitteren Witz, der Wienern unterstellt wird, zeigte er auf der "Mostra" in Venedig zum Titel "Strada Novissima" eine Säulenfront von einem blauen Neonbogen überfangen. Seine Straßenfassade präsentierte die Säule aber nicht in ihrer seit der Antike gültigen Stillage als Dorische, Ionische, Korinthische oder römische Kompositordnung, sondern in ihrem historischen Gebrauch und Verschleiß, der sich seit Anfang des 18. Jahrhunderts an ihr nachweisen läßt: als Stütze, ruinöser Säulenhals, als vom Blattwerk der Natur romantisierend zurückgewonnenes Kulturgut und als Bürohochhausprojekt auf einem Kubus, das sich in eben dieser Gestalt der Modernist und Wiener Adolf Loos 1922 für die Chicago Tribune ausgedacht hatte.

Diesen ironischen Duktus zur Geschichte der Säule hat sich Hollein in den Realprojekten später verboten (Abb. 3). Im Kulturforum gewinnt die Säule denn auch an historischer Genauigkeit: als Arkade oder Platzraumbegrenzung reiht sie sich in gewachsene Typologien ein, um in der Verwendung als Triumphsäule nun klar und völlig unironisch die Idee des Forums in ihrer Interpretation der Nachmoderne bloßzulegen.

Kulturforum in Berlin. Situationsplan 1983/87 (Abb. 3)

---

[16] Oskar Negt/Alexander Kluge, Öffentlichkeit und Erfahrung. Zur Organisationsanalyse von bürgerlicher und proletarischer Öffentlichkeit, Frankfurt/M. 1974, S. 464

Bevor wir allerdings eine genauere ikonographische Analyse dieses Sachverhaltes wagen, müssen wir uns kurz die bauhistorische Genese des Kulturforums verdeutlichen. Die politischen Konsequenzen des verlorenen Zweiten Weltkrieges waren für das Berliner Stadtbild besonders weitreichend; die Ost-West-Alternative, die Konkurrenz zweier Systeme drückte sich nach 1945 dem Bild der Stadt nachhaltig ein. Wir besitzen deshalb jenes Provisorium, das halbfertige Kulturforum auf dem Gebiet zwischen der Tiergartenstraße, dem Kemperplatz, der Potsdamer Straße, Stauffenbergstraße und dem Landwehrkanal, das einst als Gegenpol zur Museumsinselbebauung in der Spree gedacht war. Die ursprüngliche Planung zu diesem neuen Museumskomplex stammte von einem der Avantgardisten der 20er Jahre in Deutschland, Hans Scharoun, der dieses Areal seit 1959 für diese Nutzung vorgeschlagen hatte. Seine Pläne wurden jedoch nur zögerlich umgesetzt. Hollein fand daher bei der Ausschreibung eines neuen Ideenwettbewerbes "Zur Revisionsbedürftigkeit" dieses Gebietes 1982 folgende Gebäude vor: die Philharmonie mit dem Musikinstrumentenmuseum und dem Kammermusiksaal; in einiger Entfernung, jedoch in Sichtweite dazu die 1969 eingeweihte Nationalgalerie des alten Scharoun-Kollegen Ludwig Mies van der Rohe; schräg gegenüber, jenseits der großen, viel befahrenen Nord-Süd-Verbindung an der Potsdamer Straße Scharouns 1978 fertiggestellte Staatsbibliothek; schließlich ein Relikt aus der Mitte des 19. Jahrhunderts, die Matthäus-Kirche, ein kleines Juwel, erbaut nach den Plänen des Schinkel-Schülers Friedrich August Stüler.[17] Die konzeptionelle Bestimmung als eines FORUM FÜR KULTUR stammte von Hans Scharoun. Schon er mag sich der aufklärerischen Öffentlichkeitsgeste Friedrichs II. von Preußen erinnert haben, die in der Platzraumfassung des Friedrichsforums "Unter den Linden" im 18. Jahrhundert Gestalt gewonnen hatte. Die Planung, die Scharoun entwarf, zeigte eine trapezförmige Raumeingrenzung, die "Piazza", deren Mitte und Blickpunkt die Matthäus-Kirche hätte sein sollen; die Gebäude waren ansonsten ohne Achsenbezüge im Gebiet verteilt, und es gab kein ausgewiesenes Platzzentrum. Derartige stadträumliche Repräsentationsformen fehlten diesem Projekt. Die stadträumliche Anlage präsentiert sich uns mithin als ein Konglomerat von Einzelbauten, das durchaus das Forum Romanum assoziieren läßt, wenngleich die Straßenführungen dem kontrastieren.

Bedeutsam jedoch ist weniger der Stadtraumtyp des Forums als vielmehr die im Nachkriegsdeutschland dominante Idee des politischen Forums als Institution und Prinzip einer demokratisch verfaßten Öffentlichkeit, das idealisch auf dem Selbstbestimmungswunsch aufgeklärter Individuen basierte. Scharouns Forum-Projekt entstand in dieser Atmosphäre, und wir finden darin Gedanken räumlich umgesetzt, die Scharouns Kollege Adolf Arndt in einem berühmt gewordenen Vortrag 1960 zum Diktum von der "Demokratie als Bauherr" gefaßt hat. "Weil aller durch Bauen gefügter Raum nicht mathematisch euklidischer Raum ist, nicht bloß gedachte Figur, sondern gewordener und begehbarer Zeit-Raum, geschichtlicher Raum, hat solcher Raum Richtungen und kann bei den Menschen etwas ausrichten. So gibt es politisch einen totalitären Raum, der nicht dem Menschen etwas ausrichtet, sondern der, in der Sprache der Unmenschlichkeit zu reden, den Menschen ausrichtet. Die Agora der attischen Demokratie oder das Forum des demokratischen Rom waren kaum geeignet, um Staatsfeinde den wilden Tieren vorzuwerfen, aber das Kolosseum, weil mit dem Kolossalen, dem Monströsen, dem Überdimensionierten ein Mensch zum Pawlowschen Hund gemacht werden kann. Die drohende Riesigkeit eines Bauwerks, die Leere eines gewaltigen Aufmarschgeländes, die Ermüdung durch die Eintönigkeit einer endlosen Straße, einer Achse, können den Menschen aus dem Gleichgewicht bringen und sollen es nach dem Wunsch der Machthaber, die einen im durchbohrenden Gefühl seines Nichts machbaren Menschen brauchen".[18]

---

[17] Auf die Folgebauten, die das Berliner Architekturbüro Rolf Gutbrod ausgeführt hat, kann an dieser Stelle nicht eingegangen werden.

[18] Adolf Arndt, Demokratie als Bauherr, in: Anmerkungen zur Zeit. Schriftenreihe der Akademie der Künste Berlin, Berlin 1961, S. 14

Aus ethisch orientierter Ästhetik konzipierte Scharoun eine nur punktuell definierte offene Raumstruktur an jenem Ort, wo nach dem Willen Adolf Hitlers und seines Geschmacksverwerters Albert Speer die große Nord-Süd-Achse als Pracht- und Aufmarschstraße samt "Rundem Platz" in klassizistisch imperialer Gestaltung und imperialisch mythischem Dekorum dem Ornament der Masse stadträumlich Folie geben sollte. Es kann an dieser Stelle auf die daraus resultierenden formal-ästhetischen Entscheidungen, die Scharouns Forum-Konzept prägten, nicht näher eingegangen werden. Es bleibt jedoch festzuhalten, daß er sowohl im Stadtraum wie im einzelnen Gebäude antike Traditionen, die Le Corbusier und mit ihm Mies van der Rohe im Hellenismus fanden, ablehnte. Für ihn galt nicht primär der Reiz des geometrisch Reinen, er vermaß den Raum organisch nach anthropologischen Gesichtspunkten, und darin lag in der Tat eine Art der Übergeschichtlichkeit, die postmoderne Kritiker der modernen Architektur in toto als Geschichtsverachtung vorgeworfen haben.

Für Hans Holleins Forum-Interpretation aber wurde der Bezug zur historisch gewachsenen Typologie des Forum wieder prägend. Der primäre Anknüpfungspunkt seiner Planung war Mies van der Rohes Adaptation des griechisch-antiken Tempels in Gestalt der Nationalgalerie. Für Mies galt die Dorik Attikas nach wie vor in ihrem konstruktiven Grundsatz: als System von tragender Säule und lastendem Gebälk, das er in sein skin and skeleton-Prinzip übersetzte, die Haut- und Knochensymbolik.

Hans Hollein, Kulturforum in Berlin. Modell. Vorne: Nationalgalerie, links dahinter: Mathäikirche und Bibelturm, rechts: Citykloster und Loggia, daran anschließend: Kammermusiksaal und Philharmonie (Abb. 4)

Aus dem Modul des Quadrats war das quadratische Raster des Nationalgalerie-Grundrisses entwickelt, in dem aus weiter Ferne der Tempel Salomonis nachklang. Dieser Bedeutungsstrang aber war nach 1800 durch das rationalisierende Entwurfsverfahren Jean Nicolas Durands, der die Bautypologie der Weltgeschichte enzyklopädisch vermessen und in kommensurable Größen übertragen hatte, überlagert worden. Holleins Absicht bestand nun darin, den, wie er sagte, Klassizismus Mies van der Rohes mit der Scharounschen Organik zu verbinden, "um sodann dem Gebiet einen klaren, zentralen Bezugsbereich, eine Mitte, ein Forum, einen Platz zu geben."[19] Hollein suchte also die "Analogie des Ortes", der sich hier aus zwei geradezu konträr verstehenden Architekturauffassungen bestimmte. Die Verbindung des Widersprüchli-

---

[19] Hans Hollein, Erläuterungsbericht, in: Internationales Gutachten Kulturforum. Präsentation und Entscheidung 7./8. 11. 1983, Internes Papier, S, 33

chen vollzog Hollein mit allem Feingefühl, indem er die Sichtachse zwischen der Nationalgalerie und dem Kammermusiksaal wie die ideelle Symmetrieachse des Platzes behandelte. Sie wurde zum Drehpunkt und zur Scheidelinie einer Platzgestaltung , die aus der von Mies übernommenen Rasterstruktur und einer strahlenförmig ausladenden, bewegten Form gebildet wurde. Der derart definierte zentrale Platzbereich erhielt vier Eckmarkierungen nach außen: das City-Kloster und die Matthäus-Kirche gegenüber der Nationalgalerie, den Bibelturm, sowie die Seitenwand des Loggia-Baues gegenüber der Philharmonie mit dem vorgelagerten Kammermusiksaal.

Hollein übernahm die von Scharoun entwickelte Solitärbebauung und behandelte dementsprechend die Matthäus-Kirche und die neu zu errichtenden Gebäude als selbstständige, frei in den Raum hineingestellte Einheiten, die jedoch als Einfassung und Eckpunkte auf das Platzzentrum hin gewertet wurden: So sind sie eigenständig und doch aufeinander bezogen. Der Platz erscheint derart als ein Zentrum mit ihn umgebenden Kultur- und Kultbauten, so daß diese Stadtraumfigur die Rückführung auf römisch-antike Vorbilder, auf das pompejanische Forum beispielsweise, nun deutlich evoziert und nicht, wie bei Scharoun, nur assoziieren läßt.

Hollein hat, wie wir bereits bemerkt haben, seinen auf der Grundlage der modernen Architektur basierenden Gestaltungsansatz, dem Raster und dem Solitär, mit architektonischen und bauplastischen Versatzstücken angereichert, die diesen Kontext mit Blickrichtung auf vormoderne Architekturen durchbrechen. Neben den stilisiert abstrakten Säulentrommeln, die in linearer Reihung die Platzzugänge pointieren, integrierte Hollein seinem Forum einen bauhistorisch variantenreichen Säulentypus, die Triumphsäule. Seit der Errichtung des dem Trajan geweihten Kaiserforum im ersten nachchristlichen Jahrhundert hatte dessen Triumphsäule das Vorbild unzähliger Nachbildungen abgegeben. Die Repräsentanz von Herrschaft und Größe besetzte in dieser Figur den öffentlichen Stadtraum, häufig die Mitte eines Platzes, und durch die Umwidmung geriet ihre Herrschaftssymbolik - als Mariensäule, Brückenschmuck, Siegessäule oder gar Schloßturm - in die je aktuelle Verfügbarkeit. Der Sturz der Vendome-Säule mit dem Bildnis des L'Empereur Napoleon Premier war ein lautstarker Hinweis auf die reale Kraft des unterschwellig Mächtigen gewesen.

Wen immer uns Hollein aber auf seinen Triumphsäulen zur Verehrung vergegenwärtigen wollte, deren historisch gewachsene Aura war für dieses Berliner Kulturforum reklamiert. Und wie sie in der Karlskirchenfassade (seit 1717) dem Architekten Fischer von Erlach zur Verherrlichung von Kaisertum und Reichsidee einst dienten, so einhundert Jahre später Gottfried Semper zur Darstellung von Sieg und Triumph als Formel im Dresdener Zwingerforum. Durch Semper schließlich erlebte das Forum des Trajan in Wien neuerlich Gestalt, und sein Kaiserforum (1869-1876) erläutert die politische Mission, die noch den Wiener Hollein anrührt.

Semper, der Barrikadenkämpfer von 1848, hatte seine Versöhnungsformel von Aristokratie und Bürgertum in der Verbindung der sie repräsentierenden Bauaufgaben (Bildungsbau und Herrscherpalast) gefunden. Die römisch-imperiale Antike stand Pate zu dieser befriedeten Wiener Stadtraumstruktur. Hollein konzipiert nun deren postmoderne Variante als Hinweis auf die Verbindung von bürgerlichen und repräsentativen Öffentlichkeitsstrukturen. Sein Forum schafft nicht nur Raum für ein sich zur Öffentlichkeit versammelndes, räsonierendes Publikum, wie es die auf das Innere der Gebäude konzipierten, in Grün gebetteten architektonischen "Wirkpunkte" - ein Ausdruck Scharouns - Philharmonie oder Kammermusiksaal im aktuellen Kunsterlebnis proklamieren. Bei Hollein wird der öffentliche Raum, das Forum selbst zum Kunsterlebnis, worin die Zitation bauhistorischer Figuren die Herrschaft der Kunst und Baukunst, nicht die von Personen oder Klassen proklamieren und zugleich repräsentieren. So wird, in einer Abwandlung von Jürgen Habermas, diese Herrschaft nicht nur f ü r das Publikum, sondern v o r dem Publikum mit den Insignien der Kunst-Geschichtlichkeit in Szene gesetzt.

Die Selbstrepräsentation der Kunst ist ein Thema dieses Forums, worin Antikenrezeptionen ebenso berechtigt erscheinen wie Zitationen jüngster Baukunst. Und wir entdecken auf der ideellen Symmetrieachse merkwürdigerweise eine steinerne, (vermutlich eine) Marmorwand, die

Kenner der Architektur Mies van der Rohes schnell als jene freistehende Wand entschlüsseln, die in den offenen Raumstrukturen am Ende der 20er Jahre im Pavillon zu Barcelona oder in der Villa Tugendhat zum zweckfrei autonomen Kunstgebilde avancierte und welcher wir als Signet Mies van der Rohes auch in der gut dreißig Jahre später entstandenen Nationalgalerie begegnen.

Holleins Intentionen erkennen wir jetzt als ein Spiel mit Formen gleich welcher Provenienz. Sie sind vielfach verwendbar; das déjà-vue des Bibelturms stellt sich im Projekt für das Essener Energiemuseum (1981) oder im Erweiterungsbau des Wiener Museums für angewandte Kunst ein. (Abb. 5) Unter Holleins Motto "Alles ist Architektur[20] leiht der Bibelturm seine Gestalt dem Kerzenhalter wie der Ausstellungsvitrine und letztlich auch dem Frisiertisch. (Abb. 6) Wir erkennen in der Vielfalt die Beliebigkeit, die als Hohlform mit anspielungsreicher Außenhaut Gebrauchswerte zum Tauschakt einpuppt, um uns Gebrauch nun würdevoll und mit heiliger Scheu vollziehen zu lassen.

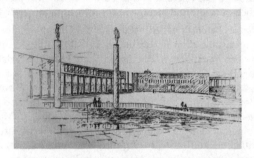

Hans Hollein, Kulturforum in Berlin. Blick auf den Platz mit dem Citykloster und der Loggia
(Abb. 5)

Hans Hollein, Erweiterungsbau für das Museum für angewandte Kunst in Wien, 1981 (Abb. 6)

Hans Hollein, Frisiertisch (MID), 1981 (Abb. 7)

---

[20] Hans Hollein, Alles ist Architektur. Eine Ausstellung zum Thema Tod, Katalog Städtisches Museum Mönchengladbach 1970

Es ist dies ein Charakteristikum der postmodernen Architektur geworden, die in allen ihren Antikenanspielungen nicht darüber hinwegtäuschen kann, daß sie derart die Dimension antiker Architekturtheorie und einen ihrer ästhetischen Leitgedanken verlassen hat, der seit Vitruvs Architekturtraktat, wenngleich modifiziert, dennoch galt: Daß das Verhältnis zwischen der Form und der Funktion eines Gebäudes nach dem Prinzip der "Angemessenheit"[21] unbedingt und regel(ge)recht zu beachten sei. Der Schmuck an Bauten, das ornamentum, war nicht beliebig handhabbar, es war hierarchisiert und bestimmten Bauaufgaben zugemessen. Deshalb waren Gebäude wie Texte les- und verstehbar. "Schicklich", wie das die Klassik nannte, sollte mit schmückenden Formen umgegangen werden, und noch die Architekten-Avantgarde der 20er Jahre forderte dieses Verhältnis in der Vorstellung einer authentischen Architektursprache gegenüber dem Historismus ein.

Hans Holleins nicht realisierter Entwurf für das Berliner Kulturforum konfrontiert uns mit den "theologischen Mucken" (Karl Marx) einer heute weitgehend überwundenen architektonischen Postmoderne. Das antike Stilzitat, auch das fragmentarisch eingesetzte, das Spiel mit solchen Motiven hat keineswegs ironische, sondern schwergliedrige Bedeutungsfelder geschaffen, die den Kontext alltäglicher Handlungs- und Erfahrungsmuster mit der Autorität Antike in scheinhafte Einmaligkeit und pompöse Größe überführen. Die Aporien der Moderne sind auf postmoderne Weise in der Architektur nur zum Schein gelöst worden. Die Besinnung auf Antikes hat derart wenig bewegt.

---

[21] Siehe dazu: Alste Horn-Oncken, Über das Schickliche. Studien zur Geschichte der Architekturtheorie, Göttingen 1967

Entstehung - Verwertung - Aneignung.
Materialien zu einer Geschichte des Pergamon-Altars
von
Thomas Beutelschmidt und Manuel Köppen

> "Als die Bildbrocken, die unter den Ablagerungen vorderasiatischen Machtwechsels vergraben gelegen hatten, ans Tageslicht kamen, waren es wieder die Überlegnen, die Aufgeklärten, die das Wertvolle zu nutzen wußten, während die Viehhüter und Nomaden, die Nachfahren der Erbauer des Tempels, von Pergamons Größe nicht mehr besaßen als Staub. Darüber aber war keine Klage zu verlieren, sagte Heilmann, denn die Verwahrung des Glanzstücks hellenistischer Kultur in einem Mausoleum der modernen Welt war dessen spurlosem Begräbnis im mysischen Geröll vorzuziehen..."
>
> Peter Weiss[1]

PROLOG

Herrscherdenkmal und Heiligtum, Weltwunder, Baumaterial, Kunstschatz, Repräsentationsobjekt, Beutegut, Touristenattraktion - der Pergamon-Altar wurde über alle Kulturepochen hinweg immer wieder interpretiert und funktionalisiert. In jüngster Zeit ist er erneut in den Blickpunkt der Öffentlichkeit gerückt. Türkische Politiker verlangen wieder einmal seine Rückführung von Berlin nach Bergama - dorthin, wo der Altar einst als weit sichtbares Prunkstück der griechischen Metropole Pergamon gestanden hat.

Heute ist die Provinzstadt Bergama mit rund 60.000 Einwohnern der geschäftige Mittelpunkt einer vorwiegend agrarisch genutzten Region, die viel von ihrem traditionell-orientalischen Gepräge bewahrt hat.[2] Von der traditionellen Landwirtschaft oder vom Handel allein können und wollen die Anwohner nicht mehr leben: der Fremdenverkehr entwickelt sich zum wichtigsten Wirtschaftsfaktor. Derzeit bringen die Ausflugsbusse in einer Saison rund 600.000 Urlauber von den Badeorten an der Küste zu einer Stippvisite auf den Burgberg. Als Dauergäste bleiben wenige, denn die Strände sind weit entfernt und die Ausgrabungsstätten auf der Akropolis oder in der näheren Umgebung scheinen nur für einen Tagesausflug attraktiv zu sein. Aber die Reiseveranstalter und die lokal Verantwortlichen wünschen sich höhere Zuwachsraten und Profite. Deshalb versucht der rührige Bürgermeister Sefa Taskin seit etwa zwei Jahren mit einer breit angelegten - und karrierewirksamen - Werbekampagne, den Pergamon-Altar zurückzuholen: "Wir fordern den Zeus-Altar, der nach Berlin geschmuggelt worden war, (...) zurück. Auch wenn unsere Forderungen noch nicht sofort Erfolg haben, werden wir auf sie nicht verzichten."[3] Und seine Analogie ist nicht ohne Witz: "Ich frage mich, was gewesen wäre, wenn irgendein osmanischer Pascha vor ein paar Jahrzehnten das Brandenburger Tor nach Bergama gebracht hätte?"[4]

---

[1] Weiss, Peter: Die Ästhetik des Widerstandes, 3 Bde. Frankfurt/Main 1975, 78 und 81, hier: Bd. I, S. 13

[2] Zu den gesellschaftlichen Entwicklungen der Region sei verwiesen auf Schmitt, Eberhard (Hg.): Türkei, Bd. 1 Politik - Ökonomie - Kultur. Berlin 1985

[3] Direktion des türkischen Presse- und Informationsamtes (Hg.): New Spot. Nachrichten aus der Türkei - Berichte und Kommentare. Ankara 15.6.1989, S. 2

[4] Heinke, Lothar: Der Pergamonaltar wie ein fliegender Teppich im "Jumbo Jet"? In: Der Tagesspiegel 29. 9. 1991, S. 13

Die Rückführungswünsche werden mit der langen Tradition Bergamas begründet, die eben nicht nur eine türkisch-islamisch geprägte Stadt sei, sondern auch die griechische, römische und seldschukische Kultur für sich in Anspruch nehmen könnte. Mit seiner Betonung der multikulturellen Geschichte steht der Sozialdemokrat innerhalb der Türkei durchaus im eher fortschrittlichen Lager und muß sich die Kritik der Fundamentalisten gefallen lassen. Die jeweils amtierende Regierung hält sich jedoch geschickt zurück: Ob Özal oder Demirel, die diplomatisch versierte Staatsführung weiß sehr wohl einzuschätzen, daß sie die Bundesrepublik als mächtigen Handelspartner, einflußreiches EG-Mitglied und bedeutendes Gastgeberland für türkische Migranten nicht allzusehr mit derart heiklen Anliegen belästigen sollte.

So sind der Regionalpolitiker und seine Klientel auf sich gestellt und versuchen zu jeder Gelegenheit, ihre Forderungen durchzusetzen: in zahlreichen Presseverlautbarungen, mit Unterschriftensammlungen durch Schulkinder[5] oder über eine Initiative der türkischen Post. Alle Auslandsbriefe sollen demnächst verschiedene Marken tragen, versehen mit dem Bild des Altars und der Aufschrift "Der Pergamon-Altar gehört uns" oder "Gebt uns den Pergamon-Altar zurück". Allerdings konnte bisher von keiner Seite die Existenz dieser kleinen Botschaftsträger bestätigt werden.[6]

Um auch hier im Gespräch zu bleiben, zog der Bürgermeister von Bergama in einem Brief an seinen Amtskollegen in Berlin-West schon im Februar 1990 Parallelen zwischen den Rückführungswünschen und dem deutsch-deutschen Vereinigungsprozeß: "Die seit Ende der 80er Jahre wehenden Demokratie- und Friedenswinde geben uns heute die Möglichkeit, für morgen - mehr als wie gewohnt - glücklich zu sein. Als die ein halbes Jahrhundert andauernden Tabus und die Mauer zusammenfielen, erhebt die Menschheit mehr Anspruch auf seine seit tausenden von Jahren vorhandenen Werte. Es ist heute unnötig zu wiederholen, daß die Trennung von Menschen und ihren völkerschaftlichen und geschichtlichen Kulturen nicht gerechtfertigt ist. In diesem Zusammenhang wünschen wir, daß diese Antiken, die als gemeinsame Erben der Menschheit gezählt werden, wieder dorthin zurückkehren, wo sie mal von ihren Wurzeln getrennt worden sind.(...) Diese neue Ära und Ihre diesbezüglichen Mühen werden durch Ihre Unterstützung unseres Wunsches noch mehr bereichert!"[7] Mit freundlichem Tenor teilte Walter Momper über den Chef der Senatskanzlei in Abstimmung mit der Kulturverwaltung und der Stiftung Preußischer Kulturbesitz seine ablehnende Haltung mit und verwies auf die Gültigkeit der damaligen Verträge zwischen dem Osmanischen Reich und dem Land Preussen.

Sefa Taskin aber gab sich damit nicht zufrieden und reiste im Sommer 1990 persönlich nach Berlin. Der unangemeldete Besuch im Pergamon-Museum führte gleich zu einer PR-trächtigen Vorstellung in der Fernsehsendung "Titel, Thesen, Temperamente" am 8.Juli - für ihn unglücklicherweise direkt nach dem national so gefeierten Sieg der bundesdeutschen Fußballprofis bei der Weltmeisterschaft in Italien. Einen starken Kontrast bot auch der spontane Auftritt im Museum. Auf den ansonsten abgesperrten Stufen der Altarrekonstruktion enthüllte die türkische Delegation plötzlich ein großes Transparent mit der Losung "Zeus Altar gehört zu Bergama -

---

[5] Sefa Taskin: "Wer am meisten zusammenbekommt, darf mit mir nach Berlin fahren, um den Altar zurückzuholen." In: Heinke, Lothar: Der Pergamonaltar...a.a.O.

[6] Antike Motive scheinen sich bei Philatelisten überhaupt einer großen Beliebtheit zu erfreuen. Präsentiert ein Land das, was es noch nicht besitzt, so ein anderes das, was ihm schon gehört: Die 20-Pfennig-Marke einer gültigen Großserie der Deutschen Bundespost schmückt das Konterfei der Nofretete mit dem Hinweis "Berlin".

[7] Unveröffentlichtes Schreiben vom 20.2.1990 der Stadtverwaltung Bergama an den Regierenden Bürgermeister von Berlin

Wir möchten es zurück", worauf die anwesenden Besucher sowohl mit Buh-Rufen als auch Klat-schen reagierten.

Die türkische Delegation mit Bürgermeister Tashkin auf den Stufen des Pergamon-Altars

An einen Erfolg solcher Aktionen mag wohl niemand ernsthaft glauben. Wie realistisch all die Rückführungswünsche selbst in der Türkei eingeschätzt werden, verdeutlichen die Geschichten der Reiseführer, die sie ihren Besuchergruppen auf dem Burgberg tagtäglich erzählen:

> "Der erste Reiseleiter der Türkei, der Fischer von Harlikarnassos hat er sich genannt, hat einen Brief geschrieben nach Deutschland, sagte, 'meine Damen und Herren, sehr verehrte Direktoren von Berlin, schauen Sie mal, hier haben wir in der Türkei so einen blauen Himmel und so ein blaues Meer. Und dieser Zeus-Altar paßt nur zu diesem blauen Meer und Himmel. Bitte schickt ihn uns zurück'. Aber er hat nur einen schönen kurzen Brief bekommen: 'Wir haben die Hinter-wand mit einer blauen Farbe bemalt. Mach Dir keine Sorgen.'"[8]

Soll der Altar der Nachwelt erhalten bleiben, dann kann er nur in einem entsprechend gestalte-ten Raum, wie ihn das Pergamon-Museum bietet, konserviert und ausgestellt werden. Im Freien, am ursprünglichen Standort, wäre das Kunstwerk auf Dauer kaum zu schützen - die Türkei müßte in ein aufwendiges Ausstellungsgebäude investieren. Als sinnvollere Lösung böte sich die Herstellung originalgetreuer Abdrücke des Frieses an, die der türkischen Seite zur Ver-fügung gestellt würden und über deren Verwendung sie dann zu entscheiden hätte: ob als Re-konstruktion auf dem Burgberg oder - wie vom Leiter des kleinen Museums der Stadt Bergama vorgeschlagen - als Fassade eines im türkischen Stil eingerichteten Cafés, in dem der Besucher von den Strapazen der Antikenbesichtigung bei einer Wasserpfeife entspannen kann...

INTERESSEN UND GESCHICHTEN

Aktualitäten wie diese Diskussion wird es vermutlich immer wieder geben[9]. Im übrigen gilt - ju-ristisch und völkerrechtlich - die damalige Ausfuhr der Altarreste auch nach heutiger Auslegung

---

[8] Transkription eines Interviews aus dem Film der Autoren: "Von Bergama nach Berlin - Die Geschichte(n) des Pergamon-Altars". Berlin 1990

[9] Als Beispiel für das Lancieren entsprechender Gerüchte sei auf eine selbst von dpa verbreitete, aber später nicht mehr bestätigte Meldung verwiesen, in der nach der Mitteilung der halbamtlichen anatolischen

durchaus als korrekt, wobei allerdings nicht die Frage beantwortet ist, inwieweit legal gleichzeitig legitim heißen muß. Schließlich wurde die türkische Seite damals nach allen Regeln der (diplomatischen) Kunst übervorteilt. Und zudem: Warum sollte nicht auch Griechenland als Sachwalter hellenistischer Kultur und ihr legitimer Erbe einschlägige Besitzansprüche geltend machen können?

Als Wissenschaftler interessierten uns all diese Fragen um die Rechtmäßigkeit eventueller Ansprüche nur am Rande. Wichtig schien uns vielmehr die Tatsache dieser bemerkenswerten Kontinuität divergierenster Interessen, die an antike Fundstücke und vornehmlich ihren Besitz geknüpft werden. Unter diesem Blick präsentiert sich die Entstehungs-, Ausgrabungs- und Rezeptionsgeschichte des Pergamon-Altars - bis heute - als geradezu "klassisches" Paradigma der Verwertung und Verwertbarkeit antiker Plastik.[10]

Als Filmemacher[11] sind wir zunächst von einem anderen Widerspruchsfeld beeindruckt worden: von Gegensätzen, die nur konkret sinnlich zu erfahren sind. Die machtvolle Inszenierung des Pergamon-Altars in der Abgeschlossenheit seines Saals im Berliner Museum mit der rekonstruierten Freitreppe und den Friesen, die den Betrachter von allen Seiten umgeben, kontrastiert unvereinbar mit dem Eindruck, den jener Besucher hat, der sich auf den Burgberg in der Türkei begibt, unter freiem Himmel die Reste des Altarfundaments betrachtet, seine Lage und Größe mit der gewaltigen Anlage der Akropolis vergleicht und den Blick dann über die weite Ebene des Kaikos-Tals schweifen läßt - zwei Erfahrungen, jede auf ihre Weise beeindruckend.

Was bleibt, ist jene Geschichten zu sammeln, deren Summe vielleicht die Geschichte des Pergamonaltars ergibt.

ZUR ENTSTEHUNGSGESCHICHTE

In der Antike zählte der römische Schriftsteller Lucius Ampelius den Altar in seinem "Buch der Denkwürdigkeiten" zu den Weltwundern. Er diente vermutlich als religiöser Opferplatz und war zugleich Denkmal für einen großen Sieg des Pergamenischen Königshauses. Das Reich wurde von außen fortwährend von tributfordernden und plündernden Keltenstämmen bedroht. Es waren Gallier bzw. Galater, die aus unseren Breiten kamen, als nomadisierende Barbaren gefürchtet wie kein anderes Volk. Im Jahr 184 v.Chr. gelang es den Truppen Eumenes II., die fremden Eindringlinge entscheidend zu schlagen und so die griechischen Siedlungsgebiete in Kleinasien vorübergehend zu sichern.[12]

Nachrichtenagentur Bundesumweltminister Töpfer sich während eines Privatbesuches in der Türkei für die Rückführung des Pergamon-Altars ausgesprochen hätte. In: Der Tagesspiegel vom 28.3.1991

[10] Hans-Joachim Schalles hat in seiner Darstellung der Geschichte des Pergamon-Altars bis zu seiner Aneignung im Nationalsozialismus zuerst auf dieses Phänomen der Verwertbarkeit aufmerksam gemacht. Ders.: Der Pergamonaltar. Zwischen Bewertung und Verwertbarkeit. Frankfurt/M. 1986

[11] In Zusammenarbeit mit der Zentraleinrichtung für Audiovisuelle Medien (ZEAM) an der FU Berlin haben wir das 43-minütige Dokumentarfeature "Von Bergama nach Berlin - Die Geschichte(n) des Pergamon-Altars" mit heutigen Aufnahmen vom Burgberg bei Bergama und im Berliner Museumsraum, historischen Film- und Bilddokumenten aus dem Berliner Antikenmuseum, der Kunstbibliothek und der Antikensammlung, dem Pergamonmuseum, dem Bundesarchiv und der Landesbildstelle Berlin produziert. Ferner wurden integriert: Interviews mit Archäologen, Fremdenführern, dem Bürgermeister wie dem Museumsleiter der türkischen Stadt Bergama; Dokumente wie Briefe und Grabungsberichte von Carl Humann; Zeitungsausschnitte; literarische Verarbeitungen wie bei Peter Weiss. Der Film wurde im Rahmen der 3. Programme der ARD mehrmals ausgestrahlt und kann über die Autoren bezogen werden: T.B./ M.K., Bergmannstr. 31 in 1000 Berlin 61

[12] Näheres über die Geschichte Pergamons siehe Rostovtzeff, Michael: Gesellschafts-und Wirtschaftsgeschichte der Hellenistischen Welt, Bd. 1. Darmstadt 1955, S. 434 - 444

Ansicht der rekonstruierten Freitreppe im Pergamonmuseum, Berlin

Blick auf das Altarfundament, Bergama

Nach antiker Vorstellung war ein solcher Erfolg nur mit Hilfe der Götter möglich. Ihnen zum Dank wurde der Altar in Auftrag gegeben und nach heutigen Erkenntnissen wohl um 159 v.Chr. Zeus und Athena geweiht. Alle diese Annahmen und Interpretationen stützen sich auf recht eindeutige Anhaltspunkte und Forschungsergebnisse, können aber nicht als vollkommen gesichert gelten.

Die schon für damalige Verhältnisse überdimensionale Kultstätte entsprach in ihrer Gesamtform der ionischen Bautradition und stand kompositorisch in enger Beziehung zu den übrigen Großbauten auf der Akropolis.[13] Der fast quadratische Altar mit einer Seitenlänge von rund 35 und einer Gesamthöhe von fast 10 Metern erhob sich frei auf einer für ihn angelegten Terrasse unterhalb des Athena-Heiligtums. Auf einem mehrstufigen Sockel ruhte ein mächtiger Unterbau, an der Westseite durch eine 20 Meter breite Treppe unterbrochen. Sie führte zum eigentlichen Altarhof und Opferplatz, der von einer ionischen Säulenhalle umgeben wurde. Das Entscheidende an diesem Monument war sein Fries aus Marmor, ein 120 Meter langes Hochrelief, das den gesamten Bau umspannte.

Maßstäbliche Simulation der Altaranlage auf dem Burgberg. Computergrafik aus dem Film "Von Bergama nach Berlin".

Mit der vorgeschriebenen Ausrichtung des Altars nach Osten konnte der heilige Bezirk nur von der Rückseite her betreten werden, an der die Hauptstraße der Oberstadt vorbeiführte. Die Festgemeinde war also gezwungen, das Gebäude mit Blick auf den Fries zu umschreiten, um nach vorn zum Eingang zu gelangen und den Opferzeremonien der Priester und Würdenträger beizuwohnen.

Das Relief beeindruckt bis heute durch seine Intensität, Plastizität und die Perfektion der künstlerischen und handwerklichen Arbeit.[14] Die dargestellten Gestalten scheinen sich frei vor dem Hintergrund zu bewegen. An der Ausführung waren mehrere Bildhauer verschiedener Werkstätten aus ganz Griechenland unter Leitung eines nicht überlieferten Meisters beteiligt. Kunstgeschichtlich ist dieses Werk dem nachklassischen Stil der hellenistischen Plastik zuzuordnen, der nicht mehr die in der neuzeitlichen Antikenrezeption seit Winckelmann so hoch bewertete "stumme Größe" verkörpert - eine Idealisierung stilistischer Geschlossenheit und Erhabenheit -, sondern mit gesteigerten dramatischen Effekten und theatralischen Posen arbeitet, die manieristische Züge tragen.

---

[13] Den aktuellen Forschungsstand referiert Radt, Wolfgang: Pergmaon - Geschichte und Bauten, Funde und Erforschung einer aktuellen Metropole. Köln 1988, S. 190 ff

Die Athena-Gruppe   Die Zeus-Gruppe

Ostfries des Pergamon-Altars

Sterbender Gigant der Artemis-Gruppe,   Löwengöttin, Nordfries des Pergamon-Altars
Ostfries des Pergamon-Altars

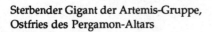

[14] Eine detaillierte Beschreibung des Frieses und Abbildungen aller Reliefplatten bietet Rode, Elisabeth: **Pergamon. Burgberg und Altar.** Berlin (DDR) 1982

Das ideologisch bewußt inszenierte Bildprogramm und die bestimmte Anordnung der Figuren-
gruppen waren das Ergebnis einer engen Zusammenarbeit der Künstler mit Politikern, Theologen und Schriftgelehrten. Der Fries schildert in einzelnen, aber aufeinander bezogenen Szenen
die Gigantomachie - den Kampf der olympischen Götter als Repräsentanten der Ordnung, des
Geistes und der Schönheit gegen die Giganten als Verkörperung des Anarchischen, des Natur-
und Triebhaften. Es wird vermutet, daß dem Entwurf das dichterische Epos der Theogonie
"Entstehung der Götter" des griechischen Epikers Hesiod (um 700 v.Chr.) zugrunde liegt. Die
Ursachen und der Ausgang der Gigantomachie werden in den olympischen Schöpfungsmythen
überliefert:[15]

> Am Anfang aller Dinge trennten sich die Elemente voneinander, und Mutter Erde stieg aus dem Chaos auf. Ge oder
> Gaia wurde als Vertreterin des matriarchalischen Prinzips von vielen Kulturen des Altertums verehrt. Sie verband sich
> mit Uranos, dem Himmel, und gebar die Hundertarmigen Riesen, die einäugigen Kyklopen und die für die Genealo-
> gie der griechischen Götter wichtigen Titanen. Einer von ihnen, Kronos, der jüngste Sohn des Uranos, kastrierte den
> Vater mit Hilfe seiner Mutter Ge, weil jener seine Nachkommen brutal unterdückt hatte. Dabei fiel dessen Blut auf
> Mutter Erde und so entstanden die Giganten, die Erdgeborenen, mit Menschenkörpern, Schlangenbeinen und
> Tierköpfen.
>
> Aber auch Kronos herrschte als Tyrann, vertrieb seine Brüder und verschlang sogar seine Kinder, die späteren olym-
> pischen Gottheiten, weil ein Orakel ihm den Aufstand der eigenen Söhne voraussagte. Seiner Frau, der Muttergottheit
> Rhea, in anderen Gesellschaften als Kybele bekannt, gelang es aber, ihr jüngstes Kind Zeus vor dem Vater zu ver-
> stecken. Zeus erhob sich dann wie prophezeit im Mannesalter mit seinen Geschwistern gegen die Elterngeneration,
> verbannte die Titanen und machte sich selbst zum Alleinherrscher.
>
> Dieses patriarchalische Machtverhalten erbitterte einmal mehr die Erdmutter Ge. Sie rief die Brüder der Titanen, die
> Giganten, zum Kampf gegen die herrschsüchtigen Olympier auf. Diesmal sagte das Orakel, daß Zeus diesen Kampf
> nur bestehen könnte, wenn mit Herakles ein Sterblicher auf seiner Seite stünde. Mit dessen Hilfe wurden dann auch
> Alkyoneus, Porphyrion und die anderen Giganten vernichtend geschlagen.

Die Gigantomachie ließ sich als eine Entscheidungsschlacht um den Bestand der Weltordnung
deuten und eignete sich dementsprechend als symbolhafter Ausdruck für die Auseinandersetzungen der Pergamener mit den Galliern. Der damaligen Kunsttradition folgend, wurden diese
Ereignisse also nicht als realer Vorgang geschildert, sondern als mythisches Geschehen über-
höht. Darüber hinaus konnten sich die pergamenischen Könige zugleich als Bewahrer der hellenistischen Kultur in Kleinasien feiern und ihre Macht gegenüber oppositionellen Kräften als
gottgegeben und damit unantastbar legitimieren. Diese These stützen auch die vielen künstlerischen Anspielungen auf frühere Kompositionen mit vergleichbaren Motiven des Reliefschmuk-
kes wie beispielsweise am griechischen Haupttempel, dem Parthenon in Athen.[16]

DIE KÜNSTLERISCHE ANEIGNUNG DES THEMAS "PERGAMON"

In der Zeit seiner Wiederauffindung - in den achtziger Jahren des vergangenen Jahrhunderts -
erregte der späthellenistische Fries besonderes Aufsehen, weil seine künstlerische Formensprache dem damaligen neobarocken Stilgefühl entgegenkam. Die antiken Vorbilder wurden vielfach ergänzt und massenhaft kopiert[17], inspirierten aber auch zu Neuschöpfungen.

---

[15] Die verschiedenen Versionen und Quellen nennt Ranke-Graves, Robert: Griechische Mythologie. Quellen und Deutung. Reinbek bei Hamburg 1984, S. 26 - 36 und 115 - 118

[16] Ausführlicher dazu.: Schalles, Hans-Joachim: Der Pergamonaltar a.a.O., S. 18ff

[17] Kleinere Nachbildungen der ergänzten Friesplatten waren Ende des 19. Jahrhunderts "ein begehrter
Haus- und Wohnungsschmuck" und wurden selbst über Anzeigen angeboten: Siehe das Beispiel der
"Illustrierten Zeitung", Nov. 1886, abgebildet neben anderen Bilddokumenten und Materialien zur
deutschen Ausgrabungsgeschichte bei Hoepfner, Wolfram/ Schwandner, Ernst-Ludwig: Archäologische

Bis heute beeinflussen der Fries in seiner ästhetischen Gestalt und das gesamte Bauwerk als mythisches Symbol der Macht bildende Künstler und Schriftsteller. Maler und Bildhauer suchen die kritische Auseinandersetzung mit den Figuren und Motiven der Vorlage, indem sie - etwa wie Wolfgang Leber - einzelne Themen konkret zitieren, historische Bezüge herstellen - Fritz Cremer - oder frei verarbeiten - so Annette Peuker-Krisper: Bei ihr wird die Gigantomachie "zur rein bildkünstlerischen Vorlage, ist dem antiken mythologischen Zusammenhang entrissen und als Körperfragment verwendbar gemacht für eine existentielle Deutung und Körper-Natur-Metamorphose."[18]

Darüber hinaus bietet das Bauwerk genügend Stoff für literarische Imaginationen. "Götter und Giganten" nennt Heinrich Alexander Stoll seinen "Roman des Pergamon-Altars"[19]. Der Autor, der zuvor schon erfolgreich die Grabungen Schliemanns in Troja ausgewertet hatte, erzählt hier die Geschichte des Altars von der Antike bis zur Rekonstruktion im Berliner Pergamon-Museum im Stil eines historischen Schmökers. Gut recherchiert, auf breiter, weitgehend gesicherter Materialbasis entwirft Stoll - alle Möglichkeiten trivialliterarischer Inszenierung nutzend - eine durchaus spannende Story, deren Überzeichnungen und Klischees dem Genre geschuldet sind:

> "Eumenes hebt zerstreut den Kopf, der fleckig rot ist. Er schiebt die schmalen dünnen Hände mit den hochaufliegenden Adern in sein Gewand. Ihn friert trotz des hohen Sommers. Er hat Fieber. Aber diesmal ist es nicht das Fieber seiner Krankheit oder seiner Schwäche, sondern ein Fieber der Beglückung, daß sein Traum, durch Jahre heimlich gehegt und kaum den Vertrautesten verraten, nun die Schwelle in die Wirklichkeit, in das Leben überschreiten soll..."[20]

Keine Adaption des Pergamon-Stoffes, aber doch deutliche Anspielungen auf die antike Metropole finden sich in Ernst Jüngers Roman "Eumeswil"[21]. Eumeswil, jene in der erzählerischen Fiktion aus Vergangenheit und Zukunft synthetisierte Stadt mit dem kahlen Burgberg als Herrschersitz und der Stadt in der Ebene, verweist durch ihre Gestalt ebenso wie durch ihren Namen auf Pergamon. In "Eumeswil" - so erklärt der Ich-Erzähler - habe sich der ursprüngliche Name des Eumenes phonetisch abgeschliffen, mithin der Name des Herrschers, unter dessen Ägide der Altar in Pergamon entstand. Bezeichnenderweise fungiert hier Pergamon als Urbild der Tyrannis, gegen die Jünger in Gestalt des Ich-Erzählers das Bild des Anarchen setzt, der, dem von seiner Macht abhängigen Monarchen überlegen, nur sich allein beherrscht, frei von fremden Ansprüchen.

Dieser Individualstrategie diametral entgegengesetzt, entwirft Peter Weiss in seiner "Ästhetik des Widerstands" die Utopie eines kollektiven Lernens an Werken der bildenden Kunst. Dem Pergamon-Altar, dessen Beschreibung die Eingangspassage bestimmt und dessen Interpretation das dreibändige Opus leitmotivisch bis zum Schlußkapitel durchzieht, kommt dabei eine zentrale Stellung zu. An ihm demonstriert der Autor, wie selbst ein Kunstwerk, das in monumentaler Weise von der Vernichtung der Aufbegehrenden kündet, durch Neuinterpretation zum Gegenstand historischen Lernens, ja zum Hoffnungsträger werden kann.

Das Geschlecht der sich gegen die Herrschaft auflehnenden Giganten wird dabei reklamiert als "unser Geschlecht", das der Unterdrückten und sich Wehrenden. Herakles - in Umdeutung des antiken Mythos - erscheint den im antifaschistischen Widerstand engagierten Protagonisten nun als "unsresgleichen", als "Fürsprecher des Handelns", der sich auf die "Seite der Irdischen"

Ausgrabungen. In: Deutsches Archäologisches Institut (Hg.): Ausstellungskatalog "Berlin und die Antike". Berlin 1979, S. 445 - 470, hier S. 463

[18] Auf die künstlerische Rezeption in Deutschland geht ein Kunze, Max: Wirkungen des Pergamonaltars auf Kunst und Literatur. In: Staatliche Museen zu Berlin: Forschungen und Berichte Bd. 26. Berlin (DDR) 1986, S. 57 - 74, hier S. 65f

[19] Stoll, Heinrich Alexander: Götter und Giganten. Berlin 1965

[20] ebenda, S. 87

[21] Jünger, Ernst: Eumeswil. Stuttgart 1977

gestellt habe. Zu lernen ist an der Darstellung des Frieses der trotz aller Aussichtslosigkeit ungebrochene Wille zum Widerstand.

Indem so die ursprüngliche Botschaft des Altars umgekehrt wird, entsteht der Raum, in dem das ästhetische Phänomen des Frieses, die auch den heutigen Betrachter fesselnde Gestaltung von Kampf und Gewalt, in aller Intensität wahrgenommen und beschrieben werden kann. Weiss' Uminterpretation ist selbst ein Stück Widerstandsleistung gegen die Faszination durch eine Ästhetik der Gewalt und des Leidens, die sich in der Beschreibung des Frieses dem Leser unvermindert faszinierend mitteilt:

"So sahn wir im gedämpften Licht die Geschlagnen und Verendenden. Der Mund eines der Niedergezwungnen, dem der reißende Hund über der Schulter hing, war halboffen, ausatmend. Seine linke Hand lag matt auf dem vorstürmenden lederbekleideten Fuß der Artemis, sein rechter Arm war noch in Notwehr erhoben, in den Hüften aber wurde er schon kalt, und seine Beine waren zu schwammiger Masse geworden. Wir hörten die Hiebe der Knüppel, die schrillenden Pfeifen, das Stöhnen, das Plätschern des Bluts. Wir blickten in eine Vorzeit zurück, und einen Augenblick lang füllte sich auch die Pespektive des Kommenden mit einem Massaker, das sich vom Gedanken an Befreiung nicht durchdringen ließ. Ihnen, den Unterworfenen, zur Hilfe müßte Herakles kommen, nicht denen, die an Panzern und Waffen genug hatten."[22]

PERGAMONS GESCHICHTE

Pergamon war eine griechische Burgsiedlung in Kleinasien, die sich in den Auseinandersetzungen um das Erbe des Makedonerkönigs Alexander zu einer Großmacht entwickelte. Die Kämpfe zwischen den Diadochen Lysimachos und Seleukos nutzte der damalige Statthalter Pergamons, Philetairos, 282 v.Chr. geschickt aus, um sich unabhängig zu erklären. Die Stadt expandierte rasch und diente bis 133 v.Chr. als Residenz der Attaliden-Dynastie.

Der letzte König, Attalos III., vermachte das Reich in seinem Testament der aufgestiegenen Weltmacht Rom und verhinderte so die unausweichliche Besetzung und zu befürchtende Zerstörung. Damit behielt Pergamon zwar seine Bedeutung als kulturelle Metropole, verlor aber als Hauptstadt der römischen Provinz Asia mehr und mehr an politischer Selbständigkeit.

Auf Dauer konnte sich aber die pergamenische Kultur nicht behaupten. Wirtschaftliche Probleme, der politische Zerfall, die Spaltung des Römischen Reiches und die Durchsetzung des Christentums im byzantinischen Ostrom beendeten die antike Ära der Stadt. Den Verfolgungen gegen die Reste des Heidentums einerseits und dem Schutzbedürfnis vor arabischen Überfällen andererseits fielen dann im frühen Mittelalter die Tempel und Heiligtümer zum Opfer. Die Byzantiner zerstörten und verbauten große Teile des Pergamon-Altars in einer mächtigen Festungsmauer. Die Akropolis wurde zur Fluchtburg vor den feindlichen Angriffen. Paradoxerweise bewahrte aber gerade diese Abrißaktion viele Säulen und Platten des Altars vor ihrer vollständigen Vernichtung: Fest eingemauert überlebte so auch der Fries geschützt die kommenden Jahrhunderte.

Mitte des 14. Jahrhunderts kam die Stadt unter osmanische Herrschaft. Mit Bergama entstand eine neue Siedlung in der Ebene des Kaikos-Tales. Das klassische Pergamon zerfiel nun endgültig. Die türkische Bevölkerung verwandte den wertvollen Marmor vom nahen Burgberg als billigen Rohstoff für ihre Gebäude. So wurden über Generationen die Reste der Antike zu Kalk gebrannt oder direkt in die Häuser eingebaut. Erst in den 70er Jahren des 19. Jahrhunderts beendete der deutsche Ausgräber Carl Humann diese Art der Verwertung. Auf seine Initiative hin, unterstützt von verantwortungsbewußten türkischen Beamten und Archäologen wie Osman

---

[22] Weiss, Peter: Die Ästhetik, a.a.O., S. 13f

Hamdi Bey, wurde dem bis dahin florierenden Gewerbe des Kalkbrennens allmählich ein Ende bereitet.

CARL HUMANN UND DIE GESCHICHTE DER AUSGRABUNG

Bauunternehmer und Kaufmann, Ausgräber und Abenteurer, Organisationstalent und Energiebündel - Carl Humann (* 1839 in Steele, † 1896 in Smyrna) ist in mancher Hinsicht ein typischer Vertreter der deutschen Gründerzeit.

Nach bestandenem Abitur und einer praktischen Ausbildung als "Ingenieursaspirant" geht Humann Ende 1860 nach Berlin, um an der dortigen Bauakademie zu studieren. Doch bald schon zeigen sich die ersten Anzeichen einer beginnenden Tuberkulose, so daß er auf dringenden Rat seines Arztes das gerade begonnene Studium abbricht und im November 1861 seinem älteren Bruder in den Orient folgt. Dort wird Carl Humann zeit seines Lebens bleiben.

Trotz seiner abgebrochenen Ausbildung kann er sich in der Türkei bald erfolgreich als Ingenieur und Bauunternehmer behaupten. So erhält er 1867 zusammen mit seinem Bruder den Großauftrag zum Bau von fünf Fernstraßen in Kleinasien - ein Projekt das Zähigkeit, vor allem aber auch Führungsqualitäten erfordert. Humann befehligt nun über 2000 Arbeiter, 40 Angestellte aus allen Ländern Europas, 500 Paare Ochsen mit Wagen, 500 Kamele, Pferde und Esel - und das bei schwierigem Gelände, extremem Klima und einer Baustrecke von 50 Reitstunden. Er spricht fließend türkisch und griechisch, setzt sich bei Regierungsstellen ebenso erfolgreich durch wie bei Räubern und Wegelagerern.

1869 schlägt Humann im Zuge der Straßenbauarbeiten sein Hauptquartier in Pergamon/ Bergama auf. Schon 1865 und 66 hatte er bei seinen Reisen den Burgberg besucht und den Kalkbrennern vorerst "ihr Handwerk gelegt".[23]

Der "Pascha von Pergamon", wie Humann respektvoll genannt wird, trifft 1871 in Konstantinopel (Istanbul) den Archäologen Ernst Curtius und lädt ihn ein, Pergamon zu besuchen. Angespornt durch den Besuch eines Fachwissenschaftlers, fertigt Humann einen Plan des Burgbergs an und schickt in der Folgezeit über das deutsche Konsulat eine Reihe von Marmorfragmenten nach Berlin, die sich später als Teile des Altarfrieses erweisen werden. Doch Curtius ist weder durch seine Besichtigung vor Ort noch durch die übersandten Funde für Arbeiten in Pergamon zu gewinnen. Er setzt auf das im selbständig gewordenen Griechenland liegende Olympia, dem ersten, 1872/73 beginnenden Ausgrabungsprojekt des neuen deutschen Reiches.

Grollend zieht sich Humann zurück und widmet sich wieder mit seiner ganzen Arbeitskraft dem Straßenbau, schickt jedoch weiter antike Funde an die Berliner Museen. Im Jahre 1877 wird Alexander Conze zum Direktor der Antiken Skulpturen des Berliner Museums ernannt. Erst der neue Mann weiß den Wert der Relieffragmente einzuschätzen und setzt die Finanzierung einer Grabungskampagne durch. Gleichzeitig gelingt es Humann über das Auswärtige Amt und den deutschen Botschafter eine Grabungsgenehmigung von der "Hohen Pforte" zu erhalten - und zwar nach dem in der Türkei geltenden Antikengesetz, das jeweils ein Drittel der Funde für die türkische Regierung, für den Bodeneigentümer und den Finder vorsieht. Da der Burgberg Krongut ist, entfallen auf die "Hohe Pforte" zwei Drittel der Funde. Unter diesen Konditionen beginnt Humann die Arbeiten:

"Am Montag den 9. September 1879 stieg ich mit vierzehn Arbeitern hinauf, nahm eine Hacke und sprach: 'Im Namen des Protektors der Königlichen Museen, des glücklichsten allgeliebten Mannes, des nie besiegten Kriegers, des Erben· des schönsten Thrones der Welt, im Namen unseres Kronprinzen möge dies Werk zu Glück und Segen gedeihen.'

---

[23] Humann, Carl: Geschichte der Unternehmung. In: 1. Vorläufiger Bericht. Berlin 1880, S.11

Meine Arbeiter haben geglaubt, ich spreche eine Zauberformel und sie hatten nicht ganz Unrecht. (...) Die geschickte-
sten Arbeiter, fast nur Griechen, waren an der Mauer beschäftigt, die etwas unbehülflicheren Türken (...) beim Fortkar-
ren des Schuttes. (...) Da ich jeden Faulenzer bald ausmerzte, so bildete sich nach und nach ein Stamm zuverlässiger
Leute. Sie waren leicht zu regieren, denn Widerspruch oder absichtliche Unfolgsamkeit gehörten zu den unbekannten
Sachen, ebenso Streit oder Trunk."[24]

Tatsächlich haben die Grabungen, die Humann auf die byzantinische Mauer und den vermute-
ten Standort des Altars konzentriert[25], sogleich unerwartet großen Erfolg. Humann macht sich
in einem Brief vom 12. September an Conze Sorgen um den baldigen Abtransport der Funde:

"Nun zur Hauptsache! Wie kommt alles nach Berlin? Meinem Ali-Riza habe ich plausibel gemacht, daß wir noch viele
hunderte solcher zerbrochenen Steine finden werden, daß Berlin sehr weit ist, und daß, wenn unsere Arbeiten und, was
oben ansteht, sein Gehalt mit etwaigem Bakschish weiter gehen soll, man in Berlin auch etwas sehen will - es wäre also
wohl das Schläueste, diese ersten Stücke schnell nach Berlin zu senden. Er findet das außerordentlich richtig. Vom Antikengesetz (das übrigens auch nur in der Idee existiert), hat er keine Ahnung... Nun mache ich Ihnen folgenden Vorschlag: Bevor die Sache ruchbar wird (und es gibt hier so einige halbgelehrte Söhne von Hellas, die wohl so eine Zei-
tungsnotiz schreiben können), schaffe ich alle Reliefs herunter, verpacke sie in starke Kisten, trotzdem das Holz hier
sehr teuer ist, und schaffe sie nach Dikili. Dort hindert mich niemand, sie einzuschiffen, wenigstens nicht mit der Bestimmung Smyrna. (...) Nachher weiß kein Mensch, wo sie geblieben, & sie gehören später halt zu den Marmoren, die
ich Ihnen vor 6 Jahren & im vorigen Jahr gesandt habe."[26]

Bei der Masse der Funde ist an ein heimliches Wegschaffen jedoch nicht mehr zu denken. Um so
dringender wird das Problem einer sofortigen Ausfuhrerlaubnis. Noch im Oktober erreicht Humann über die Kaiserliche Botschaft in Konstantinopel, daß nicht nur der Teilungsmodus geän-
dert wird - die deutschen Ausgräber erhalten ein weiteres Drittel -, sondern die Teilung auch
sofort vollzogen werden kann. So erfolgen schon im gleichen Monat die ersten Abtransporte,
die sich überaus schwierig gestalten:

"Zunächst ließ ich Pfosten und Bretter zur Burg bringen, und begann solide Kisten um die Reliefs zu machen, um sie
auf der langen Reise gegen jedes Verletzen zu schützen. Dann baute ich einen starken Schlitten und in Schlangenwin-
dungen, unter teilweiser Benutzung des alten Plattenweges einen Weg (...) bis an den Fuß der Burg (...). Nun begann
das Hinabschlifen der Kisten. Einen Versuch dies mit Büffeln zu tun, mußte ich wieder aufgeben, da der Schlitten auf
dem frischen an den äußeren Rändern neu aufgeschütteten Wege oft einsank und, wenn die Tiere nicht sofort konnten
zum Stehen gebracht werden, umzuschlagen drohte, um, die Tiere vielleicht gar mit sich reißend, in die Tiefe zu rollen.
Ich mußte also die Mannschaft anspannen. Einen Block von etwa 20 Zentnern brachten wir in einem halben Tag mit 20
Mann nieder, die unzerschlagenen Relief-Platten, deren jede 40-60 Zentner wiegt, erforderten 30 bis 40 Mann und zwei
bis drei Tage Arbeit. (...) Ohne Unfall kam alles herunter. Nun kam der Transport nach Dikili. An die Straße, die ich
vor zehn Jahren dorthin gebaut, hatte sich nie eine reparierende Hand gelegt, auch waren die 52 Brücken dieser Strecke
damals gegen meinen Rat kontraktlich aus Holz ausgeführt worden. Dies war längst von den Kameltreibern, wenn sie
in der Nähe der Straße ihr Nachtlager aufschlugen, zur Feuerung verwendet und somit die makadamisierte Straße nur
streckenweise benutzbar geblieben."[27]

In Dikili, etwa vierzig Kilometer von Bergama entfernt, werden die Platten auf Leichter ge-
hievt, die dann von einem Kanonenboot seiner Majestät nach Smyrna (Izmir) geschleppt werden, um dort in Schiffe der Lloyd-Linie verladen zu werden. Bis zum 1. Mai 1879 sind bereits 66

---

[24] ebenda, S. 17ff

[25] Die Verteilung und Verbauung der Friesplatten nach dem Abriß des Altars sind sehr gut zu erkennen im
Lageplan Pergamon. Nachantike Bebauung des oberen Marktes und der Altarterrasse (=Abb. 5). In:
Staatliche Museen zu Berlin: Ein Jahrhundert Forschung zum Pergamonaltar. Katalog Sonderausstellung
der Antikensammlung im Pergamonmuseum. Berlin (DDR) 1986/87, S. 12

[26] Der Pergamon Altar entdeckt, beschrieben und gezeichnet von Carl Humann. Dortmund 1959, S. 36

[27] Humann, Carl: Geschichte der Unternehmung, a.a.O., S. 20

Platten der Gigantomachie gefunden, darunter auch die ganze Athenagruppe. Der Höhepunkt sollte noch folgen. Am 21. Juli wird die Zeusgruppe freigelegt:

"Das Werk ist gediehen zu Glück und Segen, zu Gewinn für Kunst und Wissenschaft, zur Freude unseres Kaiserhauses, zur Ehre des deutschen Namens und zum dauernden Schmucke des vaterländischen Museums."[28]

Vor der Grabungshütte auf dem Burgberg (v.l.n.r.): Otto Raschdorff (Architekt), Carl Humann, Alexander Conze, Hermann Stiller (Architekt), Richard Bohn (Architekt)

Arbeiten am freigelegten Fundament des Pergamon-Altars während Humanns Ausgrabungskampagnen

---

[28] ebenda, S. 34

Weiterhin ist Humann bemüht, jegliches Aufsehen um die Funde zu vermeiden. Offensichtlich fürchtet er sowohl die Konkurrenz der Engländer in Ephesos und der Franzosen auf den nahegelegenen griechischen Inseln wie ein Aufmerken der türkischen Behörden, mit denen mittlerweile über das letzte Drittel verhandelt wird. Erst am 6. Dezember 1879 steht fest, daß die Deutschen den Kunstschatz ungeteilt ausführen dürfen. Für die Summe von 1000 Türkischen Pfund (ca. 20 000 Mark), in Form einer Spende für die Flüchtlinge des russisch-türkischen Krieges, erhalten die Berliner Museen Reliefplatten, deren Marmorwert - wie später die "Gartenlaube" vorrechnen wird - allein schon den Kaufpreis übersteigt.

Diese bereitwillige Abtretung der Humannschen Funde ist nur vor dem Hintergrund der Verhältnisse im damaligen Osmanischen Reich zu erklären.[29] "Der kranke Mann am Bosperus", wie der türkische Staat von den Europäern treffend bezeichnet wurde, befand sich ökonomisch und politisch kurz vor dem Zusammenbruch. Zum einen mußte die Regierung bereits 1875 ihre Zinszahlungen an die ausländischen Gläubiger einstellen und damit eine Bankrotterklärung abgeben. Zum anderen destabilisierten die ständigen Befreiungskämpfe der zuvor unterworfenen Balkanvölker das ehemalige Großreich innenpolitisch (Serben, Griechen, Bulgaren). Direkt bedroht wurde seine Existenz auch von außen durch die Niederlagen in den Kriegen gegen das nach Süden expandierende Russische Reich. So war es nur der deutschen Intervention durch Bismarck auf der Berliner Konferenz 1878 zu verdanken, daß der europäische Teil des Osmanischen Reichs nicht an den militärischen Sieger Rußland fiel. Der Sultan sah mit Recht in dem sich selbst immer mehr gegenüber England und Frankreich isolierenden Deutschen Reich einen potentiellen und potenten Bündnispartner, was die Verhandlungen über die Ausfuhr der antiken Stücke für den Kronprinzen und Protektor Friedrich Wilhelm sowie das Auswärtige Amt positiv beeinflußt haben dürfte. Insgesamt führte die deutsch-türkische Annäherung dann zur "Achse Berlin-Bagdad" mit militärischer Zusammenarbeit und "Waffenbrüderschaft" im 1.Weltkrieg, ermöglichte mit Wilhelm II. den ersten Staatsbesuch eines christlichen Herrschers in der Neuzeit (1889) und verschaffte dem deutschen Kapital neue Investitionschancen, Absatzmärkte und Freihandelszonen.

Im Januar 1880 sind alle Funde der ersten Grabungskampagne in Berlin. In der Reichshauptstadt wird Humann wie ein siegreicher Feldherr empfangen. Aber auch er weiß seinen Dank abzustatten an jene, die den erfolgreichen Abschluß der Unternehmung erst ermöglichten. Aus einer Rede anläßlich eines offiziellen Festmahls am 12. Mai:

> "Drum wollen wir auch der olympischen Mächte, die hier von Berlin aus walten, heute dankbar gedenken: zuerst des Auswärtigen Amtes und seiner Organe! Unter seinem Schutz fühlt der Deutsche im Ausland sich sicher und stolz; eine feste Stütze ist es allen Bestrebungen, die des Vaterlandes Macht und Ehre gelten; und oft habe ich seinen starken Arm auf dem Burg von Pergamon gefühlt. Dann sah ich nach Westen aufs blaue Meer, ob ich nicht Seiner Majestät Schiffe erspähen könnte, erst den "Comet", dann die "Loreley", die unsere Schätze von Dikili nach Smyrna brachten, wo sie auf die Handels-Dampfer verladen wurden. Dann eilte ich ans Meer und grüßte jubelnd des Reiches Flagge. Das gönne ich Ihnen Allen einmal, meine Herren! Wer nicht im Auslande gelebt und gekämpft, der weiß nicht, welche Gefühle das Rauschen dieser Flagge weckt."[30]

Orden, Ehrentitel und schließlich 1884 die Ernennung zum Auswärtigen Direktor der Kgl. Museen mit Amtssitz in Smyrna folgen. Währenddessen hat Humann die Grabungen in Pergamon wiederaufgenommen. In den Kampagnen 1880/81 und 1883-86 werden weitere Platten und Gigantomachiefragmente gefunden, u.a. aber auch das Theater mit Terrasse und der Dionysos-

---

[29] Hierzu ausführlich Adanir, Fikret: Deutsch-türkische Beziehungen 1840 - 1880. In: Agfa Foto-Historama (Hg.): An den süßen Ufern Asiens. Ägypten Palästina Osmanisches Reich. Reiseziele des 19. Jahrhunderts in frühen Fotografien. Köln 1988, S. 28 - 33

[30] Der Pergamon Altar a.a.O., S. 216

Tempel freigelegt. Humann widmet sich bis zu seinem Tod am 12. April 1896 in Smyrna weiteren archäologischen Unternehmungen in Kleinasien.

DEUTSCHE ANEIGNUNGSGESCHICHTE: DAS KAISERREICH

Schon 1880 wurden die Friesplatten in der Rotunde des Alten Museums erstmals der staunenden Öffenlichkeit präsentiert. Die Presseäußerungen dieser Zeit spiegeln den Enthusiasmus, mit dem die Funde in der Reichshauptstadt aufgenommen wurden. Endlich hatte Berlin ein antikes Kunstwerk vorzuweisen, das den Schätzen in London und Paris gleichkam. Auch die Wissenschaft stimmte nationalistische Töne an. Alexander Conze, der intellektuelle Kopf des Ausgrabungsprojekts, nannte die deutsche Inbesitznahme der Funde einen "allgemeinen Gewinn", weil

"eine Vertheilung der Werke griechischer Kunst in den Mittelpunkten der civilisirten Welt ihre Wirkung zu steigern geeignet ist, mehr als wenn das Streben heutiger Griechen erfüllt würde, sie als Familieneigentum bei sich zu halten - oder als wenn der Wille des ersten Napoleon Bestand gehabt hätte, die besten alle in einer Metropole zu vereinigen - oder als wenn wir England den Vorrang in solchen Erwerbungen verbundenen Entdeckungen unbestritten hätten lassen wollen."[31]

Entsprechend zügig sollte die Berliner Museumsinsel um einen Neubau zur Aufnahme des Altars erweitert werden. Noch während die Grabungen in Pergamon fortgeführt wurden, schrieben die Königlichen Museen - im Sommer 1883 - einen Wettbewerb aus. Im Februar 1884 lagen 52 Entwürfe namhafter Architekten aus allen Teilen Deutschlands und Österreichs vor. Nach der Prämierung wurden die Pläne im Lichthof des Kunstgewerbemuseums der Öffentlichkeit vorgestellt. Das größte Publikumsinteresse fanden dabei zwei Entwürfe, die allerdings beide keine Preise erzielen konnten. Zum einen handelte es sich um den Vorschlag von E. Klingenberg, das für den Altar vorbehaltene Hauptgebäude über der Stadtbahn anzuordnen:

"Damit ist dieser Bau über den Bereich der anderen hoch emporgehoben und kommt als Mittelpunkt der ganzen Anlage zu imponierender Geltung. Was der Stadt durch die Gunst der Natur versagt ist - eine Art Burghügel oder Akropolis - es ward hier unter Benutzung der gegebenen Verhältnisse künstlich geschaffen. (...) Leider ist wohl kaum daran zu denken, daß dieser schöne Traum einer Künstlerphantasie jemals Wirklichkeit werden könnte, und es hat dies schon darin Ausdruck gefunden, daß der Arbeit seitens des Preisgerichts keinerlei Auszeichnung zu Teil geworden ist. Der Hauptvorwurf, der wider sie erhoben wird, ist der, daß dem Publikum nicht zugemutet werden könne, bis zu einer Höhe, wie sie hier dem Pergamon-Museum gegeben ist, empor zu klimmen."[32]

Eine nicht minder "großartige Auffassung" wurde dem Entwurf des Freiherrn Th. von Hausen aus Wien attestiert. Der Künstler sei hier von der Überzeugung ausgegangen,

"der pergamenische Altar dürfe nicht innerhalb eines geschlossenen Raumes, sondern müsse unter freiem Himmel, in erhöhter Stellung aufgebaut werden, um hier allem Volke schon von Weitem in die Augen zu fallen. Derselbe bildet demnach die Krönung eines Gebäudes, das an der freien Spitze der Insel errichtet werden und in seinem Innern die in Pergamon gefundenen Original-Skulpturen bergen soll."[33]

---

[31] Conze, Alexander: Pergamon. Vortrag gehalten in der öffentlichen Sitzung der K. Akademie der Wissenschaften zur Feier des Jahrestages Friedrichs II. am 29. Januar 1880, Berlin 1880, S.14

[32] Deutsche Illustrierte Zeitung, Nr. 23, 17. 1. 1885, S. 522

[33] ebenda, S. 524

Der Artikel gibt resümierend der Hoffnung Ausdruck, beide Entwürfe könnten dazu beitragen, "daß Strömungen, welche auf eine rein praktische, nüchterne Lösung auch dieser Aufgabe hindrängen, nicht die Oberhand gewinnen".[34]

Aber Nüchternheit war derzeit in Sachen Antike ohnehin nicht gefragt. Im Jahre 1886 - Humann war noch mit seiner Grabungskampagne in Pergamon engagiert - fand in Berlin zum 100. Jahrestag der Königlichen Akademie der Künste eine Jubiläumsausstellung statt. In dem damaligen Ausstellungspark westlich vom Lehrter Bahnhof wurden neben dem schon vorhandenen "Glas- und Eisenpalast", der die Kunstausstellung beherbergte, zwei laut zeitgenössischem Urteil "sehr originelle Gebäude" errichtet.

Das eine stellte eine Kopie der östlichen Säulenvorhalle des Zeustempels zu Olympia dar, die auf den rekonstruierten - und im übrigen aus einer völlig anderen Epoche stammenden - Sockel des Pergamon-Altars mit den ergänzten Hochreliefs der Gigantomachie gesetzt wurde. Innen war ein 64 langes und 14 Meter hohes Panorama des Burgbergs zu bewundern.

Ansicht der Oberstadt von Pergamon. Zeichnung nach dem Pergamon-Panorama von A. Kips und M. Koch

Davor erhob sich ein Obelisk, gedacht als "Ovation für unseren großen Kaiser".[35] Das zweite Gebäude, der "ägyptische Tempel", enthielt Dioramen aus der jungen Geschichte deutscher Kolonialmacht. So waren dort etwa die Blutsbrüderschaft eines deutschen Forschers mit einem afrikanischen Sultan oder die Flottendemonstration vor Sansibar zu bestaunen.

Diese Parallelisierung des Erwerbs von Antiken mit dem von Kolonien innerhalb der Ausstellungskonzeption ist sicher kein Zufall. Auch in der zeitgenössischen Berichterstattung über die Pergamonfunde wurde immer wieder der Zusammenhang mit dem anderen Signum der erblühenden Macht, den Kolonien, hergestellt:

"Inmitten der aufflammenden Begeisterung für deutsche Kolonien ist es vielleicht angebracht, an ein Wort des Entdeckers der pergamenischen Altertümer, Karl Humann, zu erinnern, der, entrüstet über die Barbarei, mit welcher die Türken die herrlichen Marmorüberreste behandelten, einst einem Freunde gegenüber sein Herz ausschüttete und dabei den Ausspruch tat, daß diese Barbarei nicht eher enden werde, als bis die deutsche Flagge auf der Akropolis von Pergamon wehe. Mit einer wunderbaren Wendung des Schicksals beginnt dieses Wort sich zu bewahrheiten. Nicht zwar die Akropolis von Pergamon, wohl aber wenigstens der Altar, welcher mit den Trümmern des ursprünglichen geschmückt sich unter den Neubauten der Museumsinsel in Berlin erheben wird, wird fortan geschützt in fremden Lande für Kunstverehrung eine stets begehrenswerte Stätte sein."[36]

---

[34] ebenda
[35] Gartenlaube, 1886, S.457
[36] Deutsche Illustrierte Zeitung, Nr. 26, 7. 2. 1885, S. 575

Den unumstrittenen Höhepunkt fanden die Feierlichkeiten in einem "griechischen" Fest am 25. Juni.[37] Wer sich in Berlin zur Intelligenz rechnete und genug Geld zur Verfügung hatte - die Eintrittspreise schwankten zwischen zehn und dreißig Mark -, konnte bei diesem Spektakel kaum fehlen. In Anwesenheit des Kronprinzen bewegte sich ein "Triumphzug" des pergamenischen Herrschers in Gestalt von 1500 kostümierten Menschen nebst Pferden, Schafen, Eseln und Kamelen auf den Zeus/Pergamon-Tempel zu, wo König Attalos (alias Professor Paulsen) von seinem vierspännigen Siegeswagen stieg, zu seinem Volk sprach und alsdann mit der Priesterin (Fräulein Geßner vom Deutschen Theater) die Opferhandlung einleitete. Nach der heiligen Handlung "begann der Reigentanz der Priesterinnen, die mit anmutiger Bewegung Blumenkränze schwangen, um sie endlich auf dem Altar niederzulegen".[38] Reiterkämpfe, Athletenspiele, Schwerttänze, Wettläufe: alles was als griechisch galt, wurde inszeniert. "Tausende haben geholfen, das Fest zu Stande zu bringen, ungeheure Summen hat es gekostet - und beispiellos war das Gelingen."[39]

Für den projektierten Museumsneubau fehlten jene "ungeheuren Summen" vorerst jedoch noch. 12 bis 13 Millionen waren veranschlagt. Aber trotz wiederholter Vorstöße des Kultusministeriums wie des kaiserlichen Wunsches, das Projekt zu befördern, verweigerte Finanzminister Miquel die Gelder - nicht zuletzt wegen der kostspieligen Arbeiten an dem zur gleichen Zeit entstehenden Dom. Selbst als die Pläne für ein Antikenmuseum 1893 von Wilhelm II. gutgeheißen waren, verhinderte die Finanzlage den Baubeginn. 1896 schließlich entschied der preußische Herrscher, daß zunächst das Kaiser-Friedrich-Museum (heute: Bode-Museum), der Denkmalsbau für seinen Vater, in Angriff zu nehmen sei und sich die Pergamon-Funde vorerst mit einem billigen Provisorium zu begnügen hätten. Fünf Millionen für das Kaiser-Friedrich-Museum und 850 000 Mark für ein vorläufiges Pergamon-Museum lautete der endgültige Beschluß.

Dabei sollte der Altar in dem Neubau so wirken, als ob er im Freien stünde. Fritz Wolff wurde mit der Ausführung beauftragt. Nach seinen Plänen erfolgte der Bau von Februar 1898 bis 1899. Die Inneneinrichtung war Ende 1901 abgeschlossen. Auch in Fachkreisen war die Reaktion auf das fertiggestellte Provisorium keineswegs enthusiastisch. So bemängelte Conze "die Einengung der für freien Stand auf lichter Höhe geschaffenen Gigantomachie in eine drückend niedrige Schinkelianische Architektur."[40] Bei der Eröffnung beschränkte sich der Kaiser auf eine Besichtigung, zu der nur die unmittelbar an diesem Vorhaben Beteiligten eingeladen waren. Der schlichte Museumsbau, der sowenig dem wilhelminischen Neubarock entsprach, war einfach nicht repräsentativ genug.

Schon 1907 legte Alfred Messel jenes Konzept für ein Antikenmuseum vor, das die Grundlage für den heutigen Bau bilden sollte. Noch im gleichen Jahr wurde der Plan gebilligt und wenig später (im Frühjahr 1908) mit der Demontage des Altars und dem Abriß des alten Pergamon-Museums begonnen. Elf Millionen sollte der Neubau kosten, doch schon die Vorbereitung des Baugrunds erwies sich aufwendiger als angenommen. Streitigkeiten um die Konzeption des Innenausbaus, der 1. Weltkrieg, Finanzierungsschwierigkeiten: all dies verzögerte die Fertigstellung.

---

[37] Daß es sich hier nicht um ein isoliertes Phänomen handelt, beweisen andere Veranstaltungen dieser Art wie beispielsweise das Münchner Künstlerfest "In Arkadien", zu dem Bebauungsentwürfe für die Athener Akropolis von Schinkel und von Klenze als Kulisse dienten! Vergl. Haus, Andreas: Gesellschaft, Geselligkeit, Künstlerfest. In: Städtische Galerie im Lenbachhaus (Hg.): Franz von Lenbach 1836 - 1904. München 1987, S. 99f

[38] Gartenlaube, 1886, S.542

[39] ebenda, S. 544

[40] Conze in einem Brief vom 4. Juni 1901, zit. nach: Volker Kästner: Das alte Pergamonmuseum. Berliner Museumsbaupläne gegen Ende des 19. Jahrhunderts. In: Forschungen und Berichte. Staatliche Museen zu Berlin, Bd. 26, Berlin 1986, S. 38

WEIMARER REPUBLIK: DER "BERLINER MUSEUMSKRIEG"

1920 bewilligte das Finanzministerium die Wiederaufnahme der Arbeiten auf der Museums-insel. Das Jahrzehnt bis zur endlichen Fertigstellung 1930 ist als "Berliner Museumskrieg" in die Geschichtsschreibung eingegangen. Der vor allem auch in der Presse geführte Streit um die Museumskonzeption betraf nicht nur den auf Messel zurückgehenden Plan, allein die repräsen-tative Westfront des Altars zu rekonstruieren und den Fries an den Seitenwänden des Aus-stellungsraumes anzubringen, also den "vordere(n) Teil der Riesentreppe als Dekorationsstück an die Hinterwand des Raumes" zu kleben und wie einen "umgestülpten Ärmel" zu behandeln[41]. Die Kritik wandte sich auch ganz prinzipiell gegen eine Museumskonzeption, die ein an der Antike orientiertes Bildungs- und Vollkommenheitsideal zum Maßstab zeitgenössischer Ideale und Werte erheben wollte und der es weniger auf eine historisch genaue Rekonstruktion, son-dern vor allem auf "Monumentalität", auf den "Eindruck von Größe und Rhythmus" ankam. So bemängelte Karl Scheffler, der Wortführer der Kampagne gegen das Bauprogramm, daß der Altar "theatralisch inszeniert" werde, und wandte sich gegen den "methodischen Wahnsinn die-ses ganzen Museumsbetriebes, der von Anfang an nur an das Prestige nach außen, nie an die Meisterwerke und ihre stillen Lebensbedingungen gedacht hat und der im Geiste der Wilhemi-nischen Epoche noch heute weitergeführt wird".[42]

Im April 1929 - noch vor der Eröffnung des Neubaus im folgenden Jahr - beging das Deutsche Archäologische Institut seine Hundertjahrfeier in dem weitgehend fertiggestellten Pergamon-Saal. Die Reaktion der Presse auf das neue Gebäude war - entsprechend der vorangegangenen Diskussion - kontrovers:

> "Das Pergamon-Museum in Berlin, ein Denkmal deutscher Forscherarbeit und ein Meisterwerk deutscher Architektur, geht seiner Vollendung entgegen." (Stuttgarter Neues Tageblatt, 23. 4. 1929)
>
> "Freuen wir uns, daß ...(wir, d.V.)... der Welt zeigen können, daß Deutschland trotz seiner politischen Ohnmacht und seiner Verarmung noch immer an der Spitze der Kulturvölker marschiert!" (Deutsche Tageszeitung, 22. 4.)
>
> "Die Bauten auf der Museumsinsel (...) sind alles in allem ein niederschmetterndes Beispiel von Großmannssucht. Di-mension ist alles, Vernunft nichts." (Die Welt am Abend, 17. 4.)
>
> "...den Laien (wird, d.V.) der völlig falsche Eindruck eines pompösen und vollständigen Altertums suggeriert." (Vorwärts, 17. 4.)
>
> "Millionen verpulvert für Kitsch. - Den überaus kostbaren Raum auf der Museumsinsel damit anzufüllen, heißt Raub-bau an unserem Volksvermögen treiben und ist nur mit einer an Größenwahn grenzenden Selbstüberschätzung der Ar-chäologen zu erklären." (Der Montag Morgen, 22. 4.)
>
> "Eine sinnlose Raumverschwendung - Nun, die Herren Archäologen vom Pergamon-Museum haben diesen Altar in ein richtiges 'deutsches' Völkerschlachtdenkmal umgewandelt." (Die Rote Fahne, 26.4.)[43]

NATIONALSOZIALISMUS: DER PERGAMON-ALTAR ALS ARCHITEKTONI-SCHES VORBILD

Als die Nationalsozialisten drei Jahre später an die Macht kamen, gab es zunächst durchaus Strömungen innerhalb der Partei, die das überkommene humanistische Bildungsideal attackier-

---

[41] Vorwärts, 17. 4. 1929

[42] Karl Scheffler, Kunst und Künstler, 1926, Heft 3, S. 164

[43] Alle Zitate entstammen der materialreichen Arbeit von Wenk, Silke: Auf den Spuren der Antike. Theodor Wiegand ein deutscher Archäologe, Bendorf/Rhein 1985, S.29f

ten und die Orientierung an der klassischen Antike durch "germanische" bzw. "völkische" Traditionen auszugrenzen suchten. Durchgesetzt hat sich jedoch schon bald - auch im Bereich der "Staats"- und "Volksbaukunst" des Nationalsozialismus - die Propagierung einer Symbiose von "Völkischem" und "Klassischem". Die Architekten hatten sich dabei an zwei Hauptlosungen zu orientieren: Jedes Bauwerk immer auch als ein Monument zu konzipieren und dabei klassisch und doch unmißverständlich neu zu bauen.[44]

Selbstverständlich bedienten sich die Architekten des Nationalsozialismus nicht nur der griechischen Klassik, sondern verwandten Stilzitate aller als monumental angesehenen Epochen, wobei insbesondere auch altägyptische Tempelanlagen als Vorbild der pathetischen Stimmungsarchitektur dienten. Und selbstverständlich trat die Formensprache nationalsozialistischer Bautendenzen nicht erst mit der sogenannten Machtergreifung auf den Plan. Sie hatten ihre unmittelbaren Vorläufer in dem zum Teil klotzigen Funktionalismus und der Theatralik mancher Objekte der Weimarer Republik.

So hatte auch Wilhelm Kreis als einer der führenden Architekten der 20er Jahre seinen Stil bereits entwickeln können, bevor er beauftragt wurde, zum Ruhm des Großdeutschen Reiches Feierplätze und Ehrenmale zu gestalten. Das "Germanische mit antiken Bauelementen zu einem einheitlich Neuen" zu verbinden, war ein zentrales Anliegen seines Schaffens nach 1933.[45] Die Verwendung griechischer Bauformen sei kein "landläufiger Eklektizismus", sondern entspreche "der Richtung unseres heutigen Lebensgefühles, das germanische und griechische Kultur aus ein und derselben Wurzel entsprungen betrachtet"[46], heißt es noch 1944 in einer Würdigung der Arbeiten Kreis', die in ihrer Aussage keineswegs allein steht:

> "Nur wenn wir eine letzte und urälteste Erbverwandtschaft zwischen der Mark und Athen, zwischen Preußen und Attika zu erkennen wagen, wird das leidenschaftliche Zuhausefühlen, das seelige Heimgekehrtsein in das Eigentum der Vorfahren erklärt sein."[47]

Schon der Entwurf von 1933 zu einem mächtigen Altar, der - mit großfigurigen Reliefs und Flammenbecken versehen - einen Feierplatz zur Erinnerung an die "Befreiung der Rheinlande" krönen sollte, kündet deutlich von dieser Orientierung an der Antike. 1941 zum Generalbaurat für die Gestaltung der deutschen Kriegerfriedhöfe ernannt, entwirft Kreis eine Serie von Kriegerehrenmalen, die zumindest in zwei Fällen deutlich vom Vorbild des Pergamonaltars geprägt sind: "Mit der Kraft naturhafter Wesen sollten sie in den Landen aufstehen, um für eine Idee zu zeugen, wie die Tempel Griechenlands für ein Reich zeugten, soweit dessen starker Arm reichte."[48] Neben dem für Griechenland selbst vorgesehenen Ehrenmal erinnert vor allem die für Berlin geplante Soldatenhalle an den antiken Bau aus Pergamon. Sie sollte als Höhepunkt dieser in allen unterworfenen Ländern geplanten Monumente die projektierte Nord-Süd-Achse durch den Berliner Tiergarten flankieren. Der Baukörper - mit risalitartigen Seitenflügeln, geschmückt durch Reliefs von Arno Breker, und einer die ganze Front bestimmenden Freitreppe - war bewußt als riesenhafter Altar konzipiert.

Es wundert nicht, daß gerade der Pergamon-Altar immer wieder als architektonisches Vorbild diente. War doch die Form seiner Präsentation in Berlin - mit der mächtigen Freitreppe als Blickfang - von der Inszenierung gerade der Monumentalität dieses Bauwerks geleitet. So scheint wohl auch die Haupttribüne für die Reichsparteitage auf dem Zeppelinfeld in Nürnberg, dem "ersten Altar der Bewegung", durch das im Museum zu bewundernde Vorbild geprägt,

---

[44] Vgl.: Bartetzko, Dieter: Zwischen Zucht und Ekstase. Berlin 1985, S. 88

[45] Vgl.: Stephan, Hans: Wilhelm Kreis. Oldenburg 1944, S. 11

[46] ebenda, S. 12

[47] von Lorck, Karl: Karl Friedrich Schinkel. Berlin 1939, S. 126. Zitiert nach NGBK (Hg.): Ausstellungskatalog Inszenierung der Macht - Ästhetische Faszination im Faschismus. Berlin 1987, S. 230

[48] Die Kriegerehrenmäler von Wilhelm Kreis. In: Die Baukunst, Beilage zu: Die Kunst im Deutschen Reich, 7. Jg. Folge 3, März 1943

schreibt Albert Speer in seinen "Erinnerungen".[49] Seine Antikenrezeption erstreckte sich aber "über eine formal-ästhetische Verwertung der Grund- und Aufrisse antiker Bauten hinaus auch auf deren inhaltliche Funktion. (...) Es genügt also nicht, den faschistischen Antikenbezug primär unter dem Gesichtspunkt der Unverbindlichkeit/Oberflächlichkeit zu betrachten."[50]

Hitlers Generalbauinspektor erkannte selbst, daß der "Hang zu maßstäblicher Übergröße nicht auf die Regierungsform allein zurückzuführen" ist, und stützte sich dabei auf John Burchardt, einen renommierten amerikanischen Architekturkenner:

> "Schnell gewonnener Reichtum hat ebenso teil daran wie das Bedürfnis, die eigene Kraft aus welchen Gründen auch immer zu demonstrieren. (...) Man hat später oft behauptet, daß dieser Stil ein Merkmal der Staatsbaukunst totalitärer Staaten gewesen sei. Dies trifft keineswegs zu. Er ist vielmehr Merkmal der Epoche und prägte Washington, London oder Paris ebenso wie Rom, Moskau oder unsere Planungen für Berlin. (...) Es gab wenig Unterschied (...), zumindest soweit er durch offizielle Kanäle ausgedrückt wurde (...): Das kommunistische Rußland, Nazi-Deutschland, das faschistische Italien und das demokratische Amerika blieben die glühenden Helfer des Klassizismus." [51]

1939 - 1945: SICHERUNG UND SICHERSTELLUNG

Doch auch im Dritten Reich war der Altar nicht lange der Öffentlichkeit zugänglich. Bereits 1939 wurden die Friesplatten mit Sandsäcken geschützt. Nach einem Luftangriff entschloß sich die Museumsleitung Ende 1940 zum Ausbau der Friesplatten, die nun zunächst in den Tresor der "Reichsmünze" geschafft wurden. Dort schienen sie jedoch nicht sicher genug. Im Mai entstand der Plan, die im Bau befindlichen Flaktürme am Zoo und im Friedrichshain als bombensichere Depots für die "erste Garnitur" der Berliner Kunstwerke zu nutzen. Auf Verlangen der Museumsleitung wurden die Fensterluken der Bunker zugemauert. Die Überführung des Pergamonfrieses in den Zoo-Bunker war bereits im September 1941 abgeschlossen.

Am 1. bzw. 2. Mai 1945 wurden die Flaktürme von russischem Militär besetzt. Schon fünf Tage später - am Tag der bedingungslosen Kapitulation der deutschen Wehrmacht - begannen sowjetische Truppen den Zoo-Bunker auszuräumen, der in dem Sektor Berlins lag, der den Briten zugesprochen war. Vermutlich hing die große Eile, mit der diese als "Sicherstellung" bezeichnete Maßnahme vollzogen wurde, mit dem bevorstehenden Einzug der Westmächte zusammen, der aber, später als erwartet, erst nach dem 1. Juli erfolgte.

DDR/BRD: RÜCKGABE, WIEDERAUFBAU UND NEUE GRABUNGEN

Die Rückführung der durch die Sowjetunion "sichergestellten" Bestände der Berliner Museen begann mit einer Ausstellung, die in (Ost-)Berlin am 2. November 1958 eröffnet wurde. Sie hatte den Titel "Schätze der Weltkultur - von der Sowjetunion gerettet". Mit Beginn der Rückkehr war den Museen aufgetragen worden, bis zum 10.Jahrestag der DDR am 4. Oktober 1959 alle Objekte ihren Abteilungen einzugliedern. Dies betraf auch den Einbau der Reliefs des Perga-

[49] Speer, Albert: Erinnerungen. Frankfurt/ Main und Berlin 1969, S. 68

[50] So die These in einem Dissertationsprojekt von Doosry, Yasmin: Formale und inhaltliche Aspekte der Antikenrezeption in der Architektur des Nürnberger Reichsparteitaggeländes. In: Hephaistos 1/ 1979, S. 109 -122

[51] Speer, Albert: Erinnerungen a.a.O., S. 82, 95 und 533f

monfrieses, der so unter höchstem Zeitdruck - im Laufe eines knappen Jahres - zu erfolgen hatte:

> "Die faschistischen Verderber setzten auch diese Reichtümer mit ihrem Totalen Krieg aufs Spiel. Von der Sowjetunion aber wurden sie geborgen und wohlbehalten zurückgegeben, nachdem durch den sozialistischen Aufbau in unserer Republik die materiellen Voraussetzungen geschaffen waren, diesen Kulturgütern eine würdige Heimstatt zu geben. Wissenschaftler, Arbeiter und Künstler stellten ihr ganzes Können in den Dienst der Sache, um den Pergamon-Altar wieder in jener großartigen Anordnung entstehen zu lassen, die fast die Grenzen des Musealen sprengt.
>
> Wir wollen dieses Werk nutzbar machen in dem Bemühen, die Wahrheit unserer Gegenwart gegen Altes und Überholtes durchzusetzen. In der Deutschen Demokratischen Republik sind die Werke der Alten in den besten Händen. Hier wird das Ringen um Erkenntnis, das sie ausdrücken, verstanden, weil unsere Wahrheit auch ihrer Wahrheit Kind ist."[52]

Während in der DDR das zurückerhaltene Streitobjekt gehegt und gepflegt wurde sowie als museales Prunkstück der Hauptstadt schon bald stattliche Besucherzahlen verzeichnen konnte, nahm das Deutsche Archäologische Institut - mit Sitz in West-Berlin und aufgrund der Weltlage mit den besseren Kontakten zur Türkei - die Grabungen in Pergamon wieder auf. Beinahe zeitgleich mit dem Wiederaufbau des Pergamon-Museums in Ost-Berlin begannen - unter Leitung von Erich Boehringer - die Arbeiten in der Türkei.

Die Suche galt vor allem dem Nikephorion, einem Heiligtum der hellenistischen Epoche, das laut antiker Überlieferung vor den Toren der Stadt gelegen haben mußte und reiche Kunstschätze versprach. Mit langen Suchgräben bemühten sich die Archäologen jenes Heiligtum zu finden, "in dem man auf eine Statuenausbeute, ähnlich reich wie die des Pergamon-Altars, zu stoßen hoffte".[53] Doch die Hoffnungen wurden enttäuscht, das Nikephorion blieb unentdeckt.

ARCHÄOLOGIE HEUTE

Seit mehr als 100 Jahren arbeiten ausschließlich deutsche Archäologen mit ihren Teams auf dem Burgberg von Pergamon. Die türkischen Wissenschaftler scheinen die deutsche Präsenz neidlos zu akzeptieren:

> "Solange Archäologie als eine internationale Wissenschaft angesehen wird, spielt es überhaupt keine große Rolle, ob ausländische Wissenschaftler bei einer Ausgrabung in Anatolien arbeiten. Außerdem sind die deutschen Wissenschaftler bei der Pergamon-Ausgrabung sehr erfolgreich bis jetzt, (...) so daß man diese Ausgrabung überhaupt als eine deutsche Ausgrabung ansehen sollte."[54]

Mit Carl Humanns Kampagnen begann Ende des 19. Jahrhunderts die systematische Grabung auf der Akropolis. Zu seiner Zeit waren die Forschungsinteressen noch untrennbar mit dem Antikenbedarf der Museen und teilweise mit individueller Gewinnsucht verbunden. Erst später standen mit der Analyse, Interpretation und Rekonstruktion vergangener Kulturen und damaliger Lebensbedingungen hauptsächlich wissenschaftliche Ziele im Vordergrund. Von Interesse sind heute deshalb nicht nur "schöne Kunstwerke" und Prachtbauten, sondern auch Alltagsgegenstände und Wohnhäuser. Parallel zu diesem Paradigmenwechsel verfeinerten sich die archäologischen Methoden und Instrumentarien. Hochspezialisierte Untersuchungstechniken ge-

---

[52] So der Orginalkommentar eines DEFA-Dokumentarfilms aus Anlaß der Wiedereröffnung des Pergamon-Museums 1959, transkripiert nach dem Film der Autoren: Von Bergama nach Berlin...a.a.O.

[53] Radt, Wolfgang: Pergamon...a.a.O., S. 358

[54] Interview mit Frau Tomris Bakir, Professorin für Archäologie an der Ege-Universität in Izmir. Transkription aus dem Film: "Von Bergama nach Berlin..."a.a.O.

ben präzise Auskünfte über frühere Materialien, Fertigungsverfahren oder die Herkunft von Funden und erlauben exakte Datierungen.[55]

Heutige Freilegung der byzantinischen Siedlung an der Südseite des Burgberges

Ein hoher Stellenwert kommt auch den heutigen Rekonstruktionsmaßnahmen wie der Teilaufrichtung des Trajans-Tempel aus römischer Zeit zu. Das Trajans-Projekt entstand auf Drängen der türkischen Regierung, die in ihrem neuen Antikengesetz weitere Ausgrabungen von baulichen Rekonstruktionen abhängig macht. Damit betreibt die Bundesrepublik moralisch auch eine gewisse Wiedergutmachung und fördert gleichzeitig indirekt die Erschließung und Vermarktung des Landes für den gewinnbringenden Massentourismus. Die Urlauberströme verschaffen dem Schwellenland Türkei zwar dringend benötigte Devisen, bringen aber den Archäologen große Probleme bei der Sicherung und Erhaltung der zur Besichtigung freigegebenen Ausgrabungsgebiete.

DAS PERGAMON-MUSEUM HEUTE

"Wer bis vor kurzem an Berlin gedacht hat, der hat mit Sicherheit zuerst an die Mauer gedacht, dann nochmals an die Mauer und erst in großem Abstand darauf an die Gedächtniskirche, an den Funkturm und an die Nofretete im Westen sowie an den Fernsehturm und an das Pergamon-Museum im Osten."[56]

Nachdem die Mauer gefallen ist, werden zwar immer noch zuallererst die Signifikanten des Medienzeitalters als Signum der (Haupt-)Stadt dienen, aber immerhin bietet sich durch die zu-

[55] Eine präzise Einführung gibt Maier, Franz Georg: Der Archöologe und die Zukunft. In: Merian-Monatsheft Kreta. Hamburg 1978, S. 77 - 80

[56] Eberhard Roters, Das Gesicht der Stadt, In: Der Tagesspiegel, 7. 8. 1990

sammenwachsende Museumslandschaft einmal mehr die "einzigartige Chance: mit den großen Kunstmetropolen New York, London und Paris gleichzuziehen."[57]

Daß dem Pergamon-Museum als Krönung der "Spreeathener Akropolis" auf der Museumsinsel bei der Neuordnung des nach dem Kriege angewachsenen Museumskonglomerats eine zentrale Rolle zukommen wird, steht außer Diskussion. Die amtierenden Generaldirektoren Wolf-Dieter Dube - West - und Günter Schade - Ost - stellten eine "Denkschrift"[58] zur Neuordnung der Staatlichen Museen vor, in der sie dieses Gebäude als einen der Hauptstandorte festgeschrieben haben. Ein zusätzlicher Flügel und eine Verbindung zum wieder zu errichtenden alten Neuen Museum wurde ebenfalls in Aussicht gestellt, so daß später die archäologischen Sammlungen geschlossen präsentiert werden könnten.

Darüber hinaus kann das Haus mit rund zwei Millionen Besuchern im Jahr sowie mit einer von der internationalen Fachwelt anerkannten Forschungs- und Ausstellungstätigkeit beträchtliche Erfolge aufweisen. Um die Besitzstände auch zukünftig zu wahren, wurde zur Unterstützung der Gebäude, der Mitarbeiter und ihrer Leistungen schnell ein Förderverein der "Freunde der Antiken Kunst im Pergamonmuseum Berlin" gegründet: "Ein Zentrum der neuen deutschen Hauptstadt" soll "natürlich im Amtssitz des Bundespräsidenten, natürlich im Reichstag, natürlich am Brandenburger Tor - aber bitte auch in den Berliner Universitäten und Museen" liegen.[59] Wurden die Etats früher über den SED-Staat finanziert, so ist die Kultur heute auf großzügige Unterstützung durch Stiftungen, Banken und Industrie angewiesen.

Deshalb durfte der neue Hausverlag Philipp von Zabern im Oktober eine Benefiz-Veranstaltung unter dem Pergamon-Altar ausrichten - inszeniert als aufwendige Soirée mit klassischen Wandelkonzerten, obligatorischen Festreden und trockenen Weinen. Erinnerungen an die Hundertjahr-Feier des Archäologischen Reichsinstituts im April 1929 an gleicher Stelle werden da nicht zufällig wach.

Den neuen Glanz im alten Hause durften nach der Wende aber auch schon andere genießen: etwa die Besucher des Berliner Mode-Festivals, die sich im März 1990 zur Benefiz-Veranstaltung eines "Abends in Pergamon" vor und auf den Stufen des ehrwürdigen Denkmals einfanden. "Die Antike samt Göttern und sterbenden Kriegern war zur Kulisse für schicke und schillernde Eintagsfliegen geworden, die durch mehr als zwei Jahrtausende flirrten", und die tiefausgeschnittenen Modelle eines Paco Rabanne "ließen die spärlich bekleidete Athene, oder welche der olympischen Damen es war, die dort am Rande der Bühne stand, versonnen zu Boden blicken".[60]

Herbert Schirner, der damals frisch inthronisierte Kulturminister der DDR, wollte ebenfalls nur ungern auf die Aura jenes Denkmals der Attaliden verzichten, mußte bei seiner Antrittsrede im Mai dann jedoch mit der Prozessionsstraße Nebukadnezars II. - im gleichen Museum - vorlieb nehmen.[61]

Da brauchen sich die "deutschen Forscher auf dem Gebiete griechisch-römischen Altertums" wahrlich nicht zurückzuhalten: Nach einem langen Sitzungstag lud die "Mommsen-Gesellschaft" zu einem (gemütlichen) "Beisammensein vor dem Pergamonaltar"[62]. Sie blieben nicht die letzten, andere Würdenträger folgten ihnen: Die Verteter des Internationalen Olympischen Komitee (IOC) kamen während ihrer Tagung im vereinigten Berlin gleichfalls in den Genuß eines "festlichen Dinners mit Cello-Musik", was "heftige Kritik von Bündnis 90/ Grüne hervor(rief): An genau derselben Stelle hätten die Nazis 1936 ihre Spiele mit einem Bankett eröff-

[57] ebenda

[58] Stiftung Preußischer Kulturbesitz (Hg.): Denkschrift zu den zukünftigen Standorten und zur Struktur der Staatlichen Museen zu Berlin. Kurzfassung Berlin 1990

[59] So einer der Mitininitoren, der ehemalige Ministerpräsident Bernhard Vogel in seiner Begrüßungsrede während der "Benefiz-Veranstaltung" des Fördervereins am 16.10.1990 im Pergamon-Museum

[60] Begegnung zwischen Ost und West: Luxus am Altar Eumenes II.. In: Der Tagesspiegel, 13. 3.1990

[61] Vgl.: Der Tagesspiegel, 26. 5. 1990

[62] Mommsen-Gesellschaft (Hg.): Programm der 21. Tagung vom 21. - 24.5.1991. Berlin o.J., S. 4

net, erklärte die Partei; die Olympia GmbH und das Berliner Protokoll besäßen die 'Treffsicherheit eines historischen Blinden'."[63] Auf diesen Kontinuitätsvorwurf reagierte Dieter Flämig, der Sprecher des CDU/ SPD-Senats mit folgender Argumentation: "Wenn man auf alles verzichten wollte, was mal von den Nazis mißbraucht wurde, dann müßte die Welt ganz auf die Olympischen Spiele verzichten oder Deutschland sich umbennen"[64]...

EPILOG

"Von dem Geist des klassischen Hellas, von dem Land der Griechen, das man mit der Seele sucht, liegt nur wenig unmittelbar zutage, wir müssen es beharrlich suchen und oft stehen wir vor einer Wirklichkeit, die gar nichts mit unserem inneren Bilde zu tun hat."

Theodor Müller-Alfeld [65]

Im gleichmäßig temperierten Museumsraum mit seinem neutral-diffusen Licht, den hallenden Schritten auf dem glatten Marmorboden muß der Besucher die Weite des Blicks vom Burgberg, den warmen Sommerwind, die gleißend-heiße Sonne und die vom Kaikos-Tal heraufdringenden Stadtgeräusche vermissen - aber der Anblick des hier in Berlin effektvoll inszenierten Altars wird ihn trotzdem in seinen Bann ziehen wie ehemals einen seiner ersten Bewunderer, den russischen Literaten Ivan Turgenev:

"Als ich das Museum verließ, dachte ich: 'Wie glücklich bin ich, daß ich nicht starb, bevor ich einen solchen Eindruck mitnehme und all diese Herrlichkeit sehen durfte.' Ich glaube, daß dieser Gedanke vielen anderen kommen wird, wenn sie eine oder zwei Stunden mit der Betrachtung der Marmorfunde aus Pergamon verbringen."[66]

Der Blick vom Asklepieion auf den Burgberg

---

[63] Der Tagesspiegel, 19. 9. 1991. Und wenn sich Berlin selbst als Austragungsort der Olympiade im Jahre 2000 empfiehlt, dann darf die großformatige Abbildung des Pergamonaltars nicht fehlen, um die Legitimität der sportpolitischen Ansprüche in Rekurs auf die musealen Besitzstände zu untermauern. Vgl.: Olympia-Büro (Hg.): Berlin 2000. Bildband für die Bewerbung Berlins als Olympiastadt. Berlin 1990

[64] Die Tageszeitung, 19. 9. 1991

[65] Müller-Alfeld, Theodor: Griechenland und die Inseln der Ägäis. Eine Reise in 226 Photos. Berlin/ Darmstadt/ Wien 1963, Vorwort o.S.

[66] Turgenev, Ivan: Ausgrabungen in Pergamon. In: Zeitschrift für Slawische Philologie, Sonderdruck. Leipzig 1932, S. 8

Nicht Museum, nicht Disneyland.
Zur Problematik archäologischer Parks in Mitteleuropa

von

Burkhard Fehr

Die eigentlich schon ziemlich alte Idee des archäologischen Parks (AP) ist in den frühen siebziger Jahren wieder einmal neu entdeckt worden und wird seither mit erstaunlicher Energie und beträchtlichem finanziellen Aufwand in die Tat umgesetzt: in der BRD, in England, Frankreich, der Schweiz, Österreich und Ungarn, fast immer in eher abgelegenen, bislang etwas verschlafen-provinziellen, nun aber wirtschaftlich aufstrebenden Regionen. Die Liste der an solchen Projekten beteiligten Berufe und Funktionsträger ist lang: abgesehen von den Archäologen sind es Architekten, Ingenieure, Chemiker, Graphiker, Modellbauer und sonstige Handwerker; Kommunal- und Regionalpolitiker, Journalisten und alle Medien mischen mit; Firmenchefs spenden Geld und versuchen oft, den AP in ihre Werbe- und Image-Strategien einzubauen. Unterhält man sich mit dem einen oder anderen unter diesen Mitmenschen, so ist man erstaunt über die Vielfalt der Qualifikationen und Interessen, die sie in ein solches Projekt einbringen. Wenn man die Hingabe sieht, mit der die meisten unter ihnen zu Werke gehen, dann ist man fast versucht, im AP so etwas wie ein heimliches Gesellschaftsspiel unserer Leistungselite zu sehen, eine Art Ersatz für die Modelleisenbahn der Kinderzeit.

Wenn ich hier einige Überlegungen zum AP in Mitteleuropa anstelle - wobei ich mich auf Monumente der Römerzeit beschränke -, wende ich mich in erster Linie an den interessierten Laien. Der damit verbundene Versuch, den fachinternen Umgang mit dieser Problematik aus einer gewissen Distanz zu betrachten, sollte von den Kollegen aus den archäologischen Fächern nicht als Abwertung einer Idee mißverstanden werden, die auch nach meiner Auffassung eine konkretere Geschichtserfahrung ermöglicht als alle anderen Vermittlungsformen. Im folgenden befasse ich mich zunächst mit zwei Problemkreisen: zum einen geht es mir um die Frage, welche Beweggründe für den Eifer verantwortlich sind, mit dem man Bodendenkmäler und Ruinen als historische Dokumente und kulturell-ideelle Wertsachen durch das Anlegen von APs vor dem Verfall zu retten versucht; zum anderen erörtere ich die Auswirkungen des Einsatzes von APs als Lehr-, Lern- und Erziehungsmittel auf das Geschichtsbewußtsein breiter Kreise. Diesen insgesamt eher skeptischen Ausführungen lasse ich dann ein paar zweifellos der Präzisierung bedürftige Vorschläge folgen, wie man die Begegnung mit der Geschichte im AP nicht nur bereichern und vertiefen, sondern auch etwas aufregender gestalten könnte.

I

Es ist lange her, daß der langsame Verfall alter Ruinen dem müßigen Betrachter vor allem Anlaß zu Kontemplation und romantischen Empfindungen war (Abb. 1), sei es zur Rückbesinnung auf ein der Wiedererweckung harrendes geschichtliches Erbe, sei es zu melancholischen Betrachtungen über die Hinfälligkeit menschlicher Macht und Größe, sei es zur Hoffnung auf das Neue, das aus dem Fall des Alten entstehen wird. Heute sieht man in der allmählichen Zerstörung solcher Monumente vor allem ein Versäumnis der Denkmalpflege, und bei den Gedanken, die man sich darüber macht, geht es allein um die Frage, auf welche Weise man weiterem Schaden vorbeugen soll: durch einfaches Zuschütten ausgegrabener Befunde, durch Festigung der Bausubstanz bei sparsamster Ergänzung oder durch rekonstruierende Vervollständigung der erhaltenen Gebäudereste bis hin zur Möglichkeit zeitgemäßer Nutzung. Der Feinde des gerade ausgegrabenen oder nie unter den Boden gekommenen antiken Baudenkmals sind viele. Da ist zunächst die Natur: Wind und Regen; allerlei Zersetzungs- und Fäulnisprozesse; die Sprengkraft im Winter gefrierenden Wassers in den Baufugen und -rissen. Dann die mannigfachen grobschlächtigen Aneignungsformen des antiken Erbes durch Einzelreisende und Massentourismus: Souvenirjagd, kraftvolles Betasten der antiken Objekte, wagemutiges Erklettern, stolzes Begehen der alten Mauern. Schließlich die gefährlichsten Angreifer: die Ausdünstungen der Industrie, wobei die Natur durch Wind und Regen Transportdienste leistet.

Mausoleum des Augustus. Stich von Piranesi (Abb. 1)

Es ist also kein Wunder, wenn in den meisten Texten zu APs Begriffe wie Schutz, Sicherung, Rettung, Verteidigung, Abwehr usw. auftauchen, mit einer Häufigkeit und Nachdrücklichkeit, daß man fast schon glaubt, es sei eine Art Kulturkrieg im Gange. Die Skala der in diesem Krieg angewendeten Waffen ist breit: man tüftelt unter Mitwirkung von THs an der Zusammensetzung der Zemente, die das morsche Mauerwerk wetterfest machen sollen; die Chemie ist überall dabei: vielerlei Kunstharze werden verwendet, in die Mauern und Estriche werden Steinfestiger eingebracht oder Mittel, die den Austrocknungsprozeß aufhalten sollen, mit raffinierten Klebstoffen werden zerbrochene Architekturteile wieder zusammengefügt; Klammern und Stützen aus besonders korrosionsfesten Metallen festigen, unsichtbar angebracht, wie Prothesen altersschwache Wände. Unkraut kann sich in den sorgfältig versiegelten Mauern ohnehin kaum ansiedeln. Falls doch, weiß die Chemie auch hier Rat. Alle diese Maßnahmen machen überdies die Substanz auch widerstandsfähig gegen das tausendhändige und -füßige Ungeheuer Massentourismus.

Die Erfolge, die man in diesem Abwehrkampf erzielt, werden mit nicht geringem Stolz in wissenschaftlichen Publikationen oder in der Tagespresse bekannt gemacht. Nur: Warum und zu welchem Ende will man die antiken Ruinen retten? Diese Frage, von einem Archäologen gestellt, mag Befremden auslösen. Ist es nicht eine Selbstverständlichkeit, daß dieses wichtige Quellenmaterial vor der Zerstörung bewahrt werden muß? Andererseits: die alten Mauern berichten nicht nur wie Tatzeugen über historische Ereignisse und Situationen, sie haben auch selbst Anteil an einem geschichtlichen Geschehen, das sich in ihrem allmählichen Verfallsprozeß in nachantiker Zeit bruchlos fortsetzt (Abb. 2). Der Versuch, diesem Verfall nunmehr Einhalt zu gebieten (Abb. 3), die Integrität dessen, was sich noch erhalten hat, auf theoretisch unbegrenzte Zeit zu garantieren und es gegen zukünftige Veränderungen zu immunisieren, hat zur Folge, daß der betreffende archäologische Befund (scheinbar) aufhört, an der Geschichte, am Lauf der Zeit teilzuhaben, da Geschichte und Zeit Veränderung voraussetzen. Kann aber etwas, das sich als quasi geschichts- und zeitlos präsentiert, eine glaubwürdige Vorstellung von historischem

Wandel vermitteln? Ist das langsame Sterben der Ruinen nicht besser geeignet, den Betrachter das Entstehen der Gegenwart aus der Vergangenheit, die Verwandlung von Gegenwart in Zukunft erleben zu lassen?

Trier. Kaiserthermen.

Zustand in den fünfziger Jahren (Abb. 2)   Zustand nach 1984 (Abb. 3)

In den AP wird aber nicht nur die geschichtliche Zeit durch die Konservierung der Ruinen verdrängt, auch die Erfahrung der natürlichen Zeit wird erschwert. Im Bereich des AP läßt man in der Regel außer Rasen- und Kiesflächen nur eine geringe Anzahl von Bäumen, Sträuchern und wohlgestutzten Hecken zu. Die Vegetation wirkt adrett, ordentlich, steril (Abb. 4). Das allmähliche Sich-Ausbreiten und Wuchern der Pflanzenwelt in den Ruinenstätten, ein Vorgang, in dem das Vergehen von Jahrzehnten und Jahrhunderten sichtbar wird und der früher so untrennbar mit dem Zerfall der alten Bauten verbunden war, ja diese allmählich wieder in natürliche Felsformationen zurückzuverwandeln schien, - dies alles findet im modernen AP nicht statt. Aus demselben Grund bemerkt man wenig vom Wechsel der Jahreszeiten. Eigentlich trägt der heutige AP die Bezeichnung 'Park' zu Unrecht, und man fragt sich, ob es nicht konsequenter wäre, ausschließlich Kunststoffpflanzen aufzustellen, dann wäre die Uhr der natürlichen Zeit endgültig zum Stillstand gebracht.

AP Xanten. Amphitheater (Abb. 4)

Wenn sich die konservierten Ruinen der AP nicht zur Veranschaulichung des Zeitablaufs in der Geschichte eignen - sprechen sie dann vielleicht, ohne daß dies in der Absicht der Initiatoren der APs gelegen hätte, eine ganz andere Haltung zum Phänomen 'Geschichte' an? Rein technisch betrachtet ist die Entzeitlichung und Enthistorisierung der archäologischen Befunde eine Konsequenz der Schutzmaßnahmen, diese wiederum sind eine Reaktion auf Bedrohungen der antiken Kulturreste durch natürliche Vorgänge, industrielle Emissionen und Touristenvandalismus. Solche Bedrohungen werden gelegentlich von Archäologen, häufiger noch von Sonntagsrednern bei der Einweihung von APs in den allgemeinen Kontext einer Gefährdung der physischen wie auch der geistig-moralisch-kulturellen Existenz des Menschen durch industrielle Produktionsweisen und Wirtschaftsformen, durch moderne Technologien und durch die ökonomische Wachstumsideologie gestellt. Diese wohlbekannte kulturpessimistische Haltung ist so alt wie das Industriezeitalter selbst. Man befürchtet, daß der Mensch sich selbst entfremdet wird. Und ebenfalls nicht erst seit heute sucht man durch Zurückschauen in die Geschichte dieser Gefahr zu entgehen, durch ein Wiederanknüpfen an vermeintlich heile Welten der Vergangenheit wieder zu sich selbst zu finden.

Ähnliches erhofft man sich anscheinend auch vom AP, und zwar nicht nur für einzelne 'Gebildete', sondern auch und gerade für eine breite Öffentlichkeit. Ein deutscher Übersetzer eines von einem französischen Kollegen verfaßten Textes - der mir im Original nicht zugänglich ist - faßt dies wie folgt: "Derartige Verwirklichungen, wie einfach sie auch sein mögen (gemeint sind die restaurierten und rekonstruierten Ruinen in APs. - B. F.), tragen zu der Erhaltung unseres archäologischen Erbguts (sic 1985!) bei und erlauben dem Nichteingeweihten, seine Herkunft und kulturelle Identität wiederzufinden". Die Befassung mit Geschichte dient hier also nicht der rationalen Einsicht in den Wandel der Zeiten als Verkettung von Ursachen, Wirkungen oder auch Regelkreisprozessen, sondern der Rückgewinnung einer verlorenen Identität und Herkunft, was immer damit gemeint sein mag. Dies soll sich im Bewußtsein des Laien, des 'Nichteingeweihten' ereignen, auf eine nicht näher beschriebene geheimnisvolle Weise, in der Begegnung mit jenen 'Verwirklichungen', also materiellen Gegenständen. Wir nähern uns hier dem Bereich des Magisch-Mystischen: an einem unansehnlichen Ding ("wie einfach sie auch sein mögen") haftet numinose, fast schon erlösende Kraft. Zwangsläufig stellt sich hier der Gedanke an Heiligenreliquien ein: ein unscheinbarer Knochensplitter etwa gewährleistet die Gegenwart der Kraft des Heiligen, die Nähe zur Reliquie kann den Gläubigen von drückenden Übeln erlösen, läßt ihn Gesundheit oder inneren Frieden wiederfinden. Reliquien müssen genau wie die Ruinen im AP zeitlos gemacht werden, d. h., sie müssen, um ihre Kraft zu behalten, mit allen Mitteln und unter allen Umständen vor der zerstörenden Wirkung der Zeit geschützt werden. Die materiell wertlose Reliquie wird in einem ihrer ehrwürdig-mystischen Kraft angemessenen kostbaren Schutz-Schrein geborgen - die kümmerlichen Fundamentreste eines antiken Tempels unter einem baldachinartigen, ästhetisch anspruchsvoll ausgestalteten Schutzbau (Abb. 5, 6).

Martigny (Octodurus). Museumsbau der Fondation Pierre Gianadda (Abb. 5)

Martigny (Octodurus). Museumsbau der Fondation Pierre Gianadda (Innenaufnahme mit Fundament eines gallorömischen Tempels) (Abb. 6)

Einer der Wendepunkte in der Geschichte des Kulturpessimismus war die Studie des Club of Rome über die 'Grenzen des Wachstums'(1973). Zum ersten Mal warnte damals eine größere Gruppe der Führungselite des industriellen Zeitalters vor einer möglichen Zerstörung unserer Lebensgrundlagen durch die ungebremste Anwendung moderner Produktionstechnologien. Es ist vielleicht kein Zufall, daß in eben diesen Jahren des Beginns einer bis heute anhaltenden Verunsicherung auch die Idee des AP einen starken Auftrieb erhielt; mehrere Projekte, die bis dahin im Stadium des Papierkriegs verharrt hatten, wurden nun mit großzügiger Unterstützung privater und öffentlicher Geldgeber energisch in Angriff genommen. Man wird noch genauer erforschen müssen, inwieweit dieses Phänomen im Zusammenhang mit einer ebenfalls in diesen Jahren (wieder)einsetzenden Neubesinnung auf die identitätsstiftende und -erhaltende Kraft der Geschichte zu sehen ist. In der Werbung für APs wird stets der regionale Aspekt dieser historischen Identität betont, es ist das Erbe der Geschichte 'unserer' Stadt, 'unserer' Landschaft, das durch Ausgraben bzw. Konservieren 'gerettet' wird.

Aber, so werden wahrscheinlich viele ausgewogen und differenziert denkende Zeitgenossen fragen, bedeutet denn dieses Wiederfinden unseres persönlichen oder kollektiv-regionalen Selbst in der Vergangenheit - z. B. in der Begegnung mit einer wiederhergerichteten und haltbar gemachten römischen Tempelruine -, bedeutet dies nun eine rigorose Absage an die moderne industrielle Zivilisation, die uns doch auch einige unbestreitbare Vorteile beschert hat? Aber keineswegs, könnten die an AP-Projekten Beteiligten antworten, so verbissen dürfen Sie das nicht sehen! Schließlich sind wir doch in vielen Fällen auf die modernsten Technologien und Produkte der Chemie und Metallurgie angewiesen, um die antike Stein- und Bausubstanz zu erhalten (diese Verfahren werden bei Führungen ausführlich geschildert). Besteht also die Faszination des AP vielleicht gerade darin, daß er dem Besucher die Möglichkeit einer harmonischen Ko-Existenz der zeitlos gemachten, identitätsstärkenden antiken Ruinen-Reliquie und einer zukunfts- und fortschrittsorientierten technischen Welt scheinbar überzeugend vor Augen führt?

Durch den so wiederhergestellten Seelenfrieden unseres beunruhigten Zeitgenossen im AP wird freilich ein Problem verdrängt: es sind zu einem großen Teil die durch chemische Prozesse erzeugten Abfallstoffe von Massenproduktion und -konsum, die - z. B. durch Autoabgase und den sog. sauren Regen - die antike Bausubstanz zersetzen. Kann und soll man diesen Teufel durch den Beelzebub, d. h. durch weitere Produkte der chemischen Industrie austreiben? Ist hier nicht eher der Archäologe als politisch mündiger Bürger aufgerufen, die Zeugnisse der Vergangenheit durch ein stärkeres Engagement in der Umweltpolitik zu schützen?

II

Soviel zur Rettung antiker Ruinen-Reliquien im AP. Wie steht es nun um den Erziehungs- und Bildungswert der neuen APs in Mitteleuropa, der von allen Planern und Förderern solcher Projekte immer wieder als Rechtfertigungsargument benutzt wird? Etwa 250000 Personen besuchen pro Jahr den archäologischen Park in Xanten, in dem sehr viel kleineren AP Kempten sind es immerhin ca. 35000. Ein Großteil der Besucher sind Schulklassen, die z. T. Anreisen von mehreren hundert km hinter sich bringen (meistens besichtigen sie mehrere APs und Ruinenstätten nacheinander).

An Informationsmedien stehen neben der traditionellen Führung durch Fachleute Schautafeln mit erklärenden Texten, Photos und Zeichnungen, ferner diverse Modelle, Guide-Books, Faltpläne und sogar Comics zur Verfügung. Nach dem Prinzip des Learning-by-doing werden außerdem Möglichkeiten angeboten, antike Handwerkstechniken wie z. B. Brotbacken zu lernen; man kann in einer römischen Herberge wie ein alter Römer essen, bedient von einer Kellnerin im original römischen Gewand, und sich mit allerlei römischen Spielen vergnügen (Abb. 7). Hin und wieder, vor allem in England, kann man auch Inszenierungen römischen Lebens, etwa aus dem Bereich des Militärwesens bewundern.

AP Xanten. Kinder beim Orca-Spiel (Abb. 7)

AP Xanten. Spielplatz (Abb. 8)

Es ist offenkundig, daß vielfach auf die altbewährte Form des Lernens durch das Spiel gesetzt wird. Das gilt nicht nur für die Erwachsenen. Auf dem AP Xanten befindet sich z. B. ein Kinderspielplatz (Abb. 8), der Elemente römischer Stadtarchitektur übernommen hat, in Kempten liegt ein Spielplatz unmittelbar neben dem AP. Insoweit der AP ein 'Spielplatz' für Erwachsene ist, grenzt er sich einerseits scharf gegen andere Vermittler geschichtlicher Bildung ab, die wie das Gymnasium oder das Museum alter Art vor allem an die Bereitschaft zur intellektuellen Anstrengung appellieren, andererseits definiert er sich im Gegensatz zum strapaziösen Berufsalltag als Freizeit- und Erholungsangebot. Das wird oft auch noch durch die räumliche Nähe zu Freizeitparks und anderen Einrichtungen zur Regeneration unterstrichen. Das Lernziel, das der Besucher des AP auf diesem Wege erreichen soll, ist vor allem eine genauere Detailkenntnis des Alltags römischer Durchschnittsmenschen. Eine Überprüfung des Lernerfolgs nach wissenschaftlichen Methoden und Kriterien ist m. W. nirgends durchgeführt worden. Wichtiger erscheint mir aber die Frage, ob sich möglicherweise bei vielen Besuchern über die Füllung von historischen Wissenslücken hinaus nicht noch weitere, sehr viel umfassendere, tiefergehende und nachhaltigere Lerneffekte einstellen, die die Planer und Pädagogen im AP sicherlich gar nicht anstreben. Es wird viel Mühe darauf verwendet, den Besuchern das Szenario des AP in Wort und Bild (Abb. 9-12) lebensnah zu vermitteln. Den Begriff 'Lebensnähe' gebrauche ich hier in einem doppelten Sinn: zu einem meine ich damit eine Tendenz, den römischen Alltag möglichst detailliert, konkret und anschaulich zu schildern, zum anderen die bei Führungen, auf Schautafeln usw. auffallend häufig gezogenen Parallelen zum heutigen Berufs- und Privatleben, zu unserer Freizeitgestaltung, unseren Formen des Gottesdienstes etc. Hier stellt sich dann auf vielen Besucher-Gesichtern jenes zufriedene Lächeln ein, das ein Aha-Erlebnis begleitet: "Im Grunde bleiben sich das alltägliche Leben, die Bedürfnisse, Freuden und Sorgen des kleinen Mannes immer gleich, nur die äußeren Formen ändern sich". So oder ähnlich klingen viele Äußerungen, die ich bei Besuchen in APs aufgeschnappt habe.

Einmal eingestimmt auf diese Gleichung 'Damals/Heute', kann der Besucher auch allerlei scheinbar naheliegende Parallelen zwischen römischen Bauten, die man über antiken Fundamentresten im ganzen wohl zutreffend rekonstruiert hat, und heutiger Architektur ziehen. Auf einer Schautafel im AP Kempten wird man z. B. darauf aufmerksam gemacht, daß bayerische und österreichische Kapellchen der Neuzeit fast genauso aussehen wie die im Park zu besichtigenden Rekonstruktionen kleiner galloörmischer Kultgebäude. Von seiten der Kollegen im AP ist das sicher nur als ein pädagogisches Hilfsmittel zur Steigerung des Interesses an der Sache gedacht, aber das Resultat ist meist eine viel weiter als erwünscht gehende Verallgemeinerung: Es ändert sich kaum etwas, die Zeiten bleiben sich gleich. Man kann, wenn man will, noch weitere Vergleiche dieser Art ziehen: der galloörmische Kultbezirk des AP Kempten mit seinem Ensemble bescheidener weißverputzter Gebäude, den roten ziegelgedeckten Giebeldächern, den Rasenflächen, Kieswegen und kleinen Hecken dazwischen fügt sich harmonisch ein in die aus kleinen Eigenheimen bzw. Reihenhäusern und gepflegten Vorgärten bestehende Wohnbebauung der Umgebung. Auch die Unterschiede zwischen den Hallen, die den galloörmischen Kultbezirk in Kempten umgeben (Abb. 12), und z. B. der Halle, die den Hof einer nahegelegenen Pfarrei (Abb. 13) einfaßt, sind nicht besonders groß. Noch eine Anmerkung: zweihundert Meter vom AP Kempten entfernt hat man bereits in den fünfziger Jahren eine große Volksschule gebaut, deren Grundriß von provinzialrömischen Landvillen inspiriert ist. Die Schulkinder werden dort durch große Wandbilder täglich auf die gleichbleibenden Grundstrukturen des Menschenlebens verwiesen: da sind etwa 20 qm gefüllt mit der Welt des Draußen, zugleich die Welt des Mannes: ein römischer Reiterkrieger vor einer Festung, ein Handelsmann, der auf seinem Wagen voller Waren seines Weges zieht, einen Hügel weiter ein Bauer, der seinen Acker bestellt. Auf der gegenüberliegenden Wandseite die häusliche Welt: eine Gehöftfassade, eine Frau, die mit einem Wasserkrug auf dem Kopf heimkehrt, der Haushund, der ihr freudig bellend entgegenspringt.

AP Kempten im Sommer (Abb. 9)   AP Kempten im Winter (Abb. 10)

Gallorömischer Tempelbezirk in Kempten. a) Zeichnerische Rekonstruktion. b) Teilrekonstrukti-
on als erster Abschnitt des AP Kempten (Abb. 11)

Gallorömischer Tempelbezirk in Kempten.   Innenhof einer Pfarrei in Kempten (Abb. 13)

Zeichnerische Rekonstruktion eines Teils der
Umgangshalle (Abb. 12)

So war das Leben, so ist es noch und so wird es bleiben. Es gibt im Grund nur Gegenwart. Auf der Ebene des Alltagslebens tritt uns hier dieselbe 'Aufhebung' der Zeit entgegen, die uns vorhin schon im Zusammenhang mit der Ruinen-Reliquie im AP, man könnte auch sagen 'Ruinenmumie', beschäftigte. Dieser 'Reliquie' mit Augen und Händen nahe zu kommen, bringt den verunsicherten modernen Menschen zu sich selbst zurück, festigt seine Identität. Ein ähnlich stabilisierender und zugleich tröstlicher Effekt dürfte sich im Gemüt des Besuchers einstellen, wenn die Besichtigung des AP bei ihm die Einstellung bestätigt, daß die Grundordnung des Alltags, so wie er sie kennt, zeitlose Gültigkeit besitzt und ihm damit stets eine klare Orientierung erlaubt.

In eine ähnliche Richtung führt die Beobachtung, daß in den Informationsmaterialien und -medien für die Besucher der APs kaum je die zahlreichen sozialen Konflikte, innenpolitischen Spannungen und wirtschaftlichen Krisen des imperium Romanum zur Sprache kommen. Man hat eine wohlgeordnete Welt vor sich, eine übersichtliche Statushierarchie mit einer sachgerechten, stabilen und dauerhaften Verteilung gesellschaftlicher Rollen und Privilegien, Produktionstätigkeiten, materieller Güter. Würde man in den APs, was durchaus möglich wäre, das Konfliktmoment in der Geschichte durch eine geeignete Präsentation archäologischen Quellenmaterials deutlicher herausstellen, dann käme, im Gegensatz zur sonstigen Grundtendenz des AP, wieder der Wandel der Zeiten ins Spiel, dessen Motor nun einmal der Streit der Interessen ist. Beim AP in Mitteleuropa wäre hier vor allem an die Auseinandersetzung zwischen einheimischen Kulturtraditionen und importierter römischer Zivilisation zu denken.

Die einzige ausführlichere Darstellung eines Konflikts, die ich in einem AP kennengelernt habe, ist ein Comic, der im Verkaufskiosk des AP Kempten angeboten wird (Abb. 14). In dem Heftchen wird die Geschichte einer aus mehreren Jungbürgern des antiken Cambodunum bestehenden avantgardistischen Musikgruppe erzählt, die sich von einem öffentlichen Auftritt auf dem Markt den großen Durchbruch erhofft. Das Unternehmen scheitert - abgesehen von der Unfähigkeit des geldgierigen Managers - einerseits an der ablehnenden Haltung der recht provinziellen Cambodunenser gegenüber der modernen Musik, andererseits am Zorn der Geschäftsinhaber, denen die Musikgruppe die Kunden vertreibt. Jeder Leser des Comics kann diese Situation mühelos auf die Fußgänger-Einkaufszone des heutigen Kempten übertragen. Man 'lernt' daraus, daß die Konflikte von damals auch die von heute sind.

Szene aus dem Comic "Die Radiatoren (Cumulus)" von R. Mayrock (Abb. 14)

III

Ich habe, wenn auch nur andeutungsweise, darzustellen versucht, daß der AP, der gewöhnlich als ein Symptom für die Wiederentdeckung der Geschichte betrachtet wird, in seinen derzeitigen Erscheinungsformen eher dazu geeignet ist, durch eine auf mehreren Ebenen stattfindende scheinbare Aufhebung des Wandels der Zeiten das geschichtliche Denken zu unterminieren. Es handelt sich, um A. Kluge zu zitieren, um einen "Angriff der Gegenwart auf die übrige Zeit". Andererseits geht es mir hier nicht darum, den Mitmenschen, die an und in APs arbeiten, die Leviten zu lesen. Es sind ja nicht nur eine Menge Steuer- und Sponsorengelder in die APs gesteckt worden, sondern auch kulturpolitisches Engagement und viel zähes und aufrichtiges Bemühen der Wissenschaftler, die dinglichen Überreste vergangener Epochen produktiv einzusetzen, um dem Mitmenschen über seine gewohnten Rollen als Arbeitnehmer, Warenkäufer und -verbraucher, Verkehrsteilnehmer und Medienkonsument hinaus neue, Gedanken und Sinnesorgane gleichermaßen anregende Erfahrungsmöglichkeiten zu erschließen. Nachdenklich stimmt auch die Tatsache, daß die Kollegen in den APs nicht bloß geduldig rackern, sondern auch Spaß an ihrer Arbeit haben. Und wer will schon den Besuchern der APs ihr Vergnügen vermiesen, wie naiv es tatsächlich oder angeblich sein mag? Nein, ich möchte kein Spielverderber sein.

Kein Spielverderber - mir scheint, daß dem Begriff des Spiels eine Schlüsselrolle in einer konstruktiven Kritik des APs zukommt. Keine Frage, der AP spricht gezielt den Spieltrieb des Besuchers an. Die positiven Reaktionen auf solche Angebote der APs bestätigen scheinbar gewisse Vorurteile über das Denken und Fühlen der 'breiten Masse': der Durchschnittsmensch fühlt sich halt von dem pseudohistorischen Disneyland des APs angezogen, weil er dort eine Möglichkeit findet, sich durch eine doppelte Regression dem Streß seiner Alltagswelt zu entziehen: einerseits durch die Flucht in die geschichtliche Vergangenheit, andererseits durch die Rückkehr in die Spielzeugwelt der Kindheit. Doch selbst dann, wenn dieses Erklärungsmuster bei manchem Besucher zutreffen sollte, wäre es zu oberflächlich und einseitig. Wenn ein Erwachsener im AP kindliche Spielfreude empfindet, so könnte darin ja auch der Wunsch enthalten sein, noch einmal wie ein Kind durch Spielen, d. h. mit Vergnügen zu lernen. Durch Nachahmung der Realität im Spiel können bestimmte Verhaltensformen eingeübt werden. Man kann aber auch im Bemühen um diese Nachahmung, sei es als Spieler, sei es als Zuschauer zu einer bewußteren Wahrnehmung der Wirklichkeit gelangen. Interessanter noch ist aber in unserem Zusammenhang die Möglichkeit, im Spiel Alternativen zu uns selbstverständlich erscheinenden Verhaltensschemata zu erproben: Wir treten für eine Weile in eine Welt mit anderen 'Spielregeln' ein, und wenn wir dann in die gewohnte Welt zurückkehren, sehen wir sie mit anderen Augen, können sie nach neuen Maßstäben beurteilen, die wir aus der Spielwelt mitgebracht haben. Vielleicht nicht nur beurteilen. Vielleicht gibt uns gerade das Fremde und Ungewohnte, das wir in der Spielwelt kennengelernt haben, Anstöße zur Bereicherung und Umgestaltung unseres Alltagserlebens und -handelns.

Ein AP, wenn er denn seiner Aufgabe gerecht werden soll, läßt uns eine vergangene Welt sinnlich erfahren, in der völlig andere Regeln galten als die, die uns so vertraut sind, daß wir sie noch nicht einmal als Regeln wahrnehmen. Ich kenne keinen AP, dessen Konzept sich konsequent an diesem Kriterium der grundsätzlichen Fremdartigkeit alles dessen, was Geschichte geworden ist, orientiert, obwohl es sich doch um eines der geläufigsten Prinzipien aller historischen Forschung handelt. Freilich: wenn es einen AP gäbe, der den Besucher dazu einlüde, sich im Rahmen spielerischer Aktivitäten auf die unvertrauten Spielregeln historischer Verhältnisse einzulassen, so hätte der Neugierige nicht nur angenehm/idyllische, erholsame oder mild die Nerven kitzelnde Eindrücke zu gewärtigen, sondern u. U. auch beruhigende, wenn nicht gar schockierende Erfahrungen. Der AP würde auf diese Weise zum historischen Abenteuerspielplatz für Erwachsene.

Was sich in den real existierenden APs an Spielmöglichkeiten findet, bezieht sich in der Regel auf Bereiche, in denen die Unterschiede zwischen heute und damals sich auf nebensächliche Details beschränken. Größere Vorbereitungen sind nicht erforderlich, alle Anstrengungen und Belastungen, ob physischer oder psychischer Natur, die die Erholung im AP beeinträchtigen könnten, werden tunlichst vermieden. Spielen im AP, wie ich sie mir vorstelle, müßten Konzepte zugrunde liegen, die von Altertumswissenschaftlern, Freizeitforschern und Psychologen gemeinsam zu erarbeiten wären. Die Spiele müßten von größeren Gruppen durchgeführt werden, wobei sich jeder Teilnehmer anhand detaillierter Unterlagen mit den Verhaltensregeln vertraut macht, die in der Antike für den von ihm übernommenen Part galten. Natürlich kann hier die Wissenschaft, schon wegen der zahlreichen Quellenlücken, nicht alle notwendigen Detailinformationen bereitstellen. In solchen Fällen könnten die Spielmoderatoren mehrere Verhaltensmöglichkeiten zur Wahl stellen, die sich mit den durch Quellen belegten antiken Handlungsmustern in Einklang bringen lassen, oder die Spieler könnten aus dem Stegreif so agieren, wie es ihnen jeweils passend erscheint. Es müßte einen Schiedsrichter geben, der z. B. Minuspunkte verteilt, wenn einer der Mitspieler durch offenkundige Modernismen aus der Rolle fällt.

Für jedes Spiel müßte eine Ausgangssituation festgelegt werden, während das Ende offen bliebe. Der Motor, der das ganze in Gang hält, wäre ein Problem oder ein Konflikt, der für eine bestimmte Phase der römischen Geschichte charakteristisch ist und von den Mitspielern gelöst werden muß (wobei ein mögliches Ergebnis sein könnte, daß der Konflikt bzw. das Problem innerhalb der sozialen, politischen, ökonomischen oder technologischen Rahmenbedingungen der Antike prinzipiell nicht lösbar ist). Um sich entsprechende Spielsituationen auszudenken, muß man noch nicht einmal seine Phantasie besonders anstrengen, die schriftliche Überlieferung der Antike bietet Anregungen genug. Man könnte etwa folgendes Grundmuster skizzieren (vgl. Korrespondenz Plinius/Traian, Buch X, Briefe 96/97): ich, ein erfolgreicher Bauunternehmer in einer aufstrebenden römischen Kolonie der mittleren Kaiserzeit, bin maßgeblich an einem kurz vor der Vollendung stehenden Großprojekt, einem Amphitheater, beteiligt; der zuständige Beamte der Stadt, ein guter Freund von mir, bereitet schon seit langem Gladiatorenkämpfe und Tierhetzen für die Eröffnung der Unterhaltungsstätte vor und sucht u. a. händeringend nach Kapitalverbrechern, insbesondere Mördern und Religionsfrevlern, die in der Arena ihr 'gerechtes' Ende finden sollen; eines Tages komme ich nach Hause, und meine Frau eröffnet mir zu meiner Bestürzung, sie habe sich zum Christentum bekehren lassen, einer Religion also, für deren Ausübung keine Erlaubnis von staatlicher Seite vorliegt; wenig später entdecke ich, daß auch ein Sklave aus meinem Hausstand darüber Bescheid weiß und mit dem Gedanken spielt, mich zu erpressen, usw. Oder eine andere Möglichkeit (vgl. Korrespondenz Plinius/Traian, Buch X, Briefe 37/38): in einer Stadt, ebenfalls der mittleren Kaiserzeit, hat man mit dem Bau einer Wasserleitung begonnen; viel Geld wird in das Bauvorhaben hineingesteckt, aber es bleibt unvollendet liegen; ein weiterer Versuch, der Stadt Wasser zuzuführen, endet in einem ähnlichen Fiasko, wiederum mit hohen finanziellen Verlusten; der Provinzstatthalter schöpft Verdacht und schickt einen Beauftragten, der untersuchen soll, ob womöglich korrupte Elemente in der Stadtverwaltung sich in Zusammenarbeit mit betrügerischen Vertretern der Baubranche bereichert haben. Oder etwas Harmloseres: eine Badeordnung für neuerrichtete Thermen soll erarbeitet werden; es gibt unterschiedliche Meinungen über Badezeiten, über die Modalitäten der Geschlechtertrennung, über unbedenkliche oder zweifelhafte Vergnügungsangebote innerhalb der Anlage etc.

Den Spielsituationen ein Problem oder einen Konflikt zugrunde zu legen, erscheint mir deshalb unabdingbar, weil nur so die Spieler konkret erleben, welche Handlungs- und Entscheidungsspielräume innerhalb der antiken Konventionen zur Verfügung standen. Auch würde sich zeigen, daß Konflikte häufig dadurch entstanden, daß keine allgemeinverbindliche soziale Norm vorhanden war, sondern mehrere miteinander konkurrierende Leitlinien des Verhaltens, die gegensätzliche Gruppeninteressen widerspiegelten. Schließlich würde in den mehr oder weniger erfolgreichen Lösungen der durch die Konflikte verursachten Probleme das Phänomen der historischen Veränderung anschaulich, eine Erfahrung, die durch das notwendige Raffen der historischen Zeit im Spiel besonders eindrücklich ins Bewußtsein träte.

Natürlich müßten die Spielkonzepte auf den spezifischen geschichtlichen Kontext der jeweiligen archäologischen Befundsituation Rücksicht nehmen. Bei Erhaltungs- und Rekonstruktionsmaßnahmen in AP-Projekten, ja sogar bei der Entscheidung, welche Gebäude man in einem größeren Stadt- oder Heiligtumsgelände ausgraben und restaurieren will, sollte eine mögliche Verwendung für Spiele der beschriebenen Art als ein wichtiger, wenn auch zweifellos nicht als der einzig maßgebende Aspekt mitbedacht werden. Eine größere Anzahl mobiler Kulissen müßte als Ergänzung zum festen Baubestand bereitstehen. Videoaufnahmen des Spielgeschehens könnten im nachhinein die historische Lernerfahrung der Teilnehmer vertiefen.

Das Erlebnis der Fremdheit der antiken Gesellschaft und Kultur auf dem historischen Abenteuerspielplatz des AP mag von den am Spiel Beteiligten wie gesagt u. U. als strapaziös oder gar als beängstigend und schockierend empfunden werden. Ob sich überhaupt jemand auf derartiges einläßt? Nun, jeder Zeitungsleser weiß, welche Entbehrungen und Gefahren manche Leute auf sich nehmen, die mehr über sich selbst und über die Auswirkungen außergewöhnlicher Lebensbedingungen und -konzepte erfahren wollen - Survivalisten, Pol- und Atlantiküberquerer, Teilnehmer an gewissen Sektenritualen oder waghalsigen gruppendynamischen Experimenten. Was den archäologischen Bereich betrifft, so sei daran erinnert, daß unlängst Leute aus Amerika nach Athen reisten, nur um sich auf dem Nachbau eines altgriechischen Kriegsschiffes wochenlang als Ruderer schinden zu dürfen. Es haben sich auch größere Gruppen von Leute gefunden, die bereit waren, längere Zeit unter den gewiß nicht komfortablen Bedingungen der Steinzeit zu leben - hier handelt es sich um eines jener Projekte, die man unter dem Begriff 'Experimental Archaeology' zusammenfaßt. Im Umfeld dieser archäologischen Forschungsrichtung möchte ich auch meine historischen Abenteuerspiele im AP ansiedeln, die über ihren Unterhaltungswert und ihren Lerneffekt für die Teilnehmer hinaus in manchen Fällen auch die traditionellen wissenschaftlichen Untersuchungsmethoden ergänzen könnten.

Was ich hier angedeutet habe, würde natürlich nicht die üblichen, mehr der erholsamen Unterhaltung dienenden Angebote der APs ausschließen. Es wäre eine zusätzliche Nutzungsmöglichkeit, durch die verhindert wird, daß der Besucher im AP ausschließlich eine verniedlichte und beschnittene Geschichte antrifft oder gar deren scheinbare Aufhebung durch Entzeitlichung. Ich mache mir keine Illusionen über die Probleme, die bei dem Versuch auftreten werden, angesichts der vielen zu berücksichtigenden Aspekte und Details methodisch abgesicherte, mit den Geschichtsquellen rückgekoppelte, pädagogisch-psychologisch wohldurchdachte, aber auch flexibel aufgebaute Spielkonzepte zu entwickeln. Die dafür erforderliche interdisziplinäre Zusammenarbeit ist derzeit noch Utopie.

Dennoch sehe ich keinen Anlaß zu Pessimismus. Wenn es überhaupt in der Archäologie Ansätze zu einer Öffnung gegenüber wissenschaftlichen Denkweisen und Methoden gibt, mit denen man sonst wenig Berührungspunkte hat, dann im Zusammenhang mit der Planung und Realisierung von APs in den vergangenen zwei Jahrzehnten. In demselben Zeitraum hat sich auch eine gewisse Gewöhnung der Archäologen an das Zusammenwirken mit Menschen aus unterschiedlichen Bereichen des praktischen Lebens eingestellt, ohne die man bei solchen Projekten nun einmal nicht auskommt. Ich habe zu Anfang gesagt, daß die Interaktion der verschiedenen am Aufbau eines AP beteiligten Gruppen fast wie ein Gesellschaftsspiel wirkt. Wieder ein Spiel. Eines das mit Lust betrieben wird, in dem aber zugleich oft recht heterogene Interessen aufeinanderstoßen. Zu diesen einige, um der Deutlichkeit willen etwas überspitzte Stichworte: der Archäologe, der vor allem sein Quellenmaterial als historisches Dokument sichern möchte, würde eigentlich den Befund nach Abschluß der Ausgrabung am liebsten wieder zuschütten wollen; der Grabungsarchitekt hingegen, voll unausgelasteter Schaffenskraft und Phantasie, möchte das antike Gebäude möglichst zur Gänze wiedererstehen lassen, oder besser noch, seine schöpferischen Fähigkeiten durch ein eindrucksvolles Schutz- oder Museumsgebäude unter Beweis stellen; beim Techniker, Chemiker oder Ingenieur erwacht bei der Durchführung der Restaurierungsmaßnahmen der Bastlerinstinkt, überall will er in seinem technisch-innovativen Drang brandneue technische Verfahren, Werkstoffe und chemische Substanzen erproben; Stadtväter und Kulturpolitiker wiederum wollen den auf dem Grabungsgelände anzulegenden AP möglichst bald als attraktive Freizeiteinrichtung im Rahmen ihrer lokalen Standortentwicklungspolitik nutzen (Abb. 15) und haben deshalb wenig Verständnis für die zeitaufwendigen Forschungsmethoden der Archäologen und für deren Abneigung gegen optisch attraktive, wissenschaftlich aber nicht gesicherte Ergänzungen oder gar Neubauten auf alten Grundmauern; Wirtschaftskapitäne der Region zeigen sich gelegentlich spendabel, hegen aber auch nicht selten den von den übrigen am Projekt Beteiligten als etwas peinlich empfundenen Wunsch, daß der Besucher neben dem Bildungserlebnis auch den Namen der Firma des Sponsors in angenehmer Erinnerung behalten möge etc.

Römischer Gepäckträger (Abb. 15)

Ich möchte diese Gegensätze nicht gerade mit der bei Sonntagsrednern beliebten Vokabel 'fruchtbar' bezeichnen, doch gehen sie in der Regel zumindest nicht so weit, daß man sich gegenseitig blockiert und einander nicht mehr zuhört. Schlau und eifrig verfechten die Teilnehmer an diesem 'Gesellschaftsspiel' ihre jeweiligen Interessen, und so bin ich nicht ohne Hoffnung, daß aus dieser Erfahrung heraus der eine oder andere von ihnen sich auch für das Konzept des AP als historischer Abenteuerspielplatz für Erwachsene erwärmen könnte.

Weiterführende Literatur:

G. Ulbert/G. Weber: Konservierte Geschichte? Antike Bauten und ihre Erhaltung. Stuttgart 1985 (dort auf S. 210 das hier auf S. 57, zweiter Abschnitt wiedergegebene Zitat). Vgl. auch B. Fehr, Hephaistos 3, 1981, S. 107 - 126).

Abbildungsnachweise:

Abb. 1: Nach Munoz, Capitolium IX (Oktober 1930)

Abb. 2,3: Photos des Rhein. Landesmus. Trier

Abb. 4: Nach Kurzführer durch den Archäologischen Park Xanten (Hrsg.

Abb. 5,6: Photo, H. Preisig, Sion. Vermittelt durch F. Wiblé, Fouilles d' Octodurus (Martigny)

Abb. 7/8: Nach Photos des Rhein. Landesmuseum Xanten

Abb. 9, 10, 12: Nach G. Weber, Archäologischer Park Cambodunum (Führer durch Xden APC, ersch. 1989. Hrsg. Kulturamt Kempten)

Abb. 11: Nach G. Ulbert/G. Weber (Hrsg.): Konservierte Geschichte? (1985), S. X66 Abb. 43.

Abb. 13: Nach Aufn. des Verf.

Abb. 14: Nach Comic von R. Mayrock

Abb. 15 Nach Prospekt des Verkehrsamts Kempten

Den genannten Personen und Institutionen bin ich für die Beschaffung von Abbildungsvorlagen und die Erteilung von Reproduktionsgenehmigungen zu besonderem Dank verpflichtet.

Antike und moderne Redegestik.
Eine frühe Theorie der Körpersprache bei Quintilian

von

Peter Wülfing

Stellen Sie sich vor, sie stoßen in irgendeiner gut ausgestatteten Bibliothek auf einen Text des Quintilian, Titel: INSTITUTIO ORATORIA, "Rednerische Ausbildung". Sie blättern, vielleicht von hinten beginnend, stolpern zufällig in das 11. Buch, 3. Kapitel, und Ihr Auge mag an einer Stelle haften bleiben wie dieser (§ 98): "Manchmal teilen wir die Finger in Zweiergruppen, ohne aber den Daumen (*pollex*) dazwischenzuschieben, wobei jedoch die beiden unteren etwas nach innen geneigt sind, aber auch die oberen nicht ganz gespannt sind.[1]" Da Quintilian hier nichts über den Zweck der Übung sagt, blättern wir etwas zurück (§ 96) "Sehr passend für eine bescheidene Redeweise ist ... die Gebärde, die ersten vier Finger (also Daumen und die nächsten drei Finger), leicht nach oben gerichtet, zusammenzuschließen, die Hand nicht weit vom Mund oder der Brust an uns zu ziehen und sie nach unten und ein wenig vorgestreckt zu lockern. (§ 97) So mag, glaube ich, Demosthenes in dem ängstlichen (*timidus*) und unterwürfigen (*summissus*) Anfang seiner Rede für Ktesiphon gesprochen haben, so mag Ciceros Handhaltung ausgesehen haben, als er sagte: 'wenn ich denn überhaupt Talent besitze ...(pro Archia 1.1)' ".

Wenn Sie einen solchen Text lesen, wird Ihnen bewußt werden, daß es sich da um ein Unterrichtswerk für Redner handelt, mit detaillierten, z.T. historischen Ausführungen darüber, welche Gesten die Rede begleiten sollen oder können. Sie werden vermuten, daß ein solches Werk auf einer Tradition von Vorgängern aufbaute; sie werden wissen, daß die Redeausbildung allgemeine Bildung war und nun feststellen, daß sich dem kein modernes Lehrfach, keine moderne Ausbildung an die Seite stellen ließe. Redelehre gibt es heute nur in sehr eingeschränktem Maß, eine Lehre über Gestik existiert eher in der Psychologie und Verhaltensforschung denn als Stoff der allgemeinen Bildung oder, wie man heute sagen müßte, des 'gemeinsamen Curriculums'. Eine historische Lehre von der Gestik hat gerade noch Platz in der Kunstgeschichte.

In der Antike ist das anders gewesen. Daß Quintilian auf die Gestik kommt, liegt sozusagen im System, im rhetorischen System.

Hier sei die Bemerkung eingeflochten, daß seine INSTITUTIO ORATORIA, die wahrscheinlich im Jahr 95 n.Chr., also unter Kaiser Domitian, veröffentlicht wurde, zum ersten Mal so ausführlich die Gestik sowie die anderen Teile des Redevortrags (*actio* bzw. *pronuntiatio*) behandelte, aber daß es zweifellos römische und hellenistische Vorläufer gegeben hat.

Im System der Rhetorik war dies der letzte der sogenannten Arbeitsschritte (*officia oratoris*). Bekanntlich folgte auf das Auffinden des Materials (*inventio*) die Anordnung (*dispositio*) unter Berücksichtigung der fünf Redeteile, dann die Einkleidung in die passende sprachliche Form (*elocutio*), das Einprägen des so Entwickelten ins Gedächtnis (*memoria*) und schließlich der Vortrag, also die *actio* oder *pronuntiatio*.

Pronuntiatio ist also das Aussprechen dessen, was bisher ein Gedanken- und vielleicht Notizengebäude war. Farbiger ist der Ausdruck *actio* von *agere* 'aufführen'[2]. Das lat. *actio* seinerseits ist Übersetzung des griech. *hypókrisis*, der Tätigkeit des Schauspielers.

Wir haben es aber mit einem ausgebildeten System zu tun. Also müssen wir sogleich mit weiteren Unterteilungen rechnen. Der Redevortrag wird dementsprechend unter folgenden Aspekten

---

[1] Übersetzungen des Quintilian nach der zweisprachigen Ausgabe von H.Rahn, 1975.

[2] Noch heute ist in den romanischen Sprachen *acteur*, *attore* und im Englischen *actor* das Wort für den 'Schauspieler'.

behandelt: unter dem der Stimme *(vox)*, der Hand- und Arm-Bewegung *(gestus)*, der Körperbewegung *(motus)* und evtl. noch unter dem der Kleidung und Ausstattung *(cultus, habitus)*.

Von diesen Aspekten möchte ich hier das Thema *gestus* besprechen. Es ist natürlich wiederum systematisch eingeteilt in Gesten, die mit dem Kopf ausgeführt werden, solche, die sich im Gesicht abzeichnen, also die Mimik *(vultus)*, und weiter die Gesten der Arme, der Hände und der Finger.

Das ganze Kap. XI 3 enthält über diese raffinierten Nebensächlichkeiten interessante Reflexionen und zahlreiche kulturhistorisch wichtige Details.

Hier sei noch einmal betont, daß sich dieses Thema und seine Erörterung zunächst aus der Vollständigkeit selbst des rhetorischen Systems ergeben. Diese war aber nicht sofort und auf einen Schlag gegeben. Zumal die *actio*, d.h. die *hypókrisis*, bei den Griechen erst von Aristoteles ins Auge gefaßt worden war, in seiner Rhetorik *(téchne rhetoriké)*, die um 340 v.Chr. Geb. entstanden sein mag. Aristoteles hat sie jedoch nur als sehr wichtig bezeichnet und sogleich hinzugefügt, sie entziehe sich der lehrbuchmäßigen Behandlung, da sie noch nicht systematisch bearbeitet worden sei (Aristot. Rhet. III 1, § 3-7).

Sein Schüler Theophrast soll dann ein Buch über den Redevortrag *(perì hypokríseos)* geschrieben haben. Wir wissen aber nicht, was darin stand.

Ich lasse die Zwischenglieder fort. Wir wissen so gut wie nichts über die Entwicklung dieses Themas bis zu der sogenannten Rhetorik *ad Herennium*, die von einem gewissen Cornificius verfaßt war und in die 80er Jahre des letzten vorchristlichen Jahrhunderts gehört, also um etwa 180 Jahre älter ist als Quintilians Institutio, die meinen Ausführungen hauptsächlich zu Grunde liegt.

Diese Rhetorik ist im Vergleich zu Quintilian ein schmales Heftchen. Sie enthält das rhetorische System zwar vollständig, aber in skeletthafter Form. Was darin über Gestik steht, gibt in seiner Nüchternheit eine gute Folie ab für das, was bei Quintilian daraus geworden ist. Der ganze Abschnitt ist zunächst einmal viel kürzer: neun Paragraphen anstelle von 184, also gerade ein Zwanzigstel. Dementsprechend wird das Thema nur ganz kursorisch behandelt. Tenor: Zurückhaltung! Keine Übertreibungen! Hauptfunktion von *gestus* und *vultus* sei, Glaubwürdigkeit zu gewinnen *(probabiliora reddere quae pronuntiantur)*. Zwei Äußerungen dieses Autors fallen auf. Am Anfang (ad Her. III 19) sagt der Autor, das Thema *pronuntiatio* sei nicht sehr wichtig. Aber bisher habe niemand eingehend *(diligenter)* darüber geschrieben, und zwar weil offenbar sei, daß man über Stimme, Mimik und Gestik keine klaren Aussagen machen könne. Sie entziehen sich der Verbalisierung.

Das gilt auch heute! Ich teile Cornificius' Ansicht völlig. Er schreibt denn auch nur kurze Bemerkungen auf und ist nach wenigen Zeilen bereits sehr stolz auf das, was er geleistet hat, *quantum susceperim negoti*! In Wirklichkeit sei die *pronuntiatio* Sache der Übung *(exercitatio)*.

Quintilian ist nun wirklich weitergegangen. Er hat im vollen Bewußtsein der Schwierigkeiten wenigstens den Versuch gemacht, einen Ausschnitt der Dinge zu verbalisieren. Was das bedeutet und zu welchen Betrachtungen es mich angeregt hat, davon will ich jetzt sprechen. Vorher möchte ich über die Motive und über die Intention meiner Themenwahl einige Andeutungen in Thesenform machen:

Rhetorik ist das erste systematisch geordnete Wissens- und Ausbildungsfach der europäischen Welt[3]. Schon dies weckt Interesse. Systematische Ordnung aber bedeutet, daß ein Gebiet abgegrenzt, seine Spezifität beschrieben, seine Aufgabe bestimmt, seine Teile definiert, hierarchisiert und benannt werden. Das ist eben in der Rhetorik zum ersten Mal geschehen *und* schriftlich niedergelegt worden.

---

[3] Das rhetorische war das erste System, das diesen Namen verdient, überhaupt; vgl. M.Fuhrmann, 1963.

Es scheint zu den gesellschaftlichen Konstanten zu gehören, daß sich die erste Abwehr gegen das neue System immer auf das Benennen, auf den Terminologie-Aufwand richtet. Das kennen wir gut bei jungen Wissenschaften: Soziologie, Politikwissenschaft, Informatik usw.). Ein altes Beispiel ist Sokrates in Platons Phaedrus 266, der sich über die *termini technici* der neuen System-Rhetorik mokiert.

Vom rhetorischen System, genauer: von seiner handbuchmäßigen Darstellung wurde, wie Manfred Fuhrmann schön gezeigt hat[4], die handbuchmäßige Erfassung anderer antiker und späterer Schulsysteme abgeleitet: z.B. die Grammatik, die Architektur, die Medizin, wie anderseits auch ganze Wissensgebiete zuerst in der Rhetorik ihren Platz hatten, man denke an die Philologie, die Mnemotechnik, die Psychologie, die jüngst entstandenen Narrativistik und Textlinguistik.

Als umfassende Theorie der sprachlichen und außersprachlichen Aussage ist die Rhetorik nicht ersetzt, sie wurde ausgeschlachtet, und ihr Skelett ist verdorrt. Es lohnt sich dennoch, den einst lebendigen Körper zu rekonstruieren und seine Funktion zu bedenken. Das zu zeigen, sehe ich hier als eine meiner Aufgaben.

Es gibt unleugbar z.Zt. ein *neues* Interesse an der Rhetorik. Und das ist leicht zu erklären: Die Technologien von Radio und Fernsehen sowie die der anderen elektronischen Kommunikationsmittel haben einen Bewußtseinszustand erzeugt, der eine enge Parallele in demjenigen hat, der das 5. und 4. vorchristliche Jahrhundert in Griechenland beherrschte: nämlich daß alles Geschehen im Grund zwischenmenschliches Geschehen sei, daß dieses durch zwischenmenschliche Kommunikation gelenkt werde und daß, wer die Kommunikation beherrscht, Herr auch des Geschehens sei. Im Griechenland des 5. Jahrhunderts war eben erst die Schrift als allgemeine Kommunikationsmöglichkeit entdeckt und rezipiert worden. Die erste Medienwende war eingetreten. Wir stehen, nach der 'Galaxie Gutenberg', jetzt inmitten der dritten.

Ich meine, daß das rhetorische System, das in Griechenland, und nur in Griechenland, damals entwickelt wurde, seine Entstehung nicht zum wenigsten der ersten Medienwende verdankt.

Dies ist jedoch hier nicht mein Thema; sondern ich möchte Ihnen jenen kleinen Teil der Rhetorik, von dem ich schon sprach und der sonst oft mißachtet wird, bekannt machen, eben die Gestik, und ich verfolge damit ein bestimmtes Beweisziel. Ich möchte zeigen, daß es zwischen manchen antiken Themen und einigen aktuellen eine fruchtbare historische Kommunikation geben kann, etwa in folgender Form: der antike Ansatz, hier Quintilians Kapitel über *gestus*, ist für uns auffallend: - so würde man das Thema heute nicht bearbeiten, zu seiner Darstellung gibt es heute keine Entsprechung. Dann bemerkt man, daß es heute andere Zugänge gibt. Das ganze Thema der *Körpersprache* ist durchaus *à la mode*, und daran gemessen erscheint Quintilians Erörterung als vollkommen unzureichend. Und das geht hin und her: man entdeckt die Gründe für die Verschiedenheit und versteht schließlich, daß Quintilians Darlegung einen Vorteil hat, der unwiederholbar ist: Sie ist in ein überschaubares, zu seiner Zeit allgemein anerkanntes System eingeordnet, bleibt in einer Mittellage zwischen Systematik und Praxis, bleibt also auch in der Hinsicht überschaubar, daß Vollständigkeit nicht angestrebt zu sein scheint.

Dieser Austausch zwischen Antike und Moderne scheint mir paradigmatisch wichtig und scheint mir die Wahl meines Themas zu rechtfertigen.

Die Beschäftigung mit dem antiken System der Rhetorik *kann* einen also auf die *actio* führen, und man kann aus Neugier an der Gestikulation haltmachen. Mich hat dieser Teil deshalb fasziniert, weil er doch zweifelsfrei das Erbe der *mündlichen* Rhetorik, der wirklichen Redepraxis repräsentiert.

---

[4] s. Anmerkung 3.

Die spätere Rhetorik wurde ja immer mehr reduziert auf Stilistik oder auf eine Argumentationslehre. Dann bedarf sie des Kapitels *actio* nicht mehr.

Man erfährt in der *actio* etwas besonders Ursprüngliches und zugleich etwas konstant Gültiges. Denn gestikuliert wird heute wie damals. Man könnte sich geradezu die Frage stellen, ob wir nicht aus Quintilian XI.3 etwas direkt lernen können? Genauer aus den Paragraphen 84-124, jenen 40 Paragraphen, die vom Gestus der Arme, Hände, Finger handeln.

Zwei Beispiele hatte ich eingangs zitiert. Im Ganzen beschreibt Quintilian etwa 20 Gesten. "Etwa", weil die Verbalisierung durchaus ihre Probleme hat: manchmal ist z.B. kaum zu erkennen, ob Quintilian eine oder zwei verschiedene Bewegungen meint. Ein paar will ich Ihnen im Bild vorführen. Es handelt sich bei den Abbildungen natürlich um moderne Interpretationen des Quintilian-Textes und um Rekonstruktion des Gemeinten[5]. Irrtum ist stets vorbehalten.

Ich greife nur wenige Gesten heraus. Zur Erinnerung sei vorweg die feststehende Gliederung der Rede, die dem antiken Redner stets bewußt war, wiederholt: Jedermann wußte, daß 1. die Einleitung *(prooemium)* die Aufmerksamkeit und das Wohlwollen erringen mußte. *captatio benevolentiae* ist der Rest, der davon heute noch bekannt ist. Daß 2. eine Darlegung von Sachverhalten folgen mußte, *narratio* (dem System liegt stets das Modell der Gerichtsrede zu Grunde), daß 3. die Beweise für die Glaubwürdigkeit dieser Darlegung zu folgen hatten, *argumentatio* oder *probationes*, davon konnte ein Sonderteil abgetrennt werden, 4. die *refutatio*, die Zurückweisung oder Schwächung der gegnerischen Darlegung bzw. Argumente, und schließlich 5. der Redeschluß, die *peroratio*, auf die es ganz entscheidend ankam; denn unter den antiken Bedingungen, in der es *keinen* ausgeteilten Text oder Disposition, keine Mitschrift, kein schriftliches Protokoll gab, geschweige denn einen Tonbandmitschnitt, mußte im Redeschluß der Gehalt der Rede mit aller Eindringlichkeit gesammelt und gesteigert ins Gedächtnis der Hörer eingeprägt werden.

Es war evident, daß jeder Redeteil jeweils besondere Anforderungen an Stoff, Sprache und an die 'Aufführung', die *actio*, das heißt u.a. an die Gestik, stellte. Deshalb beziehen sich auch Quintilians sparsame Hinweise besonders auf diese Redeteile.

Abbildung 1.

Als erste Geste beschreibt Quintilian die folgende (§ 92): "Die allgemeinste Gebärde aber, den Mittelfinger mit dem Daumen zusammenzuschließen, während die drei anderen Finger entfaltet bleiben, erweist sich sowohl für den Redeanfang als brauchbar und erfolgt dann durch gemächliches Vorstrecken mit einer leichten Bewegung nach beiden Seiten, wobei zugleich Kopf und Schultern sachte in die Richtung der Handbewegung nachfolgen; sodann auch für den Erzählteil *(narratio)* zum Ausdruck der Bestimmtheit, jedoch dann weiter nach vorn ausholend; und schließlich auch beim Beschuldigen und Überführen (das heißt in der *argumentatio*) zum Ausdruck der Schärfe des Angriffs; denn hier läßt man sie dann weiter und freier ausholen". Quintilian spricht anschließend (§ 93) über fehlerhafte Gesten, z.B. den Arm bis zur linken Schulter zu heben, das wirke, "als ob man mit dem Ellenbogen vorträgt".

---

[5] Abbildungen aus der Münchener Dissertation von Ursula Maier-Eichhorn 1989.

Abbildung 2.

Dieselbe Geste kann auch mit den beiden mittleren Fingern unter dem Daumen ausgeführt werden (§ 93).Dies wirke noch eindringlicher, *instantior*, weshalb diese Geste nicht für die Einleitung und nicht für die *narratio* geeignet sei. Offenbar meint Quintilian, sie sei eher geeignet für das intensive Sprechen beim Argumentieren und beim perorieren, also am Redeschluß.

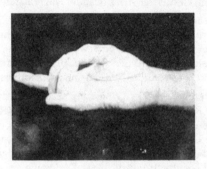

Abbildung 3.

Hier sehen wir den berühmten erhobenen Zeigefinger. Nach Quintilian dient er zum Anschuldigen und Anzeigen (*exprobrari et indicare* [so heißt ja auch der Zeigefinger *index*]). Crassus habe diese Geste viel verwendet, hat Cicero bezeugt.

Abbildungen 4 und 5.

In den beiden anderen Bildern sehen Sie den gesenkten *index*, der drängend wirke, *urguet*. Die Geste des erhobenen Zeigefingers steht bei uns in Verruf: sie sei rechthaberisch, pedantisch, mindestens unangenehm belehrend und jedenfalls aufdringlich. Es ist fast die stärkste Geste, die Quintilian überhaupt beschreibt. Auch bei ihm wiegen Empfehlungen zur zurückhaltenden Gestik vor.

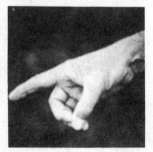

Abbildungen 6 und 7.

Zwei Gesten zum Argumentieren. In beiden wird der Zeigegestus abgemildert. Links wird der Zeigefinger vom Daumen und Mittelfinger seitlich abgedeckt. Rechts wird der Zeigefinger vom Daumen und Mittelfinger seitlich gestützt. Die letztere Geste sei für die energischere Beweisführung, *acrius argumentari*, passend.

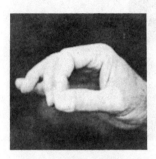
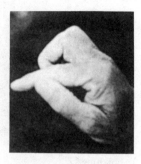

Abbildungen 8 und 9.

Beide Darstellungen gehören zum selben Gestus. Ich hatte ihn einleitend zitiert (§ 96) als einen, der für ein bescheidenes Auftreten beim Reden geeignet ist.

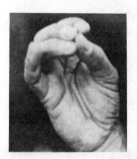
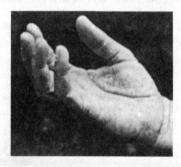

Abbildung 10.

Auch diese Geste wurde schon eingangs zitiert (§ 98): Je zwei und zwei Finger werden voneinander gespreizt. Quintilian gibt keine spezifische Verwendung an.

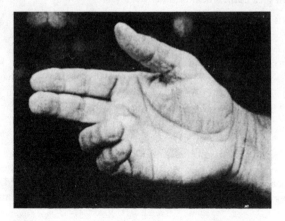

<u>Abbildung 11.</u>

Ebenfalls ohne spezifische Zuordnung beschreibt Quintilian, wie in dieser Geste die beiden kleinen Finger an die Daumenwurzel gedrückt werden und der Daumen gegen die beiden größeren Finger gelegt wird.

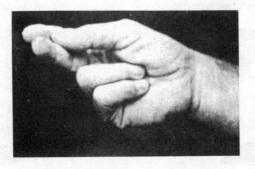

<u>Abbildung 12.</u>

Hier befinden wir uns auf vertrauterem Gebiet. Die Gebärde (§ 101), wenn der Zeigefinger mit seiner Spitze sich mit der Mitte des Daumennagels zusammenfügt (d.h. einen Ring bildet), die anderen Finger gelockert bleiben, macht sich gut beim Bestätigen, beim Erzählen und beim Unterscheiden, *adprobantibus et narrantibus et distinguentibus.*

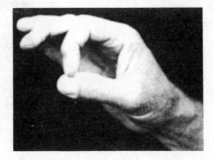

<u>Abbildung 13.</u>

Ähnlich, aber mit drei geknickten Fingern ist die Geste, die Griechen heutzutage (sagt Quintilian, § 102) verwenden, oft mit beiden Händen sobald sie Enthymeme (das sind rhetorische Schlußfolgerungen) gleichsam Stück für Stück abrunden.

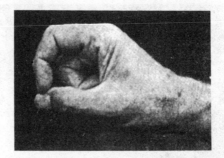

Schon hier kann man feststellen, daß 'gebrochene' Gesten bevorzugt werden, solche, in denen die volle Streckung, der volle Schwung zurückgehalten oder zurückgenommen werden. Zweifellos eine Haltung, welche dem Ideal der *elegantia,* dem Ideal jener Schicht entspricht, welche zum Reden berufen war und an welche sich die Rede auch primär richtete.

Noch einen Gestus möchte ich nach dem Text beschreiben, weil er zeigt, daß man Quintilian nicht einfach auf den Tenor 'Vornehme Zurückhaltung' festlegen kann. Quintilian schreibt (§ 103): "Es gibt auch die wie eine Mahnerin wirkende Hand, die hohl, spärlich geöffnet, mit einem gewissen Schwung über die Schulterhöhe erhoben wird. Sie beben zu lassen, wie es sich durch die ausländischen (gemeint sind die griechisch-kleinasiatischen) Schulübungen schon fast eingebürgert hat, gehört auf die Bühne, *scaenica est.* Warum es manche Lehrer mißbilligen, die Finger, an den Spitzen zusammengebogen, zum Munde zu führen, verstehe ich nicht; denn so machen wir es doch (alle) in sachter Bewegung bei der Bewunderung ..." Ich interpretiere das so, daß andere Lehrer diese Geste commun, vulgär, gefunden haben, daß Quintilian, der überlegene und geschmackssichere Urteiler, aber lieber eine solche Geste, die echte Empfindung für alle verständlich übermittelt, freigeben möchte[6]. Denn er schließt an: "ja wir führen sogar die geballte Faust bei Reue oder bei Zorn zur Brust", wohlgemerkt: Dies ist kein 'an die Brust Klopfen' sondern eine Geste der Ich-Betonung. Emotion durfte und sollte ruhig gezeigt werden. Dagegen - damit schließt er diese Ausführungen - mit zurückgebogenem Daumen auf etwas hinzuweisen, ist (leider) eher akzeptiert, als daß es dem Redner anstünde.

Versuchen wir, einiges zusammenzufassen, schauen wir anschließend auf die mehr grundsätzlichen Ausführungen des Quintilian im Umfeld des Zitierten und nehmen wir dann die heutigen Verhältnisse in den Blick.

Es ist festzustellen, daß Quintilian keine großen Schwierigkeiten mit dem verbalen Beschreiben von Gesten hat. Hauptsächlich *sagt* er darüber nichts. - Allerdings beschreibt er dann doch nur eine verhältnismäßig kleine Zahl von Arm- und Handhaltungen, vorwiegend die feinen, distinguierten Bewegungen. Es ist kennzeichnend, daß von Armbewegungen so gut wie allein im Zusammenhang mit den Händen gesprochen wird. Auch findet sich kaum ein *gestus,* der für die *peroratio* empfohlen würde, welche bekanntlich hohes Pathos und *amplificatio* erfordert. Denn auch bei Quintilian ist die Tendenz abmahnend. Um jeden Preis sei Ähnlichkeit mit der Bühne, d.h. Theatralik zu vermeiden. Allerdings verfährt Quintilian ganz pädagogisch, überwiegend durch positive Empfehlung, weniger durch Verbote - doch gibt es die Hinweise auf bestimmte *vitia* 'Untugenden'.

Mehrfach weist Quintilian auf die Mehrdeutigkeit von Gesten hin, womit er etwas Goldrichtiges sagt: die oberste Regel der Semiotik, daß die Beziehung zwischen *signifiant* und *signifié* arbiträr ist.

Zwei Funktionen haben die bei ihm beschriebenen Gesten: ein Teil bezieht sich auf den Gang der Rede, er rhythmisiert, gliedert, z.B. die Geste auf Abbildung 12, oben rechts. Darauf komme ich noch zu sprechen. Ein anderer Teil unterlegt das Gesagte mit der Gestimmtheit oder der Emotion des Redners, vgl. die Bescheidenheitsgeste auf Abbildungen 8 und 9.

Bei Quintilian fehlt der Hinweis auf die fast unbegrenzte Zahl möglicher Gesten. Vielleicht, weil es doch eine Begrenzung durch die Konvention gab. Allerdings mehr als 20 muß es gegeben haben.

Grundsätzlich aber mangelt der antiken Rhetorik ein Bewußtsein von den sozialen Unterschieden, die sich sprachlich, aber auch, und in besonderem Maß, in der Gestik ausdrücken. Antike Rhetorik ist ein Instrument der Oberschicht und ist in dieser Hinsicht wirklich eindimensional. Was dazu nach unserer Meinung gesagt werden müßte, steht in einer kurzen Bemerkung, der *gestus* sei dem Sprecher, dem Adressaten und den Zuhörern anzupassen. Aber das wird mit ein

---

[6] Diese Geste scheint mir derjenigen zu entsprechen , mit der man heute in Griechenland und in der Türkei Anerkennung und Lob und Freude daran zum Ausdruck bringt, begleitet von einem "*oraía!*", bzw. einem "*çok iyi!*".

paar sehr konventionellen Bemerkungen über die drei Grundaufgaben des Redners erledigt: *conciliare, persuadere, movere* (§§ 150-153).

Eine kurze Bemerkung findet sich auch darüber, daß es Modetrends in der Gestik gibt: seit Cicero, also in den seither vergangenen 1 1/2 Jahrhunderten, sei der Bewegungsstil heftiger (*agitatior*) geworden. Wogegen Quintilian nicht versäumt, seine Warnung auszusprechen: das sei *actoris* (!)*elegantia*, man könne dabei die Autorität eines anständigen und angesehenen Mannes, *viri boni et gravis auctoritatem*, verlieren (§ 184).

Ethnische Unterschiede im Grundsätzlichen werden geleugnet. Die oben erwähnten Griechen stehen eher für eine bestimmte Rednerschule innerhalb der griechisch-römischen Gesamtkultur: Quintilian (§ 87): "bei der großen Verschiedenheit, die sich durch alle Stämme und Völker zieht, scheint mir der *gestus* der Hände die gemeinsame Sprache aller Menschen zu sein."

Überhaupt hat die Gestikulation eine Sonderstellung: während Mimik und Stimme das Gesagte betonen oder nuancieren: "kann sie, die Gestikulation, die Sprache ersetzen" (§ 85). Ich halte die Aussage über diese gemeinsame Sprache der Menschen für ein *cliché*, das man auch heute häufig hört. Man könne bei Reisen ins Ausland ohne Sprachkenntnisse auskommen, es gehe "mit den Händen und Füßen". Bei genauerem Hinsehen ist nur die Zeige-Gestik international. Viele andere Gesten führen zu manchmal radikalen Mißverständnissen. Man denke nur an das Kopfheben, das bei Griechen und Türken Verneinung bedeutet und uns wie Kopfnicken erscheinen kann. Oder ihre Geste "komm", bei welcher der Handrücken nach oben zeigt und die Bewegung mit der Innenhand nach unten geführt wird. Wir können sie leicht für das Gegenteil, für eine Art Wegscheuchen halten usw.

Als wichtige und bleibende Erkenntnis lernen wir aber an derselben Stelle, daß ein Reden ohne Gestikulation den Namen nicht verdient: sie wäre verstümmelt (*trunca*) und schwach (*debilis*).

An einer späteren Stelle (§ 114) läßt uns die Bemerkung aufhorchen: "Die linke Hand führt nie für sich allein eine Gebärde richtig aus, häufig aber schließt sie sich der rechten an". Daraus ist zu folgern, und so sind auch die Einzelbeschreibungen formuliert, daß die Überzahl der Gesten einhändig und von der rechten Hand ausgeführt wurde. Die linke konnte das mit paralleler Entsprechung verstärken.

Dies führt auf einige Sonderbedingungen antiken Redens, die wir uns vergegenwärtigen sollten:

- Der Redner stand frei, er hatte kein Pult vor sich!

- Sein Obergewand, *himation* oder *toga*, war so drapiert, daß es mit einem Ende über die linke Schulter geworfen, die rechte Schulter und den rechten Arm freiließ. Also war Gestikulation mit dem linken Arm ungünstig, weil das Gewand dadurch derangiert werden konnte.

- Schließlich war die totale Mündlichkeit von Rede*produktion* und -*rezeption* allgemeine Voraussetzung. Es gab zwar den schriftlichen Redeentwurf, *libellus*. Quintilian rät aber davon ab, ihn in der Hand zu halten. Grund: es sähe nach mangelndem Vertrauen ins eigene Gedächtnis aus *und behindere die Gestik*!

Nun muß endlich erörtert werden, wie es heute um die Gestikulation steht.

Es scheint Grundkonstanten zu geben: auch wir ertragen es schwer, wenn ein Sprecher sich *nicht* bewegt. Neben dem Ohr will auch das Auge am Rezeptionsprozeß teilnehmen. Fehlen von Mimik wird als unnatürlich und sehr störend empfunden. Auch wir wünschen, - allerdings fast ohne uns dessen bewußt zu sein - angemessene Gestik, weder zuviel noch zu wenig. Da hört aber unser Wissen und unsere Erfahrung mit Gestikulation fast schon auf.

Von den Unterschieden habe ich schon andeutungsweise gesprochen: Bei uns ist die Rede nicht mehr ausschließliches Massenkommunikationsmittel. Manches geht über Schrift oder über Radio und Telefon, wo wir den Sprecher nicht sehen. In dieser Hinsicht hat das Fernsehen einiges verändert: Gestik hat dort wieder eine Funktion, und dieser Umstand scheint es zu sein, der eigentlich die Rede von der "Neuen Oralität" begründet. Im Fernsehen sitzen jedoch die Sprecher sehr oft an Tischen oder auf den Sofas und Drehstühlen der *talk-shows*. Heutige Sprecher haben außer dem Pult andere gestenhindernde Gegenstände: sie führen z.b. Manuskript oder Mikrophon in der Hand.

Wie ist nun unsere Gestikulation beschaffen? Sie ist zweifellos wenig konventionalisiert. Jeder bewegt sich, wie er will. Und doch, trotz der eben formulierten Einschränkungen, gibt es Grundregeln.

Ich habe versucht, mir darüber ein Bild zu machen durch Beobachtungen bei Kongressen, am Fernsehen und aus einiger Fachliteratur (s. die Literaturangaben).

Aus der Beobachtung von Vortragenden habe ich große individuelle Verschiedenheit konstatiert, weniger dagegen regionale Unterschiede. Z.B. habe ich bei italienischen Kollegen - nicht anders als hierzulande - sehr verschiedenes Gestik-Verhalten feststellen können: Sprecher, die sich kaum bewegen, die sich am Pult und/oder am Manuskript festhalten; Sprecher, die nur eine Geste ständig wiederholen; und Sprecher, die sich stark bewegen, mehr oder weniger harmonisch und elegant, mehr oder weniger bewußt, *self-conscious.*, narzistisch.

Man darf das vielleicht so begründen: Da es gegenwärtig keine Kultur der Gestik gibt, hängt sie besonders stark von der persönlichen Kultur des einzelnen Sprechers ab. Da taucht dann allerdings ein Nord-Süd-Gefälle auf: eine höher bewertete körperliche Selbstdarstellung, z.b. der Italiener erlaubt ihnen, sich ästhetisch elegant zu bewegen, was im Norden allzu schnell dem Verdikt "weiblich" oder gar "weibisch" verfällt. Übrigens, daß die Bewegungen das Redners männlich sein müssen, steht auch schon in den antiken Rhetoriken.

Durchgehend wird heute, wenn gestikuliert wird, heftiger gestikuliert, als es Quintilian etwa empfiehlt. Wobei ich den Verdacht nicht unterdrücken kann, daß die antike Praxis das von ihm gewünschte Maß oft überschritten hat, sonst wären seine und der anderen Mahnungen zur Zurückhaltung nicht verständlich - und nicht so häufig.

Am Fernsehschirm läßt sich noch mehr beobachten, zunächst große Vielfalt. Aber um das Auffallendste voranzustellen: da ist erstens das Vorwiegen des sitzenden Sprechens (ganz un-antik) und zweitens beim Sitzenden, wie übrigens auch bei manchen Stehenden, ein deutliches Bemühen, *nicht* zu gestikulieren, d.h. nicht allzu viel mit den Händen herumzufahren. Durch Kopfbewegungen wird manches ersetzt. Auffallend bei den Sprecher*innen* ist eine fast zu häufige Seitendrehung des Kopfes bei fixiertem Blick. Einmal wirkt das durchaus charmant, aber ständig wiederholt? Die Hände aber werden - offenbar auf Ermahnung hin - so still wie möglich gehalten. Und hier kann ich moderne Terminologie dankbar benutzen: Franz Kiener (1962)[7] spricht vom *Gestus der Selbstfesselung*: Der Redner fügt beide Hände an- oder ineinander, am bekanntesten ist das Händefalten. Er bewirkt Unaufdringlichkeit, Bescheidenheit, zuweilen geradezu Unterwürfigkeit. Auch Aufeinandersetzen der Fingerspitzen gehört dazu. Am Fernsehen läßt sich das gut beim Wetterbericht des ZDF beobachten, wo die Diplom-Meteorologen, männliche oder weibliche, älter oder jünger an Jahren, stehend sprechen müssen. Sie benutzen zur Gestenvermeidung einen Kugelschreiber oder den Druckschalter, mit dem sie die Wandkarte wenden können; außerdem dürfen sie ja einige Zeigegesten auf dem Satelliten-Photo ausführen: Azoren, britische Inseln, Skandinavien und den Luftstau über den Alpen. Da kommt es manchmal zu einer Art abgeschnittener Darbietungsgeste nach unten weg, die damit zusammenhängen mag, daß die Sprecher *de facto* kein Publikum vor sich haben, sondern nur einen beschränkten Raum zwischen sich und den Aufnahmegeräten.

Was läßt sich noch an heutiger Redegestik beobachten, was über individuelle Eigenheiten hinausgeht? Vorherrschend sind offenbar Gesten des Anbietens und Darbietens, einhändig und beidhändig; d.h. eine erste Gruppe redebegleitender Gestik dient der Verdeutlichung des Redens selbst. Sie erstreckt sich vom Anbieten der eigenen Aussage bis zum Inhalt der Aussage und ihrer Teile. "Verdeutlichung" hat viele Aspekte: Aufmerksamkeit durch Bewegung auf sich zu lenken

---

[7] Franz Kiener 1962.

und sie dort zu halten. Sodann liegt ja die Bewegung räumlich zwischen Redner und Hörern, sie füllt also diesen Raum aus, überbrückt ihn, schafft Verbindung, bezieht den Hörer ein, öffnet Person und Rede zu den Hörern hin.

Damit scheint eine Grundfunktion der Gestik erfaßt zu sein. In einer modernen Untersuchung von Paul Ekman und Wallace Friesen (1972)[8] wird diese Gruppe von Gesten *Illustratoren* (*illustrators*) genannt. Das ist vielleicht gar nicht die beste Bezeichnung; ich stelle mir unter *Illustration* etwas Bildhaftes vor; diese Gesten sind aber wenig bildhaft; man könnte eher sagen, sie symbolisieren Handlungen. Aus dem etwas älteren Buch von F.Kiener (1962) entnehme ich weitere Beschreibungen: Da gibt es z.B. die beidhändige Kugelhalte (als ob der Sprecher einen imaginären Ballon umfaßt hielte). Es wird damit etwas Kohärentes offeriert. Oder die beidhändige Feinhalte (der Sprecher hält beide Hände mit aneinandergefügten Fingern vor sich). Er offeriert damit einen komplizierten Zusammenhang, der die volle Aufmerksamkeit beansprucht. Die einhändige Feinhalte ist davon die schwächere, häufiger gebrauchte Form. Diese Gesten laden jedenfalls zur Konzentration ein: "Passen Sie genau auf! Was ich ausführe, ist kompliziert". Nicht weit davon entfernt ist der sprichwörtliche erhobene Zeigefinger, welcher Warnung "da sei man vorsichtig" und Anspruch des Redners "Ich stehe hier nicht als irgendeiner .." bedeuten kann. Dann die schräg nach oben offene flache Hand: eine Geste des "Sehen Sie mal...!", die auch als Einladungsgeste fungiert: "Hier können Sie alles betrachten, treten Sie nur näher an die Dinge heran, die ich Ihnen darlege". Dann gibt es die rhythmisierenden, gliedernden, aufzählenden Gesten, die ein Nacheinander symbolisieren. Andere Gesten weisen auf Globalität hin (die Hand bewegt sich hin und her, oder auf und ab). Das soll besagen: "Alles ist einbezogen" oder man macht die sogenannte "große Geste" (weites Ausbreiten der Arme), was anbietend und (bei gleichzeitigem Hochziehen der Schultern) resignierend gemeint sein kann.

Einfacher sind Gesten des Wiederholens (Kreisen der Hand) und alle die deiktischen Gesten, die "hier, dort, weitweg" besagen. Manche von ihnen können übergehen in Gesten der Ich-Betonung und des Beziehens: vom Ich zum Du und zum Ihr, vom Du oder vom Ihr zum Ich, vom er/sie/es zum er/sie/es.

Man kann eine große Gruppe von Gesten als Verdeutlichungsgesten zusammenfassen. Sie sind Zeigegesten, die kaum einer Erläuterung bedürfen. Sie 'übersetzen' Inhalte der Rede ins Räumliche. Sie vermitteln von der übertragenen Bedeutung zur eigentlichen: Die Aussage "später" wird von der Geste "weit entfernt" begleitet; die Aussage "höhere Gewalt" durch den Zeigegestus nach oben; die Aussage "aus der Tiefe seines Fühlens" durch eine schöpfende Bewegung von unten nach oben.

Zweifellos bilden die *Bedeutungsgesten* eine Gruppe für sich (Ekmann-Friesen nennen sie *Embleme*). Das sind solche Gesten, die für sich allein, ohne Sprache etwas Eindeutiges aussagen: ja, nein, vielleicht, weiß nicht, Achtung, komm!, weg! Auch sie können redebegleitend und -verdeutlichend sein. Gerade von dieser Gruppe gibt es aber 'Hochsprachlich' nicht viele. Und sie sind weniger international, als manche glauben (siehe oben).

Vulgäre Gesten gibt es dagegen sehr viel mehr. Das fängt bei dem Imponier-Daumen und dem fertig/Schluß/nix-mit-am-Hut-Gestus an, wenn beide Hände wechselnd, aneinander streifend vom Körper weg bewegt werden. Weiter will ich auch nicht gehen. Auf dem Gebiet kenne ich mich nicht besonders gut aus.

Um den Vergleich mit der Antike ziehen zu können, sind ein paar Bemerkungen zum modernen *Interesse* an der Gestik zu machen. Bei einer Umschau in der modernen Literatur fällt folgendes auf: Das wissenschaftliche Interesse geht von mehreren Gebieten aus, nur nicht von der *Philologie* (ein paar Ausnahmen bestätigen die Regel); obwohl der moderne Begriff 'Körper*sprache*' heißt, ist es nur selten eine *Sprach*wissenschaft, die sich damit beschäftigt.

---

[8] Paul Ekman, Wallace V.Friesen, Handbewegungen in Scherer-Walbott, Hrsgg., 1984, S. 108 - 123 (*Hand Movements* in *Journal of Communication* 22, 1972, übersetzt von H.G.Wallbott).

Dagegen tummeln sich da Psychologie, Physiologie, Verhaltensforschung, Ethnologie, Kunstgeschichte u.a.

Schon diese Feststellung ist interessant: die Interessenrichtung ist, heutigem Wissenschaftsgebaren entsprechend, fast ausschließlich diagnostisch: "Was verrät ein Mensch über sich, der diese oder jene Bewegung - womöglich unbewußt - macht?" Die Haltung des Ermittlers und des Denunzianten schlägt schnell durch, manchmal durchaus zu Recht, wenn z.B. Marianne Wex über Frauen- und Männer-Gestik schreibt und photographiert[9]. Überhaupt ist das Thema oft in Photobänden behandelt. Ich denke an Samy Molcho[10] und Dennis Morris[11], die 'kulinarische' Antriebe haben, Morris mehr als Molcho.

Moderne Wissenschaften sind aber von Natur, vorwiegend deskriptiv, experimentell und quantifizierend. Sie setzen sofort einen ausgebildeten Erfassungsapparat ein, welcher Richtung, Intensität und Frequenz von Gesten festhalten kann. Und beschäftigen sich damit, die gewonnenen Werte auszudifferenzieren, sie zu hierarchisieren und die entstehenden Strukturen und Gruppierungen zu benennen.

In dem Aufsatz von Paul Ekman und Wallace Friesen, den ich schon zitierte[12], findet sich sowohl die Ermittler-Haltung: ein großer Teil des Artikels ist der Gestik bei Täuschungsabsicht gewidmet, und ein eigener Aufsatz (von Ekman, Friesen und Klaus R.Scherer) ist überschrieben: "Handbewegungen und Stimmhöhe bei Täuschungsverhalten"[13], als auch der quantifizierende Ansatz: Ich zitiere: (S. 120) "Unter den Schwesternschülerinnen korrelierte die Anzahl illustrierender Bewegungen unter der Wahrheitsbedingung positiv mit der Feminitätsskala des California *Personality Inventory* ($r = 0.61$) und mit Kooperativität nach der *Interpersonal Check List* ($r = 0.53$), dagegen negativ mit der Dominanz ($r = - 0.45$ in *CPI*; $r = - 0.48$ in der *ICL*)..."

Die genannten Forscher sind sicher sympathische Menschen, und ihre Differenzierungen und Benennungen finde ich einleuchtend: z.B. kann man leicht einsehen, daß neben den Illustratoren auch Regulatoren verwendet werden, welche den Fluß der Rede, die Einteilung, das Beiseitelassen von Nebengedanken signalisieren, und daß sich die Illustratoren in acht Gruppen gliedern, nämlich in Bewegungen,

die ein Wort bzw. eine Phrase akzentuieren *('batons')*,

die den Verlauf oder die Richtung der Gedanken skizzieren ('Ideographen'),

die auf Objekte, Orte, Ereignisse zeigen ('deiktische Bewegungen'),

die eine räumliche Relation abbilden ('spatiale Bewegungen'),

die Rhythmus oder Tempo eines Ereignisses abbilden ('rhythmische Bewegungen'),

die körperliche oder mechanische Aktion abbilden ('Kinetographen'),

die ein Referenzobjekt zeichnen ('Piktographen'),

die Embleme verwenden ('emblematische Bewegungen').

Acht Termini und vielleicht noch mancher weitere sind sicherlich erforderlich. Es erinnert ein wenig an das System der Rhetorik zur Zeit seiner ersten Entstehung, über dessen Terminologie-Aufwand sich Sokrates mokierte (siehe oben) und erinnert an jede andere Wissenschaftsdisziplin, die besonders im Anfangsstadium *termini technici* zuhauf prägt.

Dagegen war das Gebiet *gestus*, wie es in der Antike behandelt wurde, geradezu defizitär. Es hatte ja auch noch andere unleugbare Defizite, von denen ich einige oben erwähnt habe.

---

[9] Marianne Wex 1980.

[10] Samy Molcho 1984.

[11] Desmond Morris 1986.

[12] siehe Anmerkung 7.

[13] in Scherer-Wallbott, Hrsgg., 1984, 271 - 275 (*Body Movement and Voice Pitch in Deceptive Interaction*, in Semiotica 16, 1976, übersetzt von H.G.Wallbott).

Jedoch hat das antike Teilsystem vom *gestus* auch einige heute uneinholbare Vorteile:

Es ist überschaubar und stellt ein kohärentes Ganzes dar. Es bedarf keiner allzu weitreichenden Fachsprache. Die Körperteile des Menschen und ein paar Richtungs- und Tempoangaben reichen aus.

Es behält seine kaum auflösbare Textbindung. Die modernen Studien zu diesem Thema behandeln die Gesten überwiegend als selbständiges, die Sprache ersetzendes oder zur Sprache im Gegensatz stehendes Phänomen.

Außerdem hat es *das* zum Gegenstand, was ein redendes Subjekt ausdrücken will , ausgehend von *seinem* Darstellungsinteresse; nicht das, was ermittelnde Obermenschen dem Mittelmenschen gegen dessen Willen und gegen dessen Interessen ablauschen wollen.

Es ist auch nicht auf Vollständigkeit angewiesen. Ihm genügt Exemplarität.

Wir kritisieren oft den normativen, regelsetzenden Charakter antiker Systeme. Wir verkennen dabei, daß empfehlende Regeln der Intention nach dem Individuum helfen, daß dagegen der uns selbstverständlich gewordene deskriptive Ansatz das Individuum immer nur als Beobachtungs-*objekt* wahrnimmt.

Dabei wollen wir uns nichts vormachen. Der 'Charme' antiker Theorien hat seine schweren Schattenseiten. Sie haben ja stets nur die Oberschichten ihrer Gesellschaft im Blick als Adressaten, als Vermittler und als Bezugsgrößen. Das gilt gerade auch für die Rhetorik. *Wir* müssen mit viel komplexeren Bedingungen umgehen und brauchen die dafür adäquaten Instrumente. Daß diese uns aber auch immer wieder von wertvollen, bereichernden, humanen, ganzheitlichen Zusammenhängen trennen, das ist auch an dem Teilsystem Gestik zu erkennen. Es kann uns vielleicht weiter zu denken geben.

Literaturangaben (nur die von mir verwendeten Arbeiten):

Franz Kiener 1962, Hand, Gebärde und Charakter, München und Basel

Manfred Fuhrmann 1963, Das systematische Lehrbuch, Göttingen

Helmut Rahn, Hrsg. und Übers., 1975, Marcus Fabius Quintilianus, Ausbildung des Redners, 2.Teil, Buch VII-XII, Darmstadt.

Marianne Wex 1980, Weibliche und männliche Körpersprache als Folge patriarchalischer Machtverhältnisse, Frankfurt.

Klaus R.Scherer und Harald Walbott, Hrsgg., 1984, Nonverbale Kommunikation (Forschungsberichte zum Interaktionsverhalten), Weinheim und Basel, 2.Aufl. (1.Aufl. 1979).

Samy Molcho 1984, Körpersprache, München.

Desmond Morris 1986, Körpersignale, München (Bodywatching, Oxford 1985, übersetzt von Monika Curths und Ursula Gnade).

Ursula Maier-Eichhorn 1989, Die Gestikulation in Quintilians Rhetorik, [Diss.phil. München] in: Europäische Hochschulschriften, Frankfurt/M.-Bern-New York-Paris

Sozialwissenschaftliche Orientierung.
Alte Geschichte und moderne Sozialwissenschaften

von

Helmuth Schneider

Im 20. Jahrhundert hat sich das Verhältnis zwischen Alter Geschichte und modernen Sozialwissenschaften als außerordentlich schwierig und spannungsreich erwiesen, verpaßte Chancen, nicht eingelöste Forderungen, mangelndes Verständnis für die jeweils andere Disziplin bestimmten lange Jahrzehnte die Situation. Wenn man den Versuch unternimmt, das Verhältnis zwischen beiden Disziplinen zu analysieren, scheint es sinnvoll zu sein, nicht allein der Frage nachzugehen, welchen Einfluß die Sozialwissenschaften gegenwärtig auf die althistorische Forschung besitzen und wie unsere Kenntnis der Antike sich durch die Anwendung sozialwissenschaftlicher Methoden und Fragestellungen gewandelt hat. Sondern es ist darüber hinaus auch zu untersuchen, welche Rolle die Beschäftigung mit der Antike und der antiken Gesellschaft bei der Herausbildung der modernen Sozialwissenschaften im 18. und 19. Jahrhundert gespielt hat und wie sich die Beziehungen zwischen den klassischen Altertumswissenschaften und den Sozialwissenschaften bis zum Beginn des 20. Jahrhunderts entwickelt haben. Nur so dürfte es möglich sein, die Ursachen dafür, daß im 20. Jahrhundert viele Althistoriker dem sozialwissenschaftlichen Ansatz eher ablehnend gegenüberstanden und die Sozialwissenschaftler ihrerseits nach Max Weber die Antike immer weniger in ihren Forschungen berücksichtigten, klar zu erfassen und gleichzeitig Perspektiven einer sozialwissenschaftlich orientierten althistorischen Arbeit zu entwickeln.

Im Rahmen einer Ringvorlesung zum Thema "Antike heute" ist dabei zumindest andeutungsweise zu erörtern, welche Relevanz der Antike und den Altertumswissenschaften in der modernen Welt überhaupt noch zukommt; unübersehbar besteht zwischen der Antike und der Moderne eine tiefe Kluft, die nicht allein darauf beruht, daß wir von der Geschichte Griechenlands und Roms durch einen Zeitraum von über 1500 Jahren getrennt sind. Vielmehr ist zu betonen, daß der mit der Industriellen Revolution einsetzende historische Prozeß die europäische Zivilisation tiefgreifend und in allen ihren Bereichen umgestaltet hat, weswegen ein Rekurs auf die Antike mit dem Ziel, die eigene Situation besser verstehen zu können, geradezu aussichtslos zu sein scheint. Was kann, so muß man fragen, die Antike für die Erkenntnis und die Selbsterkenntnis einer Welt leisten, in der die Gentechnologie ungeahnte Möglichkeiten eröffnet, die Strukturen des Lebens zu verändern, in der die Kommunikation durch die Computertechnik revolutioniert wurde und deren Wirtschaft dadurch geprägt ist, daß an die Stelle des Unternehmers der Investor getreten ist und die großen Unternehmen, die Waren für den Weltmarkt produzieren, selbst zur Ware geworden sind. Bereits Max Weber hat in seinem Vortrag über die "sozialen Gründe des Untergangs der antiken Kultur" von 1896 dezidiert festgestellt: "Für unsere heutigen sozialen Probleme haben wir aus der Geschichte des Altertums wenig oder nichts zu lernen", und dieses Diktum gilt, meine ich, für viele Bereiche der modernen Zivilisation. Hier kann nicht der Versuch unternommen werden, diese Problematik auch nur annähernd erschöpfend zu diskutieren; ein Tatbestand soll hier allerdings erwähnt werden, der nicht allein im Zusammenhang mit dem Thema "Alte Geschichte und moderne Sozialwissenschaften" von Bedeutung zu sein scheint: Obgleich mit dem Zusammenbruch des weströmischen Reiches und der Entstehung der germanischen Königreiche in Spanien, Gallien, Britannien und Italien die Voraussetzungen für ein wirkliches Fortleben der antiken Kultur nicht mehr gegeben waren, blieben die wesentlichen kulturellen Errungenschaften, Literatur, Philosophie und Wissenschaft, aber auch Architektur und Kunst in den folgenden Jahrhunderten präsent. Die antike Kultur war eben keine untergegangene und in Vergessenheit geratene Kultur wie die Ägyptens oder Mesopotamiens, deren Ruinen erst durch die Ausgrabungen des 19. und 20. Jahrhunderts wieder zugänglich wurden und deren Texte erst nach der Entzifferung der Hieroglyphen und der Keilschrift lesbar waren, - die antike Tradition ist vielmehr bis zur Moderne ein genuiner Bestandteil der europäischen Kultur gewesen. Die besonders seit der Renaissance intensiv geführte Auseinandersetzung mit der Antike beschränkte sich keineswegs auf eine Übernahme ästhetischer Normen oder philosophischer Lehrmeinungen, sondern führte wesentlich auch zur Formulierung neuer, eigenständiger Gedanken. Dies gilt gerade für die Entwicklung der Naturwissenschaften von Kopernikus bis Galilei; obgleich die Thesen wie auch die Methoden antiker Naturphilosophen und vor allem des Aristoteles schroff abgelehnt wurden, sind die neuen Erkenntnisse dennoch in einem intensiven Diskussionsprozeß über die antiken Auffassungen gewonnen worden. Die kritische Prüfung der antiken Tradition verhalf dem frühneuzeitlichen Europa zu einem neuen Selbstverständnis und einem gesteigerten Selbstbewußtsein, das vor allem in der 'Querelle des Anciens et des Modernes' seinen Ausdruck fand, in jenem berühmten Disput, in dem gegen Ende des 17. Jahrhunderts über die Frage gestritten wurde, ob die Antike oder das gegenwärtige Frankreich kulturell höher entwickelt sei. Perrault, der diese Debatte mit seinem Gedicht 'Le siècle de Louis le Grand' ausgelöst hatte, entschied sich prononciert für den Vorrang seiner eigenen Zeit; die Struktur der Argumentation, die dichotomische Gegenüberstellung von Antike und Gegenwart, ist noch undifferenziert, aber vielleicht ist es den Autoren der Querelle, die Perrault folgten, gerade deswegen möglich gewesen, ein eindeutiges Urteil zugunsten der französischen Kultur zu fällen.[1]

Im 18. Jahrhundert kam es zu einem ähnlichen Disput, in dem dann die Analyse der antiken und der modernen Gesellschaft in das Zentrum der Überlegungen rückte: Es wurde die im Zeitalter der gezielten Bevölkerungspolitik des Absolutismus keineswegs unerhebliche Frage erörtert, ob Europa in der Antike oder im 18. Jahrhundert eine größere Bevölkerung besessen habe. Das Thema wurde bereits 1721 von Montesquieu in den 'Lettres persanes' behandelt, wobei ungeprüft vorausgesetzt wurde, daß Europa - ebenso wie auch die übrigen Kontinente - in früherer Zeit wesentlich dichter besiedelt war als in der Neuzeit; unter dieser Voraussetzung konnte Montesquieu sich darauf beschränken, die wichtigsten Ursachen des vermeintlichen Bevölkerungsrückgangs zu erörtern. Sie lagen seiner Meinung nach im Islam wie auch im Christentum wesentlich in den religiösen Vorschriften über die Ehe begründet. Polygamie und Harem im Islam und das Verbot der Ehescheidung im Christentum hatten zur Folge, daß weniger Kinder geboren wurden als es unter anderen Umständen der Fall gewesen wäre. In Europa bewirkte zudem der Zölibat, dem die Kleriker und Ordensangehörigen unterworfen waren, daß eine große Zahl von Menschen kinderlos blieb. In der Antike hingegen wurden die Sklaven, wie Montesquieu meint, dazu ermuntert, Kinder großzuziehen, weil so die Zahl der Diener erhöht werden konnte, und gleichzeitig war etwa den römischen Bürgern die Ehelosigkeit untersagt. Die in verschiedenen Briefen des Romans (113ff.) vorgetragenen Argumente bieten allerdings keinen systematischen Vergleich zwischen antiker und moderner Gesellschaft.

Erst der schottische Philosoph David Hume hat in dem Essay 'Of the Populousness of Ancient Nations' aus dem Jahre 1752 das Problem der antiken Bevölkerung zum Anlaß genommen, um die Unterschiede in den gesellschaftlichen Strukturen der Antike und der modernen europäischen Staaten herauszuarbeiten. Das Problem der europäischen Bevölkerungsentwicklung konnte nach Auffassung Humes nur auf diese Weise geklärt werden, denn es fehlten jegliche statistische Daten über die antike Bevölkerung. Anders als Montesquieu vertritt Hume aber die Auffassung, daß Europa im 18. Jahrhundert eine größere Bevölkerung als in Zeiten der Antike hatte.

Es gibt zwei Gründe dafür, an dieser Stelle auf den Essay von Hume einzugehen; der erste Grund ist darin zu sehen, daß Humes Schriften einen großen Einfluß auf jene schottischen Ge-

---

[1] Vgl. M. Fuhrmann, Die 'Querelle des Anciens et des modernes', der Nationalismus und die deutsche Klassik, in: R. R. Bolgar, ed., Classical Influences on Western Thought A. D. 1650 – 1870, Cambridge 1979, 107 – 129.

lehrten ausübten, die im 18. Jahrhundert einen maßgeblichen Beitrag zur Entwicklung der modernen Sozialwissenschaften leisteten. Der Essay von David Hume kennzeichnet das in Schottland in den Jahrzehnten vor der Publikation des 'Essay of the History of Civil Society' von Adam Ferguson (1767) und des 'Wealth of Nations' von Adam Smith (1776) erreichte Reflexionsniveau. Aber wichtiger ist vielleicht noch ein zweiter Aspekt: Der Essay von Hume besitzt bereits jene Argumentationsstruktur, die für die sozialwissenschaftlichen Analysen antiker Gesellschaften bis zu Max Weber charakteristisch gewesen ist.

Im Mittelpunkt der Ausführungen Humes über die antike Gesellschaft steht die Sklaverei, die seiner Auffasung nach nicht nur eine ausgesprochen nachteilige Wirkung auf das sittliche Niveau der Griechen und Römer ausübte, da das Rechtsinstitut der Unfreiheit sie daran gewöhnte "to trample upon human nature", sondern auch die natürliche Reproduktion der Bevölkerung negativ beeinflußte. Hume weist darauf hin, daß Sklaven in großer Zahl aus fremden Gebieten in das römische Reich importiert wurden und der zahlenmäßige Anteil der Frauen an der gesamten Sklavenschaft eher gering war, so daß nicht mit einer großen Zahl von Sklavenehen oder Sklavenkindern innerhalb des Imperiums gerechnet werden konnte. Weitere Faktoren, die auf die Bevölkerungsentwicklung der Antike ungünstige Auswirkungen hatten, waren nach Hume die Grausamkeit der antiken Kriegführung und der innenpolitischen Kämpfe sowie das im Vergleich zur Neuzeit eher niedrige Niveau von Handel und Gewerbe in den antiken Gemeinwesen. In diesem Zusammenhang kann Hume die geradezu klassische Feststellung treffen: "ancient nations seem inferior to the moderns".[2]

Das Bild, das Hume von der antiken Gesellschaft zeichnet, ist überaus kritisch; die negativen Seiten der Sklaverei werden ausdrücklich hervorgehoben, und der Vergleich zwischen der Antike und dem neuzeitlichen England zeigt nach Meinung Humes eindeutig, wie wenig entwickelt die antike Wirtschaft gewesen ist. Eine solche Sicht läßt eine Bewunderung der Antike kaum noch zu.

Adam Smith, der seine Thesen zur gesellschaftlichen Entwicklung und zur Antike in den 'Lectures on Jurisprudence' 1762/63 an der Universität Glasgow vorgetragen hat, setzt ganz ähnliche Akzente. Die Auswirkungen der Sklaverei auf die antike Wirtschaft und Gesellschaft werden eingehend erörtert und ebenfalls weitgehend negativ beurteilt; in diesen Vorlesungen hat Smith auch einen grundlegend neuen Gedanken, der wenige Jahre zuvor in Schottland entwickelt worden war, aufgegriffen und modifiziert. Es handelt sich um die Einteilung der Menschheitsgeschichte in Epochen, die wesentlich durch die vorherrschende Form ihrer Wirtschaft charakterisiert werden. Smith führt im einzelnen folgende vier Epochen auf: erstens das Zeitalter der Jäger, zweitens das der Hirten, drittens die Epoche des Ackerbaus und viertens die von Handel und Gewerbe bestimmte Epoche.[3] In diesem Entwicklungsschema, das im späten 18. und im 19. Jahrhundert von Sozialwissenschaftlern und Ökonomen immer wieder rezipiert und dabei auch neu formuliert wurde, ist die Antike als eigenständige und wichtige Epoche der europäischen Geschichte verschwunden; die griechische und römische Gesellschaft wird zwar noch thematisiert, aber primär unter den systematischen Gesichtspunkten einer ökonomischen Theorie. Dieses Vorgehen bietet den Vorteil, daß nun Vergleiche zwischen verschiedenen Völkern möglich werden und ein klares Raster für die Einordnung bestimmter Völker in die soziale und wirtschaftliche Entwicklung existiert. So kann Adam Smith dann in dem später erschienenen 'Wealth of Nations' von dieser Theorie ausgehend, den Entwicklungsstand antiker Völker präzise umreißen: Die griechischen Stämme zur Zeit des Trojanischen Krieges werden wie auch die germanischen und skythischen Völker, die Westrom eroberten, als Ackerbau treibende Völker bezeichnet, die gerade eben erst die Stufe der Hirten überwunden haben und über diesen Zustand

---

[2] D. Hume, Essays, Moral, Political, Literary I, London 1875, 381 – 443. Zu den Positionen der schottischen Aufklärung vgl. jetzt W. Nippel, Griechen, Barbaren und "Wilde", Frankfurt 1990, 61ff.

[3] A. Smith, Lectures on Jurisprudence, Oxford 1978, 14.

noch nicht weit hinausgelangt sind. Solche Vergleiche bestimmen auch die Ausführungen über das Erziehungswesen; in dem Abschnitt, in dem die Bedeutung der Musik im Leben der frühen Völker hervorgehoben wird, heißt es: "So verhält es sich in unseren Tagen bei den Negern im afrikanischen Küstenland, und so war es auch bei den antiken Kelten, den alten Skandinaviern und, wie Homer uns überliefert hat, auch bei den alten Griechen in den Zeiten vor dem Trojanischen Krieg". Smith kann hier Afrikaner, Kelten und Griechen in einem Atemzug erwähnen, denn für die Fragestellung des Sozialwissenschaftlers ist es unerheblich, welche historische Bedeutung die von ihm aufgeführten Völker besessen haben.[4]

Die von Smith im 'Wealth of Nations' genannten Gründe für seine negative Bewertung der Sklavenarbeit haben die spätere sozialwissenschaftliche und althistorische Forschung stark beeinflußt; seiner Meinung nach ist in der Landwirtschaft die Arbeit der Sklaven deswegen am teuersten, weil die Interessenlage von Unfreien eine wirkliche Motivation zur Arbeit ausschließt: "Jemand, der kein Eigentum erwerben kann, kann auch kein anderes Interesse haben, als möglichst viel zu essen und so wenig wie möglich zu arbeiten. Was er auch immer an Arbeit leistet, die über die Deckung des eigenen Lebensunterhalts hinausgeht, kann nur durch Gewalt aus ihm gepreßt werden, keineswegs aber aus eigenem Interesse erreicht werden". Außerdem behauptet Smith, daß durch den Einsatz von Sklaven in der Produktion technische Verbesserungen verhindert werden: "Sklaven sind indes höchst selten erfinderisch, und die wichtigsten Erfindungen und Verbesserungen entweder im Bau von Maschinen oder in der Anordnung und Aufteilung der einzelnen Verrichtung, welche die Arbeit erleichtern und abkürzen, sind von Freien gemacht worden. Sollte ein Sklave je eine solche Verbesserung vorgeschlagen haben, so dürfte sein Herr stets bereit gewesen sein, den Vorschlag als Eingebung von Faulheit und des Wunsches zu betrachten, auf Kosten seines Herrn weniger arbeiten zu müssen"[5]. Der hier postulierte Zusammenhang von technischer Stagnation und Sklavenarbeit ist nach Smith immer wieder von Althistorikern und Sozialwissenschaftlern zum Gegenstand ihrer Erörterungen gemacht worden.

Bei Adam Ferguson, der in dem 'Essay on the History of Civil Society' (1767) die Geschichte als Fortschreiten der Menschheit vom Zustand der Rohheit zur Zivilisation interpretiert, wird ebenfalls die Distanz zwischen der Antike und der Moderne beteuert; um Aufschluß über die Kultur der frühen Griechen und Römer zu erhalten, verwendet Ferguson systematisch den Vergleich mit rezenten primitiven Völkern; der gesellschaftliche Zustand der nordamerikanischen Indianer wird so zum Modell, mit dessen Hilfe die Entstehung der politischen Einrichtungen der Griechen und Römer erklärt werden kann. Die Schaffung von Senat, Magistraten und Volksversammlung in Griechenland und Rom folgt letztlich denselben Prinzipien, die auch die Entwicklung der nordamerikanischen Indianerstämme bestimmt haben: "Die Eingebungen der Natur", so schreibt Ferguson, "welche die Politik der Völker in den Wildnissen Amerikas lenkten, wurden an den Ufern des Eurotas und des Tiber bereits früher befolgt: Lykurg und Romulus fanden das Vorbild ihrer Einrichtungen ebendort, wo die Angehörigen eines jeden wilden Volkes die erste Form der Vereinigung ihrer Talente und ihrer Kräfte finden"[6]. Die antiken Völker werden auf diese Weise in die Nähe der Wilden gerückt und gleichzeitig wird der Abstand zwischen Antike und Moderne betont. Ferguson geht dabei soweit, daß er das antike Griechenland von einem fiktiven Reisenden im Stile eines modernen Ethnologen beschreiben läßt; von der Größe Spartas ist in diesem Bericht nichts mehr zu spüren: "Ich gelangte durch einen Staat, in dessen Hauptstadt das beste Haus nicht vom geringsten Eurer Arbeiter hier bewohnt würde, ja wo selbst Eure Bettler keine Lust hätten, mit dem König zu tafeln. Und doch hält man sie für eine große Nation, und sie haben nicht weniger als zwei Könige. Einen von ihnen bekam ich tatsäch-

---

[4] A. Smith, Der Wohlstand der Nationen, dt. v. H. C. Recktenwald, München 1978, 607.658.

[5] A. Smith, Der Wohlstand der Nationen, 319.579.

[6] A. Ferguson, Versuch über die Geschichte der bürgerlichen Gesellschaft, dt. v. H. Medick, Frankfurt 1986, 209.

lich zu sehen, was für ein Potentat er war! Kaum, daß er einen Rock auf dem Leibe hatte. Was die Tafel seiner Majestät anbelangt, so war er genötigt, mit seinen Untertanen in ein und dasselbe Speisehaus zu gehen. Sie verfügten über keinen Pfennig Geld, und so war ich genötigt, mein Essen auf öffentliche Kosten zu erhalten, da auf dem Markt keinerlei Nahrungsmittel zu kaufen waren. Wahrscheinlich werdet ihr Euch einbilden, daß es silbernes Tafelgeschirr und eine große Aufwartung gegeben haben muß, um einen berühmten Fremden zu bedienen. Aber mein ganzes Mahl bestand aus einer Schüssel elender Suppe, die mir ein nackter Sklave brachte, der es mir überließ, mit der Suppe nach meinem Gutdünken zu verfahren". Über die Athener bemerkt der Reisende: "Auf den Gassen gehen sie barfuß und ohne die geringste Kopfbedeckung; sie sind in Überwürfe eingehüllt, die nicht anders als Schlafgewänder aussehen. Begeben sie sich zum Kampfsport und zu sportlichen Übungen, bei denen sie großen Wert auf Proben der Geschicklichkeit und der Stärke legen, dann werfen sie alle Kleidung ab und sehen dann genauso aus wie ein Haufen nackter Kannibalen". Der Bericht endet mit der Feststellung, es sei unverständlich, "wie Gelehrte, feine Herren und sogar Frauen einstimmig ein Volk bewundern könnten, das ihnen selbst so wenig ähnlich ist"[7]. Wie Hume und Smith glaubt auch Ferguson, daß die europäischen Nationen des 18. Jahrhunderts den antiken Gemeinwesen weitaus überlegen sind; begründet wird diese Sicht mit der höher entwickelten Höflichkeit und Zivilisation ebenso wie mit den Fortschritten des Gewerbes.

Die grundlegenden Einsichten von Hume, Smith und Ferguson wurden von John Millar in 'The Origin of the Distinction of Ranks' (1771/1779) wiederum aufgegriffen und wiederholt; Millars Buch muß hier aus zwei Gründen kurz erwähnt werden: Der für die schottische Aufklärung so charakteristische sozialwissenschaftliche Ansatz findet bei John Millar in der systematischen Beschreibung von Herrschaftsverhältnissen in frühen Gesellschaften seinen vollendeten Ausdruck. In Anlehnung an die Vorlesungen von Adam Smith behandelt Millar die Stellung der Frau, die Gewalt des Vaters über die Kinder, die Herrschaft eines Häuptlings über ein Dorf und eines Herrschers über sein Land; abgeschlossen wird das Buch mit einem Kapitel über die Beziehung zwischen Herr und Knecht, einer vergleichenden Analyse antiker und moderner Sklaverei. Millars Darstellung zeichnet sich durch eine konsequente Anwendung komparatistischer Methoden aus; er hat sowohl die antiken Texte als auch die Berichte moderner Autoren über wilde Völker ausgewertet. Ein Vorrang der Antike vor anderen frühen Gesellschaften wird nicht akzeptiert, das Interesse Millars gilt ebenso dem Indianer wie dem frühen Griechen.

Für die Entwicklung der modernern Sozialwissenschaften ist ein weiterer Tatbestand von Bedeutung: Millar war ein entschiedener Gegner des Sklavenhandels, und dieses politische Engagement hat seine Darstellung der antiken Sklaverei insofern entscheidend geprägt, als die große Bedeutung der Sklaverei für die antike Gesellschaft und die außerordentliche Brutalität in der Behandlung der Sklaven betont werden.

John Millar ist so ein Beispiel dafür, daß seit der Aufklärung Sozialwissenschaftler sich zunehmend der kritischen Intelligenz zugehörig fühlten, die unter Berufung auf die Vernunft die tradierten wirtschaftlichen, sozialen und politischen Verhältnisse in Frage stellte und für einen umfassenden politischen und sozialen Wandel plädierte. In der Aufklärung wurde die Funktion der kritischen Intelligenz aber noch weitgehend von der philosophischen Theorie wahrgenommen; erst im 19. Jahrhundert gingen Zeitkritik, politisches Engagement und Sozialwissenschaften jene enge, bei John Millar bereits im Ansatz sichtbare Verbindung ein, die dann Thematik und Zielsetzung sozialwissenschaftlicher Arbeiten nachhaltig prägen sollte.

Dies trifft in besonderem Maße auf das Werk von Karl Marx zu, der in seinen Schriften wiederholt auf Probleme der antiken Wirtschaftsgeschichte eingegangen ist und dessen Auffassungen

---

[7] Ferguson, a. O. 357ff.

unter den spezifischen politischen Bedingungen des 20. Jahrhunderts in den Altertumswissenschaften eine weite Beachtung fanden. Der Gegensatz von Philosophie und revolutionärer Praxis wird vom jungen Marx in dessen Thesen über Feuerbach in folgender Weise gekennzeichnet: "Die Philosophen haben die Welt nur verschieden interpretiert, es kommt darauf an, sie zu verändern". Es entspricht dieser Ansicht, wenn Marx später davon sprach, das 'Kapital' sei "das furchtbarste Missile, das den Bürgern... noch an den Kopf geschleudert worden ist"[8]. Es gehört zu den Besonderheiten der Wirkungsgeschichte von Marx, daß wichtige Texte zur Wirtschaft vorkapitalistischer Gesellschaften erst spät vorlagen und teilweise nur wenig Beachtung fanden. Der dritte Band des 'Kapitals' mit den Kapiteln über das Kaufmannskapital und das Wucherkapital in vorkapitalistischen Gesellschaften erschien 1894, und erst 1939/41 wurden in Moskau die 'Grundrisse der Kritik der politischen Ökonomie' publiziert, in denen sich das Kapitel 'Formen, die der kapitalistischen Produktion vorhergehn' findet. In diesen Texten betont Marx, daß die Kategorien der politischen Ökonomie des 18. und 19. Jahrhunderts nicht geeignet sind, die Wirtschaft der vorkapitalistischen Gesellschaften zu erfassen; so kritisiert er etwa jene Philologen, "die von Kapital im Altertum sprechen, römischen, griechischen Kapitalisten". Diese Auffassung begegnet uns auch im 'Kapital' I (1867), in dem Marx es für ein wesentliches Kennzeichen der altasiatischen und antiken Produktionsweise hält, daß "die Verwandlung des Produkts in Ware, und daher das Dasein der Menschen als Warenproduzenten, eine untergeordnete Rolle" spielt.[9] Ähnlich wie die schottischen Sozialwissenschaftler sieht Marx eine grundlegende Differenz zwischen der modernen Gesellschaft, deren Essenz die kapitalistische Produktionsweise ist, und den vorkapitalistischen Gesellschaften. Diese Thesen haben in der Rezeptionsgeschichte der Marxschen Theorie allerdings keine allzu große Bedeutung besessen; für die Entwicklung des historischen Materialismus war der Satz des kommunistischen Manifestes: "Die Geschichte aller bisherigen Gesellschaft ist die Geschichte von Klassenkämpfen" von ungleich größerer Wirkung. Wie die folgenden Bemerkungen im Manifest zeigen, muß dieser Satz auch auf die Antike bezogen werden: "Freier und Sklave, Patrizier und Plebejer, Baron und Leibeigener, Zunftbürger und Gesell, kurz Unterdrücker und Unterdrückte standen in stetem Gegensatz zueinander, führten einen ununterbrochenen, bald versteckten, bald offenen Kampf."[10] Mit dieser Behauptung werden die für Industriegesellschaften charakteristischen Formen sozialer Konflikte als grundlegend auch für die vorindustriellen Gesellschaften vorausgesetzt, eine Position, die angesichts der tiefgreifenden sozialen und wirtschaftlichen Veränderungen und angesichts der Entwicklung der Kommunikationsmittel kaum zu überzeugen vermag. Dementsprechend mußten alle Versuche marxistisch orientierter Historiker, die sozialen Auseinandersetzungen der Antike als Klassenkämpfe zu interpretieren, erfolglos bleiben.

Das Interesse der Sozialwissenschaften konzentrierte sich zwar deutlich auf die Untersuchung der zeitgenössischen Wirtschaft und Gesellschaft, aber immer wieder haben Theoretiker und Sozialwissenschaftler von Rang - neben den schottischen Autoren und Marx wäre hier noch Comte zu nennen - den Versuch unternommen, die Antike in die historische Entwicklung einzuordnen und die wichtigsten Merkmale ihrer Wirtschaft und Gesellschaft zu erfassen. Damit waren die Voraussetzungen für eine interdisziplinäre Zusammenarbeit zwischen Sozialwissenschaften und klassischen Altertumswissenschaften eigentlich nicht ungünstig, zumal auch die Althistoriker in der Zeit um 1850 sozial- und wirtschaftshistorischen Fragestellungen durchaus aufgeschlossen gegenüberstanden.

Mommsen behandelte im Rahmen seiner 'Römischen Geschichte' (1854/56) auch die Wirtschaftsgeschichte, 1869 erschien die Monographie 'Besitz und Erwerb im griechischen Alterum',

---

[8] Marx an J. Ph. Becker, 17.4.1867.

[9] K. Marx, Grundrisse der Kritik der politischen Ökonomie, Frankfurt – Wien o. J., 412. Kapital I (MEW 23), Berlin 1970, 93. Vgl. auch 182 Anm. 39.

[10] K. Marx – F. Engels, Manifest der Kommunistischen Partei (MEW 4), Berlin 1974, 462.

in der A.B. Büchsenschütz einen systematischen Überblick über die griechische Wirtschaft gibt, und Robert Pöhlmann widmete eine Spezialstudie einem so aktuellen Thema wie der 'Übervölkerung der antiken Großstädte' (1884); es könnten noch weitere wichtige Arbeiten zu diesen Themenbereichen genannt werden, aber diese Hinweise mögen genügen, um die Offenheit der Althistoriker neuen Fragen und Themen gegenüber zu belegen. Die Chance einer interdisziplinären Arbeit auf dem Gebiet der antiken Sozial- und Wirtschaftsgeschichte wurden aber in Deutschland nicht wahrgenommen, die Alte Geschichte grenzte sich nach 1890 vielmehr radikal von den Sozialwissenschaften ab, ein Vorgang, der mehrere Ursachen hat.

Zunächst ist hier auf die Entwicklung in der Neueren Geschichte hinzuweisen: Das Erscheinen der ersten Bände von Karl Lamprechts 'Deutscher Geschichte' löste eine lebhafte Debatte aus, in der die führenden deutschen Historiker das Konzept Lamprechts aus grundsätzlichen Erwägungen heraus kritisierten. Es ging dabei vor allem um die Frage, ob der Historiker primär die sozialen Verhältnisse einer Zeit oder die politischen Ereignisse darstellen sollte; apodiktisch erklärte Georg von Below 1893 in der 'Historischen Zeitschrift': "Wir wollen aus einem Geschichtswerk nun einmal lernen, was geschehen ist, uns über die politischen Ereignisse und Personen unterrichten lassen". Wirtschaftshistorische Forschungen wurden nun generell abgelehnt; so schrieb der Historiker Lenz in einem Brief über ältere Arbeiten Lamprechts: "Seinen 4 Bänden Wirtschaftsgeschichte stand ich schon mißtrauisch gegenüber; ich kannte sie nicht, mißbilligte sie aber". Mit dem Lamprechtstreit hatte sich das Klima in der deutschen Historikerschaft verändert, es setzte sich eine ablehnende Haltung neuen Strömungen gegenüber durch.[11]

Auch Althistoriker begannen nun, sich kritisch mit den Thesen sozialwissenschaftlicher Provenienz auseinanderzusetzen; beispielhaft hierfür ist der Aufsatz von Robert Pöhlmann über die 'Extreme bürgerlicher und sozialistischer Geschichtsschreibung' (1894), eine Schrift, die, anders als ihr Titel vermuten läßt, vor allem gegen den sozialdemokratischen Theoretiker Karl Kautsky gerichtet ist. Dabei äußert sich Pöhlmann auch kritisch über die Lehre, die Entwicklung der Menschheit durchlaufe in streng gesetzmäßiger Weise bestimmte Stufen; der Versuch, einen typischen Entwicklungsprozeß zu konstruieren, "der überall von der Wirtschaftsstufe des Jäger- und Fischervolkes durch die des Hirtenvolkes hindurch zum Ackerbau-, Gewerbe- und Handelsvolk führen soll", muß nach Pöhlmann angesichts der Ergebnisse der modernen Anthropologie "den Tatsachen mehr oder weniger Gewalt antun"; damit kann aber diese Theorie, als deren wichtigster Vertreter hier Lewis H. Morgan genannt wird, als wissenschaftlich wertlos abqualifiziert werden. Für unseren Zusammenhang ist entscheidend, daß Pöhlmann diese Stufentheorie auch mit Marx und Engels in Verbindung bringt und als ein Dogma der sozialistischen Wissenschaft bezeichnet; unter diesen Voraussetzungen schien eine Diskussion zwischen linksgerichteten Theoretikern und den Althistorikern nicht mehr möglich zu sein.[12]

In der Zeit nach 1890 wurden die Auffassungen der Althistoriker auch dadurch beeinflußt, daß sich ihre Position im deutschen Bildungssystem deutlich zu verschlechtern begann. Pädagogische Reformbestrebungen zielten auf eine Gleichstellung von Realgymnasium und humanistischem Gymnasium und auf eine Zurückdrängung der alten Sprachen und der Alten Geschichte im Unterricht an den Gymnasien ab. Auf der Schulkonferenz von 1890 äußerte sich Wilhelm II. selbst ganz im Sinn der Reformer und forderte eine Neuorientierung der Erziehung. Damit aber bestand für die Altertumswissenschaftler und vor allem auch für die Alte Geschichte der Zwang, die Stellung ihrer Fächer im Schulwesen zu begründen und zu legitimieren.[13]

---

[11] Vgl. G. Oestreich, Die Fachhistorie und die Anfänge der sozialgeschichtlichen Forschung in Deutschland, HZ 208, 1969, 320 – 363.

[12] R. v. Pöhlmann, Aus Altertum und Gegenwart, München 21911, 346 – 384.

[13] J. C. Albisetti, Secondary School Reform in Imperial Germany, Princeton 1983, 208ff.

In dieser Situation hielt der Althistoriker Eduard Meyer zwei Vorträge, deren wissenschaftshistorische Bedeutung kaum überschätzt werden kann. Im Jahre 1895 sprach er auf dem Frankfurter Historikertag über die wirtschaftliche Entwicklung des Altertums, 1898 in Leipzig über die antike Sklaverei: In beiden Vorträgen wendet sich Meyer gegen die Thesen des Nationalökonomen Karl Bücher, der in seiner Schrift 'Die Entstehung der Volkswirtschaft' (1893) eine modifizierte Stufentheorie vorgelegt hatte. In der Überzeugung, daß die "von der modernen Volkswirtschaft abstrahierten Kategorien" nicht auf die Vergangenheit übertragen werden dürfen und die moderne Volkswirtschaft selbst das "Produkt einer jahrtausendelangen Entwicklung" ist, postulierte Bücher eine Abfolge von Hauswirtschaft, Stadtwirtschaft und Volkswirtschaft, wobei das Stadium der Hauswirtschaft wesentlich mit der Antike identisch sei.[14]

Meyer wiederum kam es angesichts der prekären Situation der Althistorie darauf an, auf dem Historikertag ein Thema zu behandeln, "bei dem die Bedeutung klar hervortreten könnte, die auch für unsere Gegenwart noch eine richtige Erkenntnis der Probleme besitzt, welche die alte Geschichte bewegen". Diese Intention steht allerdings in deutlichem Widerspruch zu dem sozialwissenschaftlichen Ansatz, was Meyer selbst gesehen hat; im Vortrag von 1898 vertritt er die Ansicht, die Lehre Büchers impliziere, "daß der wirtschaftlichen Entwicklung des Altertums nur noch ein historisches Interesse zugebilligt wird; waren seine Zustände in der Tat von den unseren in dieser Weise fundamental verschieden, so versteht es sich von selbst, daß unsere Zeit aus ihnen nichts mehr lernen kann"[15].

Um die Aktualität der Alten Geschichte für die Gegenwart zu erweisen, zeichnet Meyer das Bild einer modernen Antike. Im Zeitalter der griechischen Kolonisation kam es seiner Meinung nach zu der Erschließung und Beherrschung eines "ungeheuren Handelsgebietes", das mit Handelsartikeln" versorgt werden mußte. Dadurch angeregt "entwickelt sich eine für den Export arbeitende Industrie". In den folgenden Ausführungen spricht Meyer von der Konkurrenz der Fabriken, von "ausgeprägten Handels- und Industriestädten" an den Küsten der Ägäis und schließlich sogar von der "Industrialisierung der griechischen Welt", eine kleine Polis wie Megara wird als Industriestaat bezeichnet. Meyer sieht deutliche Parallelen in der wirtschaftlichen Entwicklung der Antike und der Neuzeit: "Das siebente und sechste Jahrhundert in der griechischen Geschichte entspricht in der Entwicklung der Neuzeit dem vierzehnten und fünfzehnten Jahrhundert n. Chr.; das fünfte dem sechzehnten"[16].

Der Hellenismus wird von Meyer als eine Epoche beschrieben, in der die Großstadt die "eigentliche Trägerin der modernen Entwicklung" wird; diese modernen Städte sind "mit allem Komfort der Neuzeit" ausgestattet und besitzen eine "dichte Bevölkerung von Industriellen, Kaufleuten und Gewerbetreibenden". Das Ptolemäerreich verfügt nach Meyer "über alle Kräfte des modernen Lebens, Handel, Geld, Bildung, die in der Hauptstadt konzentriert werden". Zusammenfassend stellt Meyer fest, daß die Zeit des Hellenismus "im Gegensatz zu den landläufigen Anschauungen, die auch in wissenschaftlichen Kreisen weit verbreitet sind, in jeder Hinsicht nicht modern genug gedacht werden kann"[17]. Die Abschnitte zur Entwicklung des römischen Reiches bringen dann keine neuen Argumente mehr; die Ausführungen konzentrieren sich auf das Problem des Untergangs des römischen Reiches, der mit dem allgemeinen Niedergang

---

[14] K. Bücher, Die Entstehung der Volkswirtschaft, Tübingen 1906, 87.90.

[15] Ed. Meyer, Die wirtschaftliche Entwicklung des Altertums, in: ders., Kl. Schr., Halle 1924, 81 – 168. Ders. Die Sklaverei im Altertum, a. O. 171 – 212. Vgl. bes. 81.175. Zur Bücher–Meyer Kontroverse vgl. M. Mazza, Meyer vs Bücher: Il dibattito sull' economia antica nella storiografia tedesca tra otto e novecento, Società e storia 7, 1985, 507 – 546.

[16] Meyer, a. O. 104 – 119.

[17] Meyer, a. O. 135 – 141.

der geistigen Kultur, dem Ausscheiden der Gebildeten aus der politischen und militärischen Führung sowie dem vom Großkapital herbeigeführten Ruin der Bauernschaft erklärt wird.

Der Vortrag über die Sklaverei (1898) weist dieselbe Tendenz und dieselbe modernistische Terminologie auf; dezidiert behauptet Meyer, in der Antike seien "dieselben Einflüsse und Gegensätze maßgebend gewesen..., welche auch die moderne Entwicklung beherrschen"; dementsprechend können die antike Sklaverei und die freie Arbeit der Neuzeit gleichgesetzt werden, beide Erscheinungen sind nach Meyer "aus denselben Momenten erwachsen"[18]. Es ist nicht die wissenschaftliche Leistung, die eine Beschäftigung mit den Vorträgen Eduard Meyers notwendig macht, sondern der eminente Einfluß der Thesen Meyers auf die Entwicklung der internationalen und insbesondere deutschen Althistorie; ohne diese Wirkungsgeschichte wären die Thesen Meyers heute allenfalls als Ausdruck bestimmter Strömungen der Geschichtswissenschaft im wilhelminischen Deutschland von Interesse. Aber es ist eben zu beachten, daß das modernistische Bild der antiken Wirtschaft mit all seinen Implikationen von so bedeutenden Gelehrten wie W.L. Westermann oder M.I. Rostovtzeff akzeptiert wurde; J. Vogt erklärte 1962, Eduard Meyer habe in zwei großartigen Entwürfen der antiken Wirtschaftsgeschichte den Weg gewiesen, und Karl Christ gestand den Vorträgen noch 1972 den "Rang einer verbindlichen Synthese" zu.[19] In der Althistorie hatte sich damit eine Auffassung durchgesetzt, die in scharfem Gegensatz zu den sozialwissenschaftlichen Theorien die Modernität der Antike betont und die sozialwissenschaftliche Methodik für ungeeignet erklärt, die antiken Verhältnisse angemessen zu erfassen.

Die Einwände, die gegen die Sicht Meyers erhoben wurden, blieben unbeachtet. Ludo Moritz Hartmann, Schüler Mommsens, Sozialdemokrat und Herausgeber der Vierteljahresschrift für Sozial- und Wirtschaftsgeschichte, hat bereits 1896 in einer Rezension auf die gravierenden Unterschiede zwischen antiker und moderner Wirtschaft hingewiesen und dabei vor allem betont, "daß der größte Teil Griechenlands eine fast ausschließlich landwirtschaftliche Bevölkerung besaß" und die Bedeutung des antiken Gewerbes von Meyer stark überschätzt wird. Nach Hartmann findet man in der Antike ein Nebeneinander verschiedener Wirtschaftstypen, wobei er allerdings zu bedenken gibt, daß die "große Masse der Bevölkerung... noch im Bann der Eigenproduktion und Hauswirtschaft" lebte. Büchers Thesen werden nach Hartmann also der Realität der Antike durchaus gerecht.[20]

Max Weber, seit 1894 Professor für Staatswissenschaften in Freiburg, hat sich wiederholt intensiv mit den Positionen von Eduard Meyer auseinandergesetzt. Der wichtigste Text Webers ist in diesem Zusammenhang sicherlich die theoretische Einleitung zu dem Artikel "Agrarverhältnisse im Altertum" in der 3. Auflage des Handwörterbuches der Staatswissenschaften (1909).[21]

Für Max Webers Auffassungen ist charakteristisch, daß er sich auf eine Diskussion über die Stufen der wirtschaftlichen Entwicklung nicht einläßt und die These Büchers, der Oikos, der Haushalt, sei der für das Altertum charakteristische Typus der Wirtschaftsorganisation, als idealtypische Konstruktion interpretiert. Unter einer Vorherrschaft des Oikos ist nach Max Weber eine "allerdings sehr starke, in ihren Konsequenzen höchst wirksame Einschränkung der Verkehrserscheinungen in ihrer Bedeutung für die Bedarfsdeckung" zu verstehen. Die Überlegenheit des Sozialwissenschaftlers Weber zeigt sich vor allem an der Klarheit der Begrifflich-

---

[18] Meyer, a. O. 175.188.

[19] J. Vogt, Sklaverei und Humanität, Wiesbaden 1965, 103. K. Christ, Von Gibbon zu Rostovtzeff, Darmstadt 1972, 293.

[20] L. M. Hartmann, Zeitschr. für Sozial- und Wirtschaftsgesch., 4, 1896, 153 - 157. Zu Hartmann vgl. K. Christ, Römische Geschichte und deutsche Geschichtswissenschaft, München 1982, 70.

[21] M. Weber, Gesammelte Aufsätze zur Sozial- und Wirtschaftsgeschichte, Tübingen 1924, 1 - 45.

keit. Gegenüber Meyer, der fortlaufend mit dem Begriff der Fabrik arbeitete - wobei er als einziges Kriterium für den Fabrikbetrieb die Zahl der tätigen Sklaven nennt - macht Weber geltend, daß "von gewerblichen Betrieben, welche ihrer Größe, Dauer und technischen Qualität nach (Konzentration des Arbeitsprozesses in Werkstätten mit Arbeitszerlegung und -vereinigung und mit "stehendem Kapital") diesen Namen verdienten, die Quellen als von einer irgendwie verbreiteten Erscheinung nichts" wissen. Weber kann seine eigene Position - die Formulierung Meyers aufgreifend - in folgender Weise zusammenfassen: "Es wäre nichts gefährlicher, als sich die Verhältnisse der Antike "modern" vorzustellen"[22]. Zwei Eigenheiten der Antike führt Max Weber u.a. an, um zu zeigen, wie weit die antike Wirtschaft noch von den mittelalterlichen und neuzeitlichen Zuständen entfernt war: 1. Die antiken Städte waren weniger Produktionszentren als vielmehr Konsumzentren; es kann - so Max Weber - nicht von einer entwickelten antiken Stadtwirtschaft gesprochen werden. 2. Die Sklaverei erfordert anders als das System der freien Arbeit ein beträchtliches Kapital, um die Arbeitskraft für einen Gutsbetrieb oder eine Werkstatt zu kaufen. Diese wenigen Hinweise mögen genügen, um zu zeigen, daß Max Weber der Sicht Büchers im wesentlichen folgt, ohne allerdings irgendeinen besonderen Typus der antiken Wirtschaft, der mit einem einzigen Begriff erfaßt werden könnte, zu postulieren. An die Stelle der abstrakten Theorie tritt die konkrete sozialwissenschaftliche Beschreibung und Analyse.

Auch bei Max Weber war der Vergleich ein wichtiges heuristisches Mittel wissenschaftlicher Erkenntnis; während aber die schottischen Autoren vornehmlich die Kultur wilder Völker zum Vergleich heranzogen, steht bei Max Weber immer wieder das Mittelalter im Zentrum seiner Überlegungen. Entscheidend ist aber die sozialwissenschaftlich kontrollierte Kenntnis der modernen Wirtschaft und Gesellschaft, eine Kenntnis, die Weber bei der Untersuchung antiker Verhältnisse eine außerordentliche Sicherheit des Urteils verlieh.

Webers frühe Arbeiten, etwa die Habilitationsschrift über juristische Aspekte der römischen Agrargeschichte, fanden die Anerkennung des alten Mommsen; die folgende Althistorikergeneration erwies sich als weniger intelligent, das Werk Webers wurde von der Althistorie kaum zur Kenntnis genommen, bis Alfred Heuß in einem großen Aufsatz über Max Weber an die Leistungen des Soziologen für die Erkenntnis des Altertums erinnerte.[23]

Einzig die beiden Monographien zur griechischen Wirtschaftsgeschichte von Johannes Hasebroek, in den letzten Jahren der Weimarer Republik veröffentlicht, folgten dem Ansatz von Karl Bücher und Max Weber. Hasebroek, Ende der dreißiger Jahre von der NS-Kultusbürokratie von seinem Kölner Lehrstuhl entfernt, konnte nach 1945 keine Wirkung in Deutschland mehr entfalten. In der englischsprachigen Welt hingegen hat es bis in das vergangene Jahrzehnt hinein eine intensive Rezeption der Schriften Hasebroeks gegeben.[24]

Die deutsche Althistorie hatte sich in der Bücher - Meyer Kontroverse darauf festgelegt, den sozialwissenschaftlichen Ansatz zurückzuweisen; darüber hinaus wurde aber auch die wirtschaftshistorische Forschung zugunsten der politischen Geschichte zurückgedrängt. In der Schrift 'Zur Theorie und Methodik der Geschichte' von 1902 insistiert Meyer darauf, daß dem Staat unter allen Formen der Gemeinschaft der Primat zukomme, und er verlangt deswegen, die politische Geschichte müsse das "Centrum der Geschichte bleiben"[25].

---

[22] Weber, a. O. 10.

[23] A. Heuß, Max Webers Bedeutung für die Geschichte des griechisch-römischen Altertums, HZ 201, 1965, 529 - 556. Vgl. jetzt ferner Chr. Meier, Max Weber und die Antike, in: Chr. Gneuss - J. Kocka, Hg., Max Weber - Ein Symposion, München 1988, 11 - 24.

[24] J. Hasebroek, Staat und Handel im alten Griechenland, Tübingen 1928. Ders., Griechische Wirtschafts- und Gesellschaftsgeschichte, Tübingen 1931. Vgl. E. Pack, Johannes Hasebroek und die Anfänge der alten Geschichte in Köln, Geschichte in Köln 21, 1987, 5 - 41.

[25] B. Näf, Eduard Meyers Geschichtstheorie. Entwicklung und zeitgenössische Reaktionen, in: W. M. Calder III - A. Demandt, Hg., Eduard Meyer, Leiden 1990, 285 - 310.

Der Schwerpunkt der althistorischen Forschung in Deutschland war damit umrissen, und obgleich zugestanden werden muß, daß die Althistorie der folgenden Jahrzehnte eine große Themenvielfalt aufweist, ist doch ein Vorrang der politischen Ereignisgeschichte, der Verfassungsgeschichte und der Biographie zu konstatieren. Auf dem Historikertag in Köln 1970 hat Dieter Timpe diese Themenstellung der Alten Geschichte mit neuen Argumenten zu begründen versucht: Da die antiken Historiker und Philosophen keinen "umfassenden Begriff des Sozialen" und keine "allgemeine Vorstellung von sozialer Aktion und Interaktion als Kategorie der Wirklichkeit" besaßen und die Kategorie der Gesellschaft erst im 18. Jahrhundert gebildet wurde, kann die sozialwissenschaftliche Arbeitsweise nur im Bereich der neueren Geschichte erfolgreich sein.[26] Diese Überlegungen, - die immerhin deutlich machen, welch komplexen methodischen Problemen sich der Althistoriker gegenübersieht, - fanden indes keine allgemeine Zustimmung; unter dem Eindruck der Entwicklungen in der Neueren Geschichte, die seit den späten sechziger Jahren intensiv sozial- und wirtschaftshistorische Fragen zu behandeln begann, wobei Industrialisierung, Arbeiterbewegung, soziale Lage und Protestverhalten von Unterschichten wichtige Themenschwerpunkte waren, und unter dem Eindruck der Tendenzen der internationalen althistorischen Forschung nahm auch in Deutschland das Interesse an der antiken Sozial- und Wirtschaftsgeschichte zu. 1975 erschien die 'Römische Sozialgeschichte' von Géza Alföldy; im Vorwort dieses Buches wird ausdrücklich bemerkt, daß die Quellenlage für die antike Sozialgeschichte keineswegs schlechter ist als für "andere zentrale historische Probleme". Und im folgenden Jahr (1976) konnte Alföldy davon sprechen, daß die "zweifellos wichtigste Veränderung innerhalb der Geschichtswissenschaft... die Durchdringung...mit Fragestellungen und Methoden der Soziologie" darstellt.[27] Mit den Arbeiten von Alföldy und anderen deutschen Althistorikern hat sich das Spektrum der althistorischen Forschung inzwischen erheblich erweitert. Die alte Geschichte befindet sich auf dem Weg zur Normalität einer Forschungspraxis, die keinen Bereich der historischen Realität mehr willkürlich vernachlässigt. Dennoch ist das Verhältnis zwischen Sozialwissenschaften und Alter Geschichte schwierig geblieben, und dies gilt auch für die internationale Forschung. Ein Grund hierfür besteht sicherlich darin, daß unter den Sozialwissenschaftlern gegenwärtig nur noch ein geringes Interesse an den vorindustriellen Gesellschaften vorhanden ist. Bei Soziologen wie Norbert Elias oder Niklas Luhmann finden sich allenfalls Untersuchungen zur Gesellschaft der frühen Neuzeit. Andererseits ist die Darstellung von Theoretikern der sozialen Entwicklung wie Gerhard Lenski (Macht und Privileg) oder Talcott Parsons so abstrakt, daß unter Althistorikern meist wenig Neigung besteht, deren Arbeiten zu rezipieren.

Zu den wenigen Sozialwissenschaftlern, die sich nach 1945 intensiv mit der vormodernen Ökonomie beschäftigten, gehörte Karl Polanyi, dessen Buch über die Industrialisierung ('The Great Transformation',1944) inzwischen auch für die Althistorie große Bedeutung erlangt hat. Die zentrale These Polanyis besagt, daß die Marktwirtschaft, ein selbstregulierendes System von Märkten, erst im Zeitalter der Industrialisierung entstanden ist. Dabei wird die Existenz von Märkten in vorindustriellen Gesellschaften keineswegs bestritten, aber bis zum 19. Jahrhundert hat der Markt nach Polanyi das wirtschaftliche Geschehen nicht dominieren können, er spielte nur eine Nebenrolle. Für den Austausch von Gütern waren andere Mechanismen entscheidend: Redistribution und Reziprozität, Mechanismen, die nicht von einem ökonomischen Interesse bestimmt waren. Grundlegend für die vorindustrielle Wirtschaft ist ferner die Produktion für den Eigenbedarf; die Distribution von Gütern erfolgt vornehmlich aufgrund von sozialen Normen, die Wirtschaft ist in die Gesellschaft eingebettet.[28] Diese Überlegungen haben in der An-

---

[26] D. Timpe, Alte Geschichte und die Fragestellung der Soziologie, HZ 213, 1972, 1 - 12.

[27] G. Alföldy, Römische Sozialgeschichte, Wiesbaden 1975, IX. Ders., Die römische Gesellschaft - Struktur und Eigenart, Gymnasium 83, 1976, 1 - 25.

[28] K. Polanyi, The Great Transformation, Frankfurt 1978, 71 - 112.

thropologie eine große Debatte über die Wirtschaft primitiver Völker ausgelöst und dann, sehr viel später, auch die althistorische Forschung zu neuen Fragestellungen und Ansätzen angeregt. 1969 hat die englische Althistorikerin Sally Humphreys das Werk Polanyis umfassend gewürdigt und seine Relevanz für die Althistorie hervorgehoben.[29]

Das Konzept Polanyis hat wesentlich Moses Finley für die Althistorie erschlossen. Finley, der 1912 in New York geboren worden ist, nach 1933 in New York im Institut für Sozialforschung gearbeitet hat, an der Columbia University zum Arbeitskreis von Polanyi gehörte und dann nach seiner Entlassung aus dem amerikanischen Hochschuldienst in der Ära des McCarthy-Ausschusses nach Cambridge ging, hat bereits in seinem Buch 'The World of Odysseus' (1954) seiner Rekonstruktion der in den Epen Homers beschriebenen sozialen Strukturen die Ergebnisse anthropologischer Forschungen zugrundegelegt; so betonte er in Anlehnung an Marcel Mauss die Bedeutung des Geschenkeaustausches in der frühen griechischen Gesellschaft. Bahnbrechend wurden dann Finleys Vorlesungen 'The Ancient Economy' von 1973.[30] Hier unternimmt Finley den Versuch nachzuweisen, daß in der Antike eine ökonomische Rationalität im Sinne von Max Weber nicht existierte, die Märkte und der Handel wenig entwickelt waren.

So wichtig 'The Ancient Economy' für die Forschung auch war, heute stellen sich neue Probleme. Seitdem deutlich geworden ist, daß die Mentalität einer Bevölkerung die Art des Wirtschaftens entscheidend prägen kann, werden die Vorstellungen der antiken Menschen etwa über die Produktion von Nahrung, über Gabenaustausch und Kauf sowie Verkauf thematisiert; damit bieten sich aber neue Perspektiven für eine Zusammenarbeit mit Anthropologen, eine Tendenz, die gerade im Werk von Sally Humphreys, aber auch in den Arbeiten französischer Althistoriker wie Jean-Pierre Vernant und Pierre Vidal-Naquet zum Ausdruck kommt.[31] Und hier öffnet sich dann der Blick für fremde, archaische Welten, für Konzeptionen, die die Beziehungen zwischen Mann und Frau, Jugendlichen und Erwachsenen, Mensch und Gott, Mensch und Tier, Ordnung und Unordnung strukturieren sollen. Wir blicken hinter den Vorhang der vermeintlichen Rationalität und nehmen dann Irrationalität, Grausamkeit, Gewalt und Religiosität wahr, wir sehen die Rituale, die dem menschlichen Leben Form geben, die Opfer und Feste, die das Jahr gliedern und den Menschen das Gefühl der Zusammengehörigkeit geben, wir nehmen die Gegenüberstellung von Bürger und Fremden, von Freien und Unfreien, von städtischer und ländlicher Bevölkerung wahr.

Die Sozialwissenschaften haben seit dem 18. Jahrhundert die Distanz zwischen Antike und Moderne akzentuiert, es ist deutlich, daß eine sozialwissenschaftliche Orientierung der Klassischen Altertumswissenschaften uns zwingt, die Vorstellung des Humanismus von der Antike als Vorbild ebenso aufzugeben wie die Meinung Meyers, eine moderne Antike hielte Lehren für die Gegenwart bereit; was wir gewinnen, ist ein Bild vom Menschen, das nicht ideologisch reduziert ist, das nicht mehr einfach das Spiegelbild unserer selbst ist, und wenn wir diesen Menschen in einer nichttechnisierten Welt handeln sehen, konfrontiert mit der Natur und mit anderen Menschen, wenn wir seine Leidenschaften und Begierden, seine Ängste und Wünsche wahrnehmen, dann sehen wir vielleicht, welche Welt wir im Prozeß der Industrialisierung verloren haben, aber auch, welche Welt wir gewonnen haben.

---

[29] S. C. Humphreys, History, economics and anthropology: the work of Karl Polanyi, in: dies., Anthropology and the Greeks, London 1978, 31 - 75. Vgl. jetzt außerdem W. Nippel, a. O., 124 - 151.

[30] M. I. Finley, The Ancient Economy, Berkely - Los Angeles 1973.

[31] Vgl. etwa J.-P. Vernant, Mythe et société en grèce ancienne, Paris 1979. P. Vidal-Naquet, Le chasseur noire, formes de pensées et formes de société dans le monde grec, Paris 1981.

Ritual und Mythos.
Zur Anthropologie der Antike heute

von

Renate Schlesier

Die Anthropologie der Antike hat heute in den Altertumswissenschaften vieler Länder Konjunktur. Im Jahr 1990 war dieses Thema Gegenstand zahlreicher Publikationen, in einem Ausmaß wie selten zuvor.[1] Einige Beispiele müssen genügen: Ein problemgeschichtlicher Überblick findet sich in dem Buch *Griechen, Barbaren und "Wilde". Alte Geschichte und Sozialanthropologie* des Bielefelder Althistorikers Wilfried Nippel. Die Pariser bibliographische Zeitschrift *Préfaces* widmete der "Anthropologie historique de la Grèce antique" eine besondere Würdigung im Rahmen ihres umfassenden Dossiers zur gegenwärtigen Lage der historischen Anthropologie in den verschiedenen humanwissenschaftlichen Disziplinen. Eine kritische Auseinandersetzung mit anthropologischen Mythen- und Kulterklärungen bietet der klassische Philologe Claude Calame aus Lausanne in dem Sammelband *Le discours anthropologique. Description, narration, savoir.* Der kürzlich gestorbene kalifornische Altphilologe Jack Winkler behandelt in seinem letzten zu Lebzeiten veröffentlichten Buch *The Anthropology of Sex and Gender in Ancient Greece* unter dem Obertitel *The Constraints of Desire.* Auch von den beiden international führenden Köpfen auf dem Gebiet der Anthropologie der Antike erschienen 1990 zwei, wenngleich schmale Bände: von Walter Burkert, im Berliner Wagenbach-Verlag, *Wilder Ursprung. Opferritual und Mythos bei den Griechen,* eine Zusammenstellung von fünf frühen Aufsätzen aus den Jahren 1966 bis 1970; von Jean-Pierre Vernant, in der Reihe "Bücherei des 20. Jahrhunderts" des Pariser Verlags Le Seuil, *Mythe et religion en Grèce ancienne,* ein ursprünglich auf englisch publizierter Handbuch-Text für Mircea Eliades *Encyclopedia of Religion.* Auf die beiden letztgenannten Autoren und ihre Themen werde ich ausführlich zurückkommen. Abzusehen ist, daß das altertumswissenschaftliche Interesse an diesen und anderen der Anthropologie zugeordneten Aspekten in den kommenden Jahren eher noch zunehmen als abnehmen wird.

Es fragt sich freilich: Was ist hier unter "Anthropologie" zu verstehen? Die genannten Autoren - und ihre noch zu nennenden Stichwortgeber - meinen keineswegs immer dasselbe, wenn bei ihnen von Anthropologie die Rede ist. Sprachgebrauch und Wissenschaftstradition haben den Begriff "Anthropologie" in den jeweiligen Ländern anders determiniert. Im Zeichen anthropologischer Erforschung der Antike geht es oft um ganz unterschiedliche Vorgehensweisen, Sachgebiete und Erkenntnisziele, je nachdem, ob dabei eher zurückgegriffen wird auf Historie oder auf Linguistik, auf Biologie oder Soziologie, auf Psychologie oder Philosophie, auf Ethnologie oder Ethologie. Auf den ersten Blick scheint es allein die ausgeprägte fächerübergreifende Orientierung zu sein, welche die Anthropologen der Antike trotz aller Divergenzen miteinander verbindet und von nicht-anthropologischen Erforschern der Antike abgrenzt.

Um die gegenwärtige Bedeutung der Anthropologie in den Altertumswissenschaften genauer zu analysieren,[2] ist zunächst ein wissenschaftsgeschichtlicher (und in gewisser Weise auch wissenschaftspolitischer) Exkurs vonnöten, der in einer Skizze neuerer Positionen mündet. Im

---

[1] Darstellungen früherer Forschungen bieten (aus unterschiedlichen Blickwinkeln): Marrett (ed.) (1908/1910); Kluckhohn (1961); Finley (1972/1986); Humphreys (1978); Versnel (1984/1990).

[2] Eine erschöpfende Behandlung dieses Gegenstandes würde den Rahmen dieses Aufsatzes sprengen. Ich beschränke mich weitgehend auf die Anthropologie der griechischen Antike in ihrem Verhältnis zu Ritual und Mythos, da hier (seit dem späten 19. Jahrhundert bis heute) der Kristallisationspunkt der Neuerungen und der Kontroversen zu liegen scheint. Hinweise auf wissenschaftsgeschichtliche Entwicklungen in anderen Ländern als England, Frankreich und Deutschland mußten leider ganz wegfallen.

Anschluß daran soll untersucht werden, in welcher Weise und weshalb Mythen und ihr Verhältnis zu den Kulten für die Anthropologen der Antike seit jeher und bis heute von zentraler Wichtigkeit sind. Daß die Interpretation der antiken Texte, Bildzeugnisse und weiterer Dokumente, daß das Verständnis der antiken Tradition und ihrer Wirkungen von der Anthropologie profitieren können, ist heute kaum mehr umstritten. Welche Schwierigkeiten dabei auftauchen, ist eine andere Frage, der hier nicht im Detail nachgegangen werden kann.

*

Die aktuelle, ja fast schon modische Prominenz der Anthropologie in den Altertumswissenschaften ist nicht selbstverständlich. Bis vor nicht allzulanger Zeit hätte kein Altphilologe oder Althistoriker gewagt, sich ohne eine captatio benevolentiae anthropologischer Methoden und Materialien zu bedienen. Genau vierzig Jahre ist es her, daß der Oxforder Regius Professor of Greek Eric Robertson Dodds (1893-1979) sich in dem Vorwort zu seinem epochemachenden Buch *The Greeks and the Irrational* mit folgenden Worten rechtfertigte:

"Meinen Fachkollegen bin ich vielleicht eine Erklärung dafür schuldig, daß ich an mehreren Stellen von neueren anthropologischen und psychologischen Beobachtungen und Theorien Gebrauch mache. In einer Welt des Spezialistentums werden solche Anleihen bei fernerstehenden Disziplinen gewöhnlich mit Besorgnis und oft mit unverhohlener Mißbilligung seitens der Fachleute beobachtet. Das weiß ich. Ich rechne auch damit, vor allem darauf hingewiesen zu werden, daß 'die Griechen keine Primitiven waren'; und ferner, daß in diesen relativ jungen Wissenschaften die Wahrheiten von heute dazu neigen, die abgelegten Irrtümer von morgen zu werden. Beide Feststellungen sind richtig. Aber [...] Warum sollten wir den alten Griechen eine Immunität gegen 'primitive' Denkformen zuerkennen, die wir sonst in keiner unserer direkten Beobachtung zugänglichen Gesellschaft finden?"[3]

Die alten Griechen sind also nach Dodds zwar keine "Primitiven", aber "primitive" Denkformen fänden sich bei ihnen nicht anders als in allen heutigen Gesellschaften, seien diese mehr oder aber weniger "zivilisiert": Bestätigen ließe sich dies durch Anthropologie und Psychologie.

Derartige Ansichten bedurften 1950 offenbar eines ausdrücklichen Legitimationsanspruches, aber neu waren sie bekanntlich nicht. Im Grunde stammten sie bereits aus dem frühen 18. Jahrhundert. Denn noch bevor Winckelmann die Antike mit dem klassizistischen Ideal "edler Einfalt" und "stiller Größe" drapierte, hatten einige französische Aufklärer (Fontenelle und Lafitau) bereits die begründete Vermutung geäußert, daß die Gebräuche und Fabeln der alten Griechen sich von denen der "Wilden" nicht allzusehr unterschieden hätten.[4] Dodds' kühner Rekurs auf Psychologie und Anthropologie ist freilich späteren Autoren verpflichtet, die im Vorwort noch ungenannt bleiben und erst im Verlauf seines Buches, wenn auch nur sporadisch, zu Wort kommen werden: keine Geringeren als die Pioniere der Theorie des Irrationalen in der Moderne, Friedrich Nietzsche (1844-1900) und Sigmund Freud (1856-1939). Seit Beginn des 20. Jahrhunderts hatte Freud die Verwischung der Grenze zwischen sogenannten primitiven und sogenannten zivilisierten Gesellschaften psychologisch begründet: Sein 1912 erschienenes Buch *Totem und Tabu* ist untertitelt: *Einige Übereinstimmungen im Seelenleben der Wilden und der*

---

[3] Dodds (1951/1970), IX f. (wenn nicht anders angegeben, wird hier und im folgenden nach den jüngeren Ausgaben zitiert).

[4] Vgl. Graf (1985) 19-21.

Neurotiker. Weder hier noch später konnte Freud grundsätzliche Differenzen finden zwischen seelischer Gesundheit und seelischer Krankheit, und ebensowenig zwischen den Aggressions- und Sexualtrieben des Erwachsenen und denen des Kindes, also, mit Freuds Worten gesagt, des "kleinen Primitiven".[5] Schon seit den siebziger Jahren des 19. Jahrhunderts hatte Nietzsche, seinerzeit noch Professor für Klassische Philologie an der Universität Basel, die Wildheit, Ungezähmtheit, Bestialität zur anthropologischen Konstante erklärt: Der Mensch, so heißt es bei ihm, ruht "auf dem Gierigen, dem Unersättlichen, dem Ekelhaften, dem Erbarmungslosen, dem Mörderischen [...] gleichsam auf dem Rücken eines Tigers in Träumen hängend."[6]

Sich zu Bündnispartnern mit solchen Auffassungen zu bekennen, wie Dodds es tat, und sogar zu meinen, daß ihre Konzepte auch auf die alten Griechen anwendbar seien, dazu gehörte 1950 in den angelsächsischen "classics" Mut (in Deutschland übrigens vielleicht noch heute). Warum? Nicht allein, weil Nietzsche und Freud aus der Warte von Dodds' Fachkollegen die "fernerstehenden Disziplinen" Anthropologie und Psychologie vertraten, ja nicht einmal nur, weil sie sogar in diesen Disziplinen selbst bis dato als Außenseiter und Exzentriker betrachtet wurden. Dodds' besondere Couragiertheit bestand auch keineswegs darin, etwa als erster für Anthropologie und Psychologie das Bürgerrecht in den Altertumswissenschaften zu reklamieren. Geradezu tollkühn war sein Unterfangen vielmehr gerade deshalb, weil er darin nicht der erste war, sondern weil er in die Fußstapfen von Gräzisten aus Cambridge und Oxford trat, die im Rahmen der Altertumswissenschaft selbst Jahrzehnte zuvor eben dies getan und damit die anthropologische Erforschung der Antike in den Augen konservativer Philologen bis auf weiteres vollständig diskreditiert hatten.

Zu nennen ist hier zunächst Gilbert Murray (1866-1957)[7], Dodds' Lehrer und Vorgänger auf dem Oxforder Griechisch-Lehrstuhl, der freilich trotz seiner Anleihen an zeitgenössischer Psychologie und Anthropologie sowie seiner Rekurse auf "primitive" Überbleibsel bei den Griechen die letzliche Dominanz olympischer Klarheit nicht in Frage gestellt hatte. Zu nennen sind aber vor allem zwei ältere in Cambridge wirkende "classical scholars", welche die Anthropologie der Antike in den angelsächsischen Ländern inauguriert haben und bis heute prägen: Jane Ellen Harrison (1850-1928)[8] und James George Frazer (1854-1941)[9]. Ihr Werk war es nicht zuletzt, dem die kollegiale "Besorgnis" und "Mißbilligung" galten, von denen Dodds in seinem Vorwort gesprochen hatte.

Die Reaktion auf Frazer und Harrison war freilich oft viel schärfer und emotionaler, als es in Dodds' understatement zum Ausdruck kommt. Exemplarisch sind die Ausfälle des Chicagoer Platon-Forschers Paul Shorey (1857-1934) gegen den "corybantic Hellenism of Miss Harrison" und gegen den "anthropological Hellenism of the disciples of Sir James Frazer, the irrational, semi-sentimental, Polynesian, free-verse and sex-freedom Hellenism of all the gushful geysirs of 'rapturous rubbish' about the Greek spirit"[10] (zu deutsch etwa: "der anthropologische Gräzismus von Sir James Frazers Schülern, der irrationale, halb-rührselige, polynesische Gräzismus freier Verse und freizügiger Sexualität all der spritzigen Geysire 'hinreißender Schundliteratur' über den griechischen Geist"). Shoreys hemmungslose Polemik ist cum grano salis zu nehmen, nicht allein, wenn man bedenkt, daß ein anderer bevorzugter Gegenstand seiner Wut

---

5 Freud (1940/1941) 111.

6 Nietzsche (1872/1973) 254; vgl. 371.

7 Zu Murray vgl. Fowler (1990).

8 Zu Harrison vgl. Versnel (1984/1990) 30-34; Schlesier (1990) und (1991a/b); Ackerman (1991).

9 Zu Frazer vgl. Ackerman (1987) und (1991).

10 Zitiert bei Kluckhohn (1961) 20 und bei Finley (1972/1986) 102 f. (nach Kluckhohn).

die gesamte deutsche Klassische Philologie seiner Zeit im allgemeinen war und deren Berliner Oberhaupt, der Nietzsche-Kontrahent Ulrich von Wilamowitz-Moellendorff (1848-1931), im besonderen, also Gelehrte, welche von Irrationalität und Primitivismus bei den Griechen oder von Freizügigkeit in jeglicher Form gewöhnlich ebensowenig wissen wollten wie Shorey selbst.[11]

Vor allem jedoch muß betont werden: Frazers und Harrisons Intentionen sind bei Shorey und häufig auch bei anderen ihrer Kontrahenten bis zur Unkenntlichkeit entstellt. Beide waren, in Lebensführung und wissenschaftlichem Ethos, durchaus puritanisch und mißbilligten Irrationalität bei "Wilden" und bei "Zivilisierten" gleichermaßen. Das folgende Bekenntnis von Jane Harrison hätte auch Frazer unterschreiben können. Im Vorwort zu ihrem zweiten Hauptwerk, *Themis: A Study of the Social Origins of Greek Religion* von 1912 schreibt sie, unter Verweis auf ihr erstes Hauptwerk, *Prolegomena to the Study of Greek Religion* von 1903:

> "Ich bekenne dort, und ich bekenne nach wie vor, daß ich von Natur aus wenig Neigung habe für das, was ein Elisabethaner 'die bestialischen Einfälle der Heiden' nennt. Die Wilden, mit Ausnahme ihrer ehrfürchtigen, totemistischen Haltung gegenüber Tieren, erregen bei mir Überdruß und Widerwillen, wenn ich auch notgedrungen viele Stunden damit verbringe, von ihren öden Handlungen zu lesen. Meine guten Momente sind, wenn ich durch das Studium primitiver Dinge ein besseres Verständnis erreiche von manchem Lied eines griechischen Dichters oder manchem Spruch eines griechischen Philosophen."[12]

Und dennoch: auch und gerade in dieser Apologie ist Harrisons Faszination durch die Wilden und durch das Wilde unverkennbar. Es bestätigt sich hier die Regel, daß in einer Faszination immer eine Ambivalenz gegenüber dem Faszinierenden zum Ausdruck kommt, Anziehung und Abstoßung zugleich.

Frazers Werk legt davon ebenfalls Zeugnis ab - nicht zuletzt sein über Jahrzehnte auf zwölf Bände anwachsender *Golden Bough* (1890-1915), der das Thema des rituellen Königsmordes, von antiken Mythen ausgehend, raum- und zeitübergreifend umkreist und, in Anlehnung an Auguste Comte, ein Stadienmodell der Geschichte des menschlichen Denkens entwirft - von der Magie über die Religion zur Wissenschaft. Deutlicher noch als bei Frazer tritt freilich in Harrisons Werk die dialektische Botschaft ans Licht, welche die anthropologische Beschäftigung mit der Antike weiterhin so attraktiv zu machen scheint. Sie lautet etwa folgendermaßen: Die alten Griechen waren viel "wilder", viel "primitiver", als das hehre klassizistische Idealbild uns weismachen wollte; eben wegen dieser "Wildheit" und "Primitivität" aber sind die Griechen uns, sind sie den Menschen aller späteren oder früheren Kulturen viel ähnlicher, als wir uns dies vor Nietzsche und Freud hätten träumen lassen können.

Es verwundert nicht, daß eine solche Botschaft die Anthropologie der Antike in den Geruch der Subversivität brachte, unabhängig davon, ob ihre Wortführer sich zum etablierten Wissenschaftsbetrieb und zu den politisch Herrschenden kritisch oder affirmativ verhielten. Nonkonformismus, Extravaganz, Anzüglichkeit werden den Anthropologen der Antike noch heute nachgesagt, und nicht allein von ihren Gegnern. In dem eingangs genannten Buch über die Anthropologie von Sexualität und Geschlecht im alten Griechenland konstatierte Jack Winkler, daß, im Unterschied zur konservativen etablierten Altertumswissenschaft, "Anthropologie dazu

---

11 Zu Shorey vgl. Kopff (1990).

12 Harrison (1912) xxv [Übers.: R. S.]. Vgl. dazu Schlesier (1991a) 210 n. 54; (1991b) 200 n. 54.

tendiert, abenteuerliche Seelen anzuziehen".[13] Kein Zweifel, daß Jane Harrison in diesem Sinne der Heterodoxie in besonderem Maße zuzurechnen ist. Und so ist es auch nicht erstaunlich, daß die gegenwärtige Konjunktur der Anthropologie der Antike mit der Wiederentdeckung, und nicht zuletzt: mit der Wiederaufwertung von Harrisons Werk verbunden ist.

Jane Harrison war die erste Frau, die als Altertumswissenschaftlerin berühmt - und wie sich zeigte: auch berüchtigt - wurde. Der Frauenbewegung ihrer Zeit stand sie skeptisch gegenüber, doch sie war die erste Frau, die den Kampf gegen das Patriarchat theoretisch und historisch zu untermauern suchte. Und so ist unter den mit der Antike befaßten feministischen Autorinnen der Gegenwart keine zu nennen, die nicht auf Harrison zurückgreift; wobei diese Autorinnen übrigens leider oft noch unkritischer mit den Materialien umgehen als ihre Vorläuferin. Harrisons prägende Kraft geht freilich über den Feminismus weit hinaus. Sie war in jeder Beziehung eine Abenteurerin des Geistes mit unbändiger Neugier auf avantgardistische Theorie, und darin ähneln ihr die Anthropologen der Antike bis auf den heutigen Tag. In ihre Schriften inkorporierte sie alles, was die Humanwissenschaften ihrer Zeit an Umwälzendem zu bieten hatten: Darwins Evolutionstheorie, Tylors Animismus-Lehre, Frazers Konzept des Vegetationsgeistes, und, im Unterschied zu Frazer selbst, auch Freud und Nietzsche, sowie die herausragenden Vertreter zeitgenössischer französischer Soziologie und Philosophie, Durkheim, Marcel Mauss, Henri Bergson - um nur die wichtigsten Autoren und Theorien zu nennen.

Mit einem eigenen epochemachenden Werk trat Harrison bereits hervor, als vor genau hundert Jahren die Anthropologie der Antike die Altertumswissenschaft zu erobern begann. 1890 erschienen gleichzeitig Harrisons *Mythology and Monuments of Ancient Athens*, ein kultgeschichtlicher und mit ethnographischen Parallelen bestückter Kommentar von Pausanias' Beschreibung von Attika; die erste Auflage von Frazers *Golden Bough*; und der erste Teil von *Psyche. Seelencult und Unsterblichkeitsglaube der Griechen*, verfaßt von Erwin Rohde[14], dem damaligen Heidelberger Ordinarius für Klassische Philologie und langjährigem Freund und Mitstreiter Nietzsches.

Die eben genannten bahnbrechenden Bücher und die folgenden Veröffentlichungen Frazers und Harrisons hatten, wie skizziert, weitreichende Wirkungen besonders in den englischsprachigen Ländern, sowohl was die Installierung, wie auch, was die Diskreditierung anthropologischer Konzepte, Methoden und Fragestellungen bei der Erforschung der Antike betraf. Für Rohde und für die Altertumswissenschaften in Deutschland gilt dies in viel geringerem Maße. Rohde bezog zwar völkerkundliches Material in seine Untersuchungen ein, freilich weitaus bescheidener als seine Cambridger Kollegen. *Psyche* blieb in Rohdes Werk wie auch innerhalb der weiteren Entwicklung der deutschen Klassischen Philologie überhaupt vergleichsweise isoliert. Rohdes Buch *Psyche* - besonders seine richtungweisende anthropologische und psychologische Behandlung ekstatischer Kulte - hat, so scheint es, inspirierend eher auf Forscher anderer Länder wie Jane Harrison und später Dodds oder neuere französische Religionshistoriker eingewirkt als auf deutsche Gelehrte. Nennenswerte wissenschaftliche Kontroversen oder gar Schulbildungen gingen in Deutschland von Rohdes Buch nicht aus. Wilamowitz erkannte zwar die Bedeutung dieses Werkes an, ohne dem Autor je die frühere Freundschaft mit Nietzsche zu verzeihen.

Unter der Ägide von Wilamowitz' unantastbarer Autorität war jedoch Anthropologie (wie übrigens auch vergleichende Mythologie) in Deutschland mit Anathema belegt. Auch Walter F.

---

[13] Winkler (1990) 8.

[14] Zu Rohde und der Aufnahme seiner Werke innerhalb der klassischen Philologie vgl. Cancik (1985).

Otto, ein einflußreicher Mythen- und Kultdeuter, der Wilamowitz eher fernstand, war auf anthropologische Demontagen der angeblich einzigartigen "Gestalt" des "griechischen Geistes" nicht gut zu sprechen.[15] Quer zum philologischen "main-stream" stehende ethnographische Interessen fanden innerhalb der deutschen Altertumswissenschaft allenfalls eine Nische im Rahmen der volkskundlichen Schule von Albrecht Dieterich, Paul Stengel und Otto Weinreich mit dem *Archiv für Religionswissenschaft*.[16] Es ist kaum nötig hinzuzufügen, daß die anthropologisch interessierten deutschen Altertumswissenschaftler sich schließlich als mindestens ebensowenig resistent gegenüber dem nationalsozialistischen System erwiesen wie die Mehrheit der im Lande bleibenden Klassischen Philologen, Archäologen und Althistoriker.

Nach dem 2. Weltkrieg führte die sogenannte antike Volkskunde wie andere dem NS durchaus genehme Erscheinungen der Altertumswissenschaft noch eine Zeitlang in der Bundesrepublik eine gewisse Sumpfblütenexistenz. Die Anthropologie der Antike blieb freilich weiterhin außerhalb der vorherrschenden Zunftinteressen wie der Bezüge zu den sich in anderen Ländern entfaltenden Debatten und ist heute nirgendwo in Deutschland akademisch etabliert. Eine Ausnahme bildet vielleicht die Beanspruchung des Terminus "Anthropologie" durch den Münchner Althistoriker Christian Meier.[17] Doch sein Pariser Mentor, der Latinist Paul Veyne, der Michel Foucaults Autorität bei den Studien zum antiken Eros war, mit denen Foucault die letzten Lebensjahre verbrachte, schrieb 1984 mit Recht: Die Franzosen würden für das, was Christian Meier "politische Anthropologie" nennt, eher "Politologie" sagen.[18] Meier selbst hat nie einem Zweifel daran gelassen, daß sein Begriff des Politischen auf Carl Schmitt zurückgeht, den Kronjuristen des 3. Reiches, also auf eine Tradition, die tatsächlich kaum etwas mit dem zu tun hat, was die Anthropologie-Diskussion in den internationalen Altertumswissenschaften sonst bisher bestimmt hat.

Von einem Schattendasein oder gar einer zwielichtigen Funktion der Anthropologie kann vor allem in Frankreich keine Rede sein. Im Vaterland der Aufklärung verlief die Entwicklung geradezu entgegengesetzt zu der in Deutschland. Die Anthropologie der Antike ist in der französischen Hauptstadt seit vielen Jahrzehnten akademisch fest verankert, der spezifischen französischen Tradition entsprechend, mit dem Schwerpunkt auf der Religionserforschung.[19] 1886 wurde für die religionswissenschaftlichen Disziplinen die 5. Sektion der Elitehochschule "Ecole Pratique des Hautes Etudes" gegründet, die personell und materiell großzügig ausgestattet ist und kürzlich mit Aplomb ihr hundertjähriges Jubiläum feierte. Antike griechische und römische Religion waren dort von Anfang an vertreten. Zwei Jahre nach der Gründung wurde der Lehrstuhl für die "Religion nicht-zivilisierter Völker" geschaffen, welcher rasch dazu beitrug, die gesamte Sektion auf die Anthropologie hin zu orientieren. Ihn hatte von 1901 an Durkheims Neffe und Schüler Marcel Mauss (1872-1950) inne. 1954, unter dem Lehrstuhlinhaber Claude Lévi-Strauss (geb. 1908), wurde er in "Religionsvergleich schriftloser Völker" umbenannt.

Die weiterhin vorherrschende zentrale Bedeutung der Religionserforschung innerhalb der Sozialwissenschaften in Frankreich und ihre anthropologische Orientierung geht auf den prägenden Einfluß des Althistorikers Numa-Denis Fustel de Coulanges (1830-1889)[20] sowie vor allem

---

15 Vgl. Otto (1933).

16 Vgl. dazu sowie zur "antiken Volkskunde" im NS-Deutschland: Cancik (1982).

17 Siehe Meier (1987).

18 Veyne in: Meier (1984) 5.

19 Zur Institutionalisierung der Anthropologie der Antike in Frankreich vgl. Vernant (1987 b); Andreau u. a. (1990).

20 Zu Fustel de Coulanges vgl. Hartog (1988).

des Soziologen Emile Durkheim (1858-1917)[21] zurück, seit seinen Studien aus den beiden letzten Jahrzehnten des 19. Jahrhunderts, nicht zuletzt aber seit seinem Hauptwerk *Les formes élémentaires de la vie religieuse* von 1912. Zugespitzt gesagt: die französische Soziologie ist zugleich Religionswissenschaft, und die französische Religionswissenschaft ist zugleich sozialwissenschaftliche Anthropologie. Mentalitäten werden als reale soziale Fakten behandelt. Diese von Durkheim durchgesetzte thematische und methodologische Option erhielt neben der bereits etablierten Pariser Hochburg "Ecole Pratique des Hautes Etudes" weitere institutionelle Verstärkungen durch die Entstehung der Zeitschrift *Annales* im Jahre 1929[22] sowie die Gründung der "Ecole des Hautes Etudes en Sciences Sociales" als für Sozial- und Wirtschaftsgeschichte reservierte 6. Sektion der E.P.H.E. im Jahre 1947. Ihr anthropologisches Lehr- und Forschungszentrum ist das "Maison des Sciences de l'Homme", in dem Jahr für Jahr auch zahlreiche auswärtige Gastdozenten aus aller Welt unterrichten. Es wurde an der Stelle erbaut, an der das Zuchthaus gestanden hatte, welches während der deutschen Besetzung von Paris Hauptquartier der Folterungen und Exekutionen durch die Gestapo war.

Das Nachdenken über Erinnerung und Vergessen ist ein Antrieb, der allen Wissenschaftlern an der M.S.H. gemeinsam ist, so auch den an der 5. und 6. Sektion der E.P.H.E. tätigen Althistorikern, klassischen Philologen und Archäologen, die sich ausnahmslos mit der Anthropologie der Antike beschäftigen. Die tonangebenden Forscher - Jean-Pierre Vernant (geb. 1914), Pierre Vidal-Naquet (geb. 1930), Marcel Detienne (geb. 1935) und Nicole Loraux (geb. 1943) - haben durch ihre vielfältigen Aktivitäten innerhalb und außerhalb des akademischen Betriebs auch andere Disziplinen und eine breite intellektuelle Öffentlichkeit für die Anthropologie der Antike interessiert. In Frankreich erzielen sie zum Teil Auflagen von Bestsellerautoren. In den USA gehören ihre ins Englische übersetzten Veröffentlichungen inzwischen bereits zur Grundausstattung des Studium generale der ersten Studienjahre (undergraduates). In Deutschland wurden, mit geraumer Verspätung, im Verlauf der achtziger Jahre drei Bücher von Vernant publiziert: *Die Entstehung des griechischen Denkens* (1982, frz. 1962), *Mythos und Gesellschaft im alten Griechenland* (1987, frz. 1974) und *Tod in den Augen. Figuren des Anderen im griechischen Altertum: Artemis und Gorgo* (1988, frz. 1985), sowie zwei Bücher von Vidal-Naquet: *Gesellschaft und Wirtschaft im alten Griechenland*, gemeinsam mit Michel Austin (1984, frz. 1972) und *Der schwarze Jäger. Denkformen und Gesellschaftsformen der griechischen Antike* (1989, frz. 1981). Von Marcel Detienne und Nicole Loraux wurde bisher noch kein Buch ins Deutsche übersetzt.

Der enorme Erfolg der französischen Anthropologen der Antike wurde sicherlich vom institutionellen und methodologischen Rückhalt durch die genannten außeruniversitären, ganz im Zeichen der Anthropologie stehenden Lehr- und Forschungseinrichtungen außerordentlich erleichtert. Zugute gekommen ist ihnen auch, außer der Magnetkraft der intellektuellen Metropole Paris, die ins französische Wissenschaftssystem eingebaute Arbeitsteilung zwischen auf Ausbildung konzentrierten Universitäten einerseits, Elitehochschulen und Forschungseinrichtungen andererseits, eine Balance, welche Konkurrenz abfedert und Machtkämpfe kanalisiert. Der Widerstand der traditionell konservativen Altertumswissenschaft in Frankreich hat freilich bis heute verhindert, daß die Anthropologie der Antike ihre Durchschlagskraft auch von universitären Lehrkanzeln aus entfalten konnte. Ihre Etablierung im akademischen Freiraum der "Grandes Ecoles" nahm im übrigen keinen konventionellen Verlauf und ist durch Personen und Zeitläufte spezifisch bedingt.

---

21 Zu Durkheim und der Durkheim-Schule vgl. Humphreys (1978) 76-106.

22 Die Zeitschrift *Annales* machte von Anfang an Front gegen die etablierte Geschichtswissenschaft. Bezeichnenderweise wurde sie nicht in Paris sondern in Strasbourg gegründet; vgl. zur Geschichte der Annales-Schule Honegger (1977).

Die entscheidenden Anstöße kamen von Außenseitern. Louis Gernet[23] (1882-1960), der Gründungsvater der Disziplin, nach dem heute ihr Forschungszentrum im Quartier latin benannt ist, erteilte bis zu seinem 65. Lebensjahr griechischen Sprachunterricht an der Universität von Algier. Erst 1948 erhielt er die Gelegenheit, an der E.P.H.E. zu lehren. Sein bedeutendster Schüler war Jean-Pierre Vernant[24], damals noch Mitglied der Kommunistischen Partei Frankreichs, der zunächst als Gymnasiallehrer Philosophie unterrichtet hatte, 1940 als 26jähriger das Kommando der Résistance-Armee von Südwestfrankreich übernahm und nach dem Krieg kurze Zeit Militärattaché in der französischen Zone des besetzten Deutschland gewesen war. Die Krönung von Vernants Karriere war 1975 der Ruf auf den Lehrstuhl für vergleichende Studien der antiken Religionen am Collège de France. Als Vernant unter dem Titel *Anthropologie de la Grèce antique* eine Sammlung von 17 Aufsätzen seines Lehrers veröffentlichte, schrieb man das Jahr 1968. Die Bedeutung dieses Publikationsdatums wird von Vernant in seinem Vorwort ausdrücklich hervorgehoben:

"In diesem Frankreich des Mai 1968, in dem so viele Dinge sich plötzlich verändert haben, so viel Neues aufgetaucht ist, das niemand hätte voraussehen können, ist das Werk von Louis Gernet, obwohl es eine sehr weit entfernte Vergangenheit betrifft, nichtsdestoweniger, durch seine anthropologische Vorgehensweise und Programmatik, ein ganz und gar aktuelles Buch."[25]

Widerständig, ja umstürzlerisch war Gernets "Anthropologie des antiken Griechenlands" in der damaligen Situation auch aus einem besonderen Grund, den Vernant nicht zu nennen versäumte und der eine kürzlich neu aufgetauchte nihilistische Strömung unter den französischen Intellektuellen betraf. Zwei Jahre vor dem Pariser Mai von 1968 war Michel Foucaults Buch *Les mots et les choses* erschienen, in dem das Verschwinden des Menschen - natürlich rein metaphorisch - behauptet und demzufolge jeglicher Humanwissenschaft die Existenzberechtigung abgesprochen worden war. Beim Kampf gegen eine solche "Auslöschung des Menschen als Objekt von Wissenschaft" sollte Gernet posthum zu Hilfe kommen. Zu diesem Zweck verbündeten sich Vernant und seine Schüler auch mit Lévi-Strauss und seiner strukturalen Anthropologie[26], deren Denkmodelle sie freilich inzwischen als zu schwache Schützenhilfe aufgegeben haben. Den Pariser Anthropologen der Antike geht es um wissenschaftliche Selbstreflexion, die sich ausdrücklich das Verständnis der Gegenwart zum Ziel setzt. Vernant formulierte das Problem 1968 so:

"Warum und wie haben sich diese Formen des sozialen Lebens konstituiert, diese Denkmodi, in denen der Okzident seinen Ursprung verortet, in denen er glaubt, sich wiedererkennen zu können, und die der europäischen Kultur heute noch als Referenzmodell und Rechtfertigung dienen? Von diesem Gesichtspunkt aus betrachtet, findet sich das, was man traditionell den 'Humanismus' nennt, an seinen Platz verwiesen, historisch verortet, relativiert. Aber die griechische Erfahrung, die ihrer Prätention enthoben ist, den absoluten Geist, die ewige Vernunft zu verkörpern, erhält Farbe und hervorstechende Form zurück. Sie bekommt ihren vollen Sinn, sobald sie, konfrontiert mit den großen verschiedenartigen Zivilisationen wie denen des Nahen Ostens, Indiens, Chinas, Afrikas und denen des präko-

---

23 Zu Gernet vgl. Humphreys (1978) 76-94; Vernant in: Gernet (1968) i-v; di Donato in: Gernet (1983) 403-420.

24 Siehe Vernant (1987 a) 10; Schlesier (1980).

25 Vernant in: Gernet (1968) v [Übers. R. S.].

26 Zu Lévi-Strauss und der Vernant-Schule vgl. Schlesier (1986) 285 f. n. 61-62.

lumbianischen Amerika, als ein Weg, unter anderen, erscheint, auf den die menschliche Geschichte sich eingelassen hat."[27]

Das gedämpfte Pathos, mit dem hier nach der "Entstehung des europäischen Denkens bei den Griechen" gefragt wird, erinnert an den Hamburger Altphilologen Bruno Snell, dessen 1946 erschienenes Buch *Die Entdeckung des Geistes* eben dieser Frage gewidmet war und das Vernant nach eigenem Bekunden stark beeindruckt hat. Was jedoch durch Vernants Abgrenzung vom idealistisch-humanistischen Griechenbild zugleich hindurchschimmert, ist, anders als bei Snell, eine auf Marx zurückgehende Geschichtsphilosophie, welche das dialektische Kunststück zu vollbringen sucht, die prägende Kraft griechischer Denkmodelle und gesellschaftlicher Einrichtungen für den Okzident sowohl zu unterstreichen als auch zu relativieren. Vernants Mißtrauen gegenüber dem Konzept eines unveränderlichen Menschengeistes, der geschichtlichen und sozialen Divergenzen enthoben sei, verdankt sich darüber hinaus der Erfahrungstheorie seines zweiten anthropologischen Mentors neben Louis Gernet, dessen Freund und Kollegen Ignace Meyerson (1888-1983)[28], dem Begründer der historischen Psychologie in Frankreich.

Völlig anderen Inspirationsquellen und Motiven verpflichtet ist das Werk des Zürcher Ordinarius für Klassische Philologie, Walter Burkert[29], der gegenwärtig in der internationalen Altertumswissenschaft die Anthropologie der Antike außer Vernant und seiner Schule am pointiertesten und einflußreichsten vertritt. Auch bei ihm dominiert, wie bei Vernant, wie schon bei Dodds und Jane Harrison, das religionshistorische Interesse. Burkert, geboren 1931, wuchs in West- und Süddeutschland auf und absolvierte seine gräzistische, latinistische und althistorische Ausbildung in Erlangen und München. Von 1966 bis zu seiner Berufung nach Zürich im Jahre 1969 lehrte Burkert an der Technischen Universität Berlin, also auf dem Höhepunkt der im Zeichen von Ideologiekritik und Gesellschaftsveränderung stehenden Berliner Studentenbewegung, von der seine Arbeiten freilich unberührt blieben. In den sechziger und siebziger Jahren, also etwa gleichzeitig wie Vernant, trat Burkert ebenfalls mit Publikationen an die Öffentlichkeit, welche sogleich die Aufmerksamkeit der deutsch- und englischsprachigen Fachwelt auf sich zogen. Seine Hauptwerke sind *Weisheit und Wissenschaft. Studien zu Pythagoras, Philolaos und Platon* (1962), *Homo necans. Interpretationen altgriechischer Opferriten und Mythen* (1972), *Griechische Religion der archaischen und klassischen Epoche* (1977) sowie *Structure and History in Greek Mythology and Ritual* (1979). Damit und mit zahlreichen weiteren Schriften über eine Fülle von Einzelproblemen hat Burkert ohne Zweifel für die genauere Erforschung und das umfassendere Verständnis der antiken griechischen Religion unschätzbar wertvolle Arbeit geleistet.

Burkerts anthropologische Beschäftigung mit der Antike stammt aus der konservativen Tradition deutscher Anthropologie und Verhaltenstheorie, wie sie während der Zeit der nationalsozialistischen Herrschaft und im Nachkriegsdeutschland höchst einflußreich von Konrad Lorenz (1903-1989) und Arnold Gehlen (1904-1976) vertreten wurden. Christian Meier hat auch auf die Anklänge an Carl Schmitt in Burkerts opfertheoretischen Stadienmodellen hingewiesen.[30] Eine Gemeinsamkeit zwischen Burkert und Vernant besteht darin, daß beide den klassischen Humanismus mit den Mitteln der Anthropologie relativieren wollen. Im Gegensatz zu Vernant geschieht dies jedoch bei Burkert in restaurativer Absicht. Burkert betont nicht, wie Vernant, die durch Anthropologie möglicherweise zu befördernden Gesellschaftsinnovationen und Einsich-

---

27 Vernant in: Gernet (1968) ii-iii [Übers. R. S.].
28 Zu Meyerson und Gernet vgl. di Donato (wie Anm. 23).
29 Zu Burkert vgl. Burkert (1984) 50; (1988); Most in: Burkert (1990); Graf (1991).
30 Meier in: Burkert (1984) 10.

ten in die historische Spezifität menschlicher Erfahrungen, sondern die von der Anthropologie möglichst zu vermittelnden bio-psychologischen Konstanten, welche sich vom Paläolithikum bis ins 20. Jahrhundert im wesentlichen nicht verändert hätten.

In der Vorbemerkung zu seinem ersten anthropologischen Hauptwerk *Homo necans* entwirft Burkert seine "auf die Anfänge des Menschen" zurückreichende Perspektive wie folgt:

> "Es ist nicht so sehr die Eigenart des Griechischen, die dabei wichtig ist, so viel von dieser Eigenart zu rühmen ist; der anthropologische Aspekt überwiegt den humanistischen. Wohl aber bewährt sich die besondere Ursprünglichkeit und Luzidität des Griechischen gerade hier: es kann gewissermaßen als Spiegel dienen, in dem die weit hinter uns liegenden Grundordnungen des Lebens in fast schon klassischer Deutlichkeit sichtbar werden."[31]

Zu diesen "Grundordnungen" gehört für Burkert nicht zuletzt die "ursprüngliche Blutscheu" des Menschen, welche die steinzeitlichen Jäger, also die auf Fleischnahrung verwiesenen Urmenschen vegetationsarmer Regionen, dazu gezwungen hätte, komplexe Rechtfertigungsprozeduren für Tiertötungen zu entwickeln, die sogenannte "Unschuldskomödie", ein Konzept, das Burkert von dem Basler Altertumswissenschaftler und Bachofen-Herausgeber Karl Meuli übernahm. Noch in den Schlachtopfern der von ihm paradigmatisch behandelten Griechen und in der christlichen Opfertheologie findet Burkert dieses postulierte psycho-physiologische Phänomen aufbewahrt.

Burkert zieht bei seinen anthropologischen Deutungen zuweilen auch Freud als Gewährsmann heran. Für den Glauben an eine "ursprüngliche Blutscheu" kann er sich freilich nicht auf den Begründer der Psychoanalyse berufen. Zu diesem Postulat, das bereits von christlichen Psychologen und Theologen des 19. Jahrhunderts vertreten wurde, hat Freud sich in einer während des 1. Weltkriegs vor der jüdischen Loge B'nai B'rith gehaltenen Rede unmißverständlich kritisch geäußert: "Man hat die Behauptung aufgestellt, daß ein instinktiver Abscheu vor dem Blutvergießen uns tief eingepflanzt sei. Fromme Seelen glauben es gerne."[32] Freud war tatsächlich zeitlebens weit entfernt von einer Apologie der Religion im allgemeinen und des Christentums im besonderen, wie sie nicht allein bei deutschen Anthropologen Tradition besitzt und bei Burkert immer wieder durchschlägt. Eine besonders charakteristische Passage (wiederum aus *Homo necans*) sei ausführlich zitiert. Im Anschluß an seine These, daß das "Jungfrauenopfer" eine "notwendige Funktion" habe "im Drama menschlicher Gemeinschaft, im Kontrapunkt von Familienbindung und Männersache", schreibt Burkert:

> "Zusammenhalt und Fortbestand einer Gruppe und ihrer Kultur wird im religiösen Ritual und in der daraus wachsenden Verehrung des Gottes durch eine höchste, unvergängliche Instanz in unüberbietbarer Weise garantiert. Er bietet die Orientierung, die das Gegeneinander in ein Miteinander wandelt. Im Sturm der Geschichte haben immer wieder nur die Gesellschaftsorganisationen sich schließlich behaupten können, die religiös begründet waren. Vom Römerreich blieb die römische Kirche. Auch in ihr blieb im Zentrum das unerhörte, einmalige, freiwillige Opfer, in dem der Wille des Vaters mit dem des Sohnes eins wird, wiederholt im heiligen Mahl, das durch Anerkenntnis der Schuld Erlösung wirkt. Dauer-

---

[31] Burkert (1972) 5.
[32] Freud (1915).

hafte Ordnung ist so zustandegekommen, Fortschritt der Kultur, in dem doch die Gewalttätigkeit des Menschen konserviert geblieben ist."[33]

In solchen Sätzen wirkt Burkerts Auffassung von Anthropologie wie eine Fortsetzung der
Theologie mit anderen Mitteln - eine Tendenz, die sich auch sonst bei Anthropologen häufig be-
obachten läßt. Wieviel diese Aussagen spezifisch mit Burkerts vorwiegend aus der griechischen
Antike stammenden Material zu tun haben, soll hier dahingestellt bleiben. In seinen Thesen je-
denfalls, daß die Gottesverehrung aus dem Ritual entstanden und daß jegliche soziale
Ordnung, jeglicher Kulturfortschritt auf Religion angewiesen sei, klingen Motive an, welche die
Religionshistoriker spätestens seit Ende des 19. Jahrhunderts aufs intensivste beschäftigt haben.

Freilich: das anthropologische Interesse an Ritualen und Mythen der Antike ist keine Erfindung
der Neuzeit. Anthropologie der Antike war zunächst eine Sache von antiken Anthropologen,
unabhängig davon, ob Aristoteles' Definition auf sie anwendbar ist. Ein anthropologos, schreibt
er in der *Nikomachischen Ethik* (1125 a 5), sei jemand, der viel über sich und andere Menschen
redet - eine Eigenschaft, die ihm mit der Tugend der Seelengröße (megalopsychia) unvereinbar
dünkte. Von dieser Wertung einmal abgesehen: es kann mit Fug und Recht behauptet werden,
daß Anthropologie mindestens so alt ist wie die griechische Geschichtsschreibung und daß die
antiken Historiker am liebsten über Menschen und Populationen schrieben, aus deren Vorstellungen und Taten sich verallgemeinerbare Geschichte und Geschichten machen ließen.

Herodot, berühmt als Vater der Geschichte, Zeitgenosse und Freund des attischen Tragödien-
dichters Sophokles, zeigte sich dabei an Sitten, Gebräuchen und Erzählungen der Völker in den
von ihm bereisten Ländern des Mittelmeerraums mindestens ebenso interessiert wie Anthropologen des 20. Jahrhunderts bei Feldforschungen auf fernen Kontinenten. Seine quellenkritische
Methode bei der Wiedergabe seiner Eindrücke und dessen, was ihm berichtet worden war, läßt
mindestens ebensoviel Seriosität und Umsicht erkennen wie die von manchen modernen Anthropologen angewendeten Verfahren. Mythen und Riten standen bei ihm, nicht anders als bei
den modernen Feldforschern, im Mittelpunkt der Aufmerksamkeit.[34] Während der Darstellung
fremder Riten bediente er sich des Vergleichs mit solchen, welche den Griechen aus ihren eigenen Kulten vertraut waren. Mythen räumte er vor allem dann breiten Raum ein, wenn sie Beziehungen zu bestimmten Riten erkennen ließen oder Deutungen des Geschichtsablaufs eines
Volkes und des Verhältnisses zu seinen Nachbarn enthielten. Das Bedürfnis nach einem allum-
fassenden theoretischen Erklärungsmodell für Mythos und Ritual als solche ist jedoch bei Herodot, im Unterschied zu den modernen Anthropologen, noch nicht ausgeprägt.

Auch der zweite große griechische Historiker, Thukydides, läßt sich zu den frühesten Anthropologen zählen, wenngleich er bei Mythen und Ritualen vergleichsweise selten verweilt in seiner
Geschichte des peloponnesischen Krieges, die wie ein Drama aufgebaut ist. Die ersten Kapitel
des ersten Buches greifen freilich weit in die Vorzeit zurück und bieten eine anthropologisch
deutende Darstellung von orts- und zeitbedingten Verhaltensweisen im Rahmen eines Entwick-
lungsverlaufs, in dem Helena und Minos, Perseus und Achilleus keine mindere historische Existenz zugestanden wird als später dem Perikles oder dem Alkibiades. Am Ende dieser Einleitung
stellt Thukydides die Erkenntnis der zeitlich ferneren wie näheren Vergangenheit ausdrücklich
in den Dienst einer anthropologischen Überzeugung: Das Gewesene klar erkennen heißt

---

[33] Burkert (1972) 96.
[34] Vgl. hierzu und zum folgenden: Nippel (1990) 11-29; siehe auch Hartog (1980): Herodot als erster Theoretiker der "Andersheit".

zugleich, so schreibt er (I,22), "auch das Künftige, das wieder einmal, nach der menschlichen Natur (<u>kata to anthropinon</u>), gleich oder ähnlich sein wird (<u>toiouton kai paraplesion esesthai</u>)."

<u>De te fabula narratur</u> - "von dir ist in der Erzählung die Rede": Horaz' sprichwörtliches Diktum aus den *Satiren* (I, 1, 69-70) wirkt demnach wie die prägnante Kurzfassung des Programms aller historischen Anthropologie.

Damit es aber zur Wiederaufnahme und Verwirklichung dieses Programms in der Moderne kommen konnte, mußte erst einmal der Begriff der Fabel, des Mythos, der Einschränkung und Mißachtung entrissen werden, in der er im Okzident bis weit über das Aufklärungszeitalter hinaus versunken war. Dies geschah mit dem Aufschwung der Anthropologie am Ende des 19. Jahrhunderts, und hier ist wiederum der Ausstrahlungskraft von Jane Harrison besonders zu gedenken: Mythen seien keine Lügen der Dichter, keine bloßen Fiktionen, sondern etwas Religiöses, und also haben sie, nach Harrison, eine zentrale Bedeutung für die menschliche Gesellschaft, für das Nachdenken der Menschen über ihr Tun.

Bezeichnenderweise führte diese Ehrenrettung des Mythos bei Harrison unmittelbar zu seiner Entwertung, denn entsprechend der von ihr methodisch treu befolgten Evolutionstheorie mußte der Mythos in einem Entwicklungsschema untergebracht werden. Daß aber den Ritualen, also menschlichen Handlungen, die historische Priorität vor den Mythen gebührt, daran konnte für Harrison bei Zweifel bestehen, wenngleich sie sich später um eine funktionelle Annäherung, ja Angleichung von beidem bemühte. Für Frazer schien ebenfalls alles griechische, römische und ethnographische Vergleichsmaterial zu bestätigen, daß die Mythen aus den Riten entstanden waren.

Im Grunde folgten beide dabei freilich einem bereits in der Antike entworfenen Erklärungsmodell, dem ätiologischen, das sie vor allem bei einem Autor vorfanden, dem Frazer wie Harrison umfangreiche Kommentare gewidmet haben: Pausanias. Er hatte im 2. nachchristlichen Jahrhundert die Kultstätten Griechenlands bereist und die Mythen als mehr oder weniger mißverstandene Deutungen der an den jeweiligen Orten praktizierten Riten präsentiert. Bei Frazer war die Aufwertung der Riten gegenüber den Mythen zwar durch ihr vorgeblich höheres Alter und ihre demzufolge größere Nähe zum Ursprung der menschlichen Gesellschaft legitimiert, aber damit war für ihn zugleich die Abwertung der Riten als unzweckmäßige und unvernünftige Verrichtungen verbunden, die glücklicherweise dank der Fortschritte von Landwirtschaft und Technik durch funktionelleres Verhalten ersetzt werden konnten.

Im Gegensatz dazu gehörte Harrisons ungeteilte Sympathie den Riten oder genauer gesagt: dem Reim, den sie sich auf sie machte. Die zunehmende Bedeutung der Anthropologie in ihrem Lebenswerk ist bestimmt durch den Impuls, den Riten womöglich eben jene humanistische Qualität zuzuschreiben, welche bislang den Mythen vorbehalten worden war. Sie gelangte zu der Überzeugung, daß auch die abstoßendsten und grausamsten Riten letztlich hehren Zwecken dienen, nämlich dem harmonischen Zusammenhalt der Gesellschaft und der Gewißheit über die sich periodisch durchsetzende, unaufhaltsame Erneuerung des Lebens der Menschheit und der Natur - eine Überzeugung, die sie freilich unter dem Eindruck des 1. Weltkriegs endgültig aufgab und damit die anthropologische Erforschung von Riten und Mythen überhaupt für den Rest ihres Lebens. Der kurzfristige Triumph ihrer frommen anthropologischen Wünsche war erreicht, als sie in ihrem Buch *Themis* von 1912 über einen angeblich bei den Griechen verbreiteten kannibalistischen Zerstückelungsritus folgendes schrieb: Dies "bieten wir dem Humanisten als etwas harmlos Gemachtes dar, humanisiert durch Anthropologie."[35]

Daß Mythen und Rituale der Integration gesellschaftlicher Gruppen und der Balancierung ihrer Konflikte dienen, ist eine der Auffassungen, die sowohl Walter Burkert wie Jean-Pierre Vernant und seine Schule aus Harrisons von Durkheim inspirierter Religionssoziologie übernommen haben. Burkert will indessen, anders als Harrison, die extreme Brutalität ausschließlich den Mythen reservieren, wobei dann dem Ritual die Aufgabe zugeteilt werden kann, "die Katastrophe der Gesellschaft zu vermeiden", denn Burkert nimmt an, "daß der Mythos in der Phantasie zum Äußersten treibt, was durch das Ritual in harmlosere Kanäle geleitet wird".[36] Trotz einer solchen Akzentverschiebung im Vergleich zu Harrisons Standpunkt ist klar: Eine humanistisch beruhigende Rolle spielt die anthropologische Deutung auch hier.

Eine andere Gewichtsverlagerung zeichnet sich bei Vernant ab. Bei ihm steht wieder der Mythos, nicht das Ritual im Vordergrund. Entscheidend sind für ihn die Ideen und Imaginationen, also geistige und vorwiegend visuelle Erfahrungen, welche das psychische Universum - "l'imaginaire" - der Griechen bilden. Er sympathisiert mit dem erkenntnistheoretischen Realismus der Mythen. Sie setzen, Vernant zufolge, der Philosophie eine "Logik der Ambivalenz"[37] entgegen, welche die Widersprüche und Abgründe der Menschennatur nicht zu verleugnen oder zu verdrängen trachtet, sondern geradezu demonstrativ zur Schau stellt.

Widerspruchsfreiheit und Konsistenz, so zeigt sich insgesamt, sind keine Konzepte, deren Bestätigung den Anthropologen der Antike leicht zu fallen scheint. Der holländische Althistoriker Henk Versnel hat kürzlich dafür plädiert, bei der anthropologischen Erforschung der Antike von der Suche nach eindeutigen Paradigmen und "passe-partout"-Modellen Abschied zu nehmen.[38] Sein 1990 erschienenes Buch über Isis, Dionysos und Hermes ist folgerichtigerweise *Inconsistencies in Greek and Roman Religion*, Band I betitelt.

Die Frage, welchen Anteil die Antike an der menschlichen Entwicklung und an ihrer Ungleichgewichtigkeit hat, wird die Forscher zweifellos weiterhin zu neuen Analysen reizen. Ein sicher nicht ganz ernst gemeinter Lösungsvorschlag zum Problem der kulturellen Zusammensetzung des Menschen steht in Gottfried Benns *Roman des Phänotyp* : "40 % Adam und Eva, 30 % Antike, 20 % Palästina, 10 % Hochasien".[39] Daß sich die Anthropologen der Antike jemals mit einem solchen Rechenexempel zufrieden geben werden, ist kaum zu erwarten.

---

[35] Harrison (1912) 23 [Übers. R. S.].
[36] Burkert (1990) 72 ("Neues Feuer auf Lemnos. Über Mythos und Ritual", engl. 1970).
[37] Vernant (1974) 250.
[38] Vgl. Versnel (1990) 1-35.
[39] Benn (1944/1989) 393.

Zitierte Literatur

Ackerman, Robert

    (1987) *J. G. Frazer: His Life and Work*, Cambridge

    (1991) *The Myth and Ritual School: J. G. Frazer and the Cambridge
Ritualists*, New York und London

Andreau, Jean u. a.(1990) "L'anthropologie historique en question", in:
    Préfaces 18 (Avril-mai 1990), 64-95

Benn, Gottfried (1944/1989) *Roman des Phänotyp. Landsberger Fragment*
    (1944), in: Sämtliche Werke. Stuttgarter Ausgabe, Bd. IV, 388 ff.

Burkert, Walter

    (1962) *Weisheit und Wissenschaft. Studien zu Pythagoras, Philolaos
und Platon*, Nürnberg

    (1972) *Homo necans. Interpretationen altgriechischer Opferriten und
Mythen*, Berlin

    (1977) *Griechische Religion der archaischen und klassischen Epoche*,
Stuttgart

    (1979) *Structure and History in Greek Mythology and Ritual*, Berkeley

    (1984) *Anthropologie des religiösen Opfers. Die Sakralisierung der
Gewalt*. Mit einem Vorwort von Christian Meier, München

    (1988) "Burkert über Burkert: 'Homo necans': Der Mensch, der tötet",
in: *Frankfurter Allgemeine Zeitung* 178, 3. 8. 1988, 29 f.

    (1990) *Wilder Ursprung. Opferritual und Mythos bei den Griechen.*
Vorwort: Glenn W. Most, Berlin

Calame, Claude (1990) "Du figuratif au thématique: aspects narratifs et
interprétatifs de la description en anthropologie de la Grèce ancienne", in: J.-
M. Adam, M.-J. Borel, C. Calame, M. Kilani:
Le discours anthropologique. Description, narration, savoir,
Paris, 111-132

Cancik, Hubert

    (1982) "Antike Volkskunde 1936", in: *Der altsprachliche Unterricht*
25/3, 80-99

    (1985) "Erwin Rohde - ein Philologe der Bismarckzeit", in:
Semper Apertus. Festschrift Universität Heidelberg 1386-1986,
hg. von W. Doerr, Bd. 2, Berlin/Heidelberg/New York/Tokyo,
471-476; 498-501

Dodds, Eric Robertson (1951/1970) *The Greeks and the Irrational*, Berkeley
    1951, deutsch: Darmstadt 1970

Durkheim, Emile (1912) *Les formes élémentaires de la vie religieuse*, Paris

107

Finley, Moses I. (1972/1986) "Anthropology and the Classics" (1972), in:
The Use and Abuse of History, London 1986, 102-119

Fowler, Robert L. (1990) s. v. "Gilbert Murray", in: W. W. Briggs und W. M.
Calder III (eds.), Classical Scholarship. A Biographical
Encyclopedia, New York und London, 321-334

Frazer, James George (1890) The Golden Bough (1. Aufl. London 1890)

Freud, Sigmund

(1912-13) Totem und Tabu. Einige Übereinstimmungen im
Seelenleben der Wilden und der Neurotiker (=Gesammelte Werke,
Bd. 9)

(1915) "Wir und der Tod". Vortrag, gehalten in der Sitzung der "Wien", Loge B'nai
B'rith, am 16. Februar 1915, in: Die Zeit 30, 20. 7. 1990, 42-43

(1940/1941) Abriß der Psychoanalyse (in: Gesammelte Werke, Bd. 17,
63-138)

Fustel de Coulanges, N. D (1864) La cité antique, Paris

Gernet, Louis

(1968) Anthropologie de la Grèce antique. Vorwort:
Jean-Pierre Vernant, Paris

(1983) Les Grecs sans miracle. Vorwort: Jean-Pierre Vernant;
Nachwort: Riccardo di Donato, Paris

Graf, Fritz

(1985) Griechische Mythologie. Eine Einführung [=Artemis
Einführungen 16], München und Zürich

(1991) "Kultur als Macht und Schutzmacht. Zum wissenschaftlichen
Werk von Walter Burkert", in: Neue Zürcher Zeitung 21,
26./27. 1. 1991, 69

Harrison, Jane Ellen

(1890) Mythology and Monuments of Ancient Athens, London

(1903) Prolegomena to the Study of Greek Religion, Cambridge

(1912) Themis: A Study of the Social Origins of Greek Religion,
Cambridge

Hartog, François

(1980) Le miroir d'Hérodote. Essai sur la représentation de l'autre,
Paris

(1988) Le XIXe siècle et l'histoire. Le cas de Fustel de Coulanges, Paris

Honegger, Claudia (1977) "Geschichte im Entstehen. Notizen zum Werdegang
der Annales", in: M. Bloch u. a., Schrift und Materie der
Geschichte. Vorschläge zur systematischen Aneignung
historischer Prozesse, Frankfurt am Main, 7-44

Humphreys, Sally C. (1978) Anthropology and the Greeks, London

Kluckhohn, Clyde (1961) *Anthropology and the Classics*, Providence

Kopff, E. Christian (1990) s. v. "Paul Shorey", in: W. W. Briggs und W. M.
Calder III (eds.), *Classical Scholarship. A Biographical Encyclopedia*, New York und London, 447-453

Marrett, R. R. (ed.) (1908) *Anthropology and the Classics. Six Lectures Delivered before the University of Oxford*, by A. J. Evans, A. Lang, G. Murray, F. B. Jevons, J. L. Myres, W. Warde Fowler, Oxford 1908, deutsch: A. J. Evans u. a., *Die Anthropologie und die Klassiker* [sic], Heidelberg 1910

Meier, Christian
(1984) *Introduction à l'anthropologie politique de l'Antiquité classique*. Vorwort: Paul Veyne, Paris
(1987) "Anthropologie im Kulturvergleich. Programm eines wissenschaftlichen Grenzgängertums", in: Ulrich Raulff (Hg.), *Mentalitäten-Geschichte*, Berlin, 163-182

Nietzsche, Friedrich (1872/1973) *Fünf Vorreden zu fünf ungeschriebenen Büchern*, sowie *Über Wahrheit und Lüge im außermoralischen Sinn* (=Nietzsche Werke, hg. von G. Colli und M. Montinari, 3. Abt., 2. Bd.: Nachgelassene Schriften 1870-1873, Berlin und New York 1973, 245-286; 367-384)

Nippel, Wilfried (1990) *Griechen, Barbaren und "Wilde". Alte Geschichte und Sozialanthropologie*, Frankfurt a.M.

Otto, Walter F. (1933) *Dionysos. Mythos und Kultus*, Frankfurt am Main

Rohde, Erwin (1890-94) *Psyche. Seelencult und Unsterblichkeitsglaube der Griechen*, Freiburg i.B. und Leipzig, 2 Bde.

Schlesier, Renate
(1980) "Der Gesellschaftsvertrag - eine 'opération culinaire'? Zu einer Revision des Begriffs vom antiken griechischen Opfer", in: *Merkur* 389, 1043-1050
(1986) "Ödipus, Parsifal und die Wilden. Zur Kritik an Lévi-Strauss' Mythologie des Mythos", in: R. Faber und R. Schlesier (Hg.), *Die Restauration der Götter. Antike Religion und Neo-Paganismus*, Würzburg, 271-289
(1990) s. v. "Jane Ellen Harrison", in: W. W. Briggs und W. M. Calder III (eds.), *Classical Scholarship. A Biographical Encyclopedia*, New York und London, 127-141
(1991a) "Prolegomena zu Jane Harrisons Deutung der antiken griechischen Religion", in: H. G. Kippenberg und B. Luchesi (Hrsg.), *Religionswissenschaft und Kulturkritik*, Marburg, 193-235
(1991b) "Prolegomena to Jane Harrison's Interpretation of Ancient Greek Religion", in: William M. Calder III (Hg.), *The Cambridge Ritualists Reconsidered* [=

Illinois Classical Studies Suppl. 2], Atlanta, Georgia 1991, 185–226 (erweiterte englische Fassung von 1991a)

Snell, Bruno (1946) *Die Entdeckung des Geistes. Studien zur Entstehung des europäischen Denkens bei den Griechen*, 1. Aufl. Hamburg 1946

Vernant, Jean-Pierre

(1962/1982) *Die Entstehung des griechischen Denkens*, Frankfurt a.M. 1982, frz. Paris 1962

(1974/1987) *Mythos und Gesellschaft im alten Griechenland*, Frankfurt a.M. 1987, frz. Paris 1974

(1985/1988) *Tod in den Augen. Figuren des Anderen im griechischen Altertum:Artemis und Gorgo*, Frankfurt a.M. 1988, frz. Paris 1985

(1987 a) *Poikilia. Études offertes à Jean-Pierre Vernant*, Paris

(1987 b) "Les sciences religieuses entre la sociologie, le comparatisme et l'anthropologie", in: J. Baubérot u. a., *Cent ans de sciences religieuses en France*, Paris, 79-88

(1990) *Mythe et religion en Grèce ancienne*, Paris

Versnel, Hendrik S.

(1984/1990) "What's Sauce for the Goose Is Sauce for the Gander: Myth and Ritual, Old and New", in: L. Edmunds (Hg.), *Approaches to Greek Myth*, Baltimore und London 1990, 25-90, holländ. 1984

(1990)*Ter Unus. Isis, Dionysos, Hermes. Three Studies in Henotheism [Inconsistencies in Greek and Roman Religion I]* Leiden

Vidal-Naquet, Pierre

(1972/1984) *Gesellschaft und Wirtschaft im alten Griechenland*, gemeinsam mit Michel Austin, München 1984, frz. Paris 1972

(1981/1989) *Der schwarze Jäger. Denkformen und Gesellschaftsformen der griechischen Antike*, Frankfurt a.M./New York/Paris 1989, frz. 1981

Winkler, John J. (1990) *The Constraints of Desire. The Anthropology of Sex and Gender in Ancient Greece*, New York und London

Wie kritisch und hermeneutisch sind die antiken Werke selbst?

von

Jean Bollack

Aktualität

Antike heute, was sie - wie und für wen - ist oder nicht ist: Man kann auch versuchen zu sagen, was sie werden könnte, wenn der Gehalt des Werkes, von dem man ausgeht, in der Weise dargestellt wird, daß die Beziehung des antiken Autors zu seiner eigenen, immer irgendwie gebrochenen Aussage mit zum Ausdruck kommt.

Die Frage nach der Aktualität eines Regenerationsprozesses ist mit dem Interesse verbunden, das der Gegenstand hervorruft. Die Tradition, der er seit seiner Entstehung angehört und die ihn anbietet, mag vielleicht anziehender sein als er selbst, so daß er sich gleichzeitig darzustellen und zu repräsentieren, zu verstellen und zu verleugnen hat, als wäre er gezwungen, etwas zu offerieren, was in ihm gar nicht vorhanden ist - ein Leben, sein Fortleben, dasjenige, an das das Werk sich weitergibt. Dieser Form der nie abbrechenden Neubelebung durch fremde, in das Werk importierte Inhalte läßt sich aber eine andere Form der Aktualisierung gegenüberstellen, die den umgekehrten Weg geht. Von der Gewißheit getragen, daß die meist gelesenen Werke der Weltliteratur in einem ungeahnten Maße noch unbekannt sind, möchte man annehmen, daß es auch zu den Möglichkeiten der gegenwärtigen Situation gehört, einem in der Tradition verkannten, in ihr vergrabenen intellektuellen Gehalt zur Existenz zu verhelfen, und zwar durch Anerkennung einer kritischen Instanz. Was könnte sonst neu sein? Neu - außerhalb des Zwangs einer konstanten, gleichsam obligaten Wiederaufnahme und Erneuerung des Vergangenen. Andere Aktualisierungen gelangen zu semantischen Konstruktionen, die nicht mehr viel mit der Logik der Texte zu tun haben. Andererseits werden die Resultate der Kritik und mit ihnen die Relevanz eines Standpunkts, der sich gegen die vorhandenen Anschauungen durchzusetzen hat, leicht angezweifelt, gehört doch diese Zurückweisung zugunsten einer offenen, vielleicht gar einer beliebigen Verwendung des Überlieferten nicht weniger (in Wirklichkeit viel mehr noch) zur gegenwärtigen Situation, und vielleicht zur Moderne.

Von meiner spezifischen Forschungsrichtung her betrachtet, besteht die Antike wenn nicht ausschließlich, so doch vornehmlich aus schriftlichen Werken (ich weiche hier bewußt dem Werkbegriff nicht aus) in ihrer Abhängigkeit von Denksystemen und Weltbildern; es geht um Literatur und Philosophie in ihrer getrennten Geschichte und in ihrer gegenseitigen, vielschichtigen Durchdringung. Mit einem sprachlichen Kunstwerk läßt sich mehr machen als mit anderen Formen von Kunst. Diesen heute gängigen Aspekt hätte Winckelmann wohl nicht geteilt: er ist grundsätzlich richtig, so verschieden die Konsequenzen gedeutet und verwertet werden. In der Sprache des neu geschaffenen Werks leben auch die anderen, die in ihm verwandelten Redeweisen weiter; nur daß die Distanz dann wieder aufgehoben wird, wenn das, was seine Sprache negiert hat, von den Interpreten erneut in den Text importiert wird. Das Neue aber läßt sich fassen; das, was neu war, als es sich gegen Vorhergehendes durchgesetzt hat, das seinerseits ähnlichen Transformationen unterworfen war. Indem man die individuelle Neuformung als solche aufzeigt, deckt man eine innere Distanz auf; sie zeigt, wie ein Sinn vor dieser Formung noch nicht da war und wie er in anderen Formen doch schon angelegt war.

* * *

Der Sinn der Handlung der *Antigone* wird ein anderer, sobald man das Mädchen als Vertreterin weder einer höheren Form der Menschlichkeit betrachtet, die sich in der Bruderliebe offenbaren soll, noch auch einer religiösen Opferbereitschaft. Viel mehr schon entspräche die Hegelsche Antithese von Staat und Familie dem wirklichen tragischen Geschehen im Stück. Versteht man Kreons Verbot als eine politisch rationale Maßnahme, die die Stadt aus einer Belastung, nämlich dem Geschlechterfluch der alten Königsfamilie befreien soll, so steht der Widerstand von Ödipus' Tochter in einem anderen Licht: sie widersetzt sich gezielt, unter Einsatz ihrer letzten Waffe, dem regierenden Fürsten und bringt damit dessen vernünftigen und durchdachten Plan zum Scheitern. Was es sie auch kosten mag, sie steht zu ihrem Vater, der beide Brüder, den, der in der Stadt war, wie den anderen von außen anstürmenden, gemeinsam verflucht hatte. Und sie erreicht auf diese Weise, daß Kreon seinerseits zu einem neuen Ödipus wird und das alte Unheil wieder auflodert. Er erleidet eben das Geschick, aus dem er mit guten Gründen hatte heraustreten wollen. Antigone stellt sich in den Weg, sie macht sich selbst, so wie es ihr Vater, wenn auch unbewußt getan hatte, zum Werkzeug eines Untergangs, der einer schon überholten Vergangenheit im Tode des Widersachers noch einen letzten, vielleicht sinnlosen Sinn geben soll. Was wird in dieser theatralischen Wiederholung auf dem Theater gezeigt? Der Zufall erweist sich erneut als der alte Meister. Was bleibt da von Größe ? Kreon zeigt sie in der Katastrophe, in die er hineingezogen wird. Er erfährt sein eigenes Unvermögen. Es handelt sich nicht um eine Verfehlung, es ist keine Bestrafung seiner Blindheit, so sehr er die irrationalen Kräfte unterschätzt haben mag; eher noch ist es die Erfahrung eines Umsonst. Durch ihren sinnlosen, gegen ihn gerichteten Selbstmord hat Antigone auch ihren Gegner all derjenigen Lebenswerte beraubt, die er bewahren wollte. Ihr Mord ist so gegenseitig wie die Morde der Brüder, er führt in ein ödipodeisches Nichts. Die Tragödie versteigt sich, eine Tragik aufzuzeigen, die sich gleichsam rein, jenseits des früher schon tragisch Vollendeten noch einmal selbst in Szene setzt.

* * *

Andere modernisierende, darunter die postmodernen, d.h. in dem hier vertretenen Sinne nicht aktualisierenden Verwendungen der antiken, vornehmlich der dramatischen Autoren, die mit der Tradition so umgehen, wie es ihnen oder dem anvisierten Publikum beliebt - was ihnen niemand verwehren wird -, gehen in Wirklichkeit von einem hergebrachten Verständnis aus, das diese Tradition immer neu verfestigt und den vorhandenen Sinnangeboten umso weniger kritisch entgegentreten kann, als es in ihnen ja gerade darum geht, allein den zugrundeliegenden Stoff umzuformen und diesem, "gegen" ihn wie "mit" ihm, unerwartete Aspekte abzugewinnen. Die *inventio* wird auf die Materie selbst übertragen, sie überspringt weitgehend die Formung, d.i. die Umformung, die im Werk vollzogen ist. So halten sich auch moderne Adaptationen mit künstlerischem, oft auch mit wissenschaftlichem Anspruch zumeist an den traditierten Stoff, d.h. an den bloßen Mythos, so wie dies auch Sigmund Freud für den *König Ödipus* getan hat[1], und somit nicht an die intellektuelle Durchdringung dieser Materie durch ein historisches Individuum innerhalb der (aus unserer Sicht) literarischen, in der jeweiligen Gattung geschaffenen Ausdrucksformen.

Hinter dieser Darstellung der gegenwärtigen Situation im Umgang mit der Antike, in der man sich aus Not und mit Recht von kulturell und ästhetisch fixierten Ritualen zu entfernen versucht, steht eine Gewißheit, daß nämlich eine wirkliche Aktualisierung auf der Bühne und im Buch sich mit einer Intention und einer Bedeutung auseinandersetzen müßte, die auf der individuell konzi-

---

[1] Siehe dazu meinen Aufsatz: "Le Fils de l'homme. Le mythe freudien d'Oedipe", in: **L'Ecrit du temps** 12 (1986), S.3-26.

pierten und problematisierten Behandlung des Stoffs beruht. Der schon beim Autor vorhandene Abstand zur Tradition träte in Konkurrenz zu zeitgenössischen Distanzierungen, in denen das in der Geschichte mißbrauchte und heute nicht zu Unrecht verdächtigte Gut im Zeichen eines obstinat bekundeten Erbverzichts in grotesken und abstrusen Metamorphosen verwaltet wird.

Das Erbe hat dann eine Präsenz gleichsam nurmehr, um negiert oder parodiert zu werden. Zu Zeiten, in denen es zelebriert wurde, war das als Modell Vorgehaltene oft nicht weniger grotesk als die heute inszenierte Parodie. Zwischen diesen beiden Anschauungen aus verschiedenen Kulturepochen, die sie vorgängig bestimmen, bliebe ein dritter Weg. In gleicher Entfernung vom historisierten Ideal und vom forcierten Gegenwartsbezug würde unser eigenes Interesse mit dem historischen Moment des Zustandekommens des Werks verglichen; keine Antikisierung und doch nicht ohne Archäologie, nicht ohne Kenntnis der historischen Bedingtheit. Dem wahren Interesse am Gegenstand wird erst in der Rekonstruktion der anfänglichen ästhetischen Intention entsprochen. Es wird somit zu einem heutigen, insofern es mit einem wirklich fremden, und nicht mit einem heute konstruierten künstlichen fremden Interesse konfrontiert wird.

Die Philologie, im weitesten Sinne des Wortes, das heißt die Wissenschaft vom Text und seinem Verständnis, die sich der Erklärung der antiken Werke und der Restitution ihres eigentlichen Inhalts verschrieben hat, steht zu diesem Programm in einem zwiespältigen Verhältnis. Sie ist imstande, zu einer richtigeren oder genaueren Kenntnis des Gegenstandes Entscheidendes beizutragen, und doch bleiben die Resultate ihrer Tätigkeit hinter den Erwartungen zurück, weil in Wirklichkeit die verfolgten Ziele und daher auch weitgehend ihre Methoden dem bekundeten Anspruch nicht genau angemessen sind.

Die Frage des Interesses mag an ein antikes wie an ein modernes Werk gerichtet werden, außerhalb jeder kulturellen Tradition. Warum will es gelesen werden? Die Frage nach dem geschichtlichen Ort seines Zustandekommens stellt sich dann von selbst ein.

Tradition

Der unmittelbare Zugang zu den Schriftwerken, so sehr der Interpret auf ihn angewiesen ist, ist ihm gleichzeitig auch weitgehend versperrt. Auch die neueren Schriften über antike Werke, so gering der Zeitenabstand auch sein mag, sind in vieler Hinsicht immer schon durch frühere Lektüren vermittelt. Schon die Materie der antiken Texte ist nicht nur im Wortlaut von den Handschriften und der Qualität der Überlieferung abhängig, sie trägt auch die Spuren der Beschäftigung mit dem Inhalt der Werke. Was wir interpretieren, ist oft eine Interpretation des ursprünglich Geschriebenen, die wir unter Umständen als solche gar nicht wahrnehmen. Der Extremfall, wo wir das eine vom andern, den Text von der Tradition, die sich darüber gelagert hat, nicht genau unterscheiden können, illustriert die Situation. Das Verständnis steht in jedem Fall nicht nur dem Text, sondern auch einer langen Kette vorgängiger Interpretationen gegenüber. Voraussetzung einer produktiven und richtigen Lektüre wäre somit die Verbindung eines unmittelbaren Interesses, das sich auf den Text selbst stützt, um die Tradition von ihm trennen zu können, mit einem Bewußtsein, daß es ohne die Tradition zu einem wirklichen Verständnis nicht zu gelangen vermag. Der Interpret kommt aus dieser Spannung nicht heraus. Er ist auf ein vorgängiges Wissen über den Text angewiesen, auf das er nicht verzichten und dem er auch nicht vertrauen kann, dem er aber Einsichten verdankt.

Das überlieferte Verständnis steht in der Tradition des großen historischen Geschehens; es ist von dessen Umwälzungen geprägt. Als erstes durch das Christentum, dessen Vermittlung den Erhalt oder den Verlust der Texte in einer schwer bestimmbaren Verbindung mit dem Zufall bedingt hat, aber auch die Deutungen in weitem Maße festgelegt hat. Neben diesen weiteren kulturellen Rahmen tritt eine engere Tradition, die mehr technisch und pädagogisch orientierte der gelehrten Beschäftigung, die alte, in den Scholien erhaltene, die mittelalterliche der byzantinischen Editoren und dann die neuere seit der Renaissance, vor allem aber die moderne, nunmehr zwei Jahrhunderte alte, die sich seit Heyne und Wolff im Historisierungsprozeß als Wissenschaft verstanden hat. Davon zu trennen wäre eine Schicht, die in der fortwährenden Adaptation der wissenschaftlichen Erkenntnisse an die sich wandelnden Erwartungen eines breiteren Publikums entstanden ist. Wenngleich diese von der Zunft der Spezialisten nur halbwegs befriedigt worden sind, schlagen sie sich doch auch intern, innerhalb der gelehrten Tätigkeit nieder, in den Monographien mehr noch als in den Kommentaren. Diese Wechselbeziehung läßt sich nicht in einem systemtheoretischen Ansatz, etwa in der Luhmann'schen Gegenüberstellung von Selbst- und Fremdreferenz, darstellen, weil die gelehrten und die wissenschaftlichen, an die Tradition der Disziplin gebundenen Interessen und die außerwissenschaftlichen der kulturellen oder allgemein gesellschaftlichen Umwelt ineinandergreifen. So hängt etwa die psychoanalytische Diskussion des *König Ödipus* von Ergebnissen und Vorurteilen der klassischen Philologie ab, ohne sich dessen bewußt zu sein, und wirkt sich umgekehrt wieder auf die andere aus.

Das eigentliche Verständnis der Texte wird in einer internen Sphäre von Spezialisten produziert, die aber gleichzeitig im Dienst einer externen Öffentlichkeit stehen, die die Erforschung der antiken Texte in ähnlicher Weise beschränkt hat, wie etwa theologische Prämissen die Bibelexegese. Das Verständnis ist aber nicht nur durch Postulate, sondern auch durch die äußeren Bedürfnisse der Forschung und durch den Rahmen der Mitteilungsform vorbestimmt. Die philologische Tradition hat ihre eigene Vergangenheit in einem geschlossenen Bereich. Sie hat jeweils eine breitere Problematik aufgenommen; wie weit sie aber als Wissenschaft von externen, nicht zu ihr gehörigen Fragestellungen abhängig war und wie weit sie sich diesen verschloß, ist nicht leicht zu übersehen. Sie hat ihre Eigendynamik in einem System von internen Abhängigkeiten, die sich stärker aus der Ausübung des Metiers und direkter noch aus der Aneignung der notwendigen Fertigkeiten ergeben und die sich nicht so leicht auf ideologische Muster zurückführen lassen.

Irgendein Element innerhalb einer geschlossenen Tradition wie dem Corpus der antiken Autoren, die früher in der Überlieferungsgeschichte kaum von einander geschieden waren, kann zu einem bestimmten Zeitpunkt herausgegriffen und aktualisiert werden. Der Beispiele sind viele. Die Vorsokratiker insgesamt wurden aktuell zur Zeit Nietzsches, vielleicht schon vor ihm, und dann in seiner Nachfolge, und nicht nur durch ihn; Parmenides insbesondere stand sehr hoch im Kurs, besonders zwischen 1930 und 1960 als Vertreter des Anfänglichen. In neuerer Zeit waren es oft mehr die Sophisten im Zusammenhang mit einer freieren Reflexion über die innere Struktur und die Verwendung von Sprache. Es sind Neubewertungen, die jeweils andere Interessen und damit die generelle und weitgehend beliebige Verfügbarkeit des Fundus wiederspiegeln, wobei gewiß viele Texte aufgrund eben dieses erneuerten Interesses, das ihren Wortlaut nicht ernst genug nimmt, richtiger verstanden werden könnten.

Heute gelten weder die Forderungen der Ausbildung früherer Generationen weiter noch die Begrenzungen durch die Konventionen des gelehrten Diskurses. Unsere Gegenwart ist sehr offen, wie ein Leerraum, in dem fast alles möglich ist. Die Belastungen werden nicht mehr von außen auferlegt; und dennoch leben die traditionellen Vorurteile weiter, weil die Spezialisten in den Grenzen eines oft nicht weiter in Frage gestellten Konsenses weiterarbeiten, ohne dessen innere Konsistenz zu überprüfen. Die immense, auf keinem Gebiet nachlassende wissenschaftliche Produktion steht zu dieser Abhängigkeit in einem engen Bezug. Traditionelle Anschauungen werden unreflektiert übernommen; die Autoren behandeln oft denselben Gegenstand umso unkritischer, als sie sich gegenseitig zu wenig zur Kenntnis nehmen.

Geschichtlichkeit

Die Geschichtlichkeit der Werke könnte (gewiß artifiziell) aus ihrem Zusammenhang mit unserer abendländischen Geschichte losgelöst und zu einer puren Rekonstruktion reduziert werden. Der Gesichtspunkt des *ad nos* würde dann vorerst gerade deswegen beiseite gelassen, weil dieses spezifische, an die Geschichte gebundene Interesse, nämlich das Fortleben der Werke in der langen Abfolge von Neuverwendungen und Neuverwertungen uns von der ursprünglichen zu rekonstituierenden Situation abbringt. Geht man davon aus, daß ein Interesse für die Werke der Antike genauso in einer anderen Welt, etwa in Japan, und nicht nur dank der fortgeschrittenen Verwestlichung, eher umgekehrt wegen der Entfernung besteht, so würde der Inhalt außerhalb der für uns wenigstens bis vor kurzem gültigen kulturellen Tradition betrachtet. Spätestens in dieser Perspektive kann man nicht mehr umhin, die Umstände des geschichtlichen Zustandekommens als solche, nämlich als vielschichtige Voraussetzung des Werkverständnisses zu rekonstruieren.

Die Autoren sind erhalten geblieben aufgrund von ästhetischen, ethischen oder rhetorischen Qualitäten, die man zu Recht oder auch zu Unrecht in ihnen enthalten wußte. Solange man sich an die Werte hielt, war die Aktualität durch die Permanenz des Vorbildes gegeben, das die Werke vermittelten. Im Prinzip nicht verschieden vom Rückgriff auf einen Kanon war unter umgekehrten Vorzeichen die naturalistische Anschauung, daß die Menschen der Antike nicht viel anders lebten und dachten als wir und *vice versa*; auch so war die historische Differenz aufgehoben, wenn auch die Verklärung des Ideals wenigstens potentiell wegfiel.

Hält man sich an den geschichtlichen Horizont und seine unwiederholbare Bedingtheit, so wird das vordem klassische und kanonische Werk, so großartig es sein mag, vor der Analyse zu einem Gegenstand unter anderen. Die Werte, soweit man sie für zeitlos hielt, d.h. nicht analysierte, waren mit der historischen Relativierung nicht vereinbar. Die Analyse der historischen Voraussetzungen hat den Vorteil, eine geschichtliche Relation aufzubauen oder zumindest mit den kulturellen Umständen der Entstehung in den Vordergrund zu stellen. Das Subjekt, das sich im Text kundgetan hat, war von anderen unterschieden; man findet es in der Betrachtung wieder, wenn man einen eventuell schon bekannten, potentiell wieder aufgenommenen Sinn und einen zweiten, wenn nicht gar einen dritten auseinanderhält, der sich im Text jeweils aktualisiert. Der Gehalt einer Aussage wird in dieser Problemstellung als Reaktion, als eine gegebene Antwort faßbar und durchschaubar. Der so verstandenen radikalen Historisierung wird dank der einmaligen Situation ein besonderer Wahrheitsgrad zuteil. Die Partikularität ist nicht leicht zu erreichen, bleibt aber das Ziel. Das Hauptinteresse der Interpretation liegt vielleicht in diesem Versuch, einen sprachlichen Transformationsprozeß zu rekonstruieren, es liegt in der Aufdeckung dieser reflexiven Spannung, sowohl im einzelnen wie im ganzen, vielmehr als in irgendeiner noch so gelungenen Aktualisierung, die sich über die erste, im Werk geschaffene notwendig hinwegsetzen muß. Analog könnte man in der Rezeptionsgeschichte, die sich an das literarische Fortleben hält, jeden der gewählten Punkte in der Reihe der Umformungen als eine spezifische Aktualisierung verstehen. Das jeweils Aktualisierte aber hatte sich schon vordem in der langen Serie der

Reprisen vielfältig aktualisiert.

Die Produktionsbedingungen lassen sich dem Werke entnehmen, sie weisen auf den Punkt, wo das Werk in seiner kompositionellen Einheit oder der Text (will man von dem erst im Rahmen der Gattung definierbaren Begriff absehen) sich von einer in den meisten Fällen rekonstruierbaren literarischen Tradition absetzt und sich in einer ihm eigenen Weise festlegt. Der Interpret hat es dann mit dieser Umsetzung zu tun. Kontext gegen Kontext. Der allzuweite, allgemeine Horizont, der sich über die partikulare Aussage lagert, bleibt in all jenen Erklärungsmodellen gegenwärtig, die im Werk permanente, etwa psychologische oder an eine bestimmte gesellschaftliche Entwicklung gebundene Strukturen aufdecken, die, dem Werk irgendwie entnommen, selbst aber nicht eigentlich durch das Werk vermittelt sind, wobei gerade die historischen Konflikte, soweit sie als Modelle brauchbar sind, weitgehend zu den Elementen der reflektierten, umgesetzten Vorgeschichte des Werks gehören.

Wurde vor Jahren von gewissen Literaturtheoretikern die Werkimmanenz verabsolutiert und gegen die gesellschaftlichen Determinierungen ausgespielt, so hat sich dann in der Gegenbewegung ein soziologisches oder anthropologisches Erklärungsprinzip verselbständigt, das sich auch mit weniger (es sei denn im Rahmen einer Seins- oder Sprachgeschichte) historisierenden Ansätzen kombinieren ließ, die die Verfügbarkeit des Textes postulierten und für die Ergründung von übergreifenden oder untergründigen Strukturen dienstbar machten. Dementgegen die reflexiven, an eine historische Position gebundenen Momente in den Vordergrund zu stellen, bedeutet keinen Rückzug in die Werkimmanenz.

Der eine Name "Homer" überragt die anderen. Nun weist dieser Name weder in seiner Einzigartigkeit nicht auf den Dichter Homer, noch wäre Homer zu diesem Namen gekommen, wenn nicht andere es mit ihm hätten aufnehmen können. Die Differenz aber zwischen ihm und den anderen Dichtern läßt sich in der Lektüre konkret nachvollziehen. Zwischen den Tragikern, die wir kennen, besteht eine große Divergenz nicht nur des Stils, sondern auch der Anschauung und der dramatischen Verwendung von poetischen und einer Vielzahl von kulturellen Traditionen. Selbst das Tragische ist von einer Tragödie zur anderen nicht dasselbe. Die gegenseitige Bezugnahme wird sichtbar, auch die Rivalität und der gattungsinterne Dialog. Man ist geneigt, die Tragödie fast als etwas ihnen Aufgegebenes zu begreifen, etwas, womit sie sich auseinandergesetzt haben. Das reflexive Moment offenbart sich gerade in dieser Freiheit, in ihrem individuellen Verhältnis zur überlieferten und neu variierten Materie, in der idiomatischen Problemstellung.

Gegen die Versuchung, die Werke zu vereinnahmen, und gegen ihre uferlose Belastung mit fremden Inhalten ist die hier vertretene Auffassung gerichtet, die das Interesse radikal auf die Entstehungszeit des Werks und seine geschichtliche Bedingtheit verschiebt; es wird dadurch nicht geringer. Es gilt vielmehr das Paradox, daß das Interesse mit der Einführung der Distanz und der Überwindung der durch die Tradition gesetzten Hindernisse umso größer wird. Läßt man den individuellen Standpunkt zu Wort kommen, d.h. etwa im *König Ödipus* die spezifische Verwendung des Mythos durch Sophokles, statt nur den Mythos zu lesen, so liest man den Text weniger als Dokument für historische Anschauungen, Erfahrungen oder Glaubensinhalte und mehr aus der Perspektive des Autors auf seine Zeit, d.h. auf seine eigene Geschichte, so daß sich die Frage stellt: was wurde in welcher Form übernommen und umgestaltet? Man kann ermitteln, wie stark die äußeren Zwänge waren und wie stark die Freiheit war, die die technische Perfektion gewährte, die Möglichkeit, alle vorhandenen Werte und Gedanken neu zu interpretieren.

Je stärker das Interesse für den Gehalt eines Werks und je kritischer die hermeneutische Reflexion über den Zugang zu ihm ist, umso mehr wird man dazu gebracht, die geschichtlichen Voraussetzungen des überkommenen Verständnisses zu überdenken. In welcher Tradition standen die früheren Interpretationen, um dann in einer bestimmbaren Konstellation mit dieser oder jener Vorstellung verbunden zu werden? Vieles ist ableitbar und führt bis zu einem Kern, der es vielleicht nicht mehr ist. Wo steht der Interpret, wenn er so vorgeht? Es wird ein Standpunkt freigelegt auf seiten des Werks mit seinen semantischen Konturen und gleichzeitig auf seiten des Betrachters, sofern er die möglichen Ansätze in ein System zu bringen versucht.

Der Interpret selbst bleibt nicht an die geschichtliche Bedingung der Überlieferung gebunden. Er hält sich an den Glücksfall, daß das Werk erhalten wurde, worauf er keinen Einfluß hatte. Der Bestand ist zwar ein zufälliger, gleichzeitig aber durch die Bedeutung der Werke dem reinen Zufall entzogen.

Ein Autor bleibt seiner Zeit verhaftet: er war ein Zeuge seiner Zeit, er ist es für uns, so wie er andererseits erst aufgrund einer nuancierten Kenntnis der Epoche richtig gelesen werden kann. Die Kenntnisse der sozialen und kulturellen Umwelt haben sich in den letzten Jahrzehnten entscheidend verbessert, und doch bleibt die Gefahr der Verdinglichung, solange die textinterne Umsetzung der nun um so viel besser bekannten Verhältnisse nicht in den Historisierungsprozeß einbezogen wird. Die Zeit seiner Entstehung ist im Werk überall gegenwärtig, jede Aussage ist ein Beleg für die geltenden Anschauungen und doch etwas davon Verschiedenes, das sich nicht auf sie reduzieren läßt, und trotzdem als Stellungnahme nicht weniger zur Zeit gehört.

Hermeneutik

Es gäbe vielleicht keine literarische Hermeneutik, wenn diese nicht schon in den Texten angelegt wäre.

Die formalen Elemente stehen unter dem Verdacht der Künstlichkeit und der Artistik. Die kritische Analyse aber ihrer semantischen und kompositionellen Potenz kann dieses Vorurteil widerlegen. Anstelle des Gewordenen und Gewachsenen, des "Griechischen", tritt die Reflexion eines Schriftstellers innerhalb einer künstlerischen Tradition über die Ausdrucksmöglichkeiten seiner Kunst. Sowohl die Homer-Analyse des 19.Jahrhunderts wie auch die strukturellen Beobachtungen der *Oral poetry* haben die Mittel an die Hand gegeben, in die Art der handwerklichen Bemeisterung des poetischen Materials einen genauen Einblick zu bekommen. Der Interpret wird sich an die formalen Elemente halten, zu denen auch die Erzählstrukturen gehören.

Die klassische Philologie hat keine eigentliche Wissenschaft vom Text als Grundlage einer Verstehenstheorie ausgearbeitet. Sie hielt sich an eine weitgehend empirisch intuitive Methode und vermochte nicht, die richtige Distanz zu ihr zu gewinnen. So wurden schließlich viele theoretische Erkenntnisse von außen aus der Linguistik oder den stärker komparativen Neuphilologien hereingetragen, obwohl sie dem Gegenstand nur teilweise angemessen sind. Die hermeneutischen Prinzipien Schleiermachers, deren Richtigkeit grundsätzlich nicht bezweifelt wurde und die etwa Boeckh in seiner *Enzyklopädie* programmatisch aufführte, wurden in der Praxis nicht befolgt. Man meinte zwar, sie zu befolgen, in Wirklichkeit aber wurden sie verkannt oder konnten auch gar nicht befolgt werden, weil die Praxis der Kommentierung in einer nicht hermeneutischen Tradition stand. Die Philologen wären vor manchen Ergebnissen erschrocken; die Welt, in der sie lebten, wäre aus den Fugen geraten; so sind sie auf vieles gar nicht gekommen. Vor allem aber war das Verhältnis zum Gegenstand ein anderes; waren die Übersetzungen auch keine endgültigen, so stand doch der Diskussionsrahmen fest. Die Gefahr, die mit dieser methodologischen Unzulänglichkeit verbunden war, wurde ab und zu, sogar zur Zeit des Ausbaus der wissenschaftlichen Großorganisation am Ende des 19.Jahrhunderts wahrgenommen. Die Kenntnisse erweiterten sich immens, es ging aber weiterhin um den Bestand von pädagogischen und sozialen Werten, auf die sich das Bildungsideal und dessen sozialer Stellenwert als Voraussetzung des Studiums der klassischen Sprachen in Eaton so gut wie in Berlin stützte. Die Beziehung der angenommenen Inhalte zum literarischen Text blieb die alte, d.h. unreflektiert. Man ist auch heute noch nicht sehr weit darüber hinausgekommen. Die Konventionen können nur von der Einzelwissenschaft selbst in Frage gestellt werden, und das wiederum setzt voraus, daß sie ihre eigenen institutionellen Produktionsbedingungen überdenkt, auch die besonderen philologischen aktivistischen, faktenbezogenen Argumentationsformen, die sich (nicht nur in England) eingebürgert haben.

Wie so oft, wenn von einer Seite her, nämlich der schwindenden Bedeutung der Disziplin eine tiefgreifende Modifikation möglich wäre, wird die kritische Öffnung von einer anderen Seite wiederum vereitelt; nicht nur dort, wo man sich damit begnügt, die traditionellen Methoden im Technischen zu verfeinern und weiterzuführen, sondern auch dort, wo die Existenz eines eindeutigen "Sinnes", ja selbst der wiedergefundenen syntaktischen Evidenz abgelehnt wird, wie dies in den poststrukturalistischen Theorien der Fall ist. Der kritische hermeneutische Gesichtspunkt aber hat sich in der Interpretation gerade auf jene Freiheit zur Differenz auszurichten, von der der Autor *de facto* Gebrauch gemacht hat. In dieser Rekonstruktionsperspektive ist jede spätere Rezeption auf ihr Verhältnis zum ursprünglichen Gehalt hin zu untersuchen. Die Untersuchung dessen, was aus den Werken dann gemacht wurde, erfordert einen noch ganz anderen Aufwand, wenn man verstehen will, was in der Geschichte gegen das Werk gearbeitet hat.

Wissenschaft

Der Gegenstand der Wissenschaft ist nicht gegeben, sondern erst zu konstruieren. Die These ist so übertrieben nicht, wie es scheinen mag. Der "zweite Bibelkorpus", die antiken Autoren, muß den Autoritätsinstanzen und ihrer Indifferenz vermittels wirklicher Fragen entrissen werden. Denn gerade dann kommt die Tradition, ohne Autoritätsanspruch und dafür als Dialogpartner, zu ihrem Recht. Alle Werke stehen "mitten in ihrer Vermittlung", ist das Verständnis der einen doch auch von der der anderen abhängig - was nicht nur für die antiken Autoren gilt. Der Grad der Entfremdung tritt dort am stärksten zutage, wo die Distanz des Werks zu seiner eigenen Zeit durch die späteren Horizonte der Vermittlung aufgehoben wurde.

Methodisch folgen daraus zwei Gesichtspunkte, die formal widersprüchlich scheinen, sich in Wirklichkeit aber ergänzen. Das Werk hat eine eigene Sprache, die für die Autoren der Tradition immer wieder verloren gegangen sein kann; unverstanden, übersehen, mißachtet. Deswegen könnte man versucht sein, sich allein an den Text zu halten; gerade dieser notwendige, unvoreingenommene Zugang zu seinem Sinn ist aber weitgehend illusorisch, weil ja, wie ausgeführt, sowohl die Form als auch das Verständnis des Textes im Laufe der Zeit erst hergestellt wurden. Im Gegenzug ist das so gewonnene Werk wiederum aus dieser tatsächlichen Traditionsgebundenheit zu lösen; nun erst steht es für sich und findet seine Eigenständigkeit wieder. Die Zwiesprache vollzieht sich zu dritt: zwischen dem poetischen Wortlaut, dem Interpreten und der Tradition.[2]

---

[2] Die Monographien, aus denen der Kommentar des *König Ödipus* besteht, verfolgen das Ziel, quer durch die Epochen ein solches Gespräch zu rekonstruieren. J.B., **L'OEdipe roi de Sophocle. Le texte et ses interprétations** (4 vol.), Lille, Presses Universitaires de Lille (Cahiers de Philologie, 11-13b), 1990, 1304p.

Wer sich dagegen nur an das Fort- oder Nachleben der Werke hält, konstruiert in einer ganz und gar fiktiven Kontinuität ein konstantes Substrat des Stoffs mit dem Ziel, allein dessen Produktivität in den Blick zu bekommen. Steht das Werk vermöge einer besonderen Qualität und Stärke selbst im Mittelpunkt, so erhält die Tradition dann virtuell den Status einer Deformation der ursprünglichen Signifikanz; das Verständnis dieser sekundären Standpunkte hat dabei den gleichen Verstehensgesetzen zu folgen wie die Interpretation des Werks. Auch die Tradition steht in einer Tradition, wenngleich mit dem entscheidenden Unterschied, daß der künstlerische Ausdruck, anders als der kritische, zu seiner Zeit und seiner Tradition in eine bewußte, erkennbare Distanz getreten ist, ja sich in diesem Akt mitkonstituiert hat.

Was hat die Lektüre eines Textes im Altertum festgehalten und was nicht? Wie wurde Pythagoras von Platon, wie wurde Empedokles von Aristoteles gelesen? Je bedeutender ein Werk, desto vielfältiger seine Deutungen; die Lektüre, die Verwendungsart hat ihre Geschichte.

Die Wisenschaftsgeschichte wird in dieser Perspektive nicht um ihrer selbst willen, sondern auf das Geschäft der Philologie hin betrieben, und zwar nicht nur zur besseren Begründung der Ergebnisse, sondern ebenso zur Selbstanalyse der Disziplin und ihrer fachinternen Beschränkungen. Die Kritik an der Wissenschaft kann nicht außerhalb dieser Sphäre geübt werden, so sehr die bloßgelegten Vorurteile in fachfremden ideologischen Anschauungen begründet sind. Sie kann nur aus der Praxis entstehen, aus der Überprüfung des Handwerks selbst, nämlich aus den Arbeitsgängen, die zur Erstellung der historischen und philologischen Information führen. Aus dieser generellen Betrachtung folgen die Postulate, daß:

1. der Gegenstand mit all den positiven Kenntnissen, die er erfordert, so zu konstruieren ist, daß die eigentliche Interpretation (die Entscheidung über den vorliegenden Sinn) klar als ein von diesem Material geschiedener, autonomer Akt erscheint; und

2. die Anzahl der einzelnen Optionen über den Sinn, die die Analyse der Tradition bereitstellt, zu einer offenen Diskussion führt, so daß die Entscheidung zugunsten einer bestimmten Hypothese am Ende begründet ist.

Innerhalb einer spezialisierten Wissenschaft setzt schon das Interesse am Gegenstand, das nach außen Geltung beansprucht, einen offenen Austausch und eine wirkliche Debatte voraus, in der die Beweisführung der Diskussionspartner ernstgenommen wird. Die Veröffentlichungen sollten aufeinander Bezug nehmen, d.h. auf gemeinsam definierten Kriterien und auf der Darlegung des theoretischen Ansatzes fußen. Dieses Postulat hätte jeder Aktualisierung der Antike vorauszugehen, verstanden als eine von innen her zu erreichende Aktualität der wissenschaftlichen Diskussion, die es heute viel weniger gibt als im 19. oder noch zu Beginn des 20. Jahrhunderts. Und doch ließe sich denken, daß diese Auseinandersetzung gegenwärtig auf einer höheren Stufe der literaturwissenschaftlichen Betrachtung geführt werden könnte, vorausgesetzt, daß jene fiktive, fachinterne Form des Konsenses aufgegeben wird. Sie beruht auf einer besonderen Idee von wissenschaftlicher Effizienz und produktiver Empirie. Indem man die Kriterien auf den Gegenstand abstimmt, könnte man auch die nationalen oder die kompetenzspezifischen Konventionen transparent werden lassen. Trotz der immensen, immer weiter anwachsenden Produktion ist eine Zusammenarbeit denkbar, die eine echte Diskussion mit Blick auf einen wirklichen Konsens in Gang bringt. Dazu müßten eben jene theoretischen Grundsätze revidiert werden, die die Divergenzen der Meinungen legitimieren und die Fixierbarkeit des Sinns überhaupt in Frage stellen, allein damit die Möglichkeit einer verbindlichen Deutung gesichert ist. War der Sinn bisher mangels inadäquater Vorstellungen noch nicht gefunden, so behaupten die Vertreter der poststrukturalistischen Ausrichtung, die Interpretation sei gar nicht möglich und der Sinn auch nicht eruierbar. Gegen die traditionelle, traditionsgebundene und somit dogmatisch fixierte Auslegung vergangener Generationen hat sich eine dogmatisch-undogmatische und damit im Effekt kritiklose Behandlung und Verwertung der Texte durchgesetzt. Die unbegrenzbare Vielfalt der Möglichkeiten des Sinns schließt in dieser Perspektive auch den vollständigen Irrtum positiv ein, da sie ihn gar nicht identifiziert. Jegliche Unterscheidung zwischen wahr und falsch wird einer seltsamen Vorstellung von Freiheit geopfert. Dagegen wäre einzutreten:

3. für eine erreichbare Form des Konsenses aufgrund einer Diskussion, die auch die Kriterien des Verständnisses einbezieht.

4. Die Theorie ist in der Philologie von der Praxis nicht zu scheiden. Es führt weder die empirische Praxis allein zur adäquaten Erkenntnis noch die reine Applikation von Theorien auf Texte, wenn ihre Angemessenheit nicht aus der inneren Struktur des Kunstwerks hergeleitet wird.

Der allgemein vorgebrachte Einwand, der sich gegen den Anspruch der interpretatorischen Leistung richtet, die Frage nämlich, wieweit die Ausarbeitung eines Textverständnisses die subjektive Voreingenommenheit des Interpreten auszuschließen vermag, kann durch den Hinweis entkräftet werden, daß sich jede Meinung, auch die schließlich festgehaltene und vertretene, zunächst als Hypothese neben anderen denkbaren Interpretationen darstellt. Entweder kommt es in freier Kommunikation zu einer offenen, das Problem objektivierenden Diskussion und zu einer entsprechenden Horizonterweiterung, oder aber das Argument der subjektiven Beeinflussung beruht auf dem theoretischen Grundsatz der Nicht-Bestimmbarkeit und wendet sich damit nicht gegen einen eventuellen Mangel in der Beweisführung, sondern gegen das hermeneutische Prinzip selbst. Die Ablehnung eines werkspezifischen ästhetischen Kanons und erst recht der Fixierbarkeit des Sinns, worauf die kritische Methode fußt, geht auf den Primat der innersprachlichen, den Text transzendierenden Strukturen zurück. Ihr Resultat ist von jener dritten Richtung nicht sehr verschieden, die einen traditionell festliegenden Sinn eines Satzes oder einer ganzen Textpartie nicht weiter diskutiert, weil ihre Argumentation sich auf feste historische oder anthropologische Erklärungsmodelle stützt und diese Modelle wiederum auf traditionell festgelegte Sinnangebote zurückgreifen, anstatt die grundsätzliche Frage aufzuwerfen, welche Modelle der Text hypothetisch selbst voraussetzt und wie sehr die Interpretation sich aufgrund dieser erst zu bestimmenden Vorstellungen verändern würde.

In allen Bereichen der Literatur besteht eine Spannung zwischen der Vorstellung, die einem Werk modellhaft zugeschrieben wurde und die die Lektüre bestimmt, und andererseits dem wirklichen Gehalt, der dieser Vorstellung vielleicht entgegengesetzt ist, wie etwa bei Heraklit, wenn man den kritisch-analytischen Ansatz gegen die prophetische Verkündung hält (die beispielsweise der Diskussion der Fragmente durch Fink und Heidegger zugrunde liegt).[3] Jeder neue Interpretationsansatz ist eine Hypothese, die sich aus der Lektüre ergibt und dann im Lauf einer neuen, in gleicher Weise kritischen Lektüre verworfen oder bestätigt werden muß. In Wirklichkeit handelt es sich bei den dominierenden Anschauungen oft um ein Substitutionsverfahren. Eine die Interpretation vorprägende Erwartung wurde aus dem Werk extrapoliert und blockiert ein anderes Fragen. Bis heute haben sich die alten Anschauungen durchgesetzt.

---

[3] Diese Interpretation ist durchgeführt in: J.B. und Heinz Wismann, **Héraclite ou la séparation**, Paris, Editions de Minuit, 1971, siehe auch J.B., "Problèmes posés par l'interprétation du *logos* d'Héraclite", in: **La Naissance de la raison en Grèce** (Actes du congrès de Nice, Mai 1987), Paris, Presses universitaires de France, 1990, 5.165-186.

Die Antike in Walter Benjamins Moderne

von

Norbert Bolz

I. Der Alptraum des 19.Jahrhunderts

In Walter Benjamins Theorie der modernen Großstadt finden sich immer wieder Vergleiche mit dem antiken Labyrinth. Der Sinn dieses Vergleichs wird durch eine Überlegung verdeutlicht, die Weg und Straße kontrastiert. Der archaische Weg sei von den "Schrecken des Irrgangs", "den unberechenbaren Wendungen und Entscheidungen" eines Lebens geprägt, das noch in die Zeit der Völkerwanderungen zurückreicht. Wer dagegen auf einer Straße geht, dem muß man keinen Weg mehr weisen; er folgt reflektorisch "dem monotonen, faszinierend sich abrollenden Asphaltband" (V 647)*. Monotonie also ist die Signatur der Straße, Irrsal die des Weges. Für Benjamin macht es nun die genaue Definition des Labyrinths aus, beide Charakteristika zu verschränken: Labyrinth ist die Einheit von Irre und Monotonie. Die moderne Großstadt mit ihren uniformen Straßen und endlosen Häuserreihen wird von Benjamin nun als Verwirklichung des antiken Architekturtraums Labyrinth gedeutet. Das wird handgreiflich am Namenskosmos des Straßennetzes, am deutlichsten aber "im Hallenlabyrinth der Metro" (V 647). Die Pariser Untergrundbahn fasziniert ja einmal durch die labyrinthisch bastardisierten Namen der großen Metro-Stationen, zum anderen natürlich durch die ungeheuren Massen, die durch das Labyrinth der Bahnungen geschleußt werden. Das spezifisch Moderne, nämlich die Masse der Großstadt, schreibt sich so einem gebauten Architekturtraum der Antike ein und nimmt dabei selbst die Gestalt eines Labyrinths an. Deshalb kann man (sich) in der Masse irren - wie Poes man in the crowd. Diese Erfahrung der modernen Masse als Labyrinth im realisierten Architekturtraum der Antike ist nun kennzeichnend für den Flaneur. Er figuriert im Zentrum von Benjamins Konstruktion der Antike in der Moderne. Es ist leicht, diese Figur biographisch aufzulösen; oft genug stilisiert sich Benjamin selbst als Flaneur. Wichtiger aber scheint es mir, durch die autobiographischen Bemerkungen hindurch den anthropologischen Index dieser Gestalt zu bestimmen.

Benjamins Berliner Kindheit um Neunzehnhundert beginnt mit der Schulung des Irrens: das sich in einer Stadt Verirren als schöne Kunst betrachtet. Im wesentlichen lassen sich drei Schichten der das Flanieren fundierenden Erfahrung von einander abheben: 1.) Die Urszene Benjamins, nämlich jener gewundene Weg zum Denkmal der Königin Luise im Tiergarten, der Welterfahrung ins Zeichen des Labyrinths stellt und Berlin antikisiert. 2.) Die graphischen Labyrinthe auf den Löschblättern des unaufmerksamen Schülers und die Leselabyrinthe, in denen er dann zu Hause versinkt. 3.) Die "träumerische Resistenz" des Kindes bei den gemeinsamen Gängen mit der Mutter in der City Berlins - eine ostentative Langsamkeit und Ungeschicklichkeit, die es zur Kunst des Umwegs ausbildet; "die Ohnmacht vor der Stadt" (VI 466) schlägt um in die Irrkunst des Flaneurs. Und 4.) der letzte Eignungstest in den "Irrstollen" von Paris, die jene "graphischen Träumereien" auf dem Löschblatt des Schülers erfüllen (VI 469). So konnte Benjamin schließlich sein ganzes Leben dem graphischen Schema des Labyrinths einbeschreiben: Seine Eingänge sind "Urbekanntschaften" (VI 491), und in seinem Zentrum haust das Ungeheuer, das man philosophisch Ich nennt.

Diese Figur des Flaneurs ist die Sonde, mit der Benjamin das 19.Jahrhundert als eigentümliche Verschränkung von Moderne und Antike erforscht. Die träumerische Resistenz des Kindes, das den gemeinsamen Stadtgang mit der Mutter sabotiert, kehrt im Flanieren wieder als die Scheu, ans Ziel zu gelangen. Auf die Frage nach dem Warum dieses Zögerns antwortet ein Fragment des "Zentralpark" in marxistischem Klartext: "Das Labyrinth ist der richtige Weg für den, der noch immer früh genug am Ziel ankommt. Dieses Ziel ist der Markt." Der Flaneur steht also paradigmatisch für eine Klasse, die gar "nicht wissen will, wohin es mit ihr hinausgeht." (I 668f) Im Schutz der Ignoranz folgt das Flanieren dem Trieb.

Meine Themenstellung erlaubt es nicht, diesen Aspekt zu vertiefen. Ich kann hier nur andeuten, daß es für Benjamin - gleichsam triebtheoretisch - einen engen Zusammenhang gibt zwischen a) der "rhythmischen Seligkeit" dessen, der, einen Ariadnefaden abspulend, in ein Labyrinth vordringt, b) der Verdichtungsleistung des Flaneurs und c) dem Abspulen eines Filmbandes (IV 414; V 135). Der Film wäre demnach das Medium, in dem sich das antike Antlitz einer modernen Großstadt am deutlichsten ausprägt.

Doch zurück zum Flaneur. Er weiß nicht, was er tut, und es scheint, wie gesagt, als wolle er es auch gar nicht wissen. Dieser Ignoranz entspricht die Torheit der Theorie, die ihm ein Interesse an physiognomischen Studien unterstellt. Für Benjamin ist diese These nichts als eine Rationalisierung des Flanierens. Der Flaneur ist nicht das Subjekt einer gesellschaftlichen Physiognomik, sondern der Agent einer Ästhetik der Irre. Im "Passagenwerk" heißt es hierzu: "Die Stadt ist die Realisierung des alten Menschheitstraumes vom Labyrinth. Dieser Realität geht, ohne es zu wissen, der Flaneur nach." (V 541) Die Existenz des Flaneurs steht also ganz und gar im Zeichen des antiken Traumbildes; eben deshalb trifft er immer wieder auf die mythischen Aspekte der Moderne. Ob er sich am Anblick der ungeheuren Warensammlung berauscht, sich in der Masse verliert oder den Träumen folgt, die in die Unterwelt von Paris münden - er tritt in Labyrinthe ein. Und nur so wird Paris zur Hauptstadt des 19.Jahrhunderts - nicht in ihrer architektonischen, sondern in ihrer mythologischen Topographie. Das Werk Baudelaires ist ganz in sie eingezeichnet. Es geht ihm um die Beschwörung einer antiken Moderne. Benjamin hat das im dritten Teil seiner Studie über das Paris des Second Empire bei Baudelaire sehr deutlich gemacht. Es geht nicht darum, in einer Art Großstadtromantik den Auswurf der Metropolen zu Heroen der Moderne zu stilisieren. Vielmehr liegt "der Heroismus beim Beschreibenden (...), ganz und garnicht bei seinem Sujet." (V 405) Die Arbeit des antiken Heros hat sich also in die ästhetische gewandelt, der Moderne Gestalt zu geben. Im Bewußtsein, daß die Zeit der Moderne abgelaufen ist, erprobt der Dichter, ob sie Antike werden kann. Das Moderne erscheint so selbst als die Kraft der Transformation in Antike. Man könnte sagen: Baudelaires ästhetische Aufgabe war es, die dem Untergang geweihte Moderne als Antike zu retten. In allen Gestalten, die die Allegorese auf dem Schauplatz Paris beschwört, durchdringen sich Antike und Moderne. Die Emergenz des Allegorischen ist eine genaue Funktion der Einprägung von Jetztzeit in Antike. Deshalb betont Benjamin: "Es ist sehr wichtig, daß das Moderne bei Baudelaire nicht allein als Signatur einer Epoche, sondern als eine Energie erscheint, kraft deren diese unmittelbar die Antike sich anverwandelt. Unter allen Verhältnissen, in die die Moderne tritt, ist ihre Beziehung zur Antike eine ausgezeichnete." (V 309)

Baudelaires Kodifizierung der Pariser Antike verdankt sich der Bildwelt, die Meryons Radierungen in einem Augenblick eröffneten, da sich Haussmann anschickte, der Hauptstadt des 19.Jahrhunderts eine neue Gestalt zu geben. Das antike Bild von Paris entsteht also gerade aus dem Bewußtsein der Unwiederbringlichkeit jenes vor-Haussmannschen Paris. Meryons Radierungen geben das Schema für die Parthenogenese der Antike aus der Moderne. Man muß das wortwörtlich begreifen: Das antike Paris ist Bild. Und als solches immer auch Gegenstand einer Beschwörung durch Schwellenkundige der Zeiten. Diesen Zusammenhang hat Benjamin in einer Rezension von Franz Hessels Heimlichem Berlin immerhin angedeutet - er spricht dort einmal vom "strengen und antiken Bild-Sein einer Stadt" (III 82). Deshalb ist die Allegorie die entscheidende ästhetische Armatur Baudelaires; sie ist die Form der Überblendung von Antike und Moderne. Allegorische Überblendung ist demnach die Technik, sowohl die Modernität der Antike als auch die Moderne als Antike zu entdecken.

Die allegorische Anschauungsform ist christlichen Ursprungs; sie ist die ästhetische Armatur im Kampf gegen die heidnischen Götter und zielt eigentlich auf eine radikale Auflösung des antiken Pantheons. Bekanntlich hat sich die christliche Lehre Aug in Aug mit der Gnosis formiert - Gnosis ist aus christlicher Perspektive Antike als Drohung. Die Wiederkehr der gnostischen Drohung in den okkultistischen Spekulationen der Renaissance stellt für Benjamin die Ausgangsfrage nach dem Ursprung des deutschen Trauerspiels. Die Allegorie ist die Form der Auseinandersetzung von Antike und Christentum: Der Leib der Schuld und des Martyriums kämpft gegen die glänzenden Götterkörper des Pantheons. In der Wiederkehr dieses Kampfes in der Konfrontation der neopaganen Renaissance mit der Gegenreformation erneuert sich auch die allegorische Form. Die Klassik als zweite Natur der deutschen Bildung hat diese Zusammenhänge lange Zeit verstellt. Benjamin verdankt vor allem den Forschungen Aby Warburgs (und wohl auch Nietzsche) die Einsicht, daß die olympisch glänzende Götterwelt der Antike eine humanistische Erfindung Winckelmanns war - ein Apotropaion, das den Blick von der Dämonie des Heidentums ablenkte. Die italienische Renaissance hat da noch klarer gesehen; folgt man Warburg, so trug ihre Verehrung der Antike deren Doppelcharakter Rechnung: dem heiter Olympischen wie dem finster Dämonischen. Diesen Schritt hinter die deutsche Klassik also muß man tun, um Benjamins einfachen Grundgedanken zu verstehen: "Die europäische Antike war gespalten" - und für das 17.Jahrhundert gilt deshalb noch, daß ihr humanistisch "strahlendes Nach-Bild" gar nicht beschworen werden konnte, ohne zugleich ihre mittelalterlich "dunkle Nach-Wirkung" zu erneuern (I 395).

Natürlich ist die Absicht der barocken Allegorie klar: Sie soll die antiken Götter in ihrer dämonischen Natur bloßstellen. Es geht hier nicht um ein ästhetisches Spiel mit ausgehöhlten, abstrakt gewordenen theologischen Wesenheiten, sondern darum, die konkrete gnostische Drohung der Antike zu parieren. "Demnach sind, so Benjamin, die drei wichtigsten Momente im Ursprung abendländischer Allegorese unantik, widerantik: die Götter ragen in die fremde Welt hinein, sie werden böse und sie werden Kreatur." (I 399) Die heidnischen Götter leben in der feindlichen Welt des Christentums fort, und Allegorese ist das Unternehmen, ihre Macht zu bannen. Doch Allegorie bannt das Bedrohliche nur, indem sie es rettet. Gerade indem sie den Pantheon als schuldbeladen entlarvt, ermöglicht sie seine Reinigung zu bloßer Dinghaftigkeit. Absehbar wird dann tatsächlich, daß einmal die Idole der Heiden als schuldlose Bronzen dastehen werden.

Das Barock beschwört die Antike, um ihre im Christentum fortlebenden Reste zu bannen; das macht sie scheinbar und uneigentlich. Benjamin nennt sie ausdrücklich 'pseudoantik' (I 319). Gerade diese Differenz zur Antike inmitten aller Renaissancen weist den Weg einer Emanzipation von der großartigen und großartig sterilen deutschen Klassik. Was Benjamin am mittelalterlichen Mysterienspiel, am barocken Trauerspiel und am epischen Theater interessiert, ist eben diese Differenz zur Antike und zur Klassik: die unterirdische, spezifisch deutsche Tradition des "untragischen Helden" (II 523). Ja er geht so weit, diese Differenz schließlich der griechischem Antike selbst zu inserieren: Aus dem griechischen Kampf mit dem Mythos trete nicht nur der tragische Heros, sondern auch der "göttliche Dulder" hervor. Und wie in Brechts epischem Theater der untragische Held, so komme in Kafkas Erzählungen der Meister im "Vereiteln des Tragischen" (II 1263) zu sich.

So ließe sich sagen: Die Pseudoantike des Barock ist das Schema, nach dem sich Benjamin die fruchtbaren Traditionen der Kultur vergegenwärtigt - besonders eindrucksvoll in seinem Enzyklopädieartikel über Goethe, in dem er Faust II aus dem sterilen Massiv der deutschen Klassik heraussprengt. Goethe habe das deutsche Barock als Medium seines Bildes der Antike vergegenwärtigt. Das Winckelmann-Formular wird demnach historisch gesprengt. Doch diese historische Tiefenschärfe gewinnt die Antike des zweiten Faust nicht durchs klassische Altertum, sondern durchs deutsche Barock. So heißt es von der Phantasmagorie Helena, sie sei "das erste große, durch die Vergangenheit des Deutschtums selbst geschaute Bild der Antike." (II 736)

Es geht hier wohlgemerkt nicht um germanistische Epocheneinteilungen. Barocke Pseudoantike als Armatur des Goetheschen Spätstils hat einen konkreten gesellschaftlichen Index, und Benjamin bestimmt ihn im Denkbild Weimar sehr genau: Die Beschwörung des deutschen Barock ist wie die asketische Einrichtung seines Arbeitszimmers eine Veranstaltung Goethes, die den Raum seiner Existenz gegen "das höllische Frührot des bürgerlichen Komforts" abdichtet. Was derart noch diesseits der Demarkationslinien zur Moderne liegt, "diese nächste, bestimmendste Umwelt" Goethes, gilt Benjamin als "die wahrhafte Antike des Dichters" (IV 354). Gerade das Jüngstvergangene scheint also geeignet, der Moderne als Antike zu imponieren, wenn zwischen beiden eine Epochenschwelle liegt. Auf ihr siedelt die Allegorie - Ausdruck der beschworenen wie der magisch nachwirkenden Antike - die Götter des Pantheons als heidnische Figurinen der Schwellenkunde zwischen den Zeiten an.

Lesbar wird die Allegorie dem, der sie als geschichtliches Bild entziffert. Denn sie ist ein "Bild der erstarrten Unruhe", das "die plötzlich in ihrem Widerstreit stillgestellten, mitten im unausgetragnen Kampfe versteinerten Gewalten der Antike und des Christentums" (V 463) zeigt. Geschichtlich ist dieses Bild aber gerade auch insofern , als sich das Verhältnis von Erfahrung und Form historisch ändert. So erweist sich die moderne Allegorie als vielfach geschichtet. Prinzipiell gilt zunächst: "Die Antike und das Christentums bestimmen die geschichtliche Armatur der allegorischen Anschauung; sie stellen die beharrenden Rudimente der ersten allegorischen Erfahrung dar: der frühmittelalterlichen." (V 409) Sofern sich nun die gnostische Drohung in der Renaissance wiederholt, erneuert sich im Barock auch die Form des Widerstreits. Für Baudelaire dagegen dient diese Form des Widerstreits von Antike und Moderne nur noch zur Instrumentierung seiner ursprünglichen allegorischen Erfahrung. Und zwar verhält sich Baudelaire zur Moderne wie das Barock zur Antike; d.h., er betrachtet die moderne Welt, als ob sie Antike sei - genau das ist seine allegorische Grunderfahrung. Man darf sie nicht mit Nietzsches Phantasmagorie einer ewigen Wiederkehr des Gleichen verwechseln. Es geht nicht darum, auf der Spitze der Moderne im Sinnbild zu wiederholen, was einmal Sinnlichkeit der Antike war. Vielmehr kodifiziert die allegorische Erfahrung der Moderne eine plötzliche Vergangenheit: das schnelle Altern des Gegenwärtigen. Und zwar meint allegorische Anschauung hier eine Technik des transitiven Veraltens; das Jüngstvergangene wird zum Fremdesten. "Der spleen, so Benjamin, legt Jahrhunderte zwischen den gegenwärtigen und den eben gelebten Augenblick. Er ist es, der unermüdlich 'Antike' herstellt. Und in der Tat ist bei Baudelaire die Moderne nichts anderes als die 'neueste Antike'." (V 423) Auf eine Formel gebracht: Der Spleen des Allegorikers produziert Antike, und zwar jeweils die neueste, die man eben Moderne nennt.

Doch dieses transitive Veralten der Gegenwart, das die Moderne als neueste Antike konstituiert, ist nur die eine Seite jener Durchdringung von Antike und Moderne. Ihr entspricht komplementär die Aktualisierung einer Vergangenheit nach dem Potential dessen, was Benjamin Jetztzeit nennt. Das bei Baudelaire noch starr allegorische Verhältnis von Antike und Moderne soll hier also dialektisch werden. Wie diese mit Jetztzeit erfüllte Antike nun aber im dialektischen Bild festgestellt und aus dem Kontinuum der Geschichte herausgesprengt werden soll, bleibt unerfindlich. Generationen von Benjaminforschern haben darüber - nämlich über den berüchtigten "Tigersprung ins Vergangene" - erfolglos gegrübelt. Mir ist in diesem Zusammenhang nur wichtig, daß Antike für Benjamin also auch ein utopisches Potential der Moderne bereithält.

Immer wieder zeigt sich die Aktualität der Antike. Sich immer wieder in seiner Aktualität zu bewähren ist für Benjamin aber ein Definiens - und ich denke: das einzige - für Ewigkeit. Nur so erklärt sich, daß er Antike als "Menschheitserfahrung" begreift. Auch dieser Konzeption liegt wieder eine Inversion des trivialen allegorischen Verhaltens zugrunde. Trivial allegorisch ist es ja, ein Bild der Antike zu zeichnen, das die Züge der Moderne trägt. Baudelaire hat umgekehrt die Moderne als Antike gezeichnet. Und entsprechend heißt es von Gottfried Keller : "Er glaubte seine Zeit zu geben und in ihr gab er Antike." Baudelaire und Keller zitieren also nicht einfach Antikes im Raum der Moderne, sondern eröffnen den "Raum des neunzehnten Jahrhunderts der Antike" (II 289). Antike tritt in ihr 19.Jahrhundert ein.

Die Charakterisierung der Antike als Menschheitserfahrung ist m.E. nur im Rahmen von Benjamins anthropologischem Materialismus ganz verständlich. Ich kann diese Theorie hier nicht vertiefen, möchte aber doch noch zwei Hinweise geben, die sich an zwei spektakuläre Aphorismen der "Einbahnstraße" knüpfen lassen. Der Titel "Madame Ariane zweiter Hof links" bezeichnet die okkultistisch verkommene Form einer Praxis, die mit der Antike verlorengegangen ist und die im Zentrum von Benjamins anthropologischem Materialismus steht: leibhafte Geistesgegenwart. Wahre Gegenwart habe der Geist nur im Leib als dem Medium alltäglicher Divination: "Scipio, der Karthagos Boden strauchelnd betritt, ruft, weit im Sturze die Arme breitend, die Siegeslosung: Teneo te, Terra Africana!" (IV 142) Das ist das eine. Die zweite wahre Praxis der Antike, die wohl noch schwerer in aufgeklärte Ohren dringt, aktualisiert Benjamin in dem Aphorismus "Zum Planetarium": die kollektive Rauscherfahrung des Kosmos, die vom neuzeitlich optischen Weltbezug verdrängt wurde. Formelhaft gesagt: Benjamins Theorie des anthropologischen Materialismus zielt auf eine Restitution der verdrängten antiken Lehren von leibhafter Geistesgegenwart und kollektiver Rauscherfahrung des Kosmos.

Nach einem bekannten Gesetz kehrt, was verdrängt wird, wieder, aber entstellt. Es wird einem gründlichen Studium des anthropologischen Materialismus bei Benjamin vorbehalten bleiben, über die Stichhaltigkeit der hier naheliegenden These zu entscheiden, daß nämlich die Antike zum Alptraum der Moderne werden mußte, weil sich die moderne Stellung zur Objektivität durch die Verdrängung jener wahren Praxis der Antike gebildet hat. In einem Fragment des Passagenwerks heißt es: "Die Moderne hat die Antike wie einen Alb, der im Schlaf über sie gekommen ist." (V 470) Der tiefe Schlaf der Moderne heißt Kapitalismus, und die Träume, die aus diesem Schlaf aufsteigen, zu deuten ist die Aufgabe des Historikers; sie fällt zusammen mit der politischen, aus dem Schlaf der Moderne zu erwachen. Ich habe das in anderem Zusammenhang ausführlich dargestellt. Für unsere Frage nach der Durchdringung von Antike und Moderne ist hier nur das eine wesentlich: "Der Kapitalismus war eine Naturerscheinung, mit der ein neuer Traumschlaf über Europa kam und in ihm eine Reaktivierung der mythischen Kräfte." (V 494) Die Virulenz des Mythos in der Moderne wird von Benjamin also aus der Entfaltung des Kapitalismus erklärt. Doch dieser seinerseits wird nun als Ausdruckszusammenhang religiöser Kräfte gedeutet. Die Virulenz des Mythos in der Moderne verdankt sich neopaganen Kräften im säkularisierten christlichen Raum. Formelhaft gesagt: Moderne ist ein Schlaf, Antike ist ein Alptraum, das 19.Jahrhundert ist eine objektive Phantasmagorie - und der Kapitalismus ist eine Religion.

II. Die kapitalistische Religion

Max Webers berühmte These über den Geist des Kapitalismus besagt im Kern, daß eine asketische Form des Protestantismus (Calvinismus, Präzisismus) eine alltagsbestimmende Lebensmethodik geschaffen habe, die das kapitalistische Wirtschaften nicht nur wie ein Korsett stütze, sondern zugleich auch mit Heilsprämien versehe. Formelhaft gesagt: Der Kapitalismus ist religiös bedingt. Das war natürlich als Konkurrenzthese zu jener marxistischen Grundformel, nach der das gesellschaftliche Sein die Gestalten des Bewußtseins bestimme, gemeint.

Nur vor dieser Kontrastfolie wird Benjamins Begriff der kapitalistischen Religion ganz prägnant: Gegen Marx begreift er das Verhältnis von Sein und Bewußtsein nicht als Kausal-, sondern als Ausdruckszusammenhang. Gegen Weber sieht er den Kapitalismus nicht nur in eine religiös bestimmte Lebensmethodik eingebettet - Benjamin geht es um den Nachweis der "essentiell (...) religiösen Struktur des Kapitalismus". Historisch bestimmt dieser Nachweis die Reformationszeit als den Augenblick der Transformation von Christentum in Kapitalismus. Das setzt vorraus, daß die ganze abendländische Geschichte als Entwicklung eines parasitären Verhältnisses begriffen werden muß: Der Kapitalismus entsteht als Parasit des Christentums und zehrt so sehr von dessen Kräften, daß schließlich - eben zur Zeit der Reformation - das Verhältnis in eines der Identität umschlägt. Die neuzeitliche Geschichte des Christentums ist die des Kapitalismus.

Daß Benjamin den Kapitalismus als parasitäre Verkörperung des Christentums begreift, ist die konkrete Bedingung dafür, daß Theologie zur Grundwissenschaft seiner Wirklichkeitskommentare werden kann. Nach der Logik des Ausdruckszusammenhangs bezieht er gesellschaftliche Phänomene auf religiöse Urbilder - genauer gesagt: er deutet sie als religiöse Urphänomene. Das Kapital, heißt es in einer genialen Interpretation eines Stücks von Shaw, "das Kapital (ist) nur der unreine verzerrte Geist und Leib von ewigen Mächten" (II 614). Deshalb kann noch der verachtetste, schäbigste Beruf auf ein Bild vom Ewigen transparent gemacht werden. Der gesellschaftliche Rang ist die durchs parasitäre Dasein des Berufs an der Berufung entstellte Stellung des Menschen im kapitalistischen Kosmos. Das sind Zusammenhänge, die Max Weber schon am Begriff des "calling" verdeutlicht hat. Doch für Weber ist die Berufung im Beruf erloschen, der Geist aus dem Gehäuse geschwunden. Benjamin dagegen bleibt genau in dem Maße Theologe, als er an der Möglichkeit der Umkehr und Reinigung festhält.

Seine Position ist dabei von Säkularisierung wie von Theokratie gleich weit entfernt. Religion hat eine bestimmte und bestimmende Bedeutung für die Ordnung des profanen Lebens, aber sie darf nicht dessen Gesetze erlassen wollen. Offenbar bestimmt sich die Funktion der Religion für die Ordnung des Profanen aus der Tatsache, daß es eine "menschliche und zugleich politische Nötigung zu 'glauben' " (III 58) gibt. Benjamin zieht diese Demarkationslinie zur Aufklärung im Eingedenken des Leidens. Solange es Qual und mythische Verstricktheit des Lebens gibt, bedarf es eines Stellensystems der Antworten, das man traditionell Religion nennt. Und der Kapitalismus ist eben deshalb eine Religion, weil er in der Lage ist, diesen aus Leid und Qual geborenen Fragen eine befriedigende Antwort, eine Antwort der Befriedigung zu geben.

Präparieren wir nun die essentiell religiöse Struktur des Kapitalismus deutlicher heraus. Benjamin nennt vier Charakteristika:

1. Der Kapitalismus ist eine reine Kultreligion. Das heißt im Klartext, daß die kapitalistische Religion weder eine Dogmatik noch eine Theologie hat; sie ist also, wie die Urformen heidnischer Religiosität, unmittelbar praktisch orientiert. Kapitalistische Religion ist neopagan. Sie begründet ihren Ritus ohne göttlichen Logos - und eben das hat Benjamin ja schon in seinem Wahlverwandtschaften-Aufsatz als das "Gemeinsame aller heidnischen Anschauung" herausgearbeitet: den "Primat des Kultus vor der Lehre" (I 163). In unserem Fall ist es der Vorrang der kapitalistischen Praxis vor der christlichen Lehre, der sie parasitär aufsitzt. Kapitalismus ist also eine Form des Neuheidentums. Gerade darin erkennt Benjamin die geschichtsphilosophische Signatur seiner Zeit; er deutet sie als Etappe im großen, "ungeschlichtet geblieben(en)" Kampf zwischen christlicher und germanisch-heidnischer Tradition: "Die ersten Jahrzehnte dieses Jahrhunderts stehen im Zeichen der Technik. Gut! Aber das sagt nur denen etwas, die wissen, daß sie auch im Zeichen der wiedererwachenden ritualen und kultischen Traditionen verlaufen." (III 101)

2. Der Kultus der kapitalistischen Religion dauert permanent an; jeder Tag ist ein Festtag des Warenfetischismus, und die Adepten zelebrieren den Kult unausgesetzt in äußerster Anspannung. Der Kult der kapitalistischen Religion ist natürlich ein Kultus der Ware. Das heißt konkret, daß der Tauschwert zum Gegenstand religiöser Verklärung und zum Medium eines religiösen Rausches wird - das ist die religionssoziologische Begründung eines Schlüsselbegriffs in Benjamins Werk: der Phantasmagorie. Gemeint ist ein Raum des Vergnügens und der Zerstreuung, der sich genau dort auftut, wo der Gebrauchswert der Waren gleichgültig wird. In diese Koordinaten trägt Benjamin sein Passagenwerk ein: "Die Inthronisierung der Ware", ihre Verehrung als Fetisch nach dem Ritual der Mode, ist der einzige Inhalt des kapitalistischen Kultus. Die "theologischen Mucken" der Ware, von denen Marx sprach, also ihr ontologisch zweideutiger Status als "sinnlich-übersinnliches Ding", erscheinen bei Benjamin als Konstituentien der Moderne. Es ist deshalb nicht metaphorisch gemeint, wenn er schreibt: "Weltausstellungen sind die Wallfahrtsstätten zum Fetisch Ware." (V 50f) Und die Passagen sind "Tempel des Warenkapitals" (V 86). Ja, Benjamin geht so weit, an der Eisenkonstruktion der Passage Analogien mit der Barockkirche abzulesen: In der "Warenreihe" der Pariser Passage stecke "ein Rest vom Kirchenschiff" (V 222). So analysiert das Passagenwerk die Sakralarchitektur der kapitalistischen Religion. Hier findet Baudelaires religiöser Rausch der Großstadt seinen konkreten Schauplatz: "die Warenhäuser sind die diesem Rausch geweihten Tempel." (V 109) Konsequent deutet Benjamin die Banknoten

als Heiligenbilder der kapitalistischen Religion. An ihnen wird konkret faßbar, was es heißt, daß die Embleme (des 17.Jahrhunderts im 19.Jahrhundert) als Waren wiederkehren. Banknoten stellen ja als reiner Ausdruck des Tauschwerts zugleich Allegorien dar: "In diesen Dokumenten gebärdet der Kapitalismus sich naiv in seinem heiligen Ernst." Die Ornamentik des Geldes, die Emblematik der Banknoten ist die Reinform der Verklärung des Tauschwerts; sie schiebt sich als Schirm der Phantasmagorie vor die Schwelle jenes Reiches, in dem man - nach gemeinsamer Auskunft von Dante und Marx - alle Hoffnung fahren lassen muß. Genau darauf zielt Benjamins Definition der Bilderwelt des Geldes als "Fassadenarchitektur der Hölle" (IV 139).

3. Die kapitalistische Religion prozediert als verschuldender Kultus. Hier fallen der ökonomische und der theologische Begriff der Schuld zusammen. "Schuld des Geldes" ist also als genitivus objektivus und subjektivus zu begreifen: Geld schulden und Schuld durch Geld vererben. In diesen Koordinaten gewinnt Benjamins frühe Definition des Schicksals als Schuldzusammenhang des Lebendigen gesellschaftliche Prägnanz. Der verschuldende Kultus der kapitalistischen Religion leistet also gerade das nicht, was eigentlich das Wesen des Kultus ist: Praxis der Reinigung zu sein. Benjamin deutet das als Signatur seiner Gegenwart: die Unfähigkeit zur Reinigung und komplementär dazu der Fetischismus der Reinheit. Wer sich aber die Finger nicht schmutzig machen will, ist auch unfähig zur Entsühnung unvermeidlicher Schuld. Deshalb weist Benjamin den Anspruch des Sich-rein-haltens als "halbheidnisch" ab: "Echt religiöses Anliegen ist von jeher, viel mehr als Reinheit bewahren, sie wiedergewinnen." (III 103) In dieser Perspektive wird deutlich, daß - im Zeichen des Kapitalismus - alle Armut mythisch, alles Geld schmutzig und alle Reinheit steril ist. Und zugleich: daß puritanischer Arbeitseifer und hygienische Praktiken falsche Formen der Askese darstellen. "Die Schuld des Geldes ist eine Gestalt der ewigen Schuld, die die Personen tragen, das Fürchterliche ist, daß die Menschen des kapitalistischen Zeitalters sich nicht von ihr zu entsühnen wissen." (II 613) So konstituiert der kapitalistische Kultus das Lebendige als Schuldzusammenhang. Mit dieser These von der kapitalistischen Universalisierung der Schuld tritt Benjamin in Konkurrenz zu Webers religionssoziologischer Begründung des Universalitätsanspruchs okzidentaler Rationalität und zu Freuds religions-psychologischer Begründung des abendländischen Schuldbewußtseins in der Spätantike und der Gegenwart. Offenbar sucht Benjamin den Punkt schöpferischer Indifferenz zwischen Weber und Freud, wenn er schreibt: "Ein ungeheures Schuldbewußtsein, das sich nicht zu entsühnen weiß, greift zum Kultus, um in ihm diese Schuld nicht zu sühnen, sondern universal zu machen, dem Bewußtsein sie einzuhämmern und endlich und vor allem den Gott selbst in diese Schuld einzubegreifen" (VI 100f). So wie der kapitalistische Kultus nicht entsühnt, sondern verschuldet, so hofft der Kapitalismus als Religion nicht auf die Befreiung aus der Verzweiflung, sondern erwartet das Heil aus der Verstetigung der Verzweiflung zum Weltzustand. An die Stelle des Hoffens und Harrens tritt das Durchhalten. Die Schuld erbt sich fort als "Geisteskrankheit", nämlich im Modus der geistigen Ausweglosigkeit. Das ist für Benjamin der eigentliche Inhalt der sog. "Sorgen". Ich kann hier nur andeuten, daß dieser Mensch der Sorge, der sich geistig stets in einem ausweglosen Zustand befindet, der genaue Antagonist des destruktiven Charakters ist, der immer einen Weg weiß; prägnante Kontur gewinnt dieses Aufeinandertreffen dann vor dem Hintergrund von Heideggers Deutung der Sorge als Schlüssel-Existenzial des Daseins, das aus den Verdeckungen und Verstellungen des Alltäglichen ausbricht. Bekanntlich legt der destruktive Charakter das Bestehende in Trümmer, um einen Weg zu bahnen. Dagegen der Kapitalismus: Er scheint sich einen Fortschritt genannten Weg zu bahnen und türmt doch nur Trümmer zum Himmel. Was der berühmte Engel der Geschichte sieht, ist also nicht der Ruin des menschlichen Fortschritts, sondern das Procedere des Kapitalismus als Religion. "Darin liegt das historisch Unerhörte des Kapitalismus, daß Religion nicht mehr Reform des Seins, sondern dessen Zertrümmerung ist." (VI 101)

4. Der verheimlichte Gott der kapitalistischen Religion ist nicht tot, aber auch nicht mehr transzendent. Der universal verschuldende Kultus integriert ihn dem Menschenschicksal. Diese eigentümliche Konzeption Benjamins entspringt dem Versuch, Nietzsches Attentat auf die Religion, die Gestalt des Übermenschen, selbst noch theologisch zu deuten. So erscheint der Übermensch als erste erkennende Erfüllung der kapitalistischen Religion - Erfüllung auch insofern, als in ihm

als Ausdruck totaler Immanenz des Menschlichen der Gott bis zur Unerfragbarkeit verheimlicht ist. Er ist Antichrist in dem präzisen Sinne, daß sich sein Wesen aus der Negation der christlichen Begriffe von Metanoia und wahrer Askese definiert: In der totalen Immanenz des Übermenschen gibt es den apokalyptischen Sprung nur als diskontinuierliches Resultat stetiger Steigerung. So kann Benjamin Nietzsches Unternehmen in prägnanter Antithese zur christlichen Erlösungsutopie einer Sprengung der Höllenpforten definieren: Das Projekt Übermensch zielt auf die "Sprengung des Himmels durch gesteigerte Menschhaftigkeit". Damit bildet Nietzsches Übermensch den genauen Gegenpol zum wahren Politiker Benjamins: "Meine Definition von Politik: die Erfüllung der ungesteigerten Menschhaftigkeit" (VI 99). Denn alle immanente Steigerung ist nur ein Fortschritt in der Verschuldung; sie verstellt die Umkehr. In dieser Perspektive muß dann natürlich auch die Lehre von Marx als erkennende Erfüllung der kapitalistischen Religion, als Vollendung des Schuldzusammenhangs erscheinen: "Der nicht umkehrende Kapitalismus wird (...) Sozialismus." (VI 101f)

*Benjamins Gesammelte Schriften werden im Text nach Band- und Seitenzahl zitiert.

Metamorphosen.
Zur Antikerezeption in der deutschen Literatur nach 1945[1]

von

Bernd Seidensticker

Wie lange

Dauern die Werke? So lange

Als bis sie fertig sind.

So lange sie nämlich Mühe machen

Verfallen sie nicht.

Einladend zur Mühe

Belohnend die Beteiligung

Ist ihr Wesen von Dauer, so lange

Sie einladen und belohnen.

Brecht, aus: Über die Bauart langdauernder Werke

So selbstverständlich und wohlvertraut die große Bedeutung der klassischen Antike für die deutsche Literatur des 17.,18. und19.Jahrhunderts ist und so unübersehbar und eindrucksvoll sich ihre fortzeugende Kraft auch noch bei den Klassikern der Moderne dokumentiert - bei Hofmannsthal, Rilke und George, bei Benn oder Brecht, Thomas Mann oder Hermann Broch - so wenig sind sich, wie mir scheint, klassische Philologen und Literaturwissenschaftler, Kritiker und die literarisch interessierte Öffentlichkeit der bedeutungsvollen Rolle bewußt, die sie auch in der deutschen Nachkriegsliteratur in Ost und West spielt. Moderne Antikerezeption wird bei uns immer noch weitgehend mit Anouilhs 'Antigone' (dtsch. 1946), O'Neills 'Trauer muß Elektra tragen' (dtsch. 1947) oder Sartres 'Fliegen' (dtsch. 1949) gleichgesetzt, mit Giraudoux und Wilder, T.S. Eliot und Ezra Pound, neben die als deutschsprachiger Autor vor allem Bertholt Brecht tritt. Bekannt sind wohl auch Heiner Müllers im Westen sehr erfolgreiche Neugestaltung des sophokleischen 'Philoktet', Peter Hacks freie Bearbeitung des aristophaneischen 'Friedens', die in der Inszenierung von Benno Besson auf westdeutschen Bühnen Triumphe feierte, oder Walter Jens' Fernsehspiele 'Die Verschwörung' (über Cäsars Ende) und 'Der tödliche Schlag' (eine moderne Version des Philoktet-Stoffes). Erst die sensationellen Erfolge von Christa Wolfs 'Kassandra' und Christoph Ransmayrs 'Die letzte Welt' haben das vernachlässigte Phänomen in den Blickpunkt einer breiteren literarischen Öffentlichkeit gerückt und werden vielleicht dazu beitragen, daß die Antikerezeption in der deutschen Literatur nach 1945 die Beachtung und Anerkennung findet, die sie auf Grund ihrer Vielfalt und Qualität verdient[2].

---

[1] Das Manuskript ist vor dem Herbst 1989 entstanden (s. Anm. 9); der Vortragscharakter ist beibehalten. Der Text ist im Gymnasium 98, 1991, 420-453 erschienen; ich danke den Herausgebern der Zeitschrift und dem Carl Winter Verlag für die Erlaubnis des Wiederabdrucks.

[2] Ich habe am Seminar für Klassische Philologie der Freien Universität Berlin damit begonnen, ein computergestütztes kleines Archiv für 'Antikerezeption in der deutschen Literatur nach 1945' aufzubauen, das in absehbarer Zeit allen Interessenten Auskunft über die kreative Arbeit mit antiken Stoffen und Texten, Gestalten, Motiven und Formen geben kann; für jeden Hinweis auf einschlägige Texte oder Sekundärliteratur bin ich dankbar.

An der wissenschaftlichen Aufarbeitung der literarischen Antikerezeption nach 1945 fehlt es im westlichen Teil Deutschlands noch weitgehend. Natürlich finden sich überall in Literaturge- schichten und Zeitungsrezensionen, in Dissertationen und Aufsätzen zur modernen deutschen Literatur Bemerkungen zur Antikerezeption eines zeitgenössischen Autors (bzw. Werks) oder auch Interpretationen eines einzelnen Gedichts oder Dramas; eingehende Studien zur Antikere- zeption bei Müller oder Hacks, Jens oder Fühmann, Bobrowski oder Huchel gibt es jedoch kaum[3]; erst recht keine systematische zusammenfassende Untersuchung. Die Wissenschaft ist - wie das allgemeine Bewußtsein - bei den modernen Klassikern der Antikerezeption stehen- geblieben. Ich erinnere an Ernst Zinns schöne Studie zu Rilke, an Walter Jens' Arbeiten zu Tho- mas Mann und Hugo v. Hofmannsthal oder an Friedrich W. Wodtkes Untersuchung über 'Die Antike im Werk Gottfried Benns' und P. Sprengels eindringliche Studien zur 'Wirklichkeit der Mythen' im Werk Gerhart Hauptmanns.[4]

Ein ganz anderes Bild bietet sich, wenn man den Blick auf die DDR richtet. Hier hat sich in der Nachfolge von P. Witzmanns schmalem Bändchen über 'Antike Tradition im Werk Bertolt Brechts' (Berlin 1964) eine breite Diskussion entwickelt, die von Literaturwissenschaftlern und Kritikern, Kulturpolitikern und Autoren, nicht zuletzt aber auch von den klassischen Philologen geführt wird.[5] Bisheriger Höhepunkt ist die 1984 erschienene monumentale Arbeit von Volker Riedel, 'Antikerezeption in der Literatur der Deutschen Demokratischen Republik'.[6]

Umfang, Vielfalt und Komplexität des Gegenstandes erlauben es nicht, mehr als einen ersten Orientierungsversuch zu bieten. Die 'tour de force' gliedert sich in drei Teile:

1. Ich beginne mit einem knappen Überblick über die Antikerezeption in DDR und Bundesrepu- blik und Vermutungen über die Gründe der augenfälligen quantitativen und qualitativen Un- terschiede in Ost und West.

2. Es folgt eine Reihe von Beispielen, die verschiedene typische Formen und Inhalte der zeitge- nössischen Antikerezeption vorstellen.

3. Den Schluß bildet der Versuch, die wichtigsten Intentionen und Funktionen der Antikerezep- tion zu bestimmen.

---

[3] Soweit ich sehe, liegen lediglich für das Drama größere Überblicksversuche vor: W. Schivelbusch, Sozialistisches Drama nach Brecht, Drei Modelle: Peter Hacks - Heiner Müller - Hartmut Lange, Darmstadt- Neuwied 1974; R. Heine, Mythenrezeption in den Dramen von Peter Hacks, Heiner Müller und Hartmut Lange, Zum Versuch der Grundlegung einer "sozialistischen Klassik", Colloquia Germanica 14.3, 1981, 239- 260; und vor allem W. Emmerich, Antike Mythen auf dem Theater der DDR, Geschichte und Poesie, Vernunft und Terror, in: Dramatik der DDR, hrsg. von U. Profitlich, Frankfurt/M. 1987, 223-65 (dort auch weitere Literatur; dazu kommt jetzt umfangreiche Literatur zu Christa Wolfs 'Kassandra').

[4] E. Zinn, Rilke und die Antike, Antike und Abendland 3, 1948, 201-250 (vgl. auch H.J.Tschiedel, Orpheus und Eurydike, Ein Beitrag zum Thema: Rilke und die Antike, Antike und Abendland 19, 1973, 61-82); W. Jens, Hofmannsthal und die Griechen, Tübingen 1955; id., Der Gott der Diebe und sein Dichter, Thomas Mann und die Welt der Antike, in: W.J., Zur Antike, München 1978², 119-35; F.W. Wodtke, Die Antike im Werk Gottfried Benns, Wiesbaden 1963; P. Sprengel, Die Wirklichkeit der Mythen, Untersuchungen zum Werk Gerhart Hauptmanns aufgrund des handschr. Nachlasses, Berlin 1982.

[5] Zu der großen Arbeit von Volker Riedel (s. Anm. 6) kommen die folgenden zusammenfassenden Darstellungen bzw. Aufsatzsammlungen: E.G. Schmidt, Die Antike in Lyrik und Erzählliteratur der DDR, I, WZJ 18, 1969, 4, 123-41; II, WZJ 20, 1971, 5, 5-62; III, in: Rezeption des Altertums in modernen lit. Werken, hrsg. von H. Gericke, Halle 1980, 7-31; M. Lindner, Antikerezeption in der Dramatik der DDR, Ein Beitrag zur Aneignung des Erbes in der Literatur der DDR, Diss. Leipzig 1972 (masch.); D.. Gelbrich, Antikerezeption in der sozialistischen deutschen Lyrik des 20. Jhdts., Die Begründung einer neuen Rezeptionstradition im lyrischen Schaffen Bechers, Brechts, Maurers und Arendts, Diss. Leipzig 1974 (masch.); Ch. Trilse, Antike und Theater heute, Berlin 1979²; Antikerezeption, Antikeverhältnis, Anti- kebegegnung in Vergangenheit und Gegenwart, Eine Aufsatzsammlung, hrsg. von Dummer /Kunze, Schriften der Winckelmann-Gesellschaft 6, 1-3, Stendal 1983; Antikerezeption heute, Protokoll eines Kolloquiums, hrsg. von M. Kunze, Beiträge der Winckelmanngesellschaft 13, Stendal 1985; L. Hucht- hausen, Antikerezeption in der Lyrik junger Dichter der DDR, Philologus 131, 1987, 132-46; dazu kommen zahlreiche Studien zu einzelnen Autoren oder Texten.

[6] V. Riedel, Antikerezeption in der Literatur der Deutschen Demokratischen Republik, Akad. d. Künste, Berlin 1984; cf. meine Rezension, Arbitrium 1988, 87-91

Eine Reihe von methodischen Vorüberlegungen zum Thema seien vorausgeschickt:

Erstens ist mit 'Rezeption' nicht (im Sinne der modernen Rezeptionsästhetik) die komplexe Wirkungsgeschichte eines antiken Textes und ihre gesellschaftlichen und geistesgeschichtlichen Bedingungen gemeint; der Begriff bezeichnet vielmehr die kreative Aneignung antiken Materials - und zwar jeder Art, d.h. neben die Wiederaufnahme mythologischer und literarischer Stoffe und Gestalten und die Wiederverwendung und Weiterentwicklung literarischer Ausdrucksformen und -mittel tritt gleichberechtigt die Verarbeitung sozialer und historischer, geistes- und kulturgeschichtlicher Fakten und Daten, Entwicklungen und Probleme.

Dabei spielt es zweitens keine Rolle, ob der Rezipient direkt auf die Antike zurückgreift oder ob er sich aus welchen Gründen auch immer einer wie auch immer gearteten Vermittlung bedient, d.h. ob er z.B. wie Heiner Müller Sophokles' 'König Ödipus' über Hölderlin rezipiert, ob er seine literarischen und mythologischen Kenntnisse aus den Primärquellen (wie W.Jens) oder aus Schwab oder Ranke-Graves bezieht (wie z.B. Christa Wolf) oder, was interessanter ist, ob sein 'Prometheus' nicht nur die antike, sondern auch die Goethesche Gestalt evoziert[7] oder sein 'Amphitryon' (wie im Falle Hacks') sich nicht nur mit dem plautinischen Text, sondern auch und vor allem mit Molière, Dryden, Kleist und Giraudoux auseinandersetzt. Für die DDR-Literatur läßt sich in vielen Fällen die mehr oder minder deutliche Auseinandersetzung mit Texten lebender Zeitgenossen feststellen. Die durch Zitat und Echo, durch Antwort, Korrektur und Kritik entstehende Mehrschichtigkeit ist oft von besonderem Reiz.[8]

Drittens ist die zeitliche Fixierung "nach 45" zwar nicht willkürlich gewählt, läßt sich jedoch nicht rigoros einhalten. Auf der einen Seite kann kein Zweifel daran bestehen, daß nach dem Ende des 2. Weltkrieges und des Nationalsozialismus eine neue Epoche der deutschen Literatur beginnt, auf der anderen Seite haben eine Reihe von Autoren, die für unsere Fragestellung von Bedeutung sind, bereits vor 1945 einschlägige Texte produziert, wie z.B. Brecht und Johannes R. Becher, Josef Weinheber und Gottfried Benn.

Viertens gelten meine Überlegungen an dieser Stelle nur einem Teilbereich der literarischen Produktion. Große Bereiche, die für die Beurteilung von Umfang, Bedeutung und Funktion zeitgenössischer Antikerezeption wichtig sind (wie z.B. Kinderbücher und Trivialliteratur, historische Biographien oder Essayistik), bleiben unberücksichtigt.

I. Vergleichender Überblick über die literarische Antikerezeption in Ost und West..[9]

Umfang und Qualität der Antikerezeption in der *DDR-Literatur* sind erstaunlich. Angesichts der drastischen Reduzierung des altsprachlichen Unterrichts an den Gymnasien und der Hand in Hand damit gehenden Einschränkung der klassischen Philologie an den Universitäten mag die große Bedeutung der Antike auf den ersten Blick als paradox erscheinen. Kaum einer der wichtigen DDR-Autoren fehlt in der Reihe der Antike-Rezipienten. Das gilt für die Dramatiker

---

[7] Gerade für die poetische Arbeit an den großen mythologischen Gestalten, Sinnbildern menschlicher Grundsituationen (wie Prometheus, Ikaros oder Sisyphos) gilt, daß die einzelnen Texte vollständig nur zu verstehen sind als Auseinandersetzung mit der reichen modernen Wirkungsgeschichte des jeweiligen Modells.

[8] Cf. z.B. Brecht, 'Heimkehr des Odysseus' (1939) und E. Arendt, 'Odysseus' Heimkehr' (1962), oder G. Maurer, 'Hausherr Odysseus', in: Gestalten der Liebe, Halle 1965, 139, und K. Mickel, 'Odysseus auf Ithaca', in: Vita nova mea, Berlin-Weimar 1966, 51f.

[9] Diese antithetische Konzeption ist zwar jetzt durch die politische Entwicklung überholt, behält aber für den literaturhistorischen Aspekt des Vortrags ihren heuristischen Wert.

Müller, Hacks und Hein ebenso wie für die Lyriker Huchel und Bobrowski, Kunert und Braun[10], und lediglich die Prosa tritt etwas in den Hintergrund, kann jedoch mit Franz Fühmann und Christa Wolf auch bedeutende Repräsentanten vorweisen.

Breite und Vielfalt der Antikerezeption bei einigen dieser Autoren (Müller, Fühmann, Hacks) ist verblüffend[11], und zu den genannten Großen der DDR-Literatur kommen zahlreiche bei uns weniger bekannte Autoren. Unter den Dramatikern sei nur der von Heiner Müller beeinflußte Stefan Schütz genannt, der neben den erschienenen Stücken, 'Laokoon', 'Odysseus' Heimkehr', 'Antiope und Theseus' ('Die Amazonen'), auch ein bisher leider unveröffentlichtes 'Seneca'-Stück geschrieben hat.[12] In der Lyrik kann man kaum einen Band eines DDR-Lyrikers aufschlagen, der nicht Beispiele für unser Thema enthielte, und in der Prosa treten zu Christa Wolf und dem vielseitigsten Autor Fühmann z.B. noch Stefan Hermlins Nacherzählung der Argonautensage[13] und natürlich Anna Seghers[14] und Bertolt Brecht[15] (sowie in der Brecht-Nachfolge zahlreiche historische Erzählungen und Romane).

Wo liegen die Gründe für dieses erstaunliche Phänomen? Eine erste Erklärung mag in der alles beherrschenden Vaterfigur Bertolt Brechts liegen. Brecht hat sich, wie bekannt, seit seiner Schulzeit kritisch-kreativ mit der Antike auseinandergesetzt. Die Zeugnisse dafür reichen von dem Schulaufsatz des Jahres 1915, der dem Augsburger Gymnasiasten fast einen Schulverweis eingetragen hätte, weil er sich mitten in der nationalen Begeisterung am 1. Weltkrieg spöttisch mit dem als Thema gestellten Horaz/Tyrtaios-Gedanken 'Dulce et decorum est pro patria mori' auseinandergesetzt hatte, bis zu dem nicht eben erfolgreichen Versuch, das kommunistische Manifest in ein an Lukrez orientiertes hexametrisches Lehrgedicht umzugießen. Brechts Antikerezeption umfaßt die gesamte griechisch-römische Antike vom Partizip Präsens bis zu Sophokles' 'Antigone'; kein Bereich seiner literarischen Produktion (Lyrik - Drama - Erzählung - Roman) ist ausgeschlossen; sie erscheint in den vielfältigsten Formen: als Übersetzung und Bearbeitung ('Antigone'), aber auch als Neuschöpfung auf der Basis antiken Materials ('Lukullus', 'Horatier und Kuriatier'); als hintergründige Anspielung genauso wie als breit ausgemaltes Exemplum.[16]

Bedenkt man weiter, daß neben Brecht auch andere für die Entwicklung der DDR-Literatur[17] - und für die Kulturpolitik der SED[18] - wichtige Autoren sich immer wieder - und zum Teil intensiv - der Antike zugewandt haben, so können wir durchaus von einer traditionsbildenden Kontinuität der Antikerezeption bei sozialistischen Autoren vor, während und in den ersten Jahrzehn-

---

[10] Zu nennen sind ferner: Karl Mickel (z.B. Odysseus in Ithaca, Gedichte 1957-74, Leipzig 1976, 51, 83f., 103, 108) und Stefan Hermlin (cf. W. Ertl, Stefan Hermlin und die Tradition, Bern-Frankfurt-Las Vegas 1977).

[11] Bei Hacks findet sich sogar eine spielerisch-heitere Auseinandersetzung mit Hrotsvith von Gandersheim, die sich hinter dem Titel 'Rosie träumt' verbirgt.

[12] Dazu kommen z.B. K. Mickel mit seiner schwierigen 'Nausikaa' (1968 uraufgeführt) und die Plautus-Rezipienten Ernst Günther, 'Das gekaufte Mädchen' (nach dem 'Mercator'); Erika Wilde, 'Der Weiberheld' (nach dem 'Miles Gloriosus') oder Armin Stolper, 'Amphitryon'.

[13] Stefan Hermlin, 'Die Argonauten', illustr. von F. Cremer, Berlin (Kinderbuchverlag) 1974; Hermlin nennt in: 'In einer dunklen Welt', Erzählungen, Berlin-Weimar 1970², 242, Plutarch, Livius und Sueton als Vorbilder für sein Buch 'Die erste Reise'.

[14] Anna Seghers, Ges. Werke in Einzelausgaben, Berlin 1961: 'Sagen von Artemis" (entstanden 1940), Bd. 9, 231-58; 'Der Baum des Odysseus' (entstanden 1940), Bd. 9, 275f.; 'Das Argonautenschiff' (entstanden 1948), Bd. 10, 126-43.

[15] B. Brecht, Geschichten von Herrn Keuner ('Herrn K.s Lieblingstier', 'Das Altertum', 'Sokrates'); Kalendergeschichten ('Der verwundete Sokrates', 'Caesar und sein Legionär'); Berichtigung alter Mythen ('Odysseus und die Sirenen', 'Kandaules', 'Ödipus').

[16] P. Witzmann, Antike Tradition im Werk Bertolt Brechts, Berlin 1964; H. Mayer, Bertolt Brecht und die Tradition, Pfullingen 1961.

[17] Zu Erich Arendt cf. Text und Kritik 82/83, 1984, zur Antikerezeption S. 71-110.

[18] Zu Johannes R. Becher und Georg Maurer cf. D. Gelbrich, o. Anm. 5.

ten nach dem 2. Weltkrieg sprechen, und diese Tatsache dürfte einen nicht unwesentlichen Einfluß auf die nachfolgenden Autorengenerationen gehabt haben.

Das allein kann die Bedeutung der Antikerezeption in der DDR-Literatur jedoch nicht erklären. Der Verweis auf Brecht und Seghers, auf Becher, Maurer und Arendt und die von ihnen etablierte Tradition verschiebt die Frage im Grunde nur um eine Dichtergeneration rückwärts. Hier hilft ein Blick auf die Klassiker des Sozialismus, auf Marx und Engels, Lenin und Liebknecht. Marx, der ja bekanntlich 1841 in Jena mit einer Arbeit über die 'Differenz der demokritischen und der epikureischen Naturphilosophie' promoviert worden war, hat sich Zeit seines Lebens mit antiker Geschichte, Mythos und Literatur beschäftigt und dabei immer wieder die Bedeutung vor allem der Griechen für die abendländische Geistesgeschichte und die Entwicklung des Humanismus hervorgehoben[19]; für Engels gilt - in modifizierter Form- dasselbe.

Wichtiger noch als Marx und Engels für die Stellung der Antike in der modernen sozialistischen Kulturpolitik ist Lenins 4. These 'Über proletarische Kultur', nach der "der Marxismus seine weltgeschichtliche Bedeutung als Ideologie des revolutionären Proletariats dadurch erlangt hat, daß er die wertvollsten Errungenschaften des bürgerlichen Zeitalters keineswegs ablehnte, sondern sich umgekehrt alles, was in der zweitausendjährigen Entwicklung des menschlichen Denkens und der menschlichen Kultur wertvoll war, aneignete und es verarbeitete."[20]

Auf diese programmatische Äußerung Lenins stützten sich schon 1932 Lukacz' heftige Angriffe auf den Kultur-Barbarismus des linken Flügels des Bundes proletarisch-revolutionärer Schriftsteller, und mit Hilfe dieser These versuchten die Kommunisten im Rahmen der Volksfrontstrategie bürgerlich-humanistische Schriftsteller zum gemeinsamen Kampf gegen den Nationalsozialismus zu gewinnen. Nach dem 2. Weltkrieg wurde das Konzept von der sich etablierenden DDR übernommen und zu der fortan für die Kulturpolitik des jungen Staates konstitutiven These des "Kulturellen Erbes" weiterentwickelt. Im stolzen Bewußtsein, an die progressiv-antifeudalen Aspekte der bürgerlichen Antikerezeption[21] anzuknüpfen, formuliert Walter Ulbricht auf der 9. Sitzung des Zentralkomitees der SED, angesichts der Dekadenz des Spätkapitalismus sei es umso notwendiger, daß "wir mit der Entwicklung unserer sozialistischen Nationalkultur die großen Traditionen des humanistischen Erbes sorgsam bewahren und für den heutigen Menschen richtig interpretieren und erschließen. Das humanistische Erbe ist für uns weder museales Bildungsgut noch Tummelplatz subjektivistischer Auslegungen. Es ist vielmehr unabdingbarer Bestandteil des humanistischen Menschenbildes unserer sozialistischen Gesellschaft"[22], und in einem Grußwort Alfred Kurellas (Mitglied des ZK und einflußreicher Mitgestalter der DDR-Kulturpolitik) zur Jenaer Arbeitskonferenz 'Das klassische Altertum in der sozialistischen Kultur' (1969) heißt es (in unfreiwilliger Komik) u.a.: "Ich kann mir kaum einen Marxisten denken, der von dem großen Meister nicht die Hochschätzung und Verehrung der Antike übernommen hätte, ... und ich kann mir keinen Sozialisten denken, der nicht verstünde, daß die Welt der Ideen und Bilder, der Begriffe und Gestalten, der Mythen und Theorien, die die europäische Antike hervorgebracht hat, nicht nur zur selten in Anspruch genommen eisernen Ration, sondern zur täglichen Nahrung der sozialistischen Persönlichkeit gehört."[23]

Die DDR-Literaturwissenschaft hat diese Appelle der Kulturpolitik in eine breite wissenschaftliche Arbeit an klassischen Literaturen umgesetzt und dabei unter dem Leitgedanken des "Erbes" (oder der "Erworbenen Tradition") auch die Antike nicht vergessen. So heißt es in der am Zentralinstitut für Literaturgeschichte der Deutschen Akademie der Wissenschaften unter Leitung

---

[19] Cf. das Sonderheft der Zeitschrift Arethusa 8.1, 1975, Marxism and the Classics (mit ausführlicher Bibliographie zum Thema.

[20] W.I. Lenin, Werke, Berlin 1970⁴, Bd. 31, 308.

[21] Dazu W. Jens, Antiquierte Antike, Münsterdorf 1971.

[22] W. Ulbricht, zitiert nach G. Zinserling, Einleitung zur Arbeitskonferenz; Das klassische Altertum in der sozialistischen Kultur, WZJ 18 H. 4, 1969, 6.

[23] A. Kurella, Grußadresse, in: G. Zinserling, s. Anm. 22,6.

Robert Weimanns kollektiv erarbeiteten grundsätzlichen Studie 'Zur Tradition des Realismus und des Humanismus': "Das kulturelle Erbe des griechisch-römischen Altertums hat als Zeugnis für eine wichtige Phase in der Entwicklung der schöpferischen Kräfte des Menschen und des gesamtgesellschaftlichen Fortschritts eine nicht geringe Bedeutung für die Bewußtseinsbildung und die Formung des Menschenbildes in der sozialistischen Gesellschaft."[24]

Auf diesem Hintergrund wird die Breite und Vielfalt der Antikerezeption in der DDR-Literatur verständlich - und wie wir noch sehen werden, ermöglichte die Erbe-Theorie den Dichtern auch Rückgriffe auf und Verwendung von Antike, die nicht ins politische Konzept der offiziellen Kulturpolitik paßten.[25]

Werfen wir nun einen Blick auf die Situation in der Bundesrepublik, so zeigt sich, daß die westdeutsche Literaturszene der breiten Antikerezeption in der DDR lange Zeit nichts Gleichwertiges entgegenzusetzen hat. Sieht man von dem Sonderfall des Schriftstellers, Literaturkritikers und Klassischen Philologen Walter Jens ab, dessen literarisches Œvre - man möchte sagen: natürlich - stark von seinen klassisch-philologischen Studien geprägt ist, so gibt es kaum einen Autor, für den die kreative Rezeption der antiken Welt und ihrer künstlerischen Leistungen von mehr als vorübergehender oder nebensächlicher Bedeutung ist. Fehlt in der DDR, wie wir gesehen haben, kaum einer der großen Namen in der Liste der für die Fragestellung interessanten Autoren, so gehört umgekehrt aus der deutschsprachigen Literatur des Westens kaum einer der Großen dazu, und stößt man einmal auf ein interessantes Beispiel, dann zeigt sich schnell, daß es sich um eine vereinzelte, für das Werk des Autors wenig bedeutungsvolle Verwendung antiker Formen, Themen, Gestalten und Motive handelt. So arbeitet z.B. Max Frisch in seiner berühmten NS-Parabel über das Ich-habe-von-nichts-gewußt-Syndrom 'Biedermann und die Brandstifter' mit einem deutlich von der griechischen Tragödie (vor allem von Sophokles' 'Antigone') inspirierten Chor (der städtischen Feuerwehr), dessen Kommentare die Handlung deutend begleiten:

Feuergefährlich ist viel,

Aber nicht alles, was feuert, ist Schicksal,

Unabwendbares.

Anderes nämlich, Schicksal genannt,

Daß du nicht fragest, wie's kommt,

Städtevernichtendes auch, Ungeheures

ist Unfug.

Viel mehr als eine hübsche antikisierende Verzierung ist das aber nicht - in der Hörspielfassung des Textes fehlen die Chortexte ganz; so hat weiter der zweite der großen Schweizer Nachkriegsdramatiker Friedrich Dürrenmatt für eine Satire auf seine geliebt-gehaßte Heimat die berühmte Geschichte von Herakles' Reinigung des Augiasstalls dramatisiert; verglichen mit den großen Dramen Dürrenmatts ist die kleine Satire aber zweitrangig; so hat schließlich Marie Luise Kaschnitz für ihre Dichtung immer wieder einmal antike Mythen oder auch antike Literatur und Kunst fruchtbar gemacht[26]; aber auch für ihre dichterische Arbeit ist die Antikerezeption

---

[24] R. Weimann (u.a.), Zur Tradition des Realismus und Humanismus, Kontinuität und Hauptentwicklungslinien des humanistischen und realistischen Kunsterbes, Weimarer Beiträge 16, 1970 H. 10, 31-119, 45.

[25] Cf. u. S. 152ff.

[26] M. L. Kaschnitz, Ges. Werke in sieben Bänden, Frankfurt/Main 1981 ff.: *Gedichte*: z.B. 'Südliche Landschaft', V 25-53; 'Ewige Stadt' I-XXVI, V 229-42; 'Sizilischer Herbst', V 261-70; *Hörspiele*: 'Jasons letzte Nacht', VI 65-101; 'Die Reise des Herrn Admet', VI 283-311; *Prosa*: 'Griechische Mythen' (1943), I 569-690; der

nicht von großer oder gar zentraler Bedeutung.[27] Scheint einmal ein westdeutscher Autor nachhaltig beeinflußt von der Antike und die kreative Auseinandersetzung mit ihr oder die Verwendung antiker Elemente für die eigene Dichtung wirklich bedeutungsvoll, dann stammt er wahrscheinlich aus der DDR, wie z.B. Stefan Schütz, dessen große Romantrilogie 'Medusa' 1986, fünf Jahre nach seiner Übersiedlung in den Westen erschien[28], oder auch Hartmut Lange, dessen antike Stücke 'Herakles, 'Die Ermordung des Aias oder Ein Exkurs über das Holzhacken' sowie das stark autobiographische Stück 'Staschek oder Das Leben des Ovid' zwar erst nach seiner Übersiedlung in den Westen geschrieben bzw. publiziert sind, ihre Entstehung aber zweifellos letztlich dem nachhaltigen Einfluß seiner Entdecker und geistigen Väter Müller und Hacks verdanken und in erster Linie für ein DDR-Publikum gedacht sind. Der Prolog von 'Staschek oder Das Leben des Ovid' lautet denn auch:

> Ihr seht in diesem Stück wie jemand flieht
>
> und was er floh, dort, wo er ankommt, sieht.
>
> Das neue Land erlaubt ihm keinen Blick
>
> als in den Spiegel und der zeigt - zurück.
>
> Die Blindheit links macht ihn, was rechts ist, sehn.
>
> Dazwischen liegt ein Fluß, ihr werdets schon verstehn.[29]

Zum jetzigen Zeitpunkt meiner Materialsammlung ist die Ausbeute für den Westen - jedenfalls im Vergleich zur DDR-Literatur - noch recht gering: Ein paar *Theaterstücke*: Rühmkorfs 'Was heißt denn hier Volsinii' mit dem Untertitel 'Szenen aus dem Wirtschaftsleben des alten Rom'; M.L.Kaschnitz' Hörspielfassung des Alkestis-Stoffes 'Die Reise des Herrn Admet'; die schon genannten Fernsehspiele von Walter Jens (s.o.S.). Fehlanzeige dagegen bei den bedeutenden zeitgenössischen Dramatikern, bei Thomas Bernhardt und Xaver Krötz, bei Kipphardt, Hochhuth und Weiß. Eine interessante Ausnahme stellt nur Botho Strauß dar, der in einer Reihe seiner Stücke auch mit antikem Material arbeitet.[30] Auch im Bereich der Prosa ist wenig Nennenswertes zu finden. Keiner der großen Romanciers unserer Zeit hat sich von Thomas Mann oder Hermann Broch anregen lassen: Grass und Walser fallen ebenso aus wie Lenz und Böll (sieht man einmal ab von der frühen Erzählung 'Wanderer kommst du nach Spa'[31]); immerhin findet sich in den ersten Jahren nach dem Krieg manches Interessante bei Arno Schmidt[32], bei Ernst Jünger[33] und bei Erich Nossack[34]; dazu kommen Hochhuths Erzählung 'Berliner Antigone', Jens

---

Schwerpunkt der Antikerezeption liegt im Frühwerk (I 689: "Nach dem 2. Weltkrieg habe ich mich aus dem Bann des Mythologischen und dem der südlichen Landschaft gelöst").

[27] Dasselbe gilt für andere bedeutende Lyriker; auch bei Paul Celan, Günter Eich und Ingeborg Bachmann, bei Hans Magnus Enzensberger, Peter Rühmkorf und vor allem bei Erich Fried finden sich antike Elemente, aber immer nur vereinzelt, nie konstitutiv auch nur für eine Phase ihrer poetischen Produktion.

[28] Stefan Schütz, Medusa, Hamburg 1986; zu den Dramen s.o.S. 131.

[29] Alle Dramen jetzt in: Hartmut Lange, Vom Werden der Vernunft und andere Stücke fürs Theater, Zürich 1988.

[30] Botho Strauß, z.B. 'Park' (troj. Krieg u.a.); 'Die Zeit und das Zimmer' (Medea); 'Die Fremdenführerin' (Atriden u.a.); zum Mythos in 'Park' cf. H. Herwig, Verwünschte Beziehungen, verwebte Bezüge, Zerfall und Verwandlung des Dialogs bei Botho Strauß, Tübingen 1986, 157-75.

[31] Beobachtungen zur Antikerezeptin bei Günter Grass jetzt von F. Sieveking, Platonimitation bei Günter Grass?, Christianeum, Mitteilungsblatt der Freunde des Christianeums 45.1, 1990, 27f.

[32] Arno Schmidt, 'Enthymesis oder W.I.E.H.'; 'Gadir oder Erkenne dich selbst'; 'Alexander oder Was ist Wahrheit', alle in: A.S., Werke I₁ (Bargfelder Ausgabe) 1987.

[33] Zu Ernst Jünger cf. R. Gruenter, Philemon und Baucis, Zum 95. Geb. von Ernst Jünger, Merkur 494 (Jg. 44 H.4) April 1990, 313-20, 314: "Hier (sc. in J.s Bibliothek) stehen auch die Regale mit den Schriften antiker Autoren, die Jünger immer wieder zu Rate zieht. Ein "Autor" ohne ihre Kenntnis ist für Jünger kein homo

'Testament des Odysseus' oder Schnabels Odyssee-Roman 'Der 6. Gesang'. Nicht viel, wenig wirklich Bedeutendes; das Interessanteste sicher Peter Weiß' Auseinandersetzung mit dem Mythos Herakles in 'Ästhetik des Widerstands' (1975ff.). Nur vereinzelt auch *Gedichte*; hier ist vor allem Erich Fried zu nennen; daneben einzelnes bei Celan und Eich, bei Kaschnitz und Bachmann, bei Enzensberger und Rühmkorf, und einmal ein hübscher Griechenlandzyklus des jung verstorbenen Volker von Törne[35].

Ist dieser Eindruck von der relativ geringen Bedeutung der Antikerezeption für die zeitgenössische westdeutsche Literatur (ein Eindruck, der allerdings noch nicht auf einer systematischen Überprüfung der gesamten literarischen Produktion beruht) richtig, so ergibt sich wie für die DDR auch für den Westen ein bemerkenswertes Paradox: das umgekehrte allerdings. Der vielfachen und vollmundigen Beschwörung der griechisch-römischen Antike als Ursprung des europäischen Abendlandes und unerschöpflichen Quelle geistiger Erfrischung und Erneuerung durch Pädagogen, Kulturpolitiker und Festredner, der im Vergleich zur DDR noch großen Bedeutung zumindestens des Lateinischen an Schule und Universität, der großen Zahl und Verbreitung von Übersetzungen und zweisprachigen Ausgaben: all diesem steht die verhältnismäßig geringe Bedeutung der Antikerezeption für die zeitgenössischen Autoren gegenüber.

Wo mögen in diesem Falle die Gründe für das Paradox zu suchen sein? Die Tatsache, daß Schwabs 'Sagen des klassischen Altertums' nicht mehr auf dem Konfirmationstisch liegen, ist ja eher ein weiteres Symptom für das zu erklärende Phänomen, nicht seine Erklärung. Liegt es vielleicht daran, daß es im Westen keine so beherrschende Vaterfigur wie Brecht gab bzw. gibt, die mit ihrem Beispiel der Antikerezeption den folgenden Generationen Anregung und Rechtfertigung zugleich hätte liefern können? Rilke war 1945 fast vergessen - gewiß kein Vorbild für die nüchterne Bestandsaufnahme der sogenannten 'Kahlschlagliteratur' des Neuanfangs nach dem Krieg; Stefan George (aber auch Friedrich Georg Jünger und Josef Weinheber) desavouiert oder gar belastet durch ihre 'tausendjährige' Wirkung; blieb schließlich Gottfried Benn, ein umstrittener Einzelgänger, dessen stark von Nietzsche geprägte Antikerezeption offenbar lange Zeit auch nicht zur Nachahmung einlud.

Hat Peter Hacks recht mit seiner an Arnold orientierten These, daß die unbedingte Originalitätssucht und der allgemeine Traditionsverlust der westlichen Moderne verantwortlich oder doch mitverantwortlich seien dafür, daß die jahrhundertealte Kontinuität der Antikerezeption gestört erscheint[36]; oder erklärt eher der nachhaltige Schock, den die Verführbarkeit und Verfügbarkeit des Humanismus durch die Ideologie des Unmenschen auslöste, die Distanz der westlichen Intelligenz? Für Letzteres spricht vielleicht, daß sich in den 80er Jahren - jedenfalls, wenn man die gesamte deutschsprachige Literatur betrachtet - die Situation zu ändern scheint. Peter Weiß, Botho Strauss und Christoph Ransmayr habe ich schon genannt; nimmt man den sich immer intensiver mit antiken Texten, Ideen und Idealen auseinandersetzenden Peter Handke[37] hinzu und vergißt auch Hubert Fichte nicht, dessen Bedeutung für die moderne Antikerezeption mit jeder Veröffentlichung aus dem Nachlaß deutlicher wird[38], so zeigt sich, daß wieder mehr wichtige Autoren an die alte Tradition anknüpfen.

---

litteratus." Vgl. bes. M. Engel, Im Morgenrot Herodots, in: Farbige Säume, Ernst Jünger zum 70. Geburtstag, Stuttgart 1965, 73-87.

[34] Hans Erich Nossack, 'Nekyia, Bericht eines Überlebenden' (1947); 'Orpheus und'; 'Kassandra', in: Interview mit dem Tode (1948); sowie eine Reihe kurzer Texte in: Pseudoautobiographische Glossen (1971).

[35] Volker von Törne, Halsüberkopf: Arkadische Tage, Sonettenkranz, allegro molto, Berlin 1980.

[36] P. Hacks, Über Langes "Marski", in: Die Maßgaben der Kunst, Ges. Aufsätze, Düsseldorf 1977, 126.

[37] Zu Handke cf. den gründlichen Aufsatz von B. Schnyder, Ja, das sind so die seltsamen Abenteuer des Übersetzens - zu Peter Handkes Prometheus-Übersetzung und seiner Begegnung mit der Antike, Poetica 20, 1988, 1-31.

[38] Hubert Fichte (zitiert nach der Fischer-Ausgabe, Geschichte der Empfindlichkeit, 1987ff.): neben den Radio-Essays, 'Mein Freund Herodot' (I 381-407), 'Wer war Agrippina' (I 477-82), 'Ein neuer Martial' (II 61-74), 'Männerlust und Frauenlob, Anmerkungen zur Sapphorezeption und zum Orgasmusproblem' (II 75-

II. Beispiele

Im zweiten, etwas längeren Hauptteil wird eine Reihe von Beispielen für die vielfältigen Formen der Antikerezeption in der deutschen Literatur nach 1945 vorgestellt. Natürlich kann es sich dabei nur um eine kleine Auswahl handeln, und die Interpretation muß sich auf das Allernotwendigste beschränken. Auswahlkriterium ist neben der literarischen Qualität des Textes in erster Linie seine repräsentative Bedeutsamkeit: er soll charakteristisch sein und instruktiv für eine der verschiedenen Formen und Funktionen der Antikerezeption. Die Beispiele sind alle aus der Lyrik gewählt, da andere Texte zu umfangreich sind, als daß sie in diesem Rahmen vorgestellt werden könnten; ich werde aber versuchen, wenigstens anzudeuten, ob und in welchem Maße das für die Lyrik Aufgezeigte auch für Drama und Prosa gilt.

1. Ich beginne mit einem der schönsten Gedichte von Günter Eich, dem ersten Gedicht seiner 1955 erschienenen dritten Gedichtsammlung 'Botschaften des Regens':

Ende des Sommers

Wer möchte leben ohne den Trost der Bäume!

Wie gut, daß sie am Sterben teilhaben!
Die Pfirsiche sind geerntet, die Pflaumen färben sich,
während unter dem Brückenbogen die Zeit rauscht.

Dem Vogelzug vertraue ich meine Verzweiflung an.
Er mißt seinen Teil von Ewigkeit gelassen ab.
Seine Strecken
werden sichtbar im Blattwerk als dunkler Zwang,
die Bewegung der Flügel färbt die Früchte.

Es heißt Geduld haben.
Bald wird die Vogelschrift entsiegelt,
unter der Zunge ist der Pfennig zu schmecken.

Ein modernes Gedicht, das jedoch mit vielen Wurzeln in alten, auch in antiken Boden hinunterreicht und gerade aus alten Vorstellungen und Bildern seine ruhige Kraft und stille Schönheit gewinnt. Das gilt z.B. schon für die uns aus der antiken Dichtung seit Homer wohlvertraute metaphorische Parallelisierung des menschlichen Lebens mit Werden und Vergehen der Natur, und es gilt auch für das eng mit dem Namen Heraklit verbundene Bild des menschlichen Lebens als Strom, das im vierten Vers des Gedichts anklingt, oder für die ebenfalls seit Homer immer wieder beschworenen Vogelzüge (besonders der Kraniche) als Zeichen für Frühling und Herbst.

---

105) 'Patroklos und Achilleus, Anmerkungen zur Ilias' (II 143-81) auch Kleinigkeiten in den Romanen (z.B. 'Forschungsbericht' (XV 32ff.).

Bei all diesem handelt es sich allerdings trotz der antiken Parallelen und möglichen Assoziationen nicht um Antikerezeption im eigentlichen Sinne; die Bilder sind vielmehr (um mit Killy zu sprechen) "Elemente der Lyrik" aller Zeiten und Völker, nicht an bestimmte antike Texte und Vorstellungen gebunden und jedem Leser auch ohne Kenntnis der antiken Literatur unmittelbar in ihrer Bedeutung verständlich. Anders dagegen liegen die Dinge am Ende des Gedichts, wenn der Dichter, der in seiner Verzweiflung angesichts der unwiederbringlich dahinrauschenden Zeit und des damit unaufhaltsam näherrückenden Todes zunächst Trost in der Erkenntnis findet, daß auch die Natur am Sterben teilhat, plötzlich noch eine trostspendende Hoffnung beschwört:

> Es heißt Geduld haben.
>
> Bald wird die Vogelschrift entsiegelt,
>
> unter der Zunge ist der Pfennig zu schmecken.

Hier scheint bereits in der Metapher "Vogelschrift", die bald entschlüsselt wird, eine Reminiszenz an die antike Vogelschau und die ihr zugrundeliegende Vorstellung anzuklingen, daß der Vogelflug göttliche Botschaften und Befehle enthülle, und eindeutig ist der Verweis auf die Antike dann im letzten Vers des Gedichts. Hier ist der Leser verloren ohne Kenntnis des griechischen Kultbrauchs, den Eich hier als wunderbar konkretes und komplexes Symbol für die spürbare Nähe des Todes und den damit verbundenen fade-bitteren Geschmack im Munde, zugleich aber auch für die Hoffnung auf ein Jenseits, zitiert. Man muß wissen, daß die Griechen ihren Toten als Fährgeld für Charon eine Münze (den noch sprichwörtlichen Obolos) unter die Zunge legten, sonst bleibt der Schluß des Gedichts dunkel. Eich variiert hier übrigens einen Gedanken, der sich in vielen seiner Gedichte (und dazu in theoretischen Äußerungen des Dichters und in seinen Hörspielen) findet: die Vorstellung, daß sich hinter der Welt der Erscheinungen (oder besser *in* ihr) eine tiefere Wahrheit verbirgt, ein geheimer Sinn (Eich spricht auch von "Botschaft"), der sich uns aber erst im Tode ganz enthüllen wird. Das antike Gewand, in das er diesen so oft geäußerten Gedanken in diesem Gedicht kleidet, ist nicht nur besonders poetisch, sondern auch besonders passend. Die antike Vorstellung verleiht dem Gedicht über Vergänglichkeit, Tod und Hoffnung eine große zeitliche Tiefe. So alt wie der Kreislauf der Natur, so alt wie das Verrauschen der Zeit, so alt wie die Verzweiflung der Menschen an der Vergänglichkeit, so alt ist auch die Hoffnung auf einen Sinn, auf eine tiefe Wahrheit, auf eine Welt, die sich erst nach dem Tode öffnet.

Diese Technik der Integration eines einzelnen antiken Details von großer symbolischer oder visueller Kraft in einem insgesamt un-antiken Kontext ist eine der vielfältigen Formen kreativer Antikerezeption in der zeitgenössischen Literatur, eine Technik, die sich auch in Prosa und Drama aufzeigen ließe. Herkunftsbereiche (Mythos und Literatur, Geschichte und Kulturgeschichte) sowie Zahl und Umfang der Einzelelemente variieren natürlich stark. Ihre Funktion läßt sich nicht verallgemeinernd bestimmen; sie muß in jedem einzelnen Falle (wie eben bei Eich versucht) neu geklärt werden.

Die folgenden Beispiele sind nach Herkunftsbereichen des verarbeiteten antiken 'Materials' geordnet (Kunst, Landschaft, Metrik, Mythos, Literatur, Geschichte).

2. Nur vereinzelt finden sich Gedichte über antike Bauten und Kunstwerke.

Marie Luise Kaschnitz:

Herkules in der Villa Borghese

Fremder Pflanzen fleischiges Umschlingen
legt sich um den grauen Gott aus Stein.
Mit der mächtigen Glieder stummem Ringen
will er ewig wieder sich befreien.

Um das Haupt, im Schmerz zurückgebogen,
ist von goldnem Wespenflug ein Schweben:
Nester bauend im gebrochnen Auge
steigt aus dem zerfallnen Leib das Leben.

Das Gedicht steht überdeutlich in der Tradition Rilkes, der auch sonst wiederholt Pate gestanden haben mag, z.B. in einem kleinen Zyklus des DDR-Lyrikers Gottfried Unterdörfer, der 13 Sonette auf Plastiken (ägyptische und griechisch-römische) vereint.[39]

3. Eine dritte (weit besser repräsentierte) Form der Antikerezeption ist im Titel von M.L. Kaschnitz' Heraklesgedicht bereits angeklungen: Texte, die aus der Begegnung mit der griechischen und italienischen Landschaft und der in ihr überall sicht- und spürbaren antiken Vergangenheit hervorgehen. Hier gibt es zwar eine Menge Zweit- und Drittklassiges (das nicht weit von altphilologischer Touristenlyrik entfernt ist), aber auch meisterhafte, zu den Höhepunkten deutscher Nachkriegslyrik zählende Gedichte von Peter Huchel.[40]

Elegie

Es ist deine Stunde, Mann auf Chios,
Sie naht über Felsen
Und legt dir Feuer ans Herz.
Die Abendbrise mäht
Die Schatten der Pinien.
Dein Auge ist blind.
Aber im Schrei der Möwe
Siehst du metallen schimmern das Meer,
Das Meer mit der schwarzen Haut des Delphins,
Den harten Ruderschlag des Winds
Dicht vor der Küste.

---

[39] In der Tatsache, daß Unterdörfer nicht Meisterwerke griechischer Großplastik, sondern schlichte, unbekannte Stücke - nicht Herakles oder Apollon, sondern einfache kleine Leute - besingt (Titel z.B. 'Alexandrinischer Bettler' oder 'Arkadischer Hirte') offenbart sich, sogar in dieser 'Kleingattung', die für die DDR-Antikerezeption im Anschluß an Brecht besonders wichtige 'sozialistische Perspektive'.
[40] Cf. ferner M.L. Kaschnitz, s. Anm. 26, und Erich Arendt, Starrend vor Zeit und Helle, Gedichte der Ägäis, München 1980; zu Peter Huchels Gedicht, 'An taube Ohren der Geschlechter', s.u.S. 147.

Hinab den Pfad,

Wo an der Distel

Das Ziegenhaar weht.

Siebensaitig tönt die Kithara

Im Sirren der Telegrafendrähte.

Bekränzt von welligen Ziegeln

Blieb eine Mauer.

Das Tongefäß zerbrach,

In dem versiegelt

Der Kaufbrief des Lebens lag.

Felshohe Gischt,

Felslechzende Brandung,

Das Meer mit der Haut des Katzenhais.

Am Kap einer Wolke

Und in der Dünung des Himmels schwimmend,

Weiß vom Salz

Verschollener Wogen

Des Mondes Feuerschiff.

Es leuchtet der Fahrt nach Ios,

Wo am Gestade

Die Knaben warten

Mit leeren Netzen

Und Läusen im Haar.

Abend auf Chios, der (wahrscheinlichen) Heimat Homers. In die knappe, aber ungemein plastische Beschwörung der kargen griechischen Insel sind am Anfang, in der Mitte und am Ende Reminiszenzen an ihren berühmtesten Sohn verwoben: Homer, der blinde-sehende Sänger (Teil 1) mit seiner Kithara (Teil 2), der - wie der anekdotische 'Wettkampf Homers und Hesiods' erzählt - am Ende seines Lebens nach Ios reist und dort stirbt, nachdem er das Läuserätsel junger Fischer, die mit leeren Netzen heimkehren (Teil 3), nicht hat lösen können: was wir fingen, haben wir zurückgelassen; was wir nicht fingen, bringen wir mit.[41]

Aus der Prosa kann man unter dieser Kategorie auch an die zahlreichen literarisch ambitionierten Reiseberichte erinnern, an deren jahrhundertealte Tradition z.B. Walter Jens mit seinem 'Journal einer Griechenlandreise', 'Die Götter sind sterblich', anschließt.[42]

4. Bevor ich auf die drei wichtigsten Formen der Antikerezeption eingehe, sei noch eine seltene, doch sehr interessante Form angesprochen, die sich erst auf den zweiten Blick zu erkennen gibt:

---

[41] *Certamen Homeri et Hesiodi*, Z. 321.ff.
[42] W. Jens, Die Götter sind sterblich, Pfullingen 1959.

Abends

Ehe die Boote fort

treiben, eins um das andere,

da lieb ich dich

bis an den Morgen.

In diesen ersten Versen aus dem Gedicht 'Fischerhafen' von Johannes Bobrowski, einem der größten unter den modernen deutschen Lyrikern, handelt es sich nicht um die Rezeption von Inhalten, sondern um die Rezeption antiker Form, um eine faszinierende kreative Aneignung und Weiterentwicklung äolischer Metren. Bobrowski, der auf dem berühmten Kneiphöfschen Gymnasium in Königsberg Griechisch und Latein gelernt und in seiner kleinen erlesenen Handbibliothek eine ganze Reihe von Ausgaben antiker Autoren um sich hatte, hat sich zu seinen ersten dichterischen Versuchen in einem Interview einmal wie folgt geäußert: "Ich wollte, und das ist der Anfang meiner Schreiberei, damals - das ist 1943/44 gewesen, im Kriege - die russische Landschaft festlegen....Diese Landschaft, die mir vertraut war, weil ich dort oben aufgewachsen bin, die mir aber damals doch neu und bestürzend vorkam, die wollte ich darstellen. Ich habe es mit Zeichnungen und dann mit Prosa versucht. Schließlich fand ich ein Hilfsmittel: die griechische Ode, in der von Klopstock bis Hölderlin versuchten Eindeutschung. In dieser Form also, in der alkäischen, sapphischen Strophe entstanden meine ersten Versuche."[43] Diese ersten Versuche haben vor seinem eigenen, sehr kritischen Urteil später offenbar nicht mehr bestehen können; er hat sie in keine der von ihm selbst edierten Sammlungen aufgenommen. Allerdings finden sich auch in diesen Bänden einzelne Gedichte in der alkäischen bzw. sapphischen Strophe.[44]

Sappho

Sappho, Freundin, Träume der Mädchen deine

Lieder: goldne Nägel im Bogentore

dieser Nacht, die dein war und die unsre

ist und unendlich.

Gönnst dem Länderfremden an deines Verses

Stufe eine Zeit, ein Verweilen; sieh, er

taumelt fort, dem Chaos entkommen für den

Zug eines Atems.

Das Gedicht ist geradezu der poetische Ausdruck des im Interview formulierten Gedankens: Schönheit und Form der sapphischen Lieder gönnen dem länderfremden Bobrowski im Rußlandfeldzug einen kostbaren Moment des Verweilens. Für einen Atemzug vergißt der Dichter in der kreativen Auseinandersetzung mit seinem Vorbild Sappho das Chaos des Krieges.

Doch diese Rezeption antiker Strophenformen, die nach Bobrowskis eigenen Worten an Klopstock und Hölderlin anschließt[45] (dazu kommen, wie sich zeigen ließe, auch F.G. Jünger und J.

---

[43] Johannes Bobrowski, Selbstzeugnisse und Beiträge über sein Werk, Berlin 1975, 56.
[44] Z.B. 'Ode auf Thomas Chatterton' (sapphische Strophe) bzw. 'Der Muschelbläser' (alkäische Strophe).
[45] Selbstzeugnisse, s. Anm. 43,56.

Weinheber), ist weniger interessant, weil weniger originell als seine schöpferische Variation der traditionellen metrischen Formen, die an die Kreativität erinnert, mit der die äolischen Lyriker die Grundelemente variierten und in immer neuen Kombinationen zu immer neuen Formen zusammenfügten.

Bobrowski erklärt in dem Interview weiter: "Dann habe ich das Schreiben wieder bleibenlassen eine ganze Zeit. Erst nach der Gefangenschaft, also erst 1952...habe ich es noch einmal aufgenommen, nun eigentlich sofort in einer äußerlich freien Form - die allerdings für Leute, die etwas von Metrik verstehen, ziemlich deutlich die griechischen Odenstrophen und Versschemata verrät."[46] Die Germanisten, die sich ausgehend von diesen Selbstaussagen Bobrowskis mit seiner Metrik befaßt haben,[47] gehen m. E. in ihren Analysen von zu kleinen metrischen Einheiten aus, sprechen von freien Kombinationen aus Trochäen, Jamben, Spondeen und vor allem dem Klopstockschen Choriambus und treffen damit die wunderbar musikalische innere Form der Lyrik Bobrowskis nicht, der wie die äolischen Lyriker (ja, noch freier als diese) mit größeren rhythmischen Einheiten arbeitet: mit Glykoneus und Pherekrateus, Asklepiadeus und den sapphischen und alkäischen Elfsilbern sowie ihren Teilen. Das kann im Einzelnen hier nicht vorgeführt werden. Zu den oben zitierten Versen aus 'Fischerhafen'[48] mögen zwei weitere Beispiele treten:[49]

Anfang von **'Die Frauen der Nehrungsfischer'**:

Wo das Haff	} *Pherecrateus*
um den Strand lag	
dunkel, unter der Nacht noch,	*Pherecrateus*
standen sie auf im klirrenden	} *3x Adoneus*
Hafer. Draußen die Boote	
sahen sie, weit.	⌃ *Adoneus (cho)*

Anfang von **'Auf der Taurischen Straße'**:

Dieser Abend: im Wind -	} *Asclepiadeus minor*
Wasser, es trägt uns fort	
über die Tiefe -	*Adoneus*
oder die halbe Nacht	*2. Hälfte Asclep. minor*
kommt auf der Wachtel ängstlichem	} *6da (oder Adoneus, Ado-*
Fluchtweg, mit bebenden Flügeln -	} *neus, x Adoneus)*

Aneignung und Weiterentwicklung der äolischen Metrik: das ist eine ungewöhnliche Form der Antikerezeption, der man allenfalls die erstaunlichen Hexameter Heiner Müllers[50] (der sich üb-

---

[46] Selbstzeugnisse, s. Anm. 43,56.

[47] R. Rittig, Zur Bedeutung der klassischen Odentradition für Johannes Bobrowski, Studien zu Werken der sozialistischen Literatur, hrsg. von G. Hartung u.a., Berlin-Weimar 1977, 148-93; M. Seidler, Bobrowski, Klopstock und der antike Vers, in: Lebende Antike, Symposion für R. Sühnel, hrsg. von H. Meller und H.-J. Zimmermann, Berlin 1967, 542-554.

[48] Auftakt mit zwei Glykoneen, dann nach vier 'Längen' (Gewicht, Ruhe) Abschluß mit einem Adoneus.

[49] Zur Metrik Bobrowskis werde ich mich an anderer Stelle ausführlicher äußern.

[50] 'Philoktet 1950', 'Geschichten von Homer', 'Oidipus-Kommentar'.

rigens in einem seiner beiden Horazgedichte auch an Hinkjamben versucht hat[51]) an die Seite stellen kann, oder die meisterhaften Jamben in Peter Hacks' Drama 'Der Tod des Seneca'.[52] Nicht unerwähnt bleiben darf in diesem Zusammenhang die jambische Stilisierung großer Partien in Christa Wolfs 'Kassandra'.

> Gestandne Männer wurden totenbleich. Sie ist verrückt, hört ich es flüstern. Jetzt ist sie verrückt. Und der König Priamos der Vater erhob sich langsam, furchterregend und brüllte dann, wie ihn nie einer brüllen hörte. Seine Tochter! Sie, von allen sie mußte es sein, die hier im Rat von Troia für die Feinde sprach. Anstatt eindeutig, öffentlich und laut hier und im Tempel so wie auf dem Markt für Troia zu sprechen. Ich sprach für Troia, Vater, sagte ich noch leise. Ein Zittern konnte ich nicht unterdrücken. Der König schüttelte die Fäuste, schrie: Hätt ich denn Troilos' des Bruders Tod so schnell vergessen! Hinaus mit der Person. Sie ist mein Kind nicht mehr. Die Hände wieder, der Geruch nach Angst. Ich wurde weggeführt.

Noch eine weitere sehr seltene Form der Antikerezeption findet sich bei Johannes Bobrowski. In dem zweiten seiner beiden Sappho-Gedichte zitiert er die von ihm besonders geliebte Dichterin, aber er tut das auf eine höchst eigenwillige Weise:

Mit Liedern Sapphos

Aufgeschürzt die haarige
Lippe, von der Insel
schrie wie der Maulesel schreit
die magere Kleine:

einen peplos,
safranfarbenen, kränze,
phrygische, purpur

Solon
vor dem Haus
wo die Luft umhergeht:
Singt es noch einmal, sagt er,

daß ich erlerne das
Inselgeschrei, die Rufe
über der Erde dicht,
die im verbrannten Kraut,

---

[51] Heiner Müller, 'Horaz I', in: Die Umsiedlerin oder Das Leben auf dem Lande, Berlin 1975 (Rotbuch 134), 115: "Der Arrivierte mit dem Haß auf sein Startloch / ... ."

[52] Peter Hacks, 'Senecas Tod', in: P.H., Ausgewählte Dramen 3, Berlin-Weimar 1981; die ersten Verse lauten: "Wo ist der Mann? Begierde quält mich, den zu sehn, /den nimmer anzutreffen mir das liebste wär. / Abscheu treibt mich zur Eile. Unverzüglich muß/ getan sein, was entsetzensvolle Not befiehlt,/ sonst tu ich's nie. ..."

es erlerne, daß ich sterb darüber, Worte

hab und Worte, das Sausen,

den Luftzug hinter dem Haupt und,

Worte, über der Brust.

Für die zweite Strophe hat Bobrowski aus den lesbaren bzw. erschließbaren Resten eines stark verstümmelten Fragments einen zusammenhängenden Text gemacht, dem er metrisch (mit leichter Variation) die Form der 3. Periode der sapphischen Strophe gegeben hat.

einen peplos,

safranfarbenen, kränze,

phrygische, purpur[53]

E.G. Schmidt hat in seiner Studie zu den beiden Sappho-Gedichten Bobrowskis festgestellt, daß Bobrowski sich von der im Jahre 1963 erschienenen 3. Auflage der zweisprachigen Sappho-Ausgabe von M. Treu hat anregen lassen.[54]

Original	*Max Treu*	*Bobrowski*
πε [	.....	
κρ [ ]περ[	.....	
πέπλον [ ]πυσχ[	einen Peplos -	einen peplos,
καὶ κλε [ ]σαω	und, Kleis (?) -	
κροκόεντα [	einen safranfarbenen -	safranfarbenen,
πέπλον πορφυ[ρ] δεξω [ ]	purpurnen Peplos.....	
χλαιναι περσ [	Gewänder -	
στέφανοι περ [	Kränze,	kränze,
καλ [ ] οσσαμ [	die Schönheit (dir?) -	
φρυ [	phrygische (?) -	phrygische,
πορφ[υρ–	purpurne -	purpur
ταπα [.....		

Bei Treu (159f.) fand der Dichter auch die aus Aelian stammende, bei Stobaios (III 29,58) erhaltene Anekdote, die er dem Gedicht zugrunde legte, die Anekdote, daß Solon sich im Alter gewünscht habe, ein Sappholied zu erlernen und dann zu sterben. Ich kann im Einzelnen auf das schwierige Gedicht hier nicht eingehen, wollte aber nicht darauf verzichten, die ganz unge-

---

[53] Bobrowski faßt die sapphische Strophe vierzeilig auf; er endet mit Adoneus (*phrygische, purpur*): im vorangehenden sapphischen Elfsilber tauscht er die Positionen von Doppelkürze und Kürze aus.
[54] E.G. Schmidt, Die Sappho-Gedichte Johannes Bobrowskis, Das Altertum 18, 1972, 49-61.

wöhnlichen Formen der Antikerezeption Bobrowskis (Metrik bzw. Zitat)[55] wenigstens zu erwähnen.

Übrigens hat nicht nur Johannes Bobrowski Gedichte auf antike Dichter (sogenannte Widmungs- oder Portätgedichte) geschrieben. Zu den beiden Sappho-Gedichten Bobrowskis, von dem es auch ein schönes Gedicht auf 'Pindar' gibt, gesellen sich z.B. Huchels 'Alkaios', Hacks' 'Herodot', Kunerts 'Shakehands Catull' und zwei Horazgedichte von Heiner Müller sowie mehrere Texte auf Ovid[56], so daß man schon fast von einer kleinen Gattung sprechen kann.

Diese kleine Gruppe der Gedichte auf Dichter der Antike leitet über zu den drei wichtigsten Materialbereichen der modernen (wie der früheren) Antikerezeption: Mythische Gestalten (5.), Literatur (6.) und Geschichte (7.).

5. Das erste von sechs Gedichten eines Orpheus-Zyklus von Günter Kunert lautet:

Orpheus I

Nicht umdrehen.

Der Sänger drehe sich besser nicht um.

Ein leichter Schritt, ein schleichendes

Schreiten, ein feines Getrappel,

pulsjagendes Stöckeln: sie

folgt mir schon, folgt meinem Lied.

folgsam Trochäen und Jamben: Schreiten

heraus aus verstorbenem Gestern wir beide:

Hinter der Kunst kommt

die Zukunft voran.

Der Sänger drehe sich besser nicht um.

Kunert beschwört den Archetyp des Dichters und seinen Versuch, die geliebte Eurydike aus dem Hades zurückzuholen, durch den Titel des Gedichts und durch das gleich im ersten Vers zitierte zentrale Motiv des Mythos 'nicht umdrehen', und nutzt den Stoff (seine Kenntnis beim Leser voraussetzend) dann zu einer Aussage über Funktion und Gefährdung der Dichtung (bzw. allgemeiner: der Kunst): Nicht umdrehen und in ängstlicher Rück-Sicht auf die tote Vergangenheit die in ihr wartende Zukunft verlieren, sondern mutig voranschreiten, heißt das Gebot; dann wird der Traum einer besseren Zukunft (Symbol Eurydike), in der Kunst als Utopie vor-entworfen, folgen und eines Tages Wirklichkeit werden:

Hinter der Kunst kommt

die Zukunft voran.

---

55 Dazu kommen noch die Akrosticha in: J. Bobrowski, Ges. Werke, Berlin 1987, II 172ff.

56 Ovid: B. Brecht, 'Besuch bei den verbannten Dichtern'; Sarah Kirsch, 'Ich soll in einem Flugzeug', in: Landaufenthalt, Gedichte, Weimar 1967, 67; Hugo Huppert, 'Ovid' in: Wolkenbahn und Erdenstraße, Gedichte und Poeme, Halle 1975, 184-86; Georg Maurer, 'September' in: G. Maurers immerwährender Dreistrophenkalender umrahmt mit Bildern von 12 Künstlern, Halle-Leipzig 1979, 164 (cf. auch Stefan Hermlin, Abendlicht, Leipzig 1979, 119).

In ganz anderer Weise wird der mythische Sänger von Johannes Bobrowski verwendet, der Orpheus' Sehnsucht nach der verlorenen Eurydike als wunderbar einfaches und poetisches Symbol für den eigenen Versuch beschwört, die tragische Vergangenheit des Ostens, seines geliebten und unwiederbringlich verlorenen Sarmatien, in und durch seine Dichtung ins Leben zurückzurufen.

> Einst,
>
> vor Zeiten ist Orpheus
>
> hier gegangen am Hang
>
> dunkel. Es tönt herüber
>
> der Wald seine Klagen ewig.
>
> (Aus 'Die alte Heerstraße')[57]

Neben Orpheus sind es vor allem immer wieder Sisyphos und Ikaros, Odysseus, Herakles und Prometheus: Sinnbilder menschlicher Grundsituationen, Möglichkeiten und Träume, Hoffnungen und Gefährdungen; geschlossene antike Entwürfe, zugleich jedoch offen und unerschöpflich; Modelle, die immer wieder dazu reizen, sich mit dem Urmodell und mit den Variationen der Vorgänger auseinanderzusetzen, ihnen die eigene Version entgegenzustellen, sich selbst und die eigene Situation an der fremden zu messen, Gemeinsamkeiten und Veränderungen zu bestimmen. Dabei ist es spannend zu verfolgen, wie sich die Leitbilder ändern. Nach dem Krieg zunächst der Heimkehrer Odysseus, darauf die Arbeiter Herakles und Prometheus, dann Ikarus und schließlich Hekabe, Kassandra und Medusa, zuletzt das postmoderne Kaleidoskop der Metamorphosen Ransmayrs.[58]

Das beliebteste poetische Ausdrucksmittel für diese 'Arbeit am Mythos' ist die Lyrik, aber auch die moderne Prosa bietet eine ganze Reihe schöner Beispiele für diese wichtige Form der Antikerezeption: von den komprimierten Parabeln Günter Kunerts, z.B. 'Traum des Sisyphus'[59], Heiner Müllers 'Herakles 2'[60] und Günter Eichs 'Nachwort zu König Midas'[61] bis zu dem großen Prometheusroman von Franz Fühmann 'Titanenschlacht', dessen geplante Fortsetzung leider durch den Tod des Autors verhindert worden ist; und schließlich ist auch das Drama in dieser Kategorie gut vertreten. Ich nenne nur die zahlreichen Heraklesdramen, die in den 60er Jahren dicht aufeinander folgen: Müller, 'Herakles 5'; Hacks, 'Omphale'; Lange, 'Herakles'; sowie Pfeiffer, 'Begegnung mit Herakles'[62] und, leider noch unveröffentlicht, ein Heraklesdrama des bedeutenden Erzählers und Dramatikers Christoph Hein.

Ob diese Rezeption archetypischer Gestalten im Anschluß an und in direkter oder indirekter Auseinandersetzung mit antiken und modernen Gestaltungen erfolgt, ist für Komplexität und Verständnis des jeweiligen Textes natürlich von großer Bedeutung, für den systematisch orientierten Versuch, Formen und Inhalte der Antikerezeption zu bestimmen, aber unerheblich.

---

[57] Der äolische Rhythmus ist auch hier deutlich.

[58] Th. Mechtenberg, Zur Rezeption und Brechung mythischer Gestalten in der DDR-Lyrik, Deutschland Archiv, Zeitschrift für Fragen der DDR und der Deutschlandpolitik 5, 1985, 497-506, 499.

[59] Günter Kunert, z.B. 'Traum des Sisyphos' in: Tagträume, München 1964, 42; 'Am Anfang und am Ende: Prometheus' in: Camera obscura, München 1978, 98; 'Prometheus II' in: Verspätete Monologe, Wien 1981, 189f.

[60] Heiner Müller, 'Herakles 2' in: Geschichten aus der Produktion 2, (Rotbuch 126) Berlin 1974, 100-102; cf. auch die anderen in das Stück 'Zement' eingearbeiteten Prosatexte zu Prometheus, S. 84-86, und zur Ilias, S. 81-82.

[61] Günter Eich, 'Ein Nachwort für König Midas', Ges. Werke I, Frankfurt 1973, 338f.

[62] H. Pfeiffer, Begegnung mit Herkules NDL 14, 1966, H.9, 117-65.

6. Eng verbunden mit der Rezeption mythischer Gestalten ist die vielfältige Adaption antiker Literatur durch zeitgenössische Autoren.

B. Brecht: Antigone

Komm aus dem Dämmer und geh

Vor uns her eine Zeit

Freundliche, mit dem leichten Schritt

Der ganz Bestimmten, schrecklich

Den Schrecklichen.

Abgewandte, ich weiß

Wie du den Tod gefürchtet hast, aber

Mehr noch fürchtetest du

Unwürdig Leben.

Und ließest den Mächtigen

Nichts durch, und glichst dich

Mit den Verwirrern nicht aus, noch je

Vergaßest du Schimpf und über der Untat wuchs

Ihnen kein Gras.

Brechts Churer Antigone, seine erste dramaturgische Arbeit nach der Rückkehr aus dem Exil, anläßlich derer er das zitierte Gedicht für Helene Weigel schrieb, ist ein besonders bekanntes Beispiel für diese Form der Antikerezeption. Sie reicht von der knappen, oft indirekten Anspielung auf einen berühmten antiken Text durch ein einzelnes Zitat, ein poetisches Bild oder ein Motiv bis zur umfänglichen Nach-und Neugestaltung ganzer Werke. Nutznießer und 'Opfer' zugleich sind dabei vor allem die griechischen Tragiker und Homer, an dem sich die Bandbreite kreativer Rezeption antiker Literatur besonders gut verdeutlichen ließe[63]: Lyrik, Drama und vor allem *Prosa*: von der Trivial-und Unterhaltungsliteratur im Stile Hagelstanges ('Der Liebling der Götter') oder Geißlers ('Odysseus und die Frauen') bis zu Christa Woldf und Franz Fühmann; von der bearbeitenden Übersetzung oder Nacherzählung (West: W. Jens; Ost: F. Fühmann)[64] bis zu freien, aus- und umdeutenden Versionen der beiden homerischen Stoffe (für die Odyssee z.B. Schnabels 'Der 6. Gesang'[65]; für die Ilias Christa Wolfs 'Kassandra').

Entsprechendes gilt auch für die Rezeption des antiken *Dramas*: auch hier bearbeitende Übersetzungen von solchem Rang, daß sie zugleich ein Stück moderner deutscher Literatur darstellen (wie z.B. Müllers 'Ödipus Tyrann' oder Hacks' 'Frieden'); auch hier Stücke, die nur noch indirekt auf einen antiken dramatischen Text bezogen sind, ohne diese Verbindung allerdings ganz zu verlieren, wie W. Jens' Philoktet-Spiel 'Der tödliche Schlag' oder M.L. Kaschnitz' Al-

---

[63] Das DDR-Material bei Riedel, s.o. Anm. 6, 60-102 und Schmidt, s.o. Anm. 5, II 51f.

[64] Walter Jens, Ilias und Odyssee, Nacherzählung aus dem Griechischen, Ravensburg 1958; Franz Fühmann, Das hölzerne Pferd, Die Sage vom Untergang Trojas und von den Irrfahrten des Odysseus, nach Homer und anderen Quellen neu erzählt, Berlin 1968.

[65] Cf. ferner Lion Feuchtwanger, 'Odysseus und die Schweine und zwölf andere Erzählungen, Berlin 1950, 7-32; Walter Jens, Das Testament des Odysseus, Pfullingen 1957.

kestis-Version 'Die Reise des Herrn Admet'. Als *lyrisches* Paradigma habe ich Brechts Antigone-Gedicht zitiert, ein weiteres Beispiel wird im Schlußteil vorgestellt.

7. Zu Mythos und Literatur kommt als letzter der drei zentralen Materialbereiche die Rezeption antiker Geschichte. Bekanntestes lyrisches Beispiel (und höchst erfolgreicher Prototyp) ist Brechts 'Fragen eines lesenden Arbeiters'; berühmt auch seine pointierte Karthago-Warnung nach dem 2. Weltkrieg: "Das große Carthago führte drei Kriege. Es war noch mächtig nach dem ersten, noch bewohnbar nach dem zweiten. Es war nicht mehr auffindbar nach dem dritten."[66] Ich habe ein bei allen Unterschieden doch deutlich in der Brecht-Nachfolge stehendes Gedicht von Peter Huchel gewählt:

An taube Ohren der Geschlechter

Es war ein Land mit hundert Brunnen.

Nehmt für zwei Wochen Wasser mit.

Der Weg ist leer, der Baum verbrannt.

Die Öde saugt den Atem aus.

Die Stimme wird zu Sand

Und wirbelt hoch und stützt den Himmel

Mit einer Säule, die zerstäubt.

Nach Meilen noch ein toter Fluß.

Die Tage schweifen durch das Röhricht

Und reißen Wolle aus den schwarzen Kerzen.

Und eine Haut aus Grünspan schließt

Das Wasserloch,

Als faule Kupfer dort im Schlamm.

Denk an die Lampe

Im golddurchwirkten Zelt des jungen Afrikanus:

Er ließ ihr Öl nicht länger brennen,

Denn Feuer wütete genug,

Die siebzehn Nächte zu erhellen.

Polybios berichtet von den Tränen,

Die Scipio verbarg im Rauch der Stadt.

Dann schnitt der Pflug

Durch Asche, Bein und Schutt.

Und der es aufschrieb, gab die Klage

An taube Ohren der Geschlechter.

---

[66] Bertholt Brecht, Offener Brief an die deutschen Künstler und Schriftsteller, in: B.B., Schriften zur Literatur und Kunst, Berlin-Weimar 1966, II 294.

Peter Huchels Gedicht beginnt mit einer stillen Totenklage auf die nordafrikanische Wüste, die einst ein fruchtbares Land war, und schließt daran die Aufforderung an, nicht zu vergessen, was denn aus dem Land der hundert Brunnen eine wasserlose, leere, tote Wüste gemacht hat: der Krieg und die furchtbare Vernichtung Karthagos im Jahre 146. Nach einer Pause der Erinnerung und Erschütterung, so als könne der Dichter nicht sofort weitersprechen, fügt Huchel dem beschreibenden Teil einen Kommentar hinzu, hinter dessen pessimistischer Resignation sich gleichwohl ein Imperativ verbirgt, um dessentwillen das Gedicht geschrieben ist.

Die von Huchel zitierte Quelle ist ein bei Appian und Diodor erhaltenes Fragment aus dem 39. Buch des Polybios: "Als Scipio die Stadt in dieser endgültigen vernichtenden Katastrophe versinken sah, sollen ihm die Tränen gekommen sein, und es war klar, er weinte über die Feinde."[67] Doch erst der von Huchel nicht ausdrücklich zitierte, aber mitgedachte und mitzudenkende Kontext der Anekdote von den Tränen Scipios angesichts des brennenden Karthago verdeutlicht die eigentliche Pointe des Gedichts. Es heißt bei Polybios nämlich weiter: "lange blieb er ganz in sich versunken und dachte darüber nach, daß Städte, Völker und Reiche ebenso wie einzelne Menschen alle dem Wechsel des Glücks unterworfen sind: diese Erfahrung mußte Ilion machen, einst eine blühende Stadt, die Reiche der Assyrer, der Meder und der Perser, das auf jene folgte (?) und noch größer war, schließlich das der Makedonen, das noch jüngst so glanzvoll dastand. Am Ende langen Sinnens sprach er den Vers, sei es bewußt, sei es, daß er ihm unvermerkt über die Lippen kam (sc. Ilias 6,448f.):

> Einst wird kommen der Tag, da das heilige Ilion hinsinkt,
> Priamos auch und das Volk des lanzenkundigen Königs.

Als ihn Polybios freimütig fragte - denn er war sein Lehrer -, was er mit diesem Worte meine, habe er sich nicht bedacht, offen heraus den Namen seiner Vaterstadt zu nennen, für die er demnach im Blick auf das Menschenlos fürchtete."

Eine endlose Reihe von vernichteten Reichen, eine unheilvolle Kette von städtezerstörenden und ländervernichtenden Kriegen, die sich immer weiter fortsetzt bis auf den heutigen Tag, und aus der wir, taub für die Lehren der Geschichte, nichts lernen und doch so viel lernen könnten.

Antike (und zwar besonders oft römische Geschichte) als didaktisches Exemplum, als aktuelle Parallele und Warnung: das ist eine besonders für Brecht und die in seiner Nachfolge stehende Antikerezeption der DDR charakteristische Form. Zahlreiche Gedichte, aber auch viele Prosawerke ließen sich aufführen (letztere gewiß von Brechts Romanfragment 'Die Geschäfte des Herrn Julius Caesar' inspiriert), und auch das Drama ist gut vertreten (auch hier ist der Ahnvater zweifellos Brecht): ich nenne nur Müllers 'Horatier' und Hacks' Stücke 'Prexaspes', 'Numa' und 'Das Leben des Seneca'.[68]

---

[67] Appian, Lib. 132; Diodor 32-24.
[68] Im Westen wäre Walter Jens' 'Die Versschwörung' (über das Attentat auf Cäsar) zu nennen.

III. Intentionen und Funktionen

Nach der Bestimmung typischer Inhalte und Formen zeitgenössischer Antikerezeption möchte ich nun abschließend den Versuch unternehmen, verschiedene Haltungen der Autoren zur Antike und die daraus resultierenden Intentionen und Funktionen ihrer Antikerezeption zu bestimmen.

1. Ein erster möglicher Beweggrund für Antikerezeption ist die uneingeschränkt oder doch weitgehend positive Beurteilung der Antike als 'Wiege des Abendlandes', wie es westlich der Elbe heißt; als "schön entfaltete Kindheit der Menschheit", wie man es im Anschluß an Marx im Osten formuliert: eine Antike, deren, kulturelle Leistungen und historische Erfahrungen es verdienen, bewahrt und tradiert, analysiert und genutzt zu werden. Diese Haltung findet *im Westen* vor allem in der naiven, undialektischen Variante der Archetyp-Theorie ihren nicht ganz unproblematischen Ausdruck. Hofmannsthals Formulierung liegt zwar außerhalb des von mir untersuchten Zeitraums, wird aber häufig wiederholt und variiert: "Die uralten Stoffe sind in doppeltem Sinn unerschöpflich: nach innen zu enthalten sie das Menschliche, Gleichbleibende in einer Verdichtung, die den Jahrtausenden widersteht und jedem neuen Geschlecht durch frische unberührte Bruchflächen offenkundig wird, nach außen zu setzen sie die Phantasie der Welt unablässig in Bewegung."[69] *In der DDR* entspricht diesem Konzept die eingangs skizzierte auf Lenins Proletkult-These basierende Erbe-Theorie. "Eine besondere Rolle spielen dabei (sc. für die 'Bewußtseinsbildung und die Formung des Menschenbildes in der sozialistischen Gesellschaft') die Werke der antiken Literatur und Kunst, die als künstlerische Zeugnisse für ein dem Menschen zugewandtes, von den späteren Formen der Entfremdung der Arbeit noch freies humanistisches Menschenbild gelten können."[70] Gemeinsam ist diesen beiden Perspektiven positiver Antikerezeption, daß ihr Interesse, wenn auch nicht in erster Linie, so doch auch nicht zuletzt der Antike um ihrer selbst willen gilt: Erkennen, Bewahren und insgesamt pietätvolle Nutzung zeichnen sie aus.

2. Das ist anders, wenn wir zur zweiten Haltung gegenüber der Antike kommen, der es nicht um die ewigen vorbildhaften Werte und Werke der Antike geht, sondern um ihre Brauchbarkeit, den 'Materialwert', wie es bei Brecht heißt.[71] Der junge Brecht stellt die Frage ganz radikal: ist ein antiker Stoff verwendbar als Waffe im Kampf für die Befreiung des Proletariats; und noch der spöttelnde Satz aus der Einleitung zur Churer Antigone "philologische Interessen konnten nicht bedient werden" dokumentiert Brechts 'Rücksichtslosigkeit' im Umgang mit der Antike in aller Deutlichkeit. [72] H. Lange spricht von einem "Steinbruch", aus dem sich der moderne Dichter holen könne, was er brauche, um seine eigenen Bauwerke zu errichten.[73] Genutzt wird der "Steinbruch" vor allem:

a) zur kritischen Parallelisierung von Personen, Fakten und Entwicklungen (z.B. Nero - Hitler)[74]

---

[69] Cf. W. Jens, Note zu 'Der tödliche Schlag', München 1974, 140f.

[70] S.o. Anm. 24.

[71] Zur Materialwert-Theorie Brechts cf. W. Mittenzwei, Brechts Verhältnis zur Tradition, München 1974, 22-38.

[72] Antigonemodell, in: B.B., Die Antigone, Materialien zur Antigone, Frankfurt 1974,70.

[73] H. Lange, Arbeiten im Steinbruch, in: Theaterstücke 1960-72, Hamburg 1973, 7-13.

[74] Z.B. Bertholt Brecht, 'Der römische Kaiser Nero':
    Der römische Kaiser Nero, der ebenfalls
    Als großer Künstler gelten wollte, soll angesichts
    Des auf sein Geheiß brennenden Roms auf einem Turm
    Die Harfe geschlagen haben. Bei einer ähnlichen Gelegenheit
    Zog der Führer angesichts eines brennenden hohen Hauses

b) zur Warnung (wie in Brechts und Huchels Karthagozitaten) oder auch

c) als ästhetisches Hilfsmittel: zur Verfremdung und Entemotionalisierung aktueller Probleme durch die antike Distanz (und daneben für manches andere).

3. Ist die Grundhaltung der Archetyp- bzw. Erbetheorie positiv, die der Materialwerttheorie neutral, so läßt sich drittens auch eine mehr oder minder deutlich negative Haltung feststellen. Genährt werden die verschiedenen Formen kritischer Antikerezeption von der Erkenntnis, daß die Antike Archetypen und Modelle nicht nur für ein progressives humanistisches Menschenbild, sondern auch für Spannungen, Konflikte und negative Formen menschlichen Handelns bereitstellt. In der literarischen Antikerezeption erscheint die kritische Aneignung in ganz verschiedener Weise und in ganz verschiedener Radikalität:[75]

a) In den antiken Zeugnissen vernachlässigte oder ganz vergessene Aspekte werden hinzugesetzt; so z.B. immer wieder die Perspektive und das Schicksal des kleinen Mannes. Locus classicus ist Brechts berühmtes Lehrgedicht 'Fragen eines lesenden Arbeiters'.

> Wer baute das siebentorige Theben?
>
> In den Büchern stehen die Namen von Königen.
>
> Haben die Könige die Felsbrocken herbeigeschleppt?

b) Eine verwandte Möglichkeit kritischer Überarbeitung des überlieferten Antikebildes ist - um es wieder mit einem Titel Brechts zu formulieren - 'Die Berichtigung alter Mythen', d.h. die Durchrationalisierung oder auch Entmythologisierung antiker Geschichte und Literatur.

c) Schärfer wird die Kritik in den Angriffen auf falsche Größe und gefährliche oder mißbrauchte antike oder humanistische Ideale (z.B. Brecht: 'Ich sage ja nichts gegen Alexander').

d) Schließlich kann die Kritik auch so radikal werden, daß sie zur totalen Ablehnung wird. Je ein Beispiel aus dem Osten und aus dem Westen seien genannt:

> Hanns Cibulka[76]: Was ich als Kind geglaubt
>
> liegt verlassen auf dem Grund.
>
> Christi Haupt
>
> und Apollons Mund.

> Günter Eich[77]: Ich werfe keine Münzen in den Brunnen,
>
> ich will nicht wiederkommen.

Den Bleistift und zeichnete

Den schwungvollen Grundriß

Eines neuen Prachtbaus. So, in der Art ihrer Kunst

Unterschieden sich die Beiden.

[75] Auch in diesem Falle können die Titel von Brecht-Gedichten das Stichwort liefern: Für die Heldendemontage: 'Ich sage ja nichts gegen Alexander'(jüngstes Beispiel Ch. Wolfs leitmotivisch wiederholtes Epitheton damnans 'Achill, das Vieh'); und für die Zerstörung von Konzepten und Haltungen: 'Verurteilung antiker Ideale' (hierher gehört z.B. Rühmkorfs Plädoyer, als Schutzheiligen für eine neue progressive Lyrik Apollon durch sein Opfer Marsyas zu ersetzen, Titel: 'Kein Apolloprogramm für Lyrik!').

[76] Hanns Cibulka, aus: 'Pro domo', in: Zwei Silben, Halle 1959, 32.

[77] G. Eich, 'Fußnote zu Rom', in: Ges. Werke, Frankfurt 1973, I 130 (zur Antikerezeption Eichs cf. G. Lohse - H. Ohde, Mitteilungen aus dem Lande der Lotophagen, Zum Verhältnis von Antike und deutscher Nachkriegsliteratur, Hephaistos 4, 1982, 163-68).

Zuviel Abendland,
verdächtig.

Zuviel Welt ausgespart.
Keine Möglichkeit
für Steingärten.

Allen (oder doch fast allen) Texten bzw. ihren Autoren - ganz unabhängig von den skizzierten drei Grundhaltungen zur Antike - ist natürlich gemeinsam, daß es ihnen primär nicht um die Antike als solche geht, sondern daß sie mit der Antikerezeption auf die Gegenwart zielen ('Philologische Interessen kölnnen nicht bedient werden'). Das ist immer dort besonders spannend, wo das antike Material zur Formulierung unbequemer Wahrheiten verwendet wird. Ein Beispiel mag das zum Abschluß verdeutlichen.

H. Müller, Geschichten von Homer

Häufig redeten und ausgiebig mit dem Homer die
Schüler, deutend sein Werk, ihn fragend um richtige Deutung.
Denn es liebte der Alte immer sich neu zu entdecken
Und gepriesen geizte er nicht mit Wein und Gebratnem.
Kam die Rede, beim Gastmahl, Fleisch und Wein auf Thersites
Den Geschmähten, den Schwätzer, der aufstand in der Versammlung
Nutzte klug der Großen Streit um das größere Beutestück
Sprach: Sehet an den Völkerhirten, der seine Schafe
schert und hinmacht wie immer ein Hirt, und zeigte die blutigen
Leeren Hände der Söldner als leer und blutig den Söldnern.
Da nun fragten die Schüler: Wie ist das mit diesem Thersites
Meister? Du gabst ihm die richtigen Worte, dann gibst du mit eignen
Worten ihm unrecht. Schwierig scheint das uns zu begreifen.
Warum tatst dus? Sagte Homer: Zu Gefallen den Fürsten.
Fragten die Schüler: Wozu das? Der Alte: Aus Hunger. Nach Lorbeer?
Auch. Doch schätz er den gleich hoch wie auf dem Scheitel im Fleischtopf.

Unter den Schülern, heißt es, sei aber einer gewesen
Klug, ein großer Frager. Jede Antwort befragt er
Noch, zu finden die nicht mehr fragliche. Dieser nun fragte
Sitzend am Fluß mit dem Alten, noch einmal die Frage des andern.
Prüfend ansah den Jungen der Alte und sagte, ihn ansehend
Heiter: Ein Pfeil ist die Wahrheit, giftig dem eiligen Schützen!
Schon den Bogen spannen ist viel. Der Pfeil bleibt ein Pfeil ja
Birgt wer im Schilf ihn. Die Wahrheit, gekleidet in Lüge, bleibt Wahrheit.
Und der Bogen stirbt nicht mit dem Schützen. Sprachs und erhob sich.

In der Manier Bertolt Brechts befragt Müller einen bekannten antiken Text auf seinen 'Materialwert', benutzt eine berühmte kleine Szene aus der 'Ilias' (Hom.Il.2,222ff.) für eine ganz persönliche und aktuelle Aussage. Im ersten Teil des hexametrischen Gedichts fragen die Schüler den Dichter, warum er Thersites zwar die Wahrheit über den Krieg in den Mund gelegt, diese Wahrheit dann aber durch den Kontext (Thersites wird beschimpft, geschlagen und vom ganzen Heer verlacht) wieder zurückgenommen habe; und Homer antwortet: "Zu Gefallen den Fürsten" und "aus Hunger". Kunst geht nach Brot. Der Dichter kann nicht so, wie er will (jedenfalls, wenn er publizieren und essen will); die politischen Umstände und Herrschaftsstrukturen können ein offenes Eintreten für die Wahrheit verhindern.

Ist bereits hier die politische Aktualität des Textes deutlich, so geht Müller noch einen Schritt weiter. Der Lieblingsschüler Homers gibt sich mit der ersten Antwort seines Lehrers nicht zufrieden und stellt die Frage unter vier Augen erneut; und nun gibt Homer/Müller eine zweite, tiefere Begründung für sein Verhalten: die Wahrheit füllt nicht nur nicht den Fleischtopf, sie bringt nicht nur keinen Lorbeer (Müller hat selber bittere Erfahrungen mit der Zensur gemacht), sie ist sogar gefährlich; schon der Versuch, sie 'abzuschießen', bedeutet viel; und auch, wenn der Dichter sie inmitten von Lügen verbirgt, so wie die Wahrheit des Thersites in der Lüge des Kontexts, bleibt sie doch Wahrheit, die ihre Kraft für immer behält und auch später noch tödliche Wirkung tun kann.

Was Müller in diesem Gedicht, verborgen im antiken Gewand, und doch provozierend deutlich, zum Ausdruck bringt, ist eine eminent politische - zum Zeitpunkt ihrer Formulierung unbequeme, und nicht ungefährliche - Stellungnahme zur Situation des Dichters und Intellektuellen in einem autoritären Staat. Dort, wo offene Kritik an den Fürsten nicht nur den Fleischtopf leer läßt, sondern sogar die Existenz bedrohen kann, da muß man die Wahrheit verbergen - wie einen Pfeil im Schilf - so wie Homer (nach Müller) es mit der Wahrheit des Thersites gemacht hat, und so wie Müller, die Lehre seiner Fabel im eigenen Gedicht praktizierend, seine Wahrheit in der alten Geschichte von Homer verbirgt. So kann sie geäußert werden; so bleibt sie dem sehenden Auge sichtbar; so kann sie gefunden und zum Kampf gegen die Lüge genutzt werden.

Antikerezeption als Möglichkeit, indirekt Dinge anzusprechen, die sich direkt nicht gut sagen ließen. Das ist gewiß nicht im Sinne der eingangs skizzierten Erbetheorie, ist aber, wenn ich recht sehe, ein sehr bedeutender Aspekt der Antikerezeption in der DDR. Leider fehlt in diesem Rahmen die Zeit, das an Hand ausführlicher Interpretationen der 'antikisierenden' Dramen von Hacks und Müller eingehend zu dokumentieren.[78]

Blicken wir zum Abschluß noch einmal auf den eingangs angestellten Vergleich DDR - Bundesrepublik zurück, so können wir es jetzt vielleicht riskieren, den zunächst in erster Linie quantitativ bestimmten Kontrast zwischen den beiden deutschen Literaturen nach dem Durchgang durch verschiedene Formen, Inhalte und Funktionen der Antikerezeption noch ein wenig genauer zu bestimmen.

Umfang und Vielfalt, Qualität und gesellschaftliche Bedeutung der Antikerezeption in der Bundesrepublik sind vergleichsweise gering. Theoretische Äußerungen sind rar; eine begründende Theorie als allgemeinverbindliche Diskussions- und Arbeitsgrundlage fehlt ganz; und sieht man

---

[78] Aufschlußreich ist Müllers Feststellung (im Gespräch mit S. Lotringer, in H.M., Rotwelsch, Berlin 1982, 77): "In den frühen sechziger Jahren konnte man kein Stück über den Stalinismus schreiben, man brauchte diese Art von Modell, wenn man die wirklichen Fragen stellen wollte. Die Leute hier verstehen das sehr schnell." Literatur zu Hacks und Müller in: Dramatik der DDR, s. Anm. 3, 449-51 bzw. 460-63; zur Antikerezeption neben den Anm. 5 genannten Arbeiten R. Bernhardt, Antikerezeption im Werk Heiner Müllers, Weimarer Beiträge 22, H.3, 1976, 83-122 (erweitert als Diss. B, Halle 1979); W. Mittenzwei, Die Antikerezeption des DDR-Theaters, Zu den Antikestücken von Peter Hacks und Heiner Müller, in: W.M., Kampf der Richtungen, Leipzig 1978, 524ff.; M. Kraus, Heiner Müller und die griechische Tragödie, dargestellt am Beispiel des Philoktet, Poetica 17, 1985, 299-339.

von W. Jens einmal ab, so läßt sich für kaum einen Autor der BRD eine kontinuierliche und für seine dichterische Welt konstitutive Antikerezeption feststellen. Die wenigen Texte erscheinen eher isoliert und zufällig; die Autoren 'Einzelgänger', deren Antikerezeption sich vielleicht am ehesten aus ihrer Biographie verstehen läßt: der klassische Philologe (W. Jens), die Frau des Archäologen (M.L. Kaschnitz), der Bildungs-Spötter (P. Rühmkorf), der Mann, der aus dem Osten kam (H. Lange). Erst in den letzten Jahren gibt es Zeichen für eine 'Renaissance'.

Ganz anders in der DDR: Umfang, Qualität und gesellschaftliche Bedeutung sind groß. Den geistesgeschichtlichen und kulturpolitischen Hintergrund und Nährboden bildet die Erbetheorie. Diese wäre aber kaum so wirksam geworden, wenn nicht andere Triebkräfte hinzukämen. Ich meine nicht die immer mögliche unmittelbare Anrührung eines Autors durch eine antike Gestalt oder einen Stoff, die uns, wenn wir Ch. Wolf glauben dürfen, die 'Kassandra' geschenkt hat, sondern denke an zwei andere Motive:

1. ermöglichte die Antikerezeption den Autoren der DDR in den 60er Jahren eine von der Kulturbürokratie nicht zu kritisierende Verweigerung der ihre künstlerische Freiheit beschneidenden Bitterfelder Befehle. Vor allem die Dramatiker konnten den Produktionsstücken entgehen, in denen man - wie Heinar Kipphardt spöttelte - in der Regel den Arbeitsvorgang einer Eisenhütte oder einer Konservenfabrik recht gut kennenlerne. 1983 spricht Trilse noch sehr vorsichtig von der Möglichkeit, mit Hilfe des Mythos "gewisse Verengungen der Ästhetik zu durchbrechen."

2. Wichtiger noch dürfte die oben angesprochene zweite Freiheit sein, die die Antikerezeption unter dem Schutz der Erbetheorie den Autoren ermöglichte: die Freiheit zu mehr oder minder deutlicher Kritik; die Möglichkeit, Utopien zu entwerfen, deren Glanz die Wirklichkeit sozialistischer Errungenschaften schäbig erscheinen ließ (Hacks); die Freiheit zur Auseinandersetzung mit Geschichte und Gegenwart der Partei (Müller, Lange) und die Chance, die eigene Situation als Intellektueller in der DDR zu bestimmen. "Das Troia", so Chr. Wolf in der 2. Frankfurter Poetik-Vorlesung, "das mir vor Augen steht, ist - viel eher als eine rückgewandte Beschreibung - ein Modell für eine Art von Utopie."[79]

Zum Abschluß sei die kritische Kraft, die zeitgenössische literarische Antikerezeption entwickeln kann, mit einem Gedicht demonstriert, das zwar schon mehr als sechzig Jahre alt ist, das aber plötzlich eine neue böse Aktualität gewonnen hat:

B. Brecht, Die Medea von Lodz

Da ist eine alte Märe

von einer Frau, Medea genannt

Die kam vor tausend Jahren

An einen fremden Strand.

Der Mann, der sie liebte

Brachte sie dorthin.

Er sagte: Du bist zu Hause

Wo ich zu Hause bin.

Sie sprach eine andere Sprache

Als die Leute dort

---

79 Christa Wolf, Voraussetzungen einer Erzählung: Kassandra, Darmstadt-Neuwied 1983, 83.

Für Milch und Brot und Liebe
Hatten sie ein anderes Wort.
Sie hatte andere Haare
Und ging ein anderes Gehn
Ist nie dort heimisch geworden
Wurde scheel angesehn.

Wie es mit ihr gegangen
Erzählt der Euripides
Seine mächtigen Chöre singen
Von einem vergilbten Prozeß.
Nur der Wind geht noch über die Trümmer
Der ungastlichen Stadt
Und Staub sind die Stein, mit denen
Sie die Fremde gesteinigt hat.

Da hören wir mit einem
Mal jetzt die Rede gehn
Es würden in unseren Städten
Von neuem Medeen gesehn.
Zwischen Tram und Auto und Hochbahn
Wird das alte Geschrei geschrien
1934 (1991)
In unserer Stadt Berlin.

Zwischen Nativismus und Römertum.
Zeitgeschichtliche Nacharbeiten von Flavius Josephus' "Jüdischem Krieg" und Lion Feuchtwangers Josephus-Trilogie

von

Carsten Colpe

Vorbemerkung

"Zeitgeschichte", um deren Nacharbeit es gehen soll, kann hier das erste und auch das zwanzigste Jahrhundert sein: Wie sah es zur Zeit des Josephus und um den jüdisch-römischen Krieg aus der Sicht des Historikers aus, und wie weicht die Interpretation davon ab, die aus der Freiheit des Schriftstellers kommt? Wie sieht es zur Zeit Lion Feuchtwangers und um die Weimarer Republik, die Judenverfolgung, den Zweiten Weltkrieg und die beiden Deutschlands danach aus der Sicht von uns Zeitgenossen aus, und welche Interpretation ergibt sich aus dem historischen Muster vom geistigen und militärischen Kampf des jüdischen Volkes gegen das römische Imperium, der äußeren und der inneren Emigration unter dem tyrannischen Wahn von Cäsaren? Sollten sich diese beiden Fragen nicht in der Verschlungenheit wiederholen, in der Feuchtwanger sie behandelt, dann mußten sie in die Gleichzeitigkeiten von damals und von heute auseinandergelegt werden. Waren diese chronologischer Natur, so wiesen sie doch auch auf Ebenen sachlicher Übereinstimmung, die jeder der beiden Epochen voraufgingen und für deren Verständnis miterörtert werden mußten. Da drohten sich aber die Sachthemen ähnlich wie die Zeiten ineinander zu verschlingen. Um auch sie auseinander zu halten, konnten sie nur in Einheiten gegliedert werden, bei denen nicht davon abgesehen werden durfte, daß sie je ihre eigene Geschichte haben. Dieses Nebeneinander von Nachzeitigkeiten - es ergaben sich vier an Zahl - wirkte auf die Gliederung der beiden sachlichen und chronologischen Gleichzeitigkeiten zurück. Die Gesamtgliederung des Themas hat also sechzehn - der Natur jeder Sache nach verschieden lange - Einheiten ergeben. Sie können nun auch sowohl in der synchronischen wie in der diachronischen Reihenfolge gelesen werden. Der Leser wird gebeten, die eigentlich unmögliche Quadratur des Kreises der Probleme ausnahmsweise als einen Versuch zu akzeptieren, ihrer Lösung näherzukommen.

Anordnung nach Diachronien und Synchronien	a) Von der Antike zu ihrer heutigen Deutung	b) Vom antiken Judentum zu seiner heutigen Bedeutung	c) Vom alten Nativismus zum heutigen Nationalismus	d) Vom alten Römertum zum heutigen Weltbürgertum
A) Antikenbegriff, Judaismus, Hellenismus- und Rom-idee	I Epochen und gleitende Gegenwarten der "Antiken" 1	II Das frühe Judentum als nachisraelische, jüdische Antike 5	III Jüdische Nativitas im Hellenistischen Orient 9	IV Geschehende Römerherrschaft und römische Herrschaftsstruktur 13
B) Flavius Josephus und sein Jahrhundert	V Der "Jüdische Krieg" als epochale Vertreibung 2	VI Josephus' unangefochtener "Räuber" Johannes von Gischala 6	VII Josephus' Historiographie, Autobiographie und Apologetik 10	VIII Verrat am Alten = Prophezeihung des Neuen? 14
C) Europäisches Geschichtsbild und jüdische Existenz	IX Antijüdische Josephus-Rezeption durch 16 Jahrhunderte 3	X Westeuropäische Zumutungen an die jüdische Identität 7	XI Friedrich Schillers verkannter "Räuber" Moritz Spiegelberg 11	XII Die Aussage von Feuchtwanger's Josephus-Trilogie 15
D) Lion Feuchtwanger und das zwanzigste Jahrhundert	XIII Geschicke der Feuchtwanger seit Beginn der Neuzeit 4	XIV Der historische Roman als hermeneutisches Mittel 8	XV Jüdischer Nativismus als antifundamentalistisches Paradigma 12	XVI Kosmopolit und Staatsbürger-Alternative oder Doppelideal? 16

A) Antikenbegriff, Judaismus, Hellenismus– und Romidee

I oder 1: Epochen und gleitende Gegenwarten der "Antiken"

"Antike heute" - diese Wortaddition stellt auf der Längsachse der Weltgeschichte eine Verbindung zwischen etwas Früherem und etwas Späterem her. Diese Verbindung beginnt nicht an einem unendlich frühen Nullpunkt, sondern erst da, wo der Mensch in der früheren Zeit Ideen denkt, Werte schafft, Kulturtaten vollbringt, die irgendwann in der späteren Zeit wieder aufgenommen und erneuert werden. Dann endet die Verbindungslinie, was nicht ausschließt, daß sie danach noch weiter gezogen werden kann. Die frühere Zeit ist nun die Antike derjenigen, in die die Verbindung mündet.

Es sind viele Zeiten denkbar, die eine frühere zu ihrer Antike haben, und für einige ist es tatsächlich bezeugt. Zum Ausgang der mittelassyrischen Suprematie über das Zweistromland kam es mit Nebukadnezar I. (ca. 1130 - 1110 v. u. Z.) zu einer "babylonischen Renaissance", die als ihre "Klassik" die seit fünfhundert Jahren verstrichene Hammurabi-Zeit ansah. Für die Assyrer, denen ihr König Assurbanipal (ca. 668 - 631) seine umfassende Bibliothek zusammenstellte, waren es zweitausend Jahre früher, als die Königsannalen einsetzten und man die erste Niederschrift der Mythen, den ersten Erlaß der Gesetze annehmen durfte, ohne die man nicht leben konnte. Im gleichzeitigen Ägypten (unter Psammetich I., ca. 664 - 610), wo wir sinnreich von "saitischer Renaissance" reden, war es ähnlich. Im gleichzeitigen Juda und achthundert Jahre später für die erste Christenheit war verpflichtendes antikes Erbe, was Mose und die Propheten auf die eigene Zeit geweissagt hatten. Noch einmal ein halbes Jahrtausend danach war Antike für die gegen das Christentum unterliegende Welt die Gründung Roms. Für die islamische Welt ist geradezu "klassische Antike" in allen Zeiten und Regionen die Zeit Mohammeds und seiner ersten Genossen.

Meistens ist es die spätere Zeit, die sich, und zwar ganz für eigenes erfühltes oder erkanntes Bedürfnis, ihre Antike wählt. Das kann kongenial mit dem Erbe, aber auch gegen dessen Sinn geschehen. Die Wahl, mit der sich die Epoche der Medici die Antike schuf, die in Verlängerung der Verbindungslinie auch die unsere geworden ist, war im Prinzip wohl kongenial. Die Wahl, durch die ein einziges Volkstum zur Antike von Ganzheitsbewegungen gemacht werden soll, wie zum Beispiel Alldeutschtum, Panslawismus, Panarabismus es sind, war und ist es wohl nicht. Ganz selten ist es aber auch eine frühere Epoche, die Eigenes, das sie dessen für wert hält, selbst zu einem Vermächtnis erklärt, zu einem Erbe bündelt. Sie erwartet dann, die Antike solcher Epochen zu sein, die es antreten werden. Diese Erwartung braucht sich nicht zu erfüllen, sie kann es aber. Für beides bietet die chinesische Geschichte reichlich Beispiele, die alle zeigen, daß dort, wo eine Hinterlassenschaft bewußt so gestaltet wird, daß sie entweder ewig dauern kann oder sich im Unterbrechungsfalle einem ferneren "Heute" als Antike anbietet - daß dort immer Religionspolitik oder Ideologie oder imperiales Sendungsbewußtsein im Spiele ist. Das gilt auch für den Fall eines historischen Mißerfolgs wie den des weltgeschichtlichen Gelingens, der zu unserem Thema führt.

Für das sassanidische Großkönigtum, das vierhundert Jahre lang für die Ewigkeit seiner eigenen Sendung sorgte - man denke an das Zeugnis der Herrschernamen, die zugleich die des obersten Gottes waren, bis zum Protektorat über höfische und priesterliche Schriftkultur, aber auch an die blutige Verfolgung Andersgläubiger und von da bis zur Erleuchtung auch des letzten Alltagswinkels mit den hierarchisch gestaffelten, stets brennenden Feuern, die "die Wahrheit" repräsentierten -, für diese Dynastie hat sich die Erwartung nicht erfüllt. Für keinen folgenden Schahinschah war ihre Sendung verbindlich, und nicht nur, weil er inzwischen nicht mehr Zarathustra-Anhänger, sondern Muslim war; der letzte Schah, der Muslim Reza Pahlawi, griff tausend Jahre über die Sassaniden- in die Achämenidenzeit zurück, um sie zur Antike seines Volkes zu machen.

Die Erwartung eines gewissen Römertums hingegen, eine Sendung für die Zukunft zu haben, oder: eine römische Selbstgewißheit, die Antike künftiger Epochen darzustellen, hat sich vielfach erfüllt (siehe Teil IV oder 13).

II oder 5: Das frühe Judentum als nachisraelische, jüdische Antike

Die eigene Antike als eine von mehreren Antiken zu sehen, setzt Distanzierung von der Historie voraus; im Erleben des Vergangenen als eigener Antike wird diese Sichtweise von der des historischen Romans konterkariert. Die Frage, was eine jüdische Antike sein könne, ist Ausdruck eines dialektischen Verhältnisses der Schwierigkeiten beider Sichtweisen.

Weil die Juden kein selbstverständlicher Teil der europäischen Gesellschaft waren, hat ihre Antike nicht mit zu derjenigen gehört, die die nichtjüdische Mehrheit für sich reklamiert, und auch für die Altertumswissenschaft war die "Antike jüdisch" nicht selbstverständlich. Verstand sie mit den Juden Israel bzw. die Zeit des Ersten Tempels als ihre Antike, dann erfolgte die Einbeziehung in "unsere" Antike zusammen mit dem Alten Orient eher additiv, wie bei Eduard Meyer; hier kommt erst durch die Achämenidenfeldzüge gegen die Griechen eine Art historischer Klammer zustande. Verstand die Altertumswissenschaft aber die nachexilische Zeit bzw. die Zeit des Zweiten Tempels als jüdische Antike, dann galt es, deren Verflechtung in die hellenistische Welt in die historische Dimension aufzunehmen, in der der Hellenismus auch für das eingebürgerte Bild der Antike - und das selbst dann, wenn ihr das Judentum amputiert bleiben würde - mehr zu sein hat als ein auslaufendes Griechentum, das die durch die Achämeniden verklammerten Territorien des Alten Orients und unseres klassischen Altertums überlagert hat.

Für beide historischen Ansätze spielte auch eine ungute Arbeitsteilung noch eine Rolle. Die kritische Forschung zur antiken jüdischen Geschichte ist im 18. und 19. Jh. ganz überwiegend von der protestantischen Bibelwissenschaft geleistet worden. Das ist ein Verdienst, aber es hatte erhebliche Fehler. Insbesondere ein Stück heilsgeschichtlicher Sicht, nach der das Neue, das ein Altes ablöst, das Christentum sei, hat Israel oder das Judentum mit diesem schlicht zu Ende gehen lassen. Was es zum Schluß noch gab, war also das "Spätjudentum" - eine unmögliche historische Kategorie nicht nur angesichts der Tatsache, daß das Judentum bis heute existiert, sondern auch im Vergleich zu positiv-inhaltlichen Bezeichnungen, die man anderwärts gebraucht ("Spätantike" als volksneutraler Epochenbegriff ist etwas anderes): niemand kommt auf die Idee, statt "Hellenismus" oder "Byzanz" etwa "Spätgriechenland", statt "Deutschland" etwa "Spätgermanien" zu sagen.

Die Kontinuität der jüdischen Geschichte und die historische Identität der israelitischen und jüdischen Religion erlauben nur eine einzige Unterscheidung, die tiefer greift als ein einfaches chronologisches Früher oder Später: das ist die Existenz oder Nichtexistenz des Tempels. Eine Nation, die auf ein Zentralheiligtum hinorientiert ist, unterscheidet sich religionssoziologisch beträchtlich von einer Nation mit anderen Institutionen; eine Religion, in der Priester blutige Opfer darbringen, fällt phänomenologisch unter einen anderen Typus als eine Religion ohne dieses Merkmal. Eine solche Sicht, die mit der christlichen Deutung des Verlustes der jüdischen Staatlichkeit und der Zerstörung des Tempels nichts zu tun hat, stimmt in ihrer Ideologielosigkeit mit derjenigen einer säkularen "Wissenschaft des Judentums" überein, die nicht zuletzt auch der historischen Kenntnis des Judentums die Kategorien einer normalen Altertums- und Geschichtswissenschaft zunutze machen wollte.

Ein dafür maßgebendes frühes Werk, Heinrich Graetz's "Die Konstruktion der jüdischen Ge-schichte" (1846), hat gerade den Tempelverlust aus der heils- bzw. unheilsgeschichtlich-theolo-gischen Sicht herausgenommen. Wenn davon auch eher das Einrücken der mittelalterlichen und neuzeitlichen Diaspora-Geschichte in die historische Perspektive profitierte, das Judentum be-kam damit auch eine Antike. Es wurde für Lion Feuchtwangers Sicht derselben maßgebend, daß sein Bruder Ludwig (1885-1947) zu Beginn seiner Leitung des Jüdischen Lehrhauses in München (1936) das Werk von Graetz neunzig Jahre nach dessen Erscheinen neu herausgegeben hat.

III oder 9: Jüdische Nativitas im Hellenistischen Orient

Der Schriftsteller Flavius Josephus stellte, im ersten Jahrhundert u. Z. in der Stadt Rom lebend und schreibend, in seinem Buch "Die jüdischen Altertümer" die Geschichte seines Volkes in der Art einer Geschichte der anderen Völker seiner Zeit dar, die bis dato nichts oder nichts Zu-verlässiges von den Juden gewußt hatten. Gerade als - eventuell selbst Sonderarten einschlie-ßende - Art neben anderen Arten konnte es eine besondere Geschichte sein. Josephus hätte damit die heutige, wertbetonte Sammelbezeichnung des griechisch-römischen Altertums als "Antike" sprengen können, aber dafür war er nicht "klassisch" genug.

Damals sollten durch ihn nicht zuletzt diejenigen Juden sprechen, die mit ihrer Geburtenfolge, ihrer Nativitas, etwas Besonderes in der alten Welt darstellten - in einer Welt, deren östlicher Teil, aus der Josephus auch herstammte, von den darüber- und dareingekommenen Griechen zu einer neuen Kultur gemacht worden war. Wir nennen diese Kultur die hellenistische und beto-nen damit ein in der Tat auffälliges Einheitsmoment, das seinen eindeutigsten Ausdruck im Ge-brauch der griechischen Sprache fand. Die Heimat der meisten hellenistischen Juden war die ganze Ökumene, die bewohnte Welt, so wie es für eine Minderheit von ihnen, und für die zeit-weilig in ihnen fast ganz verschwindenden nicht-hellenistischen Juden, ein bestimmtes Land war, das zu jener Zeit meist Palästina hieß.

Aus den Juden, deren Nativitas nicht mehr in einer begrenzten Landschaft wurzelte, sprach nach ihrer Meinung der geheime Wunsch aller Menschen, deren Zusammengehörigkeit durch ihre gemeinsame Beheimatung in der Ökumene begründet war: derjenige nämlich, den Lichtglanz Gottes schon untereinander, schon bei sich zu haben. Die Juden hätten ihn aus Palä-stina zu ihnen, zu den Völkern gebracht, statt daß die Völker selbst dorthin wallfahrteten, um dieses Licht auf dem Zion zu schauen, wozu, kurz bevor die Griechen ins Land kamen, der Dritte Jesaja (Kap. 60) noch aufgerufen hatte. Es gab andere durch Geburt zusammengehörige Menschenklassen oder -arten, genannt "Nationen", die aus ihren enger begrenzten Heimatlän-dern oder -landschaften solche geheimen nationalen Wünsche vernehmen ließen: zum Beispiel aus der Persis mit den "Orakeln des Hystaspes" eine national-iranische, aber sibyllinisch stilisierte Apokalyptik; aus Baktrien mit Münzlegenden eine eindrucksvoll bezeugte bodenständige, auch indische mit griechischen Göttern gleichsetzende Königsideologie; aus Babylonien die "Chaldaika" des Bel-Priesters Berossos, der die mesopotamische Ur- und Urflutgeschichte als Welt-, Menschen- und Kulturschöpfung der Herrschaftsfolge der seleukidischen Dynasten vorschaltete; aus Syrien das Geschichtswerk des gelehrten Philon von Byblos, der die eigene, der griechischen und der biblischen oft ähnliche Mythologie auf das phö-nizische Original eines zwölfhundert Jahre früher schreibenden Priesters Sanchunjathon zurückführte; aus Anatolien die Botschaft einer Mysterienreligion nach einheimischem Ritual, das den iranischen Gott Mithra als Kämpfer gegen "den Okzident" in Dienst nahm; aus dem jüdischen Palästina eine umfassende priesterliche und schriftgelehrte Institutionalisierung seiner Thorah, die nun die "Väterlichen Gesetze" der Nachbarn nachweislich an Alter und Weisheit überbot; aus Ägypten die heilige Landeskunde des heliopolitanischen Priesters

Manetho, der die ptolemäischen Herrscher seines Landes diskret zu Parvenus erklärte, indem er die Reihe ihrer pharaonischen Vorgänger sogleich mit Göttern und Halbgöttern beginnen ließ, sowie Weissagungen eines Töpfers und eines Propheten, dazu einen aus alten ägyptischen Göttern neugeschaffenen Sarapis, dem auch die Griechen zugeführt werden sollen, und vieles andere.

Diese Äußerungen bezeugen also nicht eindeutig die hellenistische Einheitskultur, sondern gewisse Elemente, die in ihrer Mischung nicht aufgegangen waren, hier und dort auch solche, die sich in sozialpsychischen Tiefenschichten erst ganz neu bildeten. Wir erkennen solche Schichten heute in antikolonialen Bewegungen der sog. Dritten Welt wieder, mit der unter einigen ideologiegeschichtlichen und sozialstrukturellen Hinsichten der Hellenistische Orient als dritte neben der griechischen und römischen Welt vergleichbar ist. Unter den vielen Namen, die solche Bewegungen erhalten haben, sagt der "Nativismus" wegen des erkennbar bleibenden Bedeutungszusammenhanges mit den lateinischen Wörtern für das Geborenwerden, die auch hinter dem Wort "Nation" und seinen Ableitungen stehen, das Wesentlichste aus. "Nativismus" ist kein neues, modisches Wort. Schon Johann Gustav Droysen, von dessen Definition, historischer Sicht und inhaltlicher Beschreibung des Hellenismus bis heute das meiste richtig geblieben ist, gebraucht es, und wohl nicht zufällig im Zusammenhang mit den hellenistischen Juden. Er sagt:

"Man sieht in dem Judentum dieser Zeit der Septuaginta sich eine Umbildung vollziehen, die in Philo völlig ausgereift dasteht usw. Kurz, wenn man die geistige Entwicklung dieser Jahrhunderte verfolgt, erkennt man die ganz eigenartige Bedeutung dieser hellenistischen Zeit mit ihrem Gegensatz gegen das ausschließlich hellenische (= griechische, C.C.) und das verachtete barbarische Wesen, die Schaffung und Begründung einer Daseinsweise, in der das allgemein Menschliche sich über den Nativismus und den Stammcharakter der bisherigen Bildungen erhebt, eine Durchgärung, eine Theokrasie und Ethnokrasie ...."

Allerdings: Droysen charakterisiert hier am Judentum etwas, das den Nativismus gerade hinter sich läßt. Dieser selbst ist dann aber dasselbe Phänomen, das wir heute so nennen. Für die Septuaginta und ihren großen philosophischen Benutzer und allegorischen Ausleger Philon von Alexandrien trifft die Charakteristik Droysens sicher zu. Er dürfte seine Gründe gehabt haben, den Josephus für beides, den Nativismus wie den ins allgemein Menschliche übergehenden Hellenismus, nicht mitzunennen.

IV oder 13: Geschehende Römerherrschaft und römische Herrschaftsstruktur

Die historische Überzeugung eines gewissen Römertums, eine Sendung für die Zukunft zu haben, und der Erfolg, der dieser Überzeugung tatsächlich beschieden war (siehe Teil I oder 1), lassen sich sehr oft durch ein- und dasselbe Dokument belegen. Am 31.Oktober 1921 hielt der bedeutende Latinist Richard Heinze in Leipzig seine berühmt gewordene Rektoratsrede "Von den Ursachen der Größe Roms". Darin sagte er unter anderem:

"Die Ursachen der Größe Roms müssen in der Gesamtstruktur der römischen Seele gesucht werden. Um diese zu erfassen, wird man Wege verfolgen müssen, die die neuere Psychologie der Persönlichkeit erschlossen hat.... Nach der höchsten Wertsetzung, die der einzelne für sich vollzieht, unterscheidet Spranger als ideale Typen den ökonomischen, den theoretischen, den ästhetischen und den religiösen Menschen, sodann, von individueller auf das Gebiet gesellschaftlicher Seelenhaltung übergehend, den sozialen und den Machtmenschen, den er auch als politischen bezeichnet, weil der Staat, wenn auch keineswegs das einzige, doch das vornehmste Gebiet der Machtentfaltung ist.... Es ist ein seltsam tiefsinniger Zug der römischen Gründungslegende, daß sie das neue Gemeinwesen von einem Göttersohn gegründet, also schon durch seinen Gründer nicht in einem anderen Volkstum verwurzelt, von den ersten Anfängen an in feindlichen Gegensatz zu allen Nachbarn stellt.... Virgil läßt es in einem prachtvollen, von nationalem Stolz durchleuchteten Eingangsbilde der Aeneis vor Roms Gründung schon als den Willen des Schicksals verkünden, daß diese Stadt über den Erdkreis gebieten solle: dies Schicksal war nichts anderes als der Wille des Volkes selbst. Der civis Romanus dünkt sich kraft dieses Bürgerrechts allein jedem anderen Erdbewohner überlegen" (S.5-23).

Zur Zeit des Augustus ist "dem römischen Machtgedanken gleichsam die letzte Weihe und ein idealer Gehalt gegeben worden, indem es als der Wille der göttlichen Vorsehung gedeutet wurde, daß Rom über das Weltall gebiete, um ihm den Frieden zu geben. Tu regere imperio populos Romane memento, haec tibi erunt artes, pacique imponere morem, parcere subjectis et debellare superbos': 'du bist ein Römer - dies sei dein Beruf: die Welt regiere, denn du bist ihr Herr; dem Frieden gib Gesittung und Gesetze, begnadige, die sich dir gehorsam fügen, und brich im Krieg der Rebellen Trotz'. So läßt Virgil den Geist des alten Anchises prophetisch seine Nachkommen, die dereinstigen Römer, mahnen" (S.25).

"Das zum Herrschen geborene Volk hat eben aufs Gehorchen sich meisterlich verstanden.... Die Römer alter Zeit sind... Machtmenschen, der einzelne wie das Volk als Ganzes, und die Macht, nach der sie verlangten, ist anerkanntes Höherstehen, Herrsch- und Befehlsgewalt" (S.33-35).

Der richtig dargestellte Sachverhalt gehört in die Epoche, die durch den jüdisch-römischen Krieg von 66-70 u. Z. gewendet wurde. Nimmt man die Kategorie der "Lebensform", in der das Römertum hier beschrieben wird, einmal hin, dann läßt sich in der Tat zu seiner "nationalen Geistesrichtung" nicht nur "in der Geschichte der Kulturvölker kaum ihresgleichen" finden (S.5f), sondern auch kein größerer Gegensatz denken als die "nationale Geistesrichtung" des Judentums. Diese enthält möglicherweise als die ursprünglichste, sicher aber als die zur Zeit der kriegerischen Begegnung bestimmte "psychische Struktur" die des Exils. Alle anderen im frühen Glauben Israels enthaltenen Vorstellungen, wie Monotheismus und Messianismus, scheinen Parallelformen in den verwandten Nachbarkulturen zu haben, das Symbol des Exils aber ist - seit der babylonischen Gefangenschaft - die zutiefst jüdische, die dem jüdischen Volk eigenste Schöpfung, mit dem die gesamte geschichtliche Erfahrung des Judentums vergeistigt wird.

Die römische Geistesrichtung steht auch in engster zeitliche Nähe zu der "Persönlichkeit", die aus dem Volk mit der entgegengesetzen Geistesrichtung kam, die auf dessen Seite an jenem jüdisch-römischen Krieg teilnahm und sich die Aufgabe stellte, diesen für beide Seiten durch historische Darstellung verbindlich zu deuten. Wenn diese Deutung denselben Bestand haben sollte wie die geschichtliche Wirkung ihres Gegenstandes (siehe Teil V oder 2), konnte und durfte sie nicht in demselben Sinne nativistisch sein wie die anderen Geistesrichtungen, die dem römischen Herrschaftswillen widerstanden.

Die dargestellte Geistesrichtung blieb aber nicht die römische. Richard Heinze vertrat sie zustimmend wie viele andere vor und neben ihm, die damit die gleichgebliebene Struktur des römischen Herrschaftswillens repräsentierten. In jenem Jahre 1921 wurden neben dem Sachwalter der Größe Roms aber auch andere Positionen vertreten, die mit einer Herrschaftsstruktur, die jetzt durch die Siegermächte des Ersten Weltkrieges praktiziert wurde, wieder einmal zurechtkommen mußten. In stiller Übereinstimmung machten sich die Zionisten und die Juden in aller Welt daran, den Ausdruck "Exil" mit seinem negativen Beiklang aus dem jüdischen Sprachgebrauch zu streichen und ihn durch den freundlicheren Ausdruck "Diaspora" zu ersetzen, um so an die freiwillige Zerstreuung der Juden in der griechisch-römischen Zeit zu erinnern.

B) Flavius Josephus und sein Jahrhundert

V oder 2: Der "Jüdische Krieg" als epochale Vertreibung

Das römische Sendungsbewußtsein, das auch literarisch vielfachen Ausdruck fand, setzte sich in seiner ganzen Dimension zum ersten Male mit der Niederwerfung des jüdischen Aufstandes und der Eroberung Jerusalems faktisch durch. Zwar erlaubten der römische Senat und der Kaiser den Juden, in der Stadt wohnen zu bleiben, aber das Heer zerstörte den Zweiten Tempel und tat damit etwas, was Rom bis dahin noch nie getan hatte: es nahm einem Volk sein Zentrum. Die drei großen Wallfahrten zum Passa-, zum Wochen- und zum Laubhüttenfest, die alljährlich möglichst alle Juden aus der Zerstreuung oder Emigration, in der viele auf Grund widriger früherer Umstände schon lebten, im Lande zusammenführen sollten und dies in gewaltigen Ausmaßen auch immer wieder taten, konnten nun nicht mehr stattfinden. Es gab keinen Grund mehr, in Israel zu wohnen. Wenn auch noch genügend waffenfähige Männer mit ihren Familien im Lande blieben, um sechzig Jahre später mit dem Aufstand des Bar Kochba den zweiten jüdisch-römischen Krieg führen zu können, und wenn auch Rom seinen imperialen Machtwillen erst nach dessen Verlust für die Juden formell vollstreckte, indem es Judäa endgültig zur römischen Provinz machte und seine eingeborenen Bewohner daraus verbannte - das für das Römerreich wie für das Judenvolk seine jedem neue Epoche einleitende Ereignis war der erste, der eigentliche jüdisch-römische Krieg.

Für die Juden bestand die neue Epoche in ihrer Existenz als Weltvolk. "Jüdische Geschichte beginnt ... ungefähr ... mit dem Jahre 1500 vor der gewöhnlichen Zeitrechnung. Das heißt also, es sind über dreitausend Jahre, die dieses Volk nun lebt, so lange wie Indien und sein Volk, wie China und sein Volk.... Wieso hat dieses Volk fortdauern können? ... Der wesentliche Grund ... ist der, ... daß es im Laufe der Zeit den geistigen Inhalt, aus dem es Kräfte der Persönlichkeit schuf - Kräfte, welche die Persönlichkeit nachher gestalteten und prägten -, immer gewahrt hat. Aber ein weiterer Grund ist der: es lebte nicht nur in einem Kontinent, sondern in den Kontinenten. Sein Gebiet war so groß, daß es in einem gewissen Sinn zwar immer angreifbar, aber nie zerstörbar war; wenn ein Gebiet betroffen wurde - das andere Gebiet wurde nicht betroffen und blieb frei." Für die Auffassung nicht nur der jüdischen, sondern der ganzen Geschichte, deren Ermöglichung das Werk des Historikers Josephus markiert, hatte das noch eine besondere, gleichfalls epochale Konsequenz: "Gegenüber ... den Grundsätzen, den Prinzipien, welche galten, ist ein ganz anderes Prinzip aufgestellt worden.... gegenüber dem Polytheismus der Moral, d.h. der besonderen Moral für die Großen und der Moral für die Kleinen, ... wurde die eine Moral hingestellt, die für alle gilt.... Wo sonst überall der Sieger Geschichte schrieb und sagte, was Recht in der Geschichte sei, ist hier zum ersten Mal Geschichte vom Standpunkt des Besiegten, des Unterlegenen aus geschrieben worden: eine Revolution" (Leo Baeck).

VI oder 6: Josephus' unangefochtener "Räuber" Johannes von Gischala

In der Geschichte, die Flavius Josephus schreibt, kommt ein Mann vor, der, wenn es nach ihm gegangen wäre, den Jüdischen Krieg nicht zum Beginn einer neuen Epoche in der Geschichte seines Volkes hätte werden lassen, der der jüdischen Antike ein anderes Gesicht gegeben hätte. "In der Antike" war er der Gegenspieler des Josephus, "heute" hat er zu ganz gegensätzlichen Bewertungen des Geschehens, in dem er seine Rolle spielte, herausgefordert. Wirkungsgeschichtlich stellt er im 18. Jahrhundert einen Punkt dar, an dem zwei Umbrüche in der Aneignung sichtbar werden, die danach objektiv gegeneinanderlaufen sollten. Es ist Johannes, der Sohn des

Levi, von dem Josephus bei der ersten Erwähnung (2,575) sagt, daß er auf seinen Befehl den Ort Gischala nach eigenem Plan, oder auf eigene Kosten, befestigte.

Für Josephus ist es ausgemacht, daß Johannes von Gischala, noch radikaler als die Sikarier, sein Vaterland in unendliche Leiden stürzte, weil er selbst Gott entgegentrat, indem er verbotene Speisen auftischen ließ und in seiner ganzen Lebensführung von den väterlichen Reinheitsvorschriften abwich (7,262-264). Zunächst war er als (lestes, als) Räuber, ein Einzelgänger gewesen, dann brachte er eine (synhodia, eine bunte) Gesellschaft von 400 wagemutigen, nach Körperkraft und Entschlossenheit ausgesuchten Kerlen zusammen, mit denen er das von Josephus verwaltete Galiläa brandschatzte (2,585-590). Damit wurde er für Josephus interessant, hielt sich aber alle Möglichkeiten zwischen Kooperation und Rivalität offen, indem er das jederzeit zu widerrufende oder zu bestätigende Gerücht ausstreute, dieser werde die jüdische Sache an die Römer verraten. Als die Galiläer auch unter schwierigsten Umständen darauf bestanden, nur selbsterzeugtes, d.h. rituell reines Öl zu verbrauchen, kaufte er anderwärts amphorenweise billiges Öl auf, gab es den Galiläern als ihr Eigenprodukt aus und verkaufte es zum achtfachen Preis. Josephus und Johannes von Gischala müssen mehr und mehr in Tricks und Täuschungen wetteifern, um Anhänger auf ihre Seite zu bringen. Josephus mimt den Konzilianten, bittet Leute des Gegenspielers zu einem Koalitionsgespräch in sein Haus und läßt sie blutüberströmt mit herausquellenden Gedärmen wieder nach draußen stoßen. Johannes feiert krank, läßt sich von Josephus Heilbäder in Tiberias bewilligen und gibt vom Bett aus Befehl, ihn umzubringen, als dieser kommt, um nach dem Rechten zu schauen.

Es bilden sich zwei bewaffnete Parteien unter den Aufständischen gegen Rom (2,591-646). Die des Josephus scheint sich aufgelöst zu haben, als dieser nicht mehr mitmacht, die des Johannes geht Zweckbündnisse ein und löst sie wieder. Johannes wird zum großen Strategen im aussichtslosen letzten Kampf. Neben ihm steht der andere Große, Simon bar Giora, ebenso Zielscheibe von Josephus' Polemik, der nach anfänglicher Rivalität zu den Zeloten sich mit ihnen einigt und bei der Verteidigung des Tempels auch vor Grausamkeit gegen die eigenen Leute nicht zurückschreckt. Er gilt den Römern als der eigentliche feindliche Feldherr und wird deshalb nach Mitführung im Triumphzug in Rom hingerichtet (7,154).

Um den Kampf zu bestehen, so argumentiert Johannes von Gischala, sei es genau so, wie man im Kampf für Gott auch Gottes Eigentum verwenden dürfe, auch erlaubt, die Verteidiger des Tempels aus dem Tempel zu verpflegen. Er läßt deshalb priesterlich verwahrten Wein und Öl, das zur Ausgießung über die Brandopfer bestimmt ist, an seine Leute verteilen, und viele Weihegeschenke und gottesdienstliches Gerät läßt er einschmelzen (5,562-565), gewiß um daraus Geld zu machen. Zuletzt zieht er sich mit seiner Abteilung in den Tempel zurück (6,71), wird in den Gängen gefangengenommen (6,433f) und von Titus mit anderen nach Rom geschickt, da er ihn im Triumphzug vorführen will (7,118). Das ist sehr wahrscheinlich geschehen. Von seinem Ende hören wir nichts. Es kann sein, daß er nach einer Zeit als Sklave freigelassen wurde und nach Judäa zurückkehren durfte.

Es fällt auf, daß Josephus das ganze Werk hindurch seinen Gegenspieler, mit Mörder und Betrüger angefangen, mit so vielen Schimpfworten bedenkt, daß man daraus ganze Lasterkataloge zusammenstellen kann, daß er aber, wenn es um Tatsachen geht, von sich selbst eindeutig Scheußlicheres zu berichten weiß. So will er einem Gefangenen von der Gegenpartei beide Hände abhauen lassen, und als der ihn anfleht, ihm doch eine Hand zu lassen, gestattet er es huldvoll mit der Auflage, der Mann solle sich dann aber die eine Hand, die in jedem Fall herunter müsse, mit der anderen Hand, die dranbleiben dürfe, bitte selber abhacken; was der Verzweifelte aus Angst, Josephus werde sonst eigenhändig die zuerst angeordnete Leibesstrafe vollziehen, tatsächlich fertigbringt (2,642ff). Solche Dinge erzählt er von Johannes nicht. Ja, wo er, beim Tempelsakrileg, dramatisch klagt, der Jude sei hier schlimmer als die römischen Kaiser, die den Tempel stets geehrt hätten, und wären sie nicht selbst gegen seine Schänder eingeschritten, dann hätten diese vom Abgrund verschlungen werden müssen - da zeigt heutige Nachprüfung, daß es sich bei dem Eingeschmolzenen nur um die Ersatzgeräte für das tägliche

Tamidopfer sowie um solche Weihegaben handelte, deren Verkauf erlaubt war, wenn der Erlös für Reparaturen am Tempel verwendet wurde. Und das Brandopferöl verzehren die Leute des Johannes von Gischala nicht nur, sie salben sich auch damit (5,562-566).

Mit der großen Rede, in der Josephus, in Hörweite vor den Mauern stehend, seine Vaterstadt zur Übergabe auffordert, wendet er sich rhetorisch ganz an Johannes von Gischala. Er ist der selbstverständliche Adressat auch für den Feldherrn Titus, in dessen Auftrag Josephus zugleich spricht. Noch seiner Niederschrift ist zu entnehmen, daß Johannes ihn mit Beschimpfungen unterbrochen hat. Er muß sich als von Gott Beauftragten ausgegeben haben, weil Josephus ihn unter die Verurteilten rechnet, die er trotzdem retten will. Dafür riskiert er noch schlimmere Schmähungen als die, die er von Johannes hören muß (6, 108). Für sie kommt als Urheber nur Gott in Frage. Höher kann ein von sich überzeugter Gottesmann seinen Gegner nicht einschätzen.

VII oder 10: Josephus' Historiographie, Autobiographie und Apologetik

Ein Teil der jüdischen Geschichte ist Josephus' Leben, Teil insbesondere des jüdischen Krieges. In dessen Darstellung schildert er viel mehr Zeitabschnitte aus seiner Vita als in seiner Autobiographie, die zu neun Zehnteln dem halben Jahr gewidmet ist, in dem er als eine Art Gouverneur in Galiläa an den Kriegsvorbereitungen bis zum Eintreffen der römischen Legionen unter Vespasian teilnahm. Daß er sich mit seinem Todfeind Johannes von Gischala nicht in seiner Vita, sondern im Geschichtswerk auseinandersetzt, hat etwas von "sine ira et studio" an sich, soviel Zorn und Eifer in diesem Rahmen dann auch mitspricht. In der autobiographischen Schrift hätte das anders ausgesehen: mit dem rhetorisch-dramatischen Stil konnte Josephus auch die Unzuverlässigkeit übernehmen, die für politische Memoiren typisch ist, und auf deren Rechnung wäre das Bild gegangen, das er von seinem innenpolitischen Kontrahenten zeichnete.

Josephus stellt als Geschichtsschreiber das Jüdische als eine Art unter anderen Volksarten dar, für die Nikolaus von Damaskus das Nämliche besorgt hat. Dieser darf deshalb auch ebenso wie die Bibel benutzt werden. Man muß es wahrhaben, daß das genügt. Die Theologie der Offenbarung hat ihr eigenes Recht, aber die Herstellung einer differentia specifica Judaica unter einem genus proximum wie Menschheit, Kultur oder Religion braucht sie nicht zu leisten. Patrioi Nomoi, wie alle Völker sie haben, sind bei den Juden einfach von evident besserer Qualität. Als Herodes der Große römische Zirkusspiele einführt, braucht bloß gesagt zu werden: "Für die Fremden war dieser Aufwand und der Anblick der gefährlichen Kämpfe eine Augenweide und ein Gegenstand der Bewunderung; für die Einheimischen dagegen bedeutete es eine offenbare Auflösung der bei ihnen in so hoher Ehre gehaltenen väterlichen Sitten. Denn es schien ihnen offenkundig gottlos zu sein, Menschen den wilden Tieren vorzuwerfen zur Schaulust anderer Menschen, und genau so gottlos kam es ihnen vor, die Landesbräuche mit fremden Gewohnheiten zu vertauschen" (ant.15,274f).

Theokratie und Prophetismus sind keine Manifestationen des Überweltlichen, es sind jüdische Eigenschaften. Wenn Josephus sich als Propheten darstellt, dann maßt er sich nichts an, als ob ihm Pharisäer und Schriftgelehrter nicht genüge, sondern er will als Jude überzeugen. Prophetische Orakel sind per se zweideutig, der Jude hat Eindeutigkeit herzustellen. Josephus zieht für die Akklamation, die er dem Vespasian und seinem Sohn Titus als künftigen Cäsaren und Autokratoren zuteil werden läßt (bell.3,402; siehe Teil VIII oder 14), noch bei seiner ans Masochistische grenzenden Schilderung der Eroberung Jerusalems zu seiner Bestätigung eine Weissagung heran, die er in die Nähe eines Propheten rückt, auf den er nun zurückblickt; dieser habe sieben Jahre und fünf Monate geschrieen, bis er von einem Wurfgeschoß zu Tode getroffen wurde, und was die Juden am meisten zum Kriege aufgestachelt habe, sei eine zweideutige Weissagung gewesen - Josephus wertet sie mit dem Wort amphibolos (bell.6,312) genauso kritisch wie der eindeutige Römer Tacitus (a.a.O., § 2) mit seinem ambages -, die die Juden auf einen aus ihrem Volk bezogen hätten, während doch Vespasian gemeint gewesen sei, der in Judäa zum Kaiser ausgerufen wurde. Zweideutig wie Orakel sind, braucht man sich auch nicht auf sie zu berufen. Schriftgelehrsamkeit hat geeignetere Objekte. Josephus' Legitimation als Propheten mit denselben Quellen zu belegen, die auch für uns den wahren oder den falschen Propheten bezeugen, ist verlorene Liebesmüh. Unsere Wissenschaft muß Bibelstellen (u.a. Gen.49,10; Num.24,17; Sach.1,18f; Dan.7,14; 8,22;9,27) herbeizitieren, aus denen sich eine solche Legitimation nur gezwungen ableiten läßt, und sie muß auf vage Berichte des Sueton (Vesp.4), des Tacitus (Hist.5,13) und des Cassius Dio (Epitome des Buches 65 bei Xiphilinos 203,8-30) von Orakeln verweisen, denen zufolge der neue Herrscher aus dem Osten kommen würde. Solche Orakel können aber ihrerseits erst ausdrücken, wie ein geistiger Widerstand gegen Griechen und Römer in einen politischen Anspruch umgesetzt worden ist. "Dann wird der Orient herrschen und der Okzident dienen", heißt es in der auf diese Stufe gehörigen Schicht der Orakel des Hystaspes. Sie wurden im nativistischen Sinne weitergeschrieben, nicht im Sinne eines westlichen Machthabers, der zufällig auf dem Territorium des Orients zu Macht gelangt ist und diese also auch im Interesse der dort Einheimischen nicht ausüben wird.

Apologetik ist für Josephus nicht das Sich-Wehren eines Angegriffenen, der mit dem Rücken zur Wand steht. Es ist eine Sparte der Darstellung der jüdischen Art. Die Schrift "Gegen Apion" ist heute eine Quelle für allerlei Nativismen, vor allem des Berossos und des Manetho. Wer seine Sache überzeugend darstellt - dazu gehört natürlich, daß er nicht nur über seine eigenen Leute das Richtige sagt, sondern auch über die Juden - , der wird zustimmend zitiert (es ist Berossos), wer das Gegenteil tut, wird abgelehnt. Damit ist Josephus jüdischer Nativist. Indessen: nicht alle Kennzeichen eines solchen liegen von vornherein fest. Man muß von Fall zu Fall ein neues festsetzen.

VIII oder 14: Verrat am Alten = Prophezeiung des Neuen?

In einem ganz kurzen Vorgang verdichtet sich der Wechsel, mit dem der Repräsentant des Judentums - denn als solcher versteht Josephus sich - auf die Seite derjenigen Antike tritt, von der er genau wie der Repräsentant der anderen Seite, der römische Kaiser, überzeugt ist, daß sie im Fortgang der Geschichte nicht wie die hiermit verlassene Sonderart des Judentums in Vergessenheit zurückbleiben, sondern für die Zukunft verbindlich werden wird. So sieht unter der Perspektive neu festzustellender Volksidentität die Begrüßung des Vespasian als künftiger Kaiser durch Josephus aus, die für andere Generationen, oder unter anderen Perspektiven, der Ansatz für Deutungen war, in denen sich mit einer Eindeutigkeit, wie sie sonst selten möglich ist, die Deuter jeweils selbst enthüllen. Man hat von einem Rätsel, von merkwürdigen Umständen, vom Opportunismus, vom Verrat des Josephus gesprochen, und entsprechend stellen sich doch deutsche Philologen und Historiker dar, wenn sie daraus ihre Schlüsse auf die Zwielichtigkeit oder Schwäche von Josephus' Charakter ziehen. Man hat aber auch von einer legitimen Erkenntnis eines gesetzestreuen Juden gesprochen, die er in einer "Kraftleistung" in eine messianische Weissagung für den heidnischen Feldherrn und damit in eine Korrektur der Mißleitung seines Volkes umgesetzt habe, die diesem durch falsche Propheten zuteil geworden sei.

Der eigentliche Vorgang ist, wie gesagt, ganz kurz (bell.3,383-408). Die Römer marschieren an, die galiläischen Aufständischen geraten durcheinander, Vespasian kann die Städte Sepphoris und Gabara einnehmen, um weitere Orte, die notdürftig und rasch befestigt werden, wird getrennt gekämpft, wobei es die Strategie jeder Seite ist, Teile der anderen zu binden. Josephus wählt dafür die Bergstadt Jotapata und hält es dort mit seiner Truppe 47 Tage aus, dann steht der Fall der Festung bevor. Die Soldaten machen Anstalten, wie es in diesem Kriege öfter geschah, sich selbst umzubringen. Josephus wandelt diesen sträflichen Vorsatz in eine Aufforderung zu gegenseitiger Tötung um und kann sie durchsetzen, weil er gleichzeitig durch das Los entschieden haben will, wer sich dem Schwert des Nächsten darzubieten habe. So bringen sich alle gegenseitig um, was ihnen durch den Glauben erleichtert wird, der gemeinsame Tod mit Josephus, ihrem Feldherrn, dem ja dasselbe widerfahren werde, sei noch süßer als das Leben. Josephus scheint diese Aussicht bestärken zu wollen, indem er bis zuletzt wartet, daß die Reihe an ihn selber kommt. Als nur noch er selbst und ein anderer übrig geblieben sind, kann nur noch er diesen oder dieser ihn umbringen, und dem letzten bliebe nur noch der einem Juden verbotene Selbstmord. So beschließen beide, am Leben zu bleiben. Sie werden gefangengenommen, Josephus wird zu Vespasian gebracht und sagt zu ihm in Gegenwart seines Sohnes Titus, er sei beileibe nicht ein normaler Kriegsgefangener, sondern als Künder von großen Ereignissen von Gott gesandt; es lohne nicht mehr, daß Vespasian ihn zu einem Nachfolger Neros schicke, denn er, Vespasian und sein Sohn Titus würden bald selbst Kaiser sein. Vespasian traut dem zunächst nicht, entsinnt sich dann eigener Gedanken an die Thronbesteigung, die Gott ihm schon früher eingegeben habe, läßt Josephus in Gewahrsam nehmen und sammelt derweil Zeugnisse für seine sonstige Glaubwürdigkeit. Diese bestätigt sich endgültig nach zwei Jahren, als Vespasian von den Legionen in Ägypten und Judäa tatsächlich zum Kaiser ausgerufen wird. Er schenkt daraufhin dem Josephus als "Diener der Gottesstimme" die Freiheit. Dieser nutzt sie, indem er sich dem Gefolge des Kaisers anschließt und ihn nach Ägypten begleitet. Dort wechselt er in das Gefolge des Titus über und kehrt mit diesem nach Palästina zurück.

Hier handelt er mit letzter Konsequenz: er stellt sich an die Mauer des belagerten Jerusalem und - so stilisiert er es jedenfalls später schriftlich - hält eine große Rede an die Einwohner, in der er sie mit Begründungen, in denen Pragmatik, Aufruf göttlicher Providenz und Appell an elementare Überlebensinstinkte ineinander übergehen, zur Übergabe der Stadt auffordert. Wir kennen den Gegenspieler, dessen Autorität die Eingeschlossenen gegen diese Überredungskunst bis zum Tode gefeit macht (siehe Teil VI oder 6). Der kaiserlichen Gunst für Josephus tut das keinen Abbruch. Er geht nach Beendigung des Krieges mit Titus nach Rom, darf dort im ehemaligen Hause des Kaisers wohnen und sogar dessen Gentilnamen Flavius annehmen, erhält das römische Bürgerrecht, eine jährliche Pension und Güter in Judäa, für die er keine Steuern zu zahlen braucht. In Rom kann er seine Bücher schreiben.

War das Einsicht in die Sinnlosigkeit der Revolution, die im Falle des Mißlingens nur zu Blutvergießen und Untergang, im Falle des Gelingens nur zur Errichtung einer Herrschaft führen kann, deren totalitärer Charakter demjenigen gleichkommt, durch den die abgeschaffte Herrschaft sich verhaßt gemacht hatte? Oder war es Ablenkung von eigener elementarer Todesangst durch Übersetzung des Problems ins Große, wo es unbedenklich und sogar hochmoralisch ist, sich um das Leben von Mitmenschen zu sorgen? Oder war es der Durchbruch einer umfassenderen Einsicht, des Inhalts nämlich, daß die Wahrheit auf der anderen Seite liegt und daß deshalb die eigene auf keinen Fall siegen darf, nicht einmal dann, wenn es zu den schlimmen Konsequenzen von zuviel Blutvergießen und neuem Totalitarismus nicht kommen würde?

Josephus bereitet seinen Schritt durch Begründungen und Überlegungen vor und nach, die alle diese Alternativen ehrwürdig zu unterlaufen scheinen: er stellt sich als Propheten dar und bietet dafür sowohl Traditionen der früheren Prophetie seines Volkes als auch eine Aktualisierung derselben als das Gebot seiner historischen Stunde auf. Indessen: diese Erörterungen unterliegen denselben Fragen und erheben das Problem in einen noch grundsätzlicheren Rang. Josephus spricht von einer Inspiration durch Schriftworte, aber es wird nicht klar, an welche er gedacht hat, und nicht einmal bei seiner Niederschrift verwendet er entsprechende Texte (siehe Teil VII oder 10).

So muß man sich an die einfache Oneiromantik halten, deren Kunst Josephus gleichfalls für sich in Anspruch nimmt. Er hat Träume, in denen er Offenbarungen empfängt, darunter auch solche, in denen Gott ihm die über die Juden hereinbrechenden Schicksalsschläge und das künftige Geschick der römischen Kaiser zeigt; selbstverständlich ist er auch imstande, durch Deutung den Sinn der Träume eindeutig zu machen, über deren ursprüngliche Zweideutigkeit er sich, wie es zum Schulwissen des ganzen antiken Traumdeuterstandes gehört, durchaus im klaren ist. Noch in seinem Bericht stellt er Zufall oder göttliche Vorsehung anheim, die ihn für sein ganzes Handeln überhaupt erst am Leben gelassen haben könnten, und führt es damit an einen Punkt, wo man nicht mehr entscheiden kann, ob der Zufall bzw. die Vorsehung ihm oder ob er alledem selbst ein wenig nachgeholfen hat. Mit der Prophetie sind wir also erst recht nicht auf einem unangreifbaren Gelände. Wir stehen vielmehr bei einer Dialektik von Prophetie und Verrat.

Von hier aus ist der, der die neue Glaubensart, die richtige Weltanschauung, die wirkliche Ordnung der Dinge schaut und prophezeit und sie dann selbstverständlich auch aktiv herbeizuführen sucht, in der Position, von wo aus er prophezeit, ein Verräter. Schon der alttestamentliche Prophet ist es, der seinem jüdischen König ankündigt, der Erfolg des Assyrers werde zeigen, wo Gott steht. Es hat keinen Sinn, dann den Josephus auf die Rolle des Verräters festzulegen, deren ihn die ehrbare Bürgerkritik "heute" bezichtigt, oder auf die Rolle des der Wahrheit verpflichteten Propheten, der man gerecht zu werden meint, indem man sich selbstlos in "Die Antike" stellt. Es handelt sich um eine in die Schöpfungsordnung eingebaute ethische Ur-Aporie, aus der niemals und nirgends in der Welt unbescholten herauszukommen ist.

C) Europäisches Geschichtsbild und jüdische Existenz

IX oder 3: Antijüdische Josephus-Rezeption durch sechzehn Jahrhunderte

Der Blick, den Josephus in und mit seinem Buch "Der Jüdische Krieg" aus seiner Zeit in die jüdische Zukunft tat, war von der Rolle geleitet, die er selbst bei deren Gestaltung spielen wollte. Das war nicht eindeutig die Rolle des Besiegten. Aus dessen Sicht Geschichte zu schreiben, steht deshalb bei ihm wohl als Möglichkeit im Hintergrund, aber realisiert hat er diese nur halb. Damit hat er es seinen christlichen Lesern und Tradenten - die Juden lasen ihn nicht und wollten mit ihm nichts zu tun haben - sehr leicht gemacht, ihn ganz in einem Sinne aufzunehmen, der nun gewiß nicht mehr der seine war.

Der Josephustext ist nie verlorengegangen und brauchte deshalb auch nie wiederentdeckt zu werden. Im Gegenteil, er stand in einer Überlieferungs- und Rezeptionstradition, die genauso fest und ununterbrochen war wie die kirchliche, die mit der Redaktion des Neuen Testamentes beginnt. In ihren Anfängen steht die Redaktion der - ursprünglich wohl vorwiegend aramäischen, mündlichen - Tatsachenüberlieferungen, die Josephus vornimmt, in einer bemerkenswerten Verzahnung mit der neutestamentlichen Redaktionsschicht, die noch dieselben Tatsachen aufbewahrt, aber dann in einem ganz anderen, christlichen Sinne fortgeführt wird.

Der gemeinsame Anfang bei beiden ist die Zerstörung Jerusalems. Ihre Tatsache und ihr Verlauf wird im Neuen Testament in prophetische Untergangs- und Gerichtsaussagen, deren einige vom historischen Jesus stammen können, die in jedem Fall aber alle den ersten sechs Jahrzehnten unserer Zeitrechnung angehören, hineinredigiert. Man konnte sie fortan in der synoptisch-apokalyptischen Jesusrede als nachweisbar in Erfüllung gegangene Weissagung lesen, während es für unsere historisch-kritische Forschung die eindeutigsten <u>vaticinia ex eventu</u> sind, die das Schrifttum des apostolischen wie des nachapostolischen Zeitalters kennt. Diese Texte aber sind bis in einzelne Wortfolgen hinein verwandt mit Passagen, in denen Josephus Eintreten, Einzelheiten, Sinn und Folgen des Untergangs von Jerusalem beschreibt. (Die beiden griechischsprachigen Sekretäre des Josephus, deren Stil man sogar hat unterscheiden wollen, und gewisse griechischsprachige Redakteure aramäischer Teile der Evangelienüberlieferung müssen aus der gleichen sprachlichen Schule stammen.) Deshalb und von da an war Josephus' Buch über den jüdischen Krieg von Anfang an wichtig und entfaltete seine Aussagekraft im Verlauf der Jahrhunderte in Richtungen, die weit über die Absichten ihres Autors hinausgingen, zum Teil sogar im Inhalt beträchtlich von ihnen abwichen. Etwa fünf solcher Richtungen treten deutlich hervor.

Die erste Richtung tritt in ein Verhältnis gegenseitiger Unterstützung zur christlichen Tendenz, die Zerstörung Jerusalems als Strafe Gottes an den Juden zu deuten. Zwar war es für Josephus nur die Quittung für die Politik bestimmter jüdischer Parteiungen gewesen, die anders gehandelt hatten als er es für richtig hielt. Aber solch differenzierende Sicht konnte noch nicht die heilsgeschichtliche Perspektive sein, die sich nach und nach, und nicht zuletzt unter ausdrücklicher Berufung auf Josephus, ausbildete.

Eine zweite Richtung machte Josephus schlechthin zum Zeugen für die Wahrheit des Christentums. Diese war auch durch den Fall Jerusalems mitgesetzt, bestand aber darüber hinaus in der umfassenden Widerlegung des Judentums. Josephus bestätigte diese Wahrheit um so unbestreitbarer, als er damit gegen sein eigenes Volk zeugte und zu seinen Lebzeiten die Ächtung, nach seinem Tode das Totschweigen seitens seiner Glaubensgenossen hinzunehmen hatte.

Drittens bestätigte Josephus im Prinzip das göttliche jus talionis. Er demonstrierte, wie Gott die Sünden der Väter an ihren Kindern heimsuchte. Für die christliche Satisfaktionslehre lag ein entscheidendes Argument zu eigenen Gunsten darin, daß das, was als Sünde des Neuen Israel vorbehaltlich eines Gnadenerweises etwa zu erwarten war, auch schon im Alten Israel geschehen konnte.

Die vierte und fünfte Lesetendenz folgt sogar ganz neuen historischen Vorgaben. Christliche Herrscher sollten Strafexpeditionen ins Heilige Land unternehmen dürfen, und zwar genau die Römischen Kaiser deutscher Nation, die die Nachfolger der alten römischen Kaiser waren, die einst, wie von Josephus beschrieben, dasselbe getan hatten. Und: für das mittelalterliche Hofamt der Kämmerei, für das die servitus Judaeorum unabdingbar war, legitimierte Josephus die Verhältnisse, die in diese servitus gemündet waren, nämlich die Zerstreuung der Juden, ihre Rechtlosigkeit und den Zwang, mit allen, auch mit von den Christen verfemten Mitteln zu dienen, wo sie konnten, um sich ihr Leben zu erhalten. Die Kammerknechtschaft bestand vor allem in der Sorge für den Schatz des Herrschers und der Verantwortung für die Kosten der Hofhaltung.

Man kann sich keine klarere Illustration des christlichen Antijudaismus vorstellen als diese Wirkungsgeschichte des Bellum Judaicum. Sie verläuft zudem noch auf Nebengleisen, wo die Theologie zurücktritt. Weil Josephus für das alles steht, was dieser Theologie wichtig war, ist er der "Wahrheitsliebende" und "Weise", dessen Bellum Judaicum sich als Kompendium für diese Tugenden wie für moralisierende Deutungen der Geschichte empfiehlt. Sein Werk wird für einige ein christliches Erbauungsbuch, zum Hilfsbuch der Judenmission, ja zum "Fünften Evangelium" und zur "Kleinen Bibel". Für den Volksglauben ist Josephus der Arzt, dessen Kunst sich an den Gebresten des Titus bewährt. Für die Gelehrten gilt er als einer der ganz großen Historiker des Altertums; schon Hieronymus lobte ihn - er nennt ihn "Graecus Livius".

Mit alle dem waren die Wirkung des Bellum und der Vita, war die Ununterbrochenheit, in der diese Bücher gelesen wurden, war die Breite der Leserschichten und die Vielfalt der Weiterschreiber, Nachahmer und Zusammenfasser bis in die Zeit des Barock von Ausmaßen, die nur von Geschicken der Aeneis und der vierten Ekloge Vergils übertroffen wurden. Erst in der Aufklärung und noch einmal in der Gegenwart änderte sich das Bild.

X oder 7: Westeuropäische Zumutungen an die jüdische Identität

Die Kriegsgefangenen, die im jüdisch-römischen Krieg gemacht wurden, hatten dasselbe Schicksal wie ihre Väter, die im Jahre 63 v. u. Z. in die Hand der Armee des Pompejus gefallen waren. Sie folgten in den verschiedensten Diensten - als Sklaven der Eroberer wie als Freie, als Soldaten, Kaufleute und Ärzte - dem römischen Heer in den Okzident und auch ins Rheinland. Genaue historische Daten sind für die Anfänge nicht zu gewinnen, denn die epigraphischen und archäolgischen Belege sind so spärlich, daß Legenden aushelfen mußten. Eine davon hat deutliche Beziehungen zu dem, was Josephus berichtet: Germanische Vangionen hätten unter Vespasian und Titus im Jüdischen Krieg Dienst getan und dafür als Beute jüdische Mädchen erhalten; sie hätten sie mit in ihre Heimat genommen, und ihre Kinder, von den Müttern jüdisch erzogen, seien zum Stamm der Juden an Rhein und Main geworden (Chronicon Wormatiense).

Bereits diese Legende zeigt, was auch die Geschichte der Juden im Rheinland tausendfach bestätigt, seit sie mit dem Beginn des 4. Jahrhunderts aus dem Dunkel tritt: die Juden müssen sich unter total neuen Verhältnissen absolut anders definieren, als es von ihnen in der hellenistischen und römischen Welt gefordert war. Aber ihre Identität wandelt sich nicht; sie wird nur größer, breiter, tiefer. Sie wird wahrscheinlich zur komplexesten, die ein Volk überhaupt haben kann. Was von der feindlichen christlichen Umwelt als Verschlagenheit, Untreue gegen sich selbst und so weiter - der Katalog der gewollten Mißverständnisse ist bekannt - interpretiert wird, sind nicht Identitätswandlungen, sondern Rollenwechsel. Neue Rollen werden den Juden immer wieder zugemutet.

Sie übernehmen sie in einer solchen Weise, daß man nicht begreift, wie unter ihnen selbst in der Neuzeit das Argument entstehen konnte, daß im Lichte der lebendigen Kultur, die auf der Erneuerung der hebräischen Sprache in Palästina und der dort begünstigten jüdischen Phantasie und Kreativität gründe, das Judentum die geistige Leere des Lebens im Exil erkennen und sich daher entschließen würde, die Schale des Exils nun auch ganz zu "leeren" (zu diesem hier nochmals gewendeten Bilde siehe XII oder 15), d.h. nach dem Zion zu ziehen. Es war nicht nötig, in Zion ein geistiges Zentrum zu schaffen, um das kulturelle Leben der Mehrheit der jüdischen Nation, die aus unterschiedlichen Gründen in der Diaspora blieb, am Leben zu erhalten. Zion brauchte weder der Mittelpunkt eines Kreises noch ein Brennpunkt in einer Ellipse zu sein. Als geistiges Zentrum konnte man Zion überall finden und die hebräische Sprache überall sprechen.

XI oder 11: Friedrich Schiller's verkannter "Räuber" Moritz Spiegelberg

SPIEGELBERG aufspringend.... Sauf Bruder sauf - was meinst du, wenn wir uns beschneiden ließen, Juden würden, und das Königreich wieder aufs Tapet brächten?

MOOR. Hahaha! Nun merk ich, warum du schon gegen Dreyviertel Jahr eine hebräische Grammatik herumschleifst.

SPIEGELBERG. S-ßkerl! Just deswegen. Aber sag, ist das nicht ein schlauer und herzhafter Plan? Wir wollen sie im Tal Josaphat wieder versammeln, die Türken aus Asien scheuchen, und Jerusalem wieder aufbauen. Alle alten Gebräuche müssen wieder aus dem Holzbügel hervor. Die Bundslade wird wieder zusammengeleimt. Brandopfer die schwere Meng. Das neue Testament wird hinausvotirt. Auf den Messias wird noch gewartet, oder du, oder ich, oder einer von beyden - -

MOOR. Hahaha!

SPIEGELBERG. Nein! lach nicht. Es ist hol mich der Teufel mein Ernst. Wir sezen dir eine Taxe aufs Schweinefleisch, daß fressen kann, wer zahlt, und das muß horrend Geld abwerfen. Mittlerweile lassen wir uns Zedern hauen aus dem Libanon, bauen Schiffe, und schachern mit alten Borden und Schnallen, das ganze Volk.

MOOR. Saubere Nation! Sauberer König!

SPIEGELBERG. Drauf kriegen wir dir die benachbarten Ortschafften, Amoriter, Moabiter, Russen, Türken und Jethiter, ohne Schwerdstreich, unter den Pantoffel. Dann, mußt du wissen, wir sind mächtig im Feld, und der Würgeengel reutet vor uns her, und mäht sie dir nieder wie Spizgras. - Und haben wir erst um uns herum Feyerabend gemacht, so kommen wir uns selbst zwischen Jerusalem und Samaria in die Haare - du, König Moor von Israel, ich, König Spiegelberg von Juda und zausen einander wacker herum im Wald Ephraim, und wer Sieger ist geht her, läßt die Dächer abdecken und beschläft die Kebsweiber des andern, daß da zugaffen alle zwölf Stämme Israel.

Das ist ein Auszug aus einem Schauspiel "Die Räuber", das unter der fingierten Ortsangabe "Frankfurt und Leipzig" im Jahre 1781 anonym erschien. Auf eigene Kosten hatte der Autor es drucken lassen. Von ihm forderte der Mannheimer Theaterdirektor von Dalberg viele Kürzungen und Milderungen des Ausdrucks, dann werde er es zur Aufführung annehmen. Der Autor gab nach und wagte es nun, sein Incognito zu lüften - Friedrich Schiller. Für die Aufführung nahm Dalberg auch noch eigene Änderungen vor. Diese Bühnenfassung, die auch im Druck erschien, verdroß Schiller so, daß er selbst eine "zwote Auflage" redigierte, die bei Tobias Löffler in Mannheim 1782 erschien. Darin ist von diesem Teil der Szene nur die Aufforderung Spiegelbergs an Karl Moor geblieben, statt des Plutarch "den Josephus" zu lesen. Alles andere hatte Schiller im Umfang des Druckbogens, in dem es zuerst gestanden hatte, herausgenommen, wie er es auch mit anderen Bogen tat. Der zitierte Dialog gehört in den "unterdrückten Bogen B".

Hintergründe in Württemberg, wo im Jahre 1738 der Jud Süß hingerichtet worden war, die "Räuber"-Konzeption nach Inhalt und Namen, die schlechthin revolutionäre Wende in der Josephus-Rezeption, das Juden- und Historienbild nicht nur des Dramatikers, sondern auch des Aufklärers und Geschichtsprofessors Friedrich Schiller - all das muß an dieser Stelle leider auf sich beruhen bleiben. Auf die Aufsätze im Literaturverzeichnis sei besonders verwiesen; ihnen wäre noch manches hinzuzufügen.

Hier gilt es nur zu sehen, wie ein jüdischer Nativist, unter den Herausforderungen Westeuropas, auch aussehen konnte: Moritz Spiegelberg ist noch in Schillers Schlußfassung als Jude gekennzeichnet. Wir sehen auch, daß der Zion - das "Königreich" - nicht unter allen Umständen in Palästina liegt, sondern dort, wo die Umstände nach sozialen Reformen schreien. Und daß Schiller für den, der sie vollbringen will, aber verfehlt, eine bessere Bezeichnung hat als wir mit dem "Terroristen" und daß der "Räuber" für ihn einen anderen Wert hat als für Josephus (siehe Teil VI oder 6).

Vielleicht ist sogar die ganze Räuber-Konzeption Schillers eine Umwertung des Räuberbildes des Josephus, die den wirklichen historischen Umständen besser gerecht wird. Im Jahre 1906 wollte Albert Bassermann, der sich selbst als "Laien auf diesem Gebiet" bezeichnete, auf Grund verblüffender Anklänge von Schillers Letztfassung an Johann Friedrich Cotta's Übersetzung "Des fürtrefflichen Jüdischen Geschichtschreibers Flavii Josephi sämmtliche Werke" (Tübingen 1735) nachweisen, daß Moritz Spiegelberg dem Johannes von Gischala und Karl Moor dem Simon bar Giora nachgezeichnet sei. Der einzige, der das Thema wieder aufgenommen hat, Philipp F. Veit, dem Hans Mayer folgt, hat Bassermannns These nicht akzeptiert. Heute, nach weiteren zwanzig Jahren, wo nicht nur der Unterdrückte Bogen B, sondern noch manches andere bekannt ist, dürfte sie sich dennoch erhärten lassen.

XII oder 15: Die Aussage von Feuchtwanger's Josephus-Trilogie

Wenn man aus der europäischen Geschichte die Herrschaftsverhältnisse hervorhebt, die römisch strukturiert geblieben sind, und sie dann daraufhin betrachtet, wie die jüdische Existenz in ihr aussieht, dann bietet sie ein erstaunlich gleichbleibendes Bild. Deshalb durfte Lion Feuchtwanger die Dialektik von nativistischem Verrat und Römerprophetie, die das Werk des historischen Josephus enthüllt, kongenial darin einzeichnen. Daß er es auch konnte, hängt außer mit der irreduziblen Genialität des gelehrten Schriftstellers mit seinem genealogischen Verständnis eines mit seinem Gegenstande typisch gewordenen Geschickes zusammen.

Josephus' Leben ist uns genauer nur so weit bekannt, wie er es in seiner Vita und in den autobiographischen Passagen seines Bellum beschreibt. Feuchtwangers Aufriß folgt dem im Ganzen und stellt zwischen den dichter und den dürftiger dokumentierten Zeitabschnitten gleiche Proportionen her. Entsprechend karger und quellennäher bei den ersteren, umfangreicher und romanhafter bei den letzteren sind die Ergänzungen, die er vornimmt. Den ersten Band der Trilogie, "Der jüdische Krieg", der erstmalig im Jahre 1932 erschien, gliedert er in fünf gleich große Bücher, die als Titel die Namen einer palästinischen Landschaft und der vier wichtigsten Städte der hellenistischen Welt tragen, zwischen denen er seine Handlung wechseln läßt. Er beginnt mit "Rom", das die erste historische Station im Leben des Josephus ist, von der nach summarischen Angaben über seine Geburt in Jerusalem und seinem Aufwachsen in Palästina wir tatsächlich wissen: Josephus weilte von 64-66 in einer politischen Mission in der großen fernen Stadt, um die Freilassung einiger jüdischer Priester zu erwirken. Feuchtwangers zweites Buch heißt "Galiläa", und dorthin war Josephus auch wirklich zurückgekehrt, um gleich bei den ersten Unruhen, die sich gegen die römische Besatzung erhoben, dabeizusein.

Die Kongenialität mit dem alles entscheidenden Vorgang ist so gekonnt, weil die von Josephus sich selbst durch Vespasian unterstellte Motivation, er wolle eventuell ja nur sein Leben retten, und die anfänglichem Zweifel weichende Zuversicht Vespasians, die ihm vorausgesagte Thronbesteigung werde sich mit der von früheren Vorzeichen angekündigten Herrschaft schon decken, im alten Text (bell.3,399-408; siehe Teil VIII oder 14) genauso nachvollziehbar lesbar sind wie im neuen:

"In Josef unterdes arbeitete es in rasender Eile. Angesichts dieses Römers, der sein Leben in der Hand hielt, kamen plötzlich Sätze wieder herauf, die er seit langem hatte hinuntersinken lassen, die Sätze der schweren, einfältigen Männer aus der Schenke von Kapernaum." (Dort waren die Gedanken geäußert worden, die die Wissenschaft heute, längst nicht so plausibel, in eine literarisch-prophetologische Traditionsgeschichte zu bringen sucht, siehe Teil VII oder 10. Jetzt die immer mögliche Motivation:) "Fiebrig spannte er sich, es ging um sein Leben, und was jene dumpf geahnt hatten, das sah er auf einmal blitzhaft klar und scharf. 'Es gibt nicht viele Propheten in Judäa', erwiderte er, 'und ihre Sprüche sind dunkel. Sie haben uns verkündet, der Messias gehe aus von Judäa. Wir haben sie mißverstanden und den Krieg begonnen. Jetzt, wo ich vor Ihnen stehe, Konsul Vespasian, in diesem Ihrem Zelt, weiß ich die richtige Deutung.' Er verneigte sich voll großer Ehrerbietung, aber seine Stimme blieb nüchtern und voll Maß. 'Der Messias geht aus von Judäa: aber er ist kein Jude. Sie sind es, Konsul Vespasian' " (Bd.1, S.193f). "Hastig, in seinem Innern, während er auf Antwort wartete, betete er: Gott, mach, daß der Römer mir glaubt ....., dann ... läßt sich deine Stadt und dein Tempel vielleicht noch retten .... Der Römer sagte nur: 'Na, na, na. Nicht so heftig, junger Herr.' (Dann, nach einer kurzen Zwischenszene:) 'Andernteils gibt es gut verbürgte Geschichten von der verblüffenden Zuverlässigkeit gewisser Hellseher. Und was den gestaltlosen Gott der Juden anlangt, der in seinem dunkeln Allerheiligsten in Jerusalem wohnt: warum soll er (Titus, der in der Szene anwesend ist) es in den Wind schlagen, wenn dieser jüdische Gott ihm Dinge mitteilen läßt, die sich so gut zu den eigenen Plänen schicken?' " (S.195f).

Bald darauf endet das Buch "Galiläa". Bis zur Eskalation des Krieges, in der Josephus seine füh-
rende Rolle schon nicht mehr spielen wird, schaltet Feuchtwanger die Bücher "Cäsarea" und
"Alexandrien" ein, die palästinische Küstenstadt als die in einer Phase des Waffenstillstands an-
genommene Zwischenstation, in der dem Josephus sein Patriotismus fragwürdig wird, und die
ägyptische Küstenstadt als den Ort, der ihm zeigt, welche Symbiosen griechische, römische und
jüdische Mentalität eingehen können. Von hier an kommen Feuchtwangers Gründe zum Zuge,
mit seiner Vorlage nicht mehr kongenial zu sein: Alexandrien macht Josephus zum Kosmopoliten. Das ist sogar der letzte Sinn seines Übertritts auf die römische Seite:

"Ja, er hatte recht gehabt mit seiner Prophezeiung: Vespasian war wirklich der Messias. Die
Erlösung freilich durch diesen Messias vollzog sich anders, als er gedacht hatte, langsam, hell,
nüchtern. Sie bestand darin, daß dieser Mann die Schale des Judentums zerschlug, auf daß ihr
Inhalt über die Erde verströmte und Griechentum und Judentum ineinander schmolzen. In
Josefs Leben und Weltbild drang immer mehr von dem hellen, skeptischen Geist dieser östlichen
Griechen. Er verstand nicht mehr, wie er früher hatte Abscheu spüren können vor allem
Nichtjüdischen. Die Heroen des griechischen Mythos und die Propheten der Bibel schlossen
einander nicht aus, es war kein Gegensatz zwischen den Himmeln Jahves und dem Olymp des
Homer. Josef begann die Grenzen zu hassen, die ihm früher Auszeichnung, Auserwähltheit
bedeutet hatten. Es kam darauf an, das eigene Gute überfließen zu lassen in die andern, das
fremde Gute einzusaugen in sich selbst.

Er war der erste Mensch, eine solche Weltanschauung beispielhaft vorzuleben. Er war eine neue
Art Mensch, nicht mehr Jude, nicht Grieche, nicht Römer: Ein Bürger des ganzen Erdkreises,
soweit er gesittet war" (Bd.1, S.274f). In diesen Tagen schrieb Josephus den "Psalm vom Weltbürger" (S.282f).

Es folgt, nun wieder streng entlang dem Bezeugten, das Buch "Jerusalem", in dem die Schluß-
phase oder der eigentliche Krieg sich mit der Zweideutigkeit des einstigen jüdischen Generals
und nunmehrigen passiven Beobachters der Schlacht um die heilige Stadt verschlingen.

Der zweite Roman, "Die Söhne", zuerst im Jahre 1935 erschienen, sieht Josephus ganz in Rom,
wo er nach dem Krieg auch wirklich, wie es scheint ununterbrochen, seinen literarischen
Arbeiten gelebt hat. Auch dieser Band hat fünf Bücher, in denen das, was Josephus erlebt hat,
und das, was aus der Zeitgeschichte nach dem Jahre 70 bekannt ist, erheblich freier reflektiert
werden muß. Es geschieht in den Büchern "Der Schriftsteller", "Der Mann", "Der Vater", "Der
Nationalist" und "Der Weltbürger".

Im dritten Roman, "Der Tag wird kommen", entfernt sich Feuchtwanger am weitesten von der
geschehenen Geschichte. Er hat ihn nach seiner Flucht aus dem Internierungslager "Les Milles"
in den USA beendet und ließ ihn in englischer Übersetzung 1942, in deutscher Sprache erst 1945
erscheinen. Er besteht aus zwei Büchern. Das Erste ist "Domitian" betitelt, von dem Josephus
am Schluß seiner Vita noch berichten konnte, daß er ihm Bürgerrecht und Jahrespension gewährt habe. Feuchtwanger greift die bekannten antijüdischen Gesetze und Taten Domitians,
von denen die Begünstigung des Josephus so sehr absticht, grundsätzlich auf und stellt den
Kaiser immer grandioser als Typus Adolf Hitlers dar:

"Jetzt war es dem Josef klar, worum es ging. Domitian wollte sich, ehe er die Sprößlinge Davids
erledigte, auch noch von einem seiner Opfer bestätigen lassen, daß er recht daran tue, es zu beseitigen. Vorsichtig sagte er: 'Julius Cäsar hätte vor dem Tribunal der Geschichte sicher gute
und schlagende Gründe vorbringen können, um die Tat des Augustus zu verurteilen." (Es ging
vorher um die Beseitigung des Cäsarion, Sohnes des Julius Cäsar und der Kleopatra, durch Augustus.) "Augustus seinesteils hätte wohl nicht weniger gute Gründe gewußt, seine Tat zu
rechtfertigen.' Domitian lachte ein kleines Lachen. Auch über das Antlitz des Blinden" (des
Senators Messalin, der Domitian und Josephus eingeladen hat, damit dieser dem Kaiser "aus
dem Manuskript seines Geschichtswerkes die Kapitel über den jüdischen König David vorlese")
"ging ein Lächeln, und er anerkannte: 'Gut geantwortet. Allein was uns hier interessiert, ist

nicht das Urteil des Cäsar, auch nicht das Urteil des Augustus, sondern nur Ihr Urteil, mein Flavius Josephus. 'Und: 'Finden Sie', wiederholte er langsam, jedes Wort unterstreichend, 'daß Augustus recht daran tat, als er den Prätendenten Cäsarion beseitigte?' Er neigte das Ohr dem Josef hin, begierig. Josef biß sich auf die Lippen. Schamlos und geradewegs sprach der Mann aus, worum es ging, um die Beseitigung unliebsamer Prätendenten, um seine, des Josef, Beseitigung" (Bd.3, S.150).

Diesmal läßt Feuchtwanger den Josephus wenig später den "Psalm vom Mut" schreiben (S.156-158) - nicht direkt eine Absage an den Kosmopolitismus, aber doch Zeugnis des Gewinnens einer neuen Identität: Josephus - und Feuchtwanger - rühmen "den, der in der Schlacht seinen Mann steht", sagen "Heil dem Manne, der den Tod auf sich nimmt", "der sagt, was ist". "Denn das ist der Mut, zu dem Gott ja sagt." Das weist schon auf das zweite Buch des dritten Romans. Es heißt "Josef" und macht sich die Selbstverständlichkeit zu Nutze, daß dieser von seinem eigenen Ende nichts berichten kann. Da es auch niemand anderer tut, hat Feuchtwanger die Freiheit, den Josephus sterben zu lassen, wo er will. Er läßt es nicht in Rom, sondern in Palästina geschehen, wo er vor seinem Tode - er wird, an das Pferd einer berittenen Patrouille gebunden, geschleift und dann zum Sterben an den Wegrand gelegt - Johann von Gischala wiedertrifft. Jetzt kommt er mit ihm in langen Gesprächen zu voller Übereinstimmung über alle jüdischen Dinge.

In einer anderen, nicht weit von Gischala gelegenen galiläischen Stadt, in Safed, hatte fünfzehnhundert Jahre nach diesem Geschehen - es war zugleich dasselbe Jahrzehnt, in dem die jüdischen Bürger der deutschen Stadt Feuchtwangen das Geschick der Zerstreuung ereilen sollte - der große Kabbalist Isaak Luria (1534-1572) sein tiefsinniges System entworfen. In der messianischen Zeit, so denkt er, werde Israel aus der Zerstreuung zu sich selbst zurückkehren und damit ineins die Menschheit und Gott befreien. Die Menschheit ist im Ersten Menschen, dem Adam Rischon, und die Gottheit ist im Urmenschen, dem Adam Qadmon, verkörpert - die Gottheit aber erst, nachdem Gott, der ein Unendlicher, ein En Sof ist, sich auf sich selbst beschränkt, sich zusammengezogen hat, um den freien Raum zu schaffen, dessen der Urmensch bedarf. Er bildet sich aus den Lichtern, die dem En Sof entstrahlen, und soll diese eigentlich durch seine Körperteile wie in Gefäßen zurückhalten. Doch das hineinströmende Licht ist zu mächtig, sehr viele Gefäße zerbrechen, und ihre fallenden Scherben reißen sehr viele an ihnen haftende Lichtfunken hinab in die Tiefe: die Materie für eine Gegenwelt des Bösen ist bereit. Eine Urkatastrophe, das "Zerbrechen der Gefäße", die Schewirat ha-Kelim, ist also schuld daran. Wiederherstellung, Tiqqun des Zerbrochenen, d.h. des Urmenschen, ist selbstverständlich gefordert, und die Nachkommen des Adam Rischon, die Menschheit, hat sie zu vollbringen und ist dazu auch befähigt. Aber die Ursünde des Ersten Menschen läßt den Tiqqun nicht zum guten Ende kommen, ja, er muß, durch diese Wiederholung des Bruches der Gefäße von einer noch tieferen Stufe aus nötig geworden, in der geschichtlichen Welt vom Menschen, vom Juden, ganz neu angefangen werden.

Es fällt auf, daß Feuchtwanger in den Gedanken, die er seinen Josephus haben läßt, das Bild vom "Zerbrechen der Gefäße" verwendet. Aber es ist hier keine Katastrophe, sondern eine Wohltat, und nicht nur für die Menschen-Menschheit, die des überströmenden Lichtes teilhaftig wird, sondern auch für die Juden-Menschheit, die sich aus- und von sich selbst etwas abgibt. Aus dem Leidensgeschick des Exils ist das Glück des freiwilligen Kosmopolitismus geworden. Aber das Paradoxe ist: nur er kann verraten werden, indem man ihn zurücknimmt. Die Rückführung aus dem erzwungenen Exil hingegen ist eine Befreiungstat; denn in ihr wird das Versprengte der Zusammengehörigkeit zugeführt, zu der es allerursprünglichst bestimmt ist ganz wie die Scherben zum heilen Gefäß und wie die Lichter zum universalen Leib des Urmenschen. Wenn also Feuchtwanger seinen Josephus sich mit Johannes von Gischala dort einigen läßt, wo beide hingehören, und vielleicht sogar darüber, daß sie dort hingehören - ist das Verrat am Kosmopolitismus oder Rückkehr zum Ursprünglichen? Ist Rückkehr auch Verrat?

D) Lion Feuchtwanger und das zwanzigste Jahrhundert

XIII oder 4: Geschicke der Feuchtwanger seit Beginn der Neuzeit

Nimmt man die Reformation in Deutschland als die erste Epoche, die in allem eindeutig und endgültig neuzeitlich ist, dann gibt es sofort zu Beginn der Neuzeit einen für beide Aspekte unseres Generalthemas gleich wichtigen Punkt. Er ist vom mittelalterlichen Erbe der "Rache für unseren Erlöser" bestimmt, das die Reformatoren keineswegs geschmälert, sondern nur anders eingewechselt hatten, und in ihm treffen sich eine volkstümliche Variante der alten antijüdischen Josephus-Rezeption und die Initialbedingung für die Entstehung einer ganz neuen volkstümlichen Fähigkeit, den "Jüdischen Krieg" mit anderen Augen lesen zu lehren: der Fähigkeit Lion Feuchtwangers.

Zu Beginn dichtete der berühmte Hans Sachs (1494-1576) mit ausdrücklicher Berufung auf das, was "Josephus klar beschreyben thut", unter anderem folgendes: "Der köstlich Tempel wurd verbrend, / Die stat zerstört, da nam ein end / Ir regiment und priesterthum / wol durch des keysers sun Titum. / So wurd der tod Christi gerochen, / Wie Christus vorhin het gesprochen: / Ir töchter von Jerusalem...". Die vielgelesenen und -gehörten Verse, zu denen dem wackeren Poeten alles geriet, was er las, haben sich hier, im Falle der Lektüre des "Jüdischen Krieges", in das Volksgut Antijudaismus umgesetzt. Es war derselbe Geist, der um eben die Zeit, da dies in Nürnberg geschah, nämlich im Jahre 1555, aus einer anderen fränkischen Stadt, Feuchtwangen an der Sulzach, die Juden vertrieb. Die meisten von ihnen, die in Schwabach und Fürth, in Sulzbürg in der Oberpfalz und Pappenheim im Altmühltal unterkamen, nannten sich fortan die "Feuchtwanger". Das Ereignis wurde, wie für alle, die von dergleichen betroffen werden, so auch für die, die mit einem fränkischen Ortsnamen als Juden kenntlich blieben, das Ende ihrer Familienjugend. Die Kunde von anderen Vergangenen, das diesem Ende glich, bekam nun zwangsläufig Anteil an den Erinnerungen von immer schon Erwachsenen. Sie wurden dazu erst recht im zwanzigsten Jahrhundert, wo sich die Dinge nicht nur glichen, sondern schlimmer wiederholten.

Aus dem Fürther Zweig gründete Elkan Feuchtwanger (1823-1902), der als Goldschmied und Seifensieder zugleich Kaufmann war, eine Margarinefabrik mit seinem Namen in Haidhausen bei München, von wo aus Niederlassungen in Rumänien, Holland und Ägypten gelangen. Sein Sohn Sigmund Aaron Meir Feuchtwanger (1854-1916), als Juniorpartner der Firma zunächst Geschäftsführer der Kairoer Niederlassung, wandelte das Unternehmen nach dem Tode des Vaters in "Saphirwerke AG" um und widmete sich persönlich mehr und mehr dem fachkundigen Sammeln von Briefmarken und Büchern. Dabei wuchsen besonders hebräische Drucke und Handschriften sowie zeitgenössische deutsche Literatur, über deren Studium Sigmund zu einem weit belesenen Kenner jüdischer Geschichte wurde, zu einer bedeutenden Bibliothek heran, die nach dem Tode ihres Besitzers laut Testament der Oxford University Library übereignet wurde. 1883 heiratete Sigmund die Darmstädter Kaufmannstochter Johanna Bodenheimer (1864-1926). Als erstes ihrer neun Kinder wurde am 7. Juli 1884 Lion Jacob Arje Feuchtwanger in München geboren.

Lion besuchte dort die Volksschule Sankt Anna, das Wilhelm-Gymnasium und die Ludwig-Maximilians-Universität. Dann ging er zur Fortsetzung seines Studiums der Germanistik und der Philosophie an die Berliner Universität. Ironisch sagt "Der Autor über sich selbst (1935)": "Er wurde von insgesamt 98 Lehrern in 211 Disziplinen unterrichtet, darunter waren Hebräisch, angewandte Psychologie, Geschichte der oberbayerischen Fürsten, Sanskrit, Zinseszinsrechnung, Gotisch und Turnen, nicht aber waren darunter englische Sprache, Nationalökonomie oder amerikanische Geschichte. Der Schriftsteller L.F. brauchte 19 Jahre, um von diesen 211 Disziplinen 172 vollständig in seinem Gedächtnis auszurotten." Im Jahre 1912 heiratete er Marta Löffler und reiste mit ihr sogleich über die Schweiz - dort wurde ihr einziges Kind, eine

Tochter geboren, die nur zwei Monate lebte - und Südfrankreich nach Italien und Tunesien. Dort wurde das Ehepaar vom Ausbruch des Krieges überrascht und das erste Mal in seinem Leben interniert. Ebenfalls das erste Mal in ihrem Leben gelang ihnen eine Flucht. Über Italien konnten sie nach München zurückkehren. Dort wurde Lion zum Militär eingezogen, aber nach einigen Monaten aus gesundheitlichen Gründen wieder entlassen.

In seiner Vaterstadt entwickelten sich persönliche Beziehungen zu den Anführern der bayrischen Räterepublik. 1925 siedelten die Feuchtwangers nach Berlin über, wo die Lebenssicherung durch beider elterliches Vermögen nach und nach durch den Ertrag von Lions wachsendem literarischen Erfolg abgelöst wurde. Er brachte ihm auch Vortragseinladungen nach Frankreich, Spanien, England und den USA. Dort erfuhr er, diesmal nicht überrascht, von der nationalsozialistischen Machtergreifung, kehrte deshalb nicht nach Berlin zurück, sondern ließ sich in Sanary-sur-mer an der französischen Mittelmeerküste nieder. Hier mußte er die Verbrennung seiner Bücher auf dem Berliner Opernplatz, seine Ausbürgerung, die Beschlagnahme von Haus und Vermögen sowie die Aberkennung seines Doktorgrades durch die Berliner Universität zur Kenntnis nehmen.

Über seine Identität in schwere Zweifel versetzt, schrieb er, noch 1933, den Essay "Nationalismus und Judentum." Und zwei Jahre später wählte er für seine Rede auf dem Internationalen Kongreß zur Verteidigung der Kultur in Paris das Thema "Von Sinn und Unsinn des historischen Romans." Er tat es als außergewöhnlicher Meister dieser Gattung, der er selbst inzwischen geworden war. "Jud Süß" (Schauspiel 1918, Roman 1925) und die beiden ersten Josephus-Romane lagen vor.

1940 wurde Lion Feuchtwanger das zweite Mal in seinem Leben interniert, nämlich im französischen Konzentrationslager Les Milles, und wieder gelang die Flucht, diesmal über Spanien und Portugal nach New York. Von dort konnte er in Los Angeles Wohnung nehmen und 1943 nahe dabei, in Pacific Palisades, ein Haus erwerben. Dort arbeitete er, bis er am 21.Dezember 1958 - 74-jährig - in Los Angeles starb. In seinem und ihrem Hause führte Marta Feuchtwanger das Erbe ihres Mannes als Lion Feuchtwanger Memorial Library weiter.

Auch wer, statt dort gewesen zu sein, nur das kleinere Glück hatte, von einer Fernsehsendung durch diese Bibliothek geführt zu werden, der konnte ahnen, welche Mittel dazu beigetragen haben, daß Lion Feuchtwanger als Meister des historischen Romans nach seiner Emigration noch größer wurde und das Urteil Lügen strafte, daß historische Romane "alles verderben". "Zugänglich, genießbar, spannend, unschwerfällig bei aller Gediegenheit der historischen Fundamentierung ....,außerordentlich gebildet, ein gelehrter Philolog und firmer Historiker" (Thomas Mann), eröffnet er heute auch eine Deutung der Antike, zu der nur ein erwachsener Jude autorisiert ist. Er hatte unter seinesgleichen keinen Vorgänger, der zugleich deutend in seiner Zeit stand. Denn, so schrieb Bertolt Brecht im Juni 1949 in einem "Gruß an Feuchtwanger", "wie selten ist es, daß der Kenner alter Kulturen eine neue zu erkennen weiß !"

XIV oder 8: Der historische Roman als hermeneutisches Mittel

In dem 1935 in Paris gehaltenen Vortrag über den "Sinn und Unsinn des historischen Romans" bezieht sich Feuchtwanger auch auf Friedrich Nietzsche's Schrift "Vom Nutzen und Nachteil der Historie für das Leben". Was sich bei Nietzsche als "Erinnerung" vollzieht, der Rückgriff des erkennenden Subjekts aufs Vergangene, wird bei Feuchtwanger zu dem Moment, das die Schwierigkeit einer distanzierten Sicht auf die Vergangenheit, die er und jedermann als bloßer Historiker haben würde, zu einer dialektischen macht. Die Dialektik kann nur fallweise aufgehoben werden, nämlich immer dann, wenn es gelingt, den literarischen Stoff zu finden, der das

Erleben jener Bewegung freigibt, die sich im Zusammenkommen von Vergangenheit und Gegenwart vollzieht.

Wird der Stoff gestaltet, stellen sich die beiden Pole der Dialektik wieder her. In der großen Roman-Parabel "Der falsche Nero" (Amsterdam 1936) wird der Stoff zum Distanzierungsmittel. Kaiser Nero - wieso sich gerade an ihn so deutliche Hoffnungen auf einen redivivus geheftet haben, lernt der bloße Historiker auch bei seiner Beschäftigung mit dem Antichristen immer wieder nur mit Mühe und meist wahrscheinlich falsch - erhält einen Doppelgänger. Dieser erschwindelte Cäsar agiert mit zwei Anhängern, Knops und Trebon, in der römischen Provinz Syrien und ihren Nachbarländern - dort, woher der politische Messias des Erdkreises kommen sollte (siehe Teil VII oder 10 und Teil VIII oder 14) und wo Feuchtwanger sich durch seine Studien für die Josephus-Trilogie profund auskannte. Das gräßliche Triumvirat wird mit seinen Verhaftungen, Ausplünderungen, Mißhandlungen und Ermordungen Mißliebiger in den Städten am Euphrat, in der Kommagene und im Gebiet von Edessa zum satirisch verfremdeten Typus eines gegenwärtigen Dreierbundes, bestehend aus Hitler, Goebbels und Göring. Die Distanzierung ist nicht zuletzt deshalb nötig, weil auch der Abschluß und das Ende des antiken Vorganges gesehen werden soll.

Der "Jud Süß" hingegen bringt das in der Vergangenheit Erlebbare an die Gegenwart heran. Feuchtwanger hat sich hier weitgehend an die Quellen gehalten, aber die Anschaulichkeit, die das protestantische Württemberg des frühen 18. Jahrhunderts mit dem katholischen Fürsten Karl Alexander und seinem halbjüdischen Camerarius Süßkind Oppenheimer durch viele romanhafte Details erhält, ist psychologischer Natur. Erlebbar wird das ausdrückliche Bekenntnis des "Helden" zum Judentum, erlebbar auch das exemplarische Schicksal des jüdischen Volkes, das die es verfolgende Umwelt an Intelligenz und Virtuosität des Agierens zu übertreffen genötigt ist. Aber was hier "am Ende" sichtbar wird, hat keinen Abschluß: das jüdische Leidenscharisma in Zeiten der Verfolgung.

Der Emigranten-Roman "Exil" (zuerst erschienen Amsterdam 1940, zur Zeit der Internierung des Autors in Les Milles) läßt einmal mehr erkennen, daß das Exil im jüdischen Denken eine Bedeutung erhalten hat, die über eine rein historische Erfahrung weit hinausgeht - war doch Exil gleichbedeutend mit den ungeordneten Umständen des Daseins überhaupt geworden. Hatten diese Umstände früher in der Zerstörung des Tempels, in der Verwüstung des Zion und in der Heimatlosigkeit Israels Gestalt angenommen, so jetzt in der von Nazideutschland erzwungenen Exilierung. Es war schwerer geworden als je zuvor, sich über deren Sinn und Dauer zu verständigen; denn die Möglichkeit einer gleichen Bedrohung in neuen Gastländern, damals Frankreich und Spanien, war hinzugekommen, und da diese die Juden zugleich in die Situation des Klassenkampfes hineinstellte, konkretisierte sich das Problem ins Riesengroße am jüdischen Verhältnis zu dem Lande, wo der Klassenkampf als beendet galt, der Sowjetunion. Der Name, den die Trilogie erhielt, indem "Exil" den beiden früheren Romanen "Erfolg. Drei Jahre Geschichte einer Provinz" (Berlin 1930) und "Die Geschwister Oppermann" (Amsterdam 1933) sinngebend nachgeordnet wurde, nämlich "Wartesaal", könnte dann die Hoffnung, das Volk Gottes möchte nach den ungeordneten Umständen des Daseins die Ruhe finden, die ihm immer noch vorhanden ist, säkularisiert ausdrücken.

XV oder 12: Jüdischer Nativismus als antifundamentalistisches Paradigma

Die "sozialpsychische Tiefenschicht" der nativistischen Bewegungen, die mit den Mitteln des Romanschriftstellers ebensogut, wenn nicht besser aufzufinden sein dürfte wie mit denen der verschiedenen Wissenschaften, liegt im Nationalismus gleichsam noch eine Schicht tiefer. Der Nativismus ist zwar ein Vorläufer des Nationalismus - der antike einfach, weil es Nationalismus im modernen Sinne noch nicht gab, der moderne deshalb, weil seine Träger, wenn auch in wenigen Generationen, die Geschichte erst nachholen müssen, die anderwärts zu dem Nationalismus geführt hat, der von den Zu-kurz-Gekommenen nun nachgeahmt, übernommen, überboten werden soll. Aber der Nativismus bleibt auch erhalten: er ist seinerseits eine Tiefenschicht, wenn auch eine oberhalb der sozialpsychisch noch komplexeren, im Nationalismus.

Diejenigen politischen Theorien, die im Nationalismus den entscheidenden Integrationsfaktor für die Nationsbildung erblicken, rechnen dabei wohl auch mit Nativismus, lassen aber den Typ von Nationalismus außer acht, dessen Infrastruktur in einem Nativismus von der Art des jüdischen besteht. Wenn ein einheitliches Territorium, das real oder virtuell vorhanden ist, als konstitutiv für den Begriff der Nation gilt, dann stellt der jüdische Nativismus die Frage nach dessen Grenzen. Der Glaube an Gemeinsamkeit von Geschichte und Abstammung wird von der jüdischen Nativitas beispielhafter vertreten als von jeder anderen, weil sie Jahrhunderte lang ohne eine gemeinsame Regierung ausgekommen ist, derer die anderen wenn nicht real, so doch virtuell zu ihrer Stützung immer bedurften. Deswegen ist auch ein jüdischer Nationalstaat nicht auf Geringschätzung oder Feindseligkeit gegenüber fremden Nationalitäten angewiesen, die sonst geradezu ein Fundament für Nationsbildung sind.

An diesem Tatbestand hat die jüdische Literatur einen besonderen Anteil. Sie repräsentiert nicht, wie Literatur es sonst tut, mit Sprache und Sitten zusammen ein integratives Moment eines bestimmten Nationalismus. Sie ist vielmehr ein von einer bestimmten Sprache und bestimmten Sitten unabhängiges Phänomen. Damit repräsentiert sie einen bestimmten Nativismus.

Der seit der Antike nicht unterbrochene jüdische Nativismus zeigt noch der Gegenwart, daß Stolz über Errungenschaften der nationalen Politik oder die Wertschätzung zwischen Nationszugehörigen auf anderen Fundamenten ruhen können, statt selbst Fundamente zu sein, und deshalb schon der Erwägung, ob sie verraten werden sollten, gar nicht unterliegen. Er zeigt es umso beispielhafter, als Herrschaftsstrukturen wie die römischen, an die verraten werden könnte, sich fundamentaler behauptet haben.

XVI oder 16: Kosmopolit und Staatsbürger - Alternative oder Doppelideal?

Margret Boveri hat in ihrem großen Werk über den Verrat im 20. Jahrhundert auch die "Elemente des Religiösen" aufgewiesen, die bei den großen Abtrünnigkeiten im Spiele sind. Während es im Kleinen sehr oft um triviales Spielen um den größeren Vorteil geht - liege dieser nun im Erhalt von mehr Geld, im Umgang mit dem faszinierenderen Mann oder der schöneren Frau, dem Genießen der interessanteren Spionage -, geht es im Großen oft um eine Rückkehr wie um eine Bekehrung: von der Glaubenslosigkeit zum Kommunismus oder zu einer oder der anderen Form des Christentums (oder beide Male umgekehrt), von den dekadenten zu den sozialistischen Werten (oder umgekehrt - die letzteren sind dann die bürokratisch-grauen, die ersteren die lebendig-farbigen), von der Resignation zur Offenheit für ein Neues, das da kommen soll. Arthur Koestler hat - dies wird als authentische Dokumentation solcher Hintergründe zitiert - als Ausgangspunkt für alle seine Bekehrungen und Abtrünnigkeiten die Sehnsucht nach dem Absoluten genannt, die er als Kind in einem ersten mystischen Erlebnis erfuhr: er lag auf dem Rücken, blickte in den Himmel und hatte die Vorstellung von einem Pfeil, der, die Schwerkraft überwindend, in den Himmel schießt, um ins Unendliche zu fallen. Die Tatsache, daß die Unendlichkeit ein unlösbares Rätsel war, empfand er als unerträglich. Die Jagd nach dem entschwundenen Pfeil wurde zum Inhalt seines Lebens. Traumähnliche Erlebnisse enthüllen ihm immer wieder die geheime Ordnung der Dinge, die es in wirkliche Wirklichkeit zu überführen gilt. Dies bringt ihn einmal, in Francos Spanien, ins Gefängnis. Die traumhafte Schau der

Dinge, wie sie sein sollten, mitsamt ihrer Herbeiführung in der Welt der Dinge, die nicht sind, wie sie sein sollten, kann hier nur als Verrat gelten. Ein anderer Interpret des Abfalls, Whittaker Chambers, zeigt, wie sogar die ganze Weltanschauung - in seinem Falle das Christentum -, zu der man abfällt, als Waffe im politischen Kampf gegen das System benutzt werden kann, dem der Verräter einst angehörte. Das ist etwas Grundsätzlicheres als der psychologische Renegatenhaß. Es ist die Manifestation der Eindeutigkeit der Überzeugung dessen, der im Sowohl-als-Auch nicht mehr leben kann.

Für die Einzelperson scheint die Unmöglichkeit jeder anderen Manifestation anthropologisch endgültig zu sein. Besteht eine gleiche Endgültigkeit auch im Leben der Völker, der Nationen, der Staaten? Im gleichen Jahre 1907, als Feuchtwanger in München mit einer kritischen Studie über "Heinrich Heines Fragment 'Der Rabbi von Bacherach' " zum Dr.phil. promoviert wurde, erschien auch das erste der drei berühmt gewordenen Hauptwerke Friedrich Meinecke's, "Weltbürgertum und Nationalstaat". In dem für die Diskussion bis heute grundlegend gewordenen ersten Kapitel "Allgemeines über Nation, Nationalstaat und Weltbürgertum" kommt unter den vielen treffenden Beispielen der jüdische Fall nicht vor. Gesteht man zu, daß das von einem in einer anderen Welt Lebenden zunächst wohl nicht zu verlangen war, so muß man sich doch wundern, daß dieser Fall auch in den folgenden zwanzig Jahren, bis zur 7. Auflage von 1928, und in den 466 späteren handschriftlichen Änderungen und Zusätzen zu dieser Auflage nicht berücksichtigt worden ist. Aber man schüttelt den Kopf mit Respekt, denn falsch ist nichts geworden: was "das Judentum" an Erscheinungen bot, die von der Balfour Declaration (1917) bis zur Ausrufung des Staates Israel (1948) nur noch einmal überdeutlich hervortraten, hätte hineingepaßt - von der historischen Einteilung "in Kulturnationen und Staatsnationen" über die "ganz individuelle und eigene Seite", "das Eigentümliche der Einzelnation" bis zu dem Leben von "Angehörigen verschiedener Kulturnationen" "innerhalb einer echten Staatsnation" einerseits, bis zu der Zugehörigkeit von Mitgliedern einer "größeren umfassenderen Kulturnation" zu verschiedenen "Nationalstaaten" andererseits. Hier, im Leben der Völker, ist die politisch unzweideutige Manifestation eines Sowohl-als-Auch offenbar möglich.

Sie erscheint so umso mehr, als der große Historiker, der bewußt "die Konfrontierung seiner weiteren Entwicklung" "mit der ursprünglichen Konzeption" auf die "Vor- und Nachworte der späteren Auflage(n) beschränkt", gerade "als der Weltkrieg ausbrach" (!), im Vorwort zur dritten Auflage (1915) schreiben konnte, "das Doppelideal von Weltbürgertum und Nationalstaat" werde "durch diesen Formen erhalten". Denn die Tatsachen, daß heute in ganz unerwarteter Anzahl nicht nur Kulturnationen blutig darum kämpfen, entweder zugleich Staatsnationen zu werden oder in mehrere Nationalstaaten sich zu spalten, sondern sogar solche Kulturnationen jeweils mehrere sein wollen, von denen alle Welt bisher gedacht hatte, daß sie nur jeweils eine seien oder zu ein- und derselben Nationalkultur gehörten - auch diese Tatsachen desavouieren das Doppelideal von Weltbürgertum und Nationalstaat nicht prinzipiell, sondern nur von Fall zu Fall. Es gibt zwei Größen, für die es nicht notwendig zum Scheitern verurteilt ist. Die eine ist das Ganze der Gemeinschaft der Nationen, von denen die meisten entweder in der einen oder aber in der anderen Form leben. Und mitten darin sind immer noch Nationen bekannt, die als ganze entweder in der einen oder auch in der anderen Form leben können. Man muß nur beide Male genauer sagen: das nicht desavouierte Doppelideal ist ein kollektives.

Unmöglich wird es erst, wenn es Einzelpersonen ein und derselben Nation sind, die in der einen oder auch in der anderen Form leben sollen. Denn sie können es nicht. Hier ist das Doppelideal ein individuelles, und es wird notwendig desavouiert. Aber es läßt sich aufrechterhalten. Ja: verurteilte Ideale sind sogar die reinsten. Das individuelle Doppelideal des Kosmopoliten und des Staatsbürgers gehört dazu. Aufrechterhalten läßt es sich nur in der Zugehörigkeit zu einer unverwechselbaren, am Leben bleibenden Kultur. Sichtbar ist es bis auf weiteres nur in der Einzelexistenz des Schriftstellers, der eine "Antike jüdisch" hinter sich hat.

179

Literatur und Anmerkungen

Zu I oder 1

Schmökel, Hartmut, Geschichte des Alten Vorderasien (Handbuch der Orientalistik Abt. 1, Bd.
2, Abschn. 3), Leiden 1957, S. 52-69 ("....sumerische Renaissance") und S. 187-212
("....babylonische Renaissance").

Donner, Herbert, Geschichte des Volkes Israel und seiner Nachbarn in Grundzügen (Das Alte
Testament Deutsch, Erg.-Reihe Bd. 4/1 u. 2), Göttingen 1984 u. 1986, S. 368f.
("saitische Renaissance").

Zu II oder 5

Feldman, Louis H., Flavius Josephus Revisited: the Man, His Writings and His Significance,
in: Aufstieg und Niedergang der römischen Welt II, Bd. 21/2, Berlin 1984, S. 763-
862.

Hoffmann, Christhard, Juden und Judentum im Werk deutscher Althistoriker des 19. und 20.
Jahrhunderts (Studies in Judaism in Modern Times, vol. 9), Leiden 1988.

Kusche, Ulrich, Die unterlegene Religion. Das Judentum im Urteil deutscher Alttestamentler
(Studien zu Kirche und Israel Bd. 12), Berlin 1991.

Zu III oder 9

Niese, Benedictus (ed.), Flavii Iosephi Opera, vol. I-IV: Antiquitates Iudaicarum libri I-XX et
vita, Berlin 1887-1890 (ND 1955); deutsch:

Clementz, Heinrich (Übers.), Des Flavius Josephus Jüdische Altertümer, 2 Bde, Halle/Berlin o.J.
(1899; ND Köln o.J.).

Droysen, Johann G., Historik (1857-1883), hrsg. von R. Hübner, München 1937, = ⁵1967, S. 90
(Zitat nach Hinweisen auf Alexandrien, Pergamon, Baktrien, Indien,
unermeßlichen - nach S. 252 zum Kosmopolitismus führenden - Aufschwung des
Handels, Erblühen des städtischen Lebens, Eindringen griechischer Bildung
nach Rom).

Eddy, Samuel K., The King is Dead. Studies in the Near Eastern Resistance to Hellenism 334-
31 B.C., Lincoln/Nebraska 1961.

Colpe, Carsten, Von der Ausbreitung des Griechentums zur Enthellenisierung des Orients, in:
W. Heinrichs (Hrsg.), Orientalisches Mittelalter (Neues Handbuch der
Literaturwissenschaft Bd. 5), Wiesbaden 1990, S. 31-67.

Zu IV oder 13

Heinze, Richard, Vom Geist des Römertums, hrsg. von Erich Burck, Leipzig und Berlin 1938.

Klingner, Friedrich, Vom Geistesleben im Rom des ausgehenden Altertums, Halle an der Saale
1941.

Pöschl, Victor, Römischer Staat und griechisches Staatsdenken bei Cicero, Berlin 1936.

Fuchs, Harald, Der geistige Widerstand gegen Rom in der antiken Welt, Berlin 1938.

Vor allem ist hier die Forschung Richard Fabers zu nennen, die an anderer Stelle zitiert wird.

Zu V oder 2

Betz, Otto/Haacker, Klaus/Hengel, Martin (Hrsg.), Josephus-Studien (Festschrift Otto Michel), Göttingen 1974.

Ari-Yonah, Michael, Geschichte der Juden im Zeitalter des Talmud. In den Tagen von Rom und Byzanz (Studia Judaica Bd. 2), Berlin 1962, S. 1-84 (Verhältnis der Juden zu Rom bis zum 3. Jahrhundert).

Baeck, Leo, Epochen der jüdischen Geschichte (Studia Delitzschiana Bd. 16), Stuttgart 1974, S. 23 und 26 (Zitate).

Zu VI oder 6

Unnik, Willem Cornelis van, Flavius Josephus als historischer Schriftsteller (Franz-Delitzsch-Vorlesungen 1972), Heidelberg 1978.

Schalit, Abraham (Hrsg.), Zur Josephus-Forschung (Wege der Forschung Bd. 84), Darmstadt 1973.

Heubner, Heinz/Fauth, Wolfgang, P. Cornelius Tacitus, Die Historien, Kommentar zum fünften Buch, Heidelberg 1982.

Levy, Jacob, Wörterbuch über die Talmudim und Midraschim Bd. 1, Berlin und Wien 1924 (ND Darmstadt 1963), S. 316: Gusch-Chalab, dt. etwa "Milchklumpen, -masse", ist die aramäische Form des Ortsnamens Gis-chala.

Zu VII oder 10

Reinach, Théodore (texte établi) et Blum, Léon (traduit), Flavius Josèphe, Contre Apion, (Collection Budé), Paris 1930.

Niese, Benedictus (ed.), Flavii Iosephi Opera vol. IV, Berlin 1890 (ND 1955), p. 321-389: Iosephi vita; deutsch: Des Flavius Josephus Kleinere Schriften (Selbstbiographie - Gegen Apion - Über die Makkabäer), Halle o.J.

Colpe, Carsten, Hystaspes, in: Reallexikon für Antike und Christentum, Bd. 16, 1992.

Misch, Georg, Geschichte der Autobiographie, Bd. 1: Das Altertum, 1. Hälfte, Bern [3]1949, S. 328-341.

Zu VIII oder 14

Schlatter, Adolf, Kleinere Schriften zu Flavius Josephus, hrsg. von K.H. Rengstorf, Darmstadt 1970.

Unnik, Willem Cornelis van, Flavius Josephus als historischer Schriftsteller (Franz-Delitzsch-Vorlesungen 1972), Heidelberg 1978.

Canetti, Elias, Masse und Macht (Fischer TB 6544), Frankfurt 1960, S. 258-268 ("Die Rettung des Flavius Josephus").

Vidal-Naquet, P., Flavius Josephus ou Du bon usage de la trahison, Paris 1979.

Zu IX oder 3

Michel, Otto/Bauernfeind, Otto, Flavius Josephus, De bello Judaico. Der jüdische Krieg. Zweispachige Ausgabe..., 3 (4) Bde, Darmstadt 1959-1969.

Schreckenberg, Heinz, Josephus und die christliche Wirkungsgeschichte seines 'Bellum Judaicum', in: Aufstieg und Niedergang der römischen Welt II, Bd. 21/2, Berlin 1984, S. 1106-1217 (grundlegend).

Rindfleisch, Ruth, Lion Feuchtwangers Josephus-Trilogie. Gestaltungsprobleme und Entwicklungstendenzen beim literarischen Erfassen der Held-Volk-Beziehungen im Roman mit vergangenheitsgeschichtlichem Stoff des deutschen bürgerlichen Realismus von 1932/33 bis 1945, Greifswald 1969.

Zu X oder 7

Schilling, Konrad (Hrsg.), Monumenta Judaica. 2000 Jahre Geschichte und Kultur der Juden am Rhein, Handbuch (= Beiträge zu einer Geschichte der Juden in Deutschland), Köln 1963.

Bildarchiv Preußischer Kulturbesitz (Hrsg.), Juden in Preußen. Ein Kapitel deutscher Geschichte, Berlin/Dortmund 1981.

Nachama, Andreas/Schoeps, Julius H./Voolen, Edward van (Hrsg.), Jüdische Lebenswelten. Essays, Berlin/Frankfurt a.M. 1991.

Zu XI oder 11

Bassermann, Albert, Schillers 'Räuber' und Josephus, in: Studien zur vergleichenden Literaturgeschichte Bd. 6, Berlin 1906, S. 346-355.

Stubenrauch, Herbert (Hrsg.), Schillers Werke. Nationalausgabe, 3. Bd.: Die Räuber, Weimar 1953, S. 243-246 ("Unterdrückte Vorrede"), und S. 247-256 ("Unterdrückter Bogen B").

Mayer, Hans, Der weise Nathan und der Räuber Spiegelberg. Antinomien der jüdischen Emanzipation in Deutschland, in: Jahrbuch der deutschen Schillergesellschaft, 17. Jahrgang, Stuttgart 1973, S. 253-272.

Veit, Philipp F., Moritz Spiegelberg. Eine Charakterstudie zu Schillers 'Räubern', ebenda S. 273-290.

Ich verdanke diese Hinweise Peter Michelsen.

Zu XII oder 15

Feuchtwanger, Lion, Der jüdische Krieg. Die Söhne. Der Tag wird kommen, Berlin/Weimar 1960. 1962. 1968; [3]1979.

Jahn, Werner, Die Geschichtsauffassung Lion Feuchtwangers in seiner Josephustrilogie, Rudolstadt 1954.

Schäfer, Peter, Adam in der jüdischen Überlieferung, in: W. Strolz (Hrsg.), Vom alten zum neuen Adam. Urzeitmythos und Heilsgeschichte, Freiburg, 1986, S. 69-93 (S. 86-89: Lurianische Kabbala).

Zu XIII oder 4

Keller, Adelbert von/Götze, Edmund (Hrsg.), Hans Sachs, Werke, 26 Bde, Tübingen 1870-1908 (ND Hildesheim 1964), Bd. 27: Registerband, Hildesheim 1982 (Zitat aus Bd. 1, S. 321f. nach Schreckenberg S. 1153).

Pischel, Joseph, Lion Feuchtwanger. Versuch über Leben und Werk (Reclam 631), Leipzig 1976.

Mann, Thomas, Freund Feuchtwanger, in: Autobiographisches, hrsg. von Hans Bürgin, Frankfurt a.M. 1968, S. 401-404.

Brecht, Bertolt, Gruß an Feuchtwanger, in: Gesammelte Werke Bd. 19, Frankfurt a.M. 1967, S. 488f.

Zu XIV oder 8

Feuchtwanger, Lion, Vom Sinn und Unsinn des historischen Romans (1935), in: Ernst Loewy (Hrsg.), Exil. Literarische und politische Texte aus dem deutschen Exil 1933-1945, Stuttgart 1979, S. 872-877.

Feuchtwanger, Lion, Jud Süß (1925), Berlin/Weimar 1959.

Feuchtwanger, Lion, Der falsche Nero (1936), Berlin/Weimar [3]1980.

Arnold, Heinz L. (Hrsg.), Text und Kritik. Zeitschrift für Literatur, Heft 78/80: Lion Feuchtwanger, München 1983 (S. 133-145: Werkverzeichnis und Sekundärliteratur, von W. Müller-Funk).

Zu XV oder 12

Molnár, Miklós, Internationalismus, in: Sowjetsystem und demokratische Gesellschaft, Bd. 3, Freiburg 1969, Sp. 265-292.

Mendelsohn, Ezra/Gitelman, Zvi/Rürup, Reinhard, Juden, ebenda Sp. 369-408.

Mommsen, Hans/Martiny, Albrecht, Nationalismus, Nationalitätenfrage, ebenda Bd. 4, 1971, Sp. 623-695.

Burian, Peter/Mommsen, Hans, Nationalstaat, ebenda Sp. 713-740.

Zu XVI oder 16

Boveri, Margret, Der Verrat im XX. Jahrhundert, 4 Bde, Hamburg 1956-60 Bd. 3, S. 112-114 (Elemente des Religiösen), S. 115f (Der Verlust der Sünde), S. 116-118 (Mystisches Erlebnis und militantes Verhalten).

Meinecke, Friedrich, Weltbürgertum und Nationalstaat, München [8]1962, S. 1-26 und 451-454 (mit S. IX-XXXI: Einleitung des Herausgebers Hans Herzfeld).

Amputierte Antike.
Über Ursachen und Folgen des Antijudaismus in deutscher Altertumswissenschaft und Theologie[1]

von

Jürgen Ebach

I.

In einer mehrteiligen Fernsehproduktion zum Thema "Antijudaismus" bzw. "Antisemitismus" (zur Terminologie später noch etwas), die der NDR produzierte und die im vergangenen Jahr in mehreren "Dritten Programmen" ausgestrahlt wurde, wurde Rolf Rendtorff, wohl der deutsche Alttestamentler mit den genauesten Kenntnissen des Judentums und einer nicht minder großen Sensibilität im theologischen Gespräch mit Jüdinnen und Juden, gefragt, ob ein Christentum ohne Antijudaismus möglich sei. Ich zitiere seine ebenso prinzipielle wie pragmatische Antwort: "Also ich muß sagen, das hat es in der Kirchengeschichte noch nicht gegeben." Ich beginne mit diesem Zitat, weil es darauf aufmerksam macht, daß es, was die Theologie angeht, beim Antisemitismus nicht um endemisch auftretende Verirrungen geht, sondern um ein Merkmal, dessen Konstitutivität für die christliche Theologie und die christlichen Kirchen zu erfragen ist, wobei zunächst offen wäre, ob es sich um eine historische oder um eine prinzipiell-theoretische, eine fundamentalideologische Konstituante handelt. Ist diese Zuspitzung geeignet, die Brisanz jeder theologischen Beschäftigung mit dem Antisemitismus-Thema einzuschärfen, so stellt sie doch zugleich den Theologen, der sie ausspricht oder aufnimmt, vor ein logisch-moralisches Dilemma. Ein Theologe sagt, alle Theologen sind Antisemiten ---? Er wäre dann, wenn Logik gilt, entweder kein Theologe oder Antisemit... Das logische Dilemma ist nicht unlösbar. Verlangt wäre freilich von diesem Theologen, sich von einem zumindest historisch konstitutiven Teil des Christentums zu verabschieden und doch dessen inne zu sein, daß er das Thema und die Last seiner Geschichte nicht los werden kann. Das ist die Lage, in und aus der ich zu dieser Ringvorlesung einige Bemerkungen beitragen möchte zur Rezeption des jüdischen Altertums in der alttestamentlichen Wissenschaft, und - von der Seite her und keineswegs mit den dazu wirklich nötigen Kenntnissen, jedoch belehrt vor allem durch die großen Arbeiten von Hans Liebeschütz[2] und Christhard Hoffmann[3] - zur Rezeption bzw. Nichtrezeption der jüdischen Antike in den Altertumswissenschaften. Ich möchte mich dabei auf den deutschen Bereich und im wesentlichen auf das 19. Jh. beschränken. Zentrale Begriffe dieser Zeit in der Theologie und in der Geschichtswissenschaft wie "Einheit", "Nation", "Fortschritt" dürften geeignet sein, die Aktualität der Erinnerung zu demonstrieren.

Beginnen will ich gleichwohl mit der Gegenwart. Werfen wir einen Blick auf die Definition von "Antike" in einigen allgemeinen Wörterbüchern: Laut dtv-Lexikon[4] ist Antike "die Gesamtheit des griech.-röm. Altertums, besonders in seinem kulturellen Weiterwirken auf die Folgezeiten". Diese (vollständig zitierte) Begriffsbestimmung enthält also einerseits eine Erweiterung des Epochenbegriffs auf seine Rezeptionsebene und andererseits (ebenso einschlägig für unser Thema) die selbstverständliche Beschränkung der Antike auf das Griechisch-Römische, kurz:

---

[1] Für die Druckfassung wurden dem Vortrag einige Anmerkungen hinzugefügt; der Vortragsstil ist beibehalten.

[2] Das Judentum im deutschen Geschichtsbild von Hegel bis Max Weber, 1967.

[3] Juden und Judentum im Werk deutscher Althistoriker des 19. und 20. Jahrhunderts (Studies in Judaism in Modern Times, hg. v. J.Neusner), 1988.

[4] dtv-Lexikon in 20 Bänden, 1966 (Bd.1, s.v.Antike).

"Athen" und "Rom", aber nicht "Jerusalem". Werfen wir einen Kontrollblick auf den Artikel "Altertum" desselben Lexikons. Dort lesen wir: "Altertum [seit Gottsched], der Zeitraum von den Anfängen der altorientalischen Hochkulturen bis zur Völkerwanderung. Als klassisches A. faßt man die große Zeit der altgriechischen Kultur und des römischen Weltreichs, 5. Jh. v. Chr. bis 5. Jh. n. Chr., zusammen." Hier begegnet uns ein weiterer und ein engerer Begriff des Altertums. Für Israel besagt die Unterscheidung, daß es in den weiteren Altertumsbegriff eingeschlossen sein kann (von den Anfängen der altorientalischen Hochkulturen bis zur Völkerwanderung), in den engeren, dem die Adjektive "klassisch" und "groß" zugeordnet sind, nicht. Die Zeitangabe (5. Jh. v. bis 5.Jh. n. Chr.) - beides in der Geschichte des Judentums kein markanter Punkt - zeigt noch einmal, daß "Jerusalem" nicht im Blick ist. Das Große Dudenlexikon der deutschen Sprache fügt diesem Eindruck nichts hinzu. Ziehen wir (als letzten Zeugen für diesen ersten Blick) das dtv-"Wörterbuch zur Geschichte"[5] hinzu, so finden wir dort kein Lemma "Altertum"; der Artikel "Antike" enthält keinerlei Hinweis auf Israel, wohl aber die aufschlußreiche Formulierung, Antike sei eine "wertbetonte Sammelbezeichnung für das griechisch-römische Altertum, deck(e) sich jedoch nicht mit der 'Alten Geschichte'". Ich blättere eine Seite weiter in diesem Wörterbuch, das laut Vorwort "in die Fachsprache des Historikers einführen" will, und finde im Artikel "Antisemitismus" den Hinweis, er "begegne(.) in der - Antike als 'jüdischer Selbsthaß' ". Worauf immer sich dieser Hinweis beziehen mag, er bringt die Begriffe "Antike" und "Antisemitismus" in einen erstaunlichen Zusammenhang. Meine Irritation steigert sich, wenn ich (immer noch im selben Wörterbuch, das in die Fachsprache des Historikers einführen soll) im Artikel "Jude" die Formulierung finde: "Der Herkunft nach sind die von den heidn. Völkern als Hebräer bez. J. teils semitischer - infolge früher Blutmischung -, teils kanaanäischer Abkunft". Hier stimmt (fachsprachlich) so gut wie nichts. Die Bezeichnung "heidnisch" ist zumindest anachronistisch, wo nicht offen ideologisch; den Terminus "semitisch" kann man lediglich als Bezeichnung einer Sprachfamilie wissenschaftlich vertreten, und die Sprache der Kanaanäer *ist* semitisch, so daß eine Gegenüberstellung von "Semiten" und Kanaanäern schlicht falsch ist. Der Hinweis auf die "frühe Blutmischung" und der Gebrauch des Wortes "Abkunft" decouvrieren nicht nur die Sprache dieses Artikels. Daß eine biblische Selbstbezeichnung Israels als "Hebräer"[6] als heidnische (!) Fremdbezeichnung aufgeführt wird, fällt kaum noch ins Gewicht. Freilich bliebe der durch diese "Blütenlese" entstehende Eindruck verfälscht, würde ich nicht hinzufügen, daß es auch in knapp gefaßten Lexika zur Antike durchaus ein anderes Problembewußtsein gibt. So enthält der "Kleine Pauly" nicht nur einen in der Materialdarbietung präzisen und theoretisch reflektierten Artikel "Antisemitismus" (von C. Colpe), sondern auch die Artikel "Juda und Israel" (von H. Donner) sowie "Judentum" (abermals von Colpe, der mit seinem ersten Satz: "Der Zielsetzung eines Lex. der vornehmlich griech.-röm. Ant. entsprechend wird hier nur das Verhältnis des J. 1. zu seiner hellenist., 2. seiner röm., 3. seiner byzant. Umwelt skizziert..." eine pragmatische Begrenzung trifft und dabei eine theoretische Erweiterung des Antikenbegriffs [man könnte sagen:] fast fordert). Aufs Ganze gesehen, läßt sich dennoch festhalten, daß das antike Judentum aus historischer Perspektive aus der Antike ausgeschlossen oder nur als Randgebiet innerhalb der hellenistischen und römischen Welt in den Blick genommen wird. Amputierte Antike - die Überschrift scheint sich zu bestätigen.

Das Problem ist freilich komplizierter, wie ein (ebenso knapper) Blick auf den Ort des Judentums innerhalb der Theologie zeigen soll. Als These läßt sich formulieren: Wird in den historischen Wissenschaften das Judentum aus der Antike weithin ausgeklammert, so wird es in der Theologie gleichsam in die Antike verbannt. Nimmt man ein theologisches Lehrbuch mit dem Titel "Geschichte Israels" zur Hand, so wird dort die Geschichte Israels von den Anfängen bis 70. n. Chr. oder bis zum Bar-Kochba-Aufstand, d.h. bis 135 n. Chr. behandelt. Die meisten neueren Werke

---

[5] Hg. v. K.Fuchs u. H.Raab, 1972 (2 Bde.).

[6] Zum atl. Sprachgebrauch K.Koch, Die Hebräer vom Auszug aus Ägypten bis zum Großreich Davids, in: Vetus Testamentum 19 (1969) 37-81; Art.: 'jbri, in: Theol. Wb. zum AT, V, 1039-1056 (Freedman, Willoughby).

tragen zwar Untertitel (etwa: Geschichte Israels in alttestamentlicher Zeit), doch bleibt - etwa bei der Definition von Lehrstühlen für "Geschichte Israels" - der Eindruck, es handle sich bei "Israel" um ein im ersten Jh. n. Chr. abgeschlossenes Phänomen. Wenn Alttestamentler dieses Problem reflektieren, ist das Ergebnis zuweilen noch merkwürdiger, so wenn die "Geschichte Israels" von A.Gunneweg in der 1.Auflage von 1972 den Titel trägt "Geschichte Israels bis Bar Kochba" und in der neuesten Auflage von 1989 "Geschichte Israels von den Anfängen bis Bar Kochba und von Theodor Herzl bis zur Gegenwart" heißt. Zwischen 135 und dem Ende des 19. Jh. also gab es, wie man (überpointiert, doch kaum am Problem vorbei) folgern müßte: keine Geschichte Israels. Offenbar ist die Geschichte eines Volkes an einen Staat bzw. an eine Staatsidee gebunden. Damit wären wir schon bei einem zentralen Problem der Rezeption der Antike und der gleichzeitigen Rezeption bzw. Nichtrezeption des antiken Judentums.

II.

Eine terminologische Zwischenüberlegung[7]: Vom "Antijudaismus" bzw. (bis ca. 1879 "avant la lettre") "Antisemitismus" zu reden, erfordert eine Reflexion der Begriffe. Könnte man die terminologische Frage von der faktischen Gebrauchsgeschichte der Begriffe trennen, also in wissenschaftlicher Distanz nach den angemessenen Termini fragen, so läge es näher, durchgängig von Judenfeindschaft bzw. Antijudaismus zu sprechen. Gegen Juden richtete sich eine vom Altertum bis in die Gegenwart spezifische, wenn auch keineswegs stets gleichartige Form des Minderheitenhasses, niemals gegen die Mitglieder der semitischen Sprachfamilie, auch nicht gegen die (wenn es sie gäbe) "semitische Rasse". "Antisemitismus" war, seit das Wort um 1879 von Marr aufgebracht wurde, ein ideologischer Kampfbegriff, dem eine pseudowissenschaftliche rassistische Grundlage hinzugeliefert wurde. Ist es nicht, so muß man fragen, bereits ein Zugeständnis an die Antisemiten, ihrer Kampfparole den Rang eines wissenschaftlichen Begriffs zuzuerkennen? Daß es dabei immer nur um die Juden ging, zeigt sich schließlich daran (an diese Seite der terminologischen Frage erinnerte mich R. Faber), daß auf den Hetzplakaten der Nazis nicht "Sem verrecke!", sondern "Juda verrecke!" zu lesen war. So spräche vieles dafür, das Wort "Antisemitismus" seines Verschleierungscharakters zu überführen und vom Antijudaismus zu reden, um damit die in all ihren Brüchen und Paradigmenwechseln zu erkennende Kontinuität der Judenfeindschaft zu benennen und nach den Gründen von Kontinuität und Modifikation der Judenfeindschaft im Altertum, des christlichen Antijudaismus von der frühen Kirche über Mittelalter und Reformation bis in die Gegenwart, schließlich der sich selbst "antisemitisch" nennenden Bewegung der Kaiserzeit bis zur "Schoa" und bis zum "Antizionismus" zu fragen.

Es gibt allerdings eine den Worten "Antijudaismus" und "Antisemitismus" durch ihren Gebrauch namentlich in der Theologie zugewachsene Dimension, die dagegen zu nennen ist. Es hat sich weithin eingebürgert, zwischen Antijudaismus und Antisemitismus gleichsam als verschiedene Stufen einer "nach oben hin offenen 'Richter'-Skala" zu differenzieren. In dieser Terminologie gilt der Antisemitismus als etwas Unverzeihliches; was "nur" Antijudaismus sei, wird demgegenüber als jeweils aus der Tradition erklär- und verstehbare, allemal weniger schlimme Einstellung gewertet. Die Unterscheidung zwischen einem christlichen Antijudaismus und einem quasi weltlich-heidnischen Antisemitismus gehört zu einer Abwiegelungsstrategie, einer tendenziellen Reinwaschungsaktion im Blick auf Theologie und Kirche. So kann man - vordergründig historisch-terminologisch korrekt - erklären, Luther sei schon deshalb kein Antisemit gewesen, weil es den Antisemitismus erst am Ende des 19. Jh. gab. Die terminologische Unterscheidung wird unter der Hand zur Ehrenrettung, wobei unterschlagen wird, daß es jenen spezifi-

---

[7] Zum terminologischen Problem und seinen Zusammenhang mit den historischen und ideologischen Fragen selbst Verf., Art.: "Antisemitismus" in: Handwb. rel.wiss. Grundbegr., I, 1988, 495-504.

schen kaiserzeitlichen Antisemitismus und seine Folgen nach 1933 ohne die lange Geschichte der christlichen Judenfeindschaft nicht hätte geben, daß er jedenfalls nicht so plausibel und wirksam hätte werden können. (Nur ein einziges Beispiel: daß am Morgen des 10. November 1938 die Synagogen brannten, feierte der Thüringer Landesbischof Martin Sasse als glücklichen Beitrag zu Luthers Geburtstag.[8])

Es ist dieses angedeutete "Abwiegelungssyndrom" gegenüber dem vorkaiserzeitlichen "bloßen" Antijudaismus, das mir geraten sein läßt, an der Bezeichnung "Antisemitismus" auch für die christliche Judenfeindschaft festzuhalten. Daß man sich mit der Verwendung eines wissenschaftlich ungeeigneten Begriffs den Vorwurf der Unwissenschaftlichkeit einhandeln kann, ist mir bewußt. Ich nehme das als kritische Anfrage ernst; allerdings könnte hier ein Fall vorliegen, wo es die Diffusität und die komplex-ideologische Vermitteltheit einer Sache selbst nicht zuläßt, sich ihr mit "sauberer" wissenschaftlicher Terminologie zu nähern. Zuletzt könnte das Interesse an "sauberen", "geklärten" Begriffen selbst ein ungewollter Beitrag sein zu den "Sauberkeits-", Reinigungs-" und "Einheitsinteressen", die mit dem Antisemitismus von jeher verbunden sind.[9]

III.

Ich setze noch einmal ein bei der Beobachtung, die die folgenden Überlegungen als These strukturieren soll. Darzustellen sind Differenz und Konvergenz der Klassifikation des Judentums in Theologie und Altertumswissenschaft:

a) Das Judentum wurde in den Altertumswissenschaften im 19. Jh. in Deutschland nur in Ausnahmen als eine - neben Griechen und Römern - eigenständige Größe der Antike begriffen und thematisiert und *deshalb* bei der Antiken*rezeption* tendenziell ausgeblendet bzw. nur in seiner Rolle als Minderheit in den großen Reichen thematisiert. Zur Beschreibung gehört aber auch die logische Umkehrung: Anders als die griechische und römische Antike sollte das antike Israel nicht rezipiert werden, weil es nicht gegenwärtig sein sollte, und *deshalb* wird das Judentum als eine - neben Griechen und Römern - eigenständige Größe des Altertums methodisch und programmatisch "herausdefiniert".

b) Im Gegensatz dazu wird in der deutschen Theologie des 18. u. 19. Jh. (im Vordergrund steht die methodologisch avancierte protestantische Bibelwissenschaft) das Judentum gleichsam in die Antike "hineindefiniert". Das Judentum wird geradezu als Religion entdeckt bzw. bestimmt (und zwar als eine vorläufige, d.h. überwundene Stufe innerhalb eines philosophischen Begriffs der Religion oder als eine durch den Sieg des <letztlich deshalb!> höherwertigen Christentums faktisch überwundene Religion). Diese Historisierung und Antikisierung des Judentums erfolgt ebenfalls in rezeptionsgeschichtlicher Absicht. Sie erlaubt, *die* Teile des Alten Testaments, die nicht rezipiert werden sollen, als "jüdisch" zurückzulassen und *die* Elemente, die rezipiert werden sollen, aus der "jüdischen Religion" auszusondern. Die Historisierung als Methode setzt auf diese Weise eine enthistorisierte und unmittelbar für die Gegenwart zu reklamierende "immer schon christliche" "Sittlichkeit" frei.

In der Rezeption bzw. Nichtrezeption geht es also verdeckt oder offen-programmatisch um Gegenwart. Bevor wir genauer fragen, welches Gegenwartsinteresse die historische und theologische Rezeption bestimmt und in welcher Weise dabei die zunächst gegenläufigen Tendenzen

---

[8] So im Vorwort von M.Sasse, Martin Luther über die Juden: Weg mit Ihnen!, (Sturmhut-Verlag Freiburg i.B.) 1938 (als Motto über dem Vorwort Joh 8, 44).

[9] Dazu Verf., Erinnerung gegen die Verwertung der Geschichte, in: Die neue deutsche Ideologie. Einsprüche gegen die Entsorgung der Vergangenheit, hg. v. W.Eschenhagen (SL 748), 1988, 100-113.

konvergieren, möchte ich die Ausgangsbeobachtungen ein wenig erläutern. Werfen wir zunächst einen Blick auf das Judentumsbild in den Altertumswissenschaften.

IV.

Die Antikenrezeption der deutschen Altertumswissenschaften im 19. Jh. zielt auf Identifikation. Rezipiert wird, was gültig sein soll, ja die Antikenrezeption hat das Ziel der Bildung eines Werte- und Normenkanons durch den Rückgriff *auf* die, programmatisch *durch* die Gleichsetzung mit der Antike. Die Aufgabe, vor die man sich gestellt sieht, ist gekennzeichnet durch den Verlust eines verbindlichen Wertekanons, wie er vor der Aufklärung durch das biblisch-christliche Weltbild vermittelt war.[10] Die Antike tritt gleichsam in eine von der schwindenden Plausibilitäts- und Integrationskraft christlicher Weltdeutung einschließlich einer christlich-biblischen Geschichtstheorie zurückgelassene Leerstelle ein. Die (bei nicht wenigen Althistorikern - man denke etwa an Theodor Mommsen und Eduard Meyer - programmatisch antiklerikale) Option für den Vorrang der Antike gegenüber dem christlich-biblischen Deutungsmodell trägt (und diesen Aspekt möchte ich etwas genauer betrachten) den Charakter einer Opposition mit den Mitteln einer Imitation. Formal zeigt sich das z.B. in der Begründung des Vorrangs der griechischen und besonders römischen Antike gegenüber den übrigen Völkern des Altertums, namentlich den Hebräern, bei Barthold Georg Niebuhr. Niebuhr stellt einem (mit Bossuet verbundenen) theologischen Geschichtsmodell sein philologisches gegenüber, wobei die Rollen zwischen Zentrum und Rand vertauscht werden. So "pragmatisch" die Begründung erscheint, so deutlich ist sie doch von Wertentscheidungen getragen, die aus der Gegenüberstellung von Theologie und Philologie gerade nicht resultieren. Daß - um nur diesen Aspekt zu nennen - nach Niebuhr die römische Geschichte "den zentralen Bezugspunkt der alten Geschichte" bilde, weil in sie die Geschichte der anderen antiken Völker "einmünde", ist keine philologische Entscheidung, sondern eine politische (Niebuhr war Historiker als Staats- bzw. Geschäftsmann[11]).

Anders, nämlich in der Transparenz der Wertentscheidung offener, macht Friedrich August Wolf, den man als den Begründer einer systematischen Altertumswissenschaft ansehen kann, den Vorrang der Griechen und Römer gegenüber den Hebräern an ihrer überlegenen Gelehrsamkeit fest.[12] Hier wird das Selbstverständnis des Universitätsgelehrten zum Kriterium historischer "Noten". [Die von Wolf und Niebuhr (aus verschiedener Perspektive und dennoch bzw. deshalb einander ergänzend) begründete Marginalisierung des nichtgriechischen und nichtrömischen Altertums bestimmt den Themenkanon der Altertumswissenschaften weithin bis in die Gegenwart.]

Mit dem Paradigmenwechsel vom biblisch-christlichen Geschichtsdeutungsmuster zum Vorrang der griechisch-römischen Antike rückt das antike Judentum vom Zentrum an den Rand der alten Geschichte. Obwohl im Zentrum, war das Judentum in der theologischen Perspektive negativ besetzt. Diese negative Beurteilung blieb im neuen Paradigma erhalten. Diese Kontinuität innerhalb des Systemwechsels verlangt eine Begründung. Wie ist es zu erklären, daß die Historiker des 19. Jh. die peiorative Beurteilung des Judentums beibehielten, obwohl sie sich doch programmatisch von theologischen Deutungsmustern absetzten? Eine Erklärung liefert Hoffmann, indem er geltend macht, daß das Judentum gerade wegen seiner zentralen Verortung in theologischer Deutung gleichsam auf der Seite der Religion verblieb und deshalb

---

[10] Dazu Hoffmann (s.o.Anm.3), bes. 8ff.

[11] Zu diesem Aspekt A.Heuss, Näheres zu Niebuhr, in: Antike & Abendland 27 (1981) 1-33; Hoffmann (s.o.Anm.3) 39ff. (das Niebuhr-Zitat ebd. 40).

[12] Vgl. Hoffmann (s.o.Anm.3) 37ff.

der antiklerikalen Kritik verfiel.[13] Tatsächlich verbindet sich die negative Beurteilung des Judentums bei vielen Althistorikern (wieder wäre vor allem an Mommsen und Meyer zu erinnern) mit gegenwärtiger Kirchenkritik. Die Behandlung des antiken Judentums im Kontext vor allem des römischen Reichs liest sich weithin wie eine in die Vergangenheit fortgeschriebene Verlängerung des "Kulturkampfs". Das Judentum spielt dabei die "Rolle" der (katholischen) Kirche, deren Einfluß im säkulären (preußischen) Staat zurückgedrängt werden soll. Diese Erklärung kann auf die in zahlreichen Ausprägungen zu beobachtende "Funktion" des Jüdischen verweisen, jeweils für das eingesetzt zu werden, gegen das man die eigene Identität definiert.[14] In der polemischen Multifunktionalität der antijüdischen Kritik liegt ein Haftpunkt des Antisemitismus und seiner Breitenwirkung. Für Nationalisten war das Jüdische Ausdruck entweder rückständigen Stammesbewußtseins oder internationalistischer Auflösung von Staat und Nation; für Christen war das Jüdische das Modell falscher Religion, für Christentumsgegner das Urbild von Religion als falschem Bewußtsein; für Revolutionäre war es Modell des Kapitalismus, für Liberale und Konservative die ständige Quelle revolutionärer Zersetzung (so konnte bereits im 19. Jh. das Judentum für Kapitalismus und Sozialismus zugleich haftbar gemacht werden, ein Syndrom, das den Nazis erlaubte, sich durch die Basis des Antisemitismus als antibolschewistisch *und* antikapitalistisch zu gerieren). Die Reihe der einander stützenden Verdikte ließe sich leicht fortsetzen und differenzieren. So dürfte es richtig sein, einen Beweggrund des antijüdischen Affekts von Althistorikern in ihrer Kirchenfeindlichkeit zu sehen. Allerdings bliebe die Erklärung zumindest unscharf, wenn sie die Kontroverse (wozu Chr. Hoffmann zu tendieren scheint) auf der Folie des Gegensatzes von Religion und Säkularisierung ausgetragen sähe. Als (partielle) Gegenthese sei deshalb vertreten, daß der Vorrang der griechisch-römischen Antike gegenüber dem antiken Judentum zwar antikirchlich und antitheologisch, aber gerade nicht antireligiös, sondern umgekehrt: selbst religiös beansprucht wird. Zugespitzt gesagt: Es geht (zumindest auch) um die Ersetzung der biblisch-christlichen Theologie durch Religion. Ich möchte das an einem unscheinbaren und doch sprechenden Beispiel erläutern, das ich Christhard Hoffmanns Darstellung entnehme, doch etwas anders zu interpretieren vorschlage. Hoffmann charakterisiert mit Recht Ed. Meyers Auffassung, das "Judentum, wie es sich seit dem Exil verfestigt" habe, repräsentiere, "eine niedere Stufe der geistigen Entwicklungsgeschichte der Menschheit", und setzt (etwas später) in der Darstellung der Position Meyers fort, "das Judentum" könne "daher - durch dies Festhalten an der religiösen Bindung - eine Wissenschaft nicht entwickeln".[15] Auf derselben Seite zitiert Hoffmann einen Brief Meyers an seine Braut (1884), und zwar als Beleg für dessen Betonung der "Vorbildlichkeit der griechischen Kultur". Ich zitiere Hoffmanns Briefzitat:

"...Aber weißt Du auch, was das heisst, in Athen sein? Es ist das ungefähr die heiligste Stätte auf diesem Erdball, der Ort, dem wir alles verdanken, was wir an geistiger Kultur, an wahrer Bildung besitzen, ohne den wir Barbaren sein würden, wir möchten sonst noch so viel leisten. Das Parthenon in seinen Trümmern, die Propyläen, das Theater, wo Aeschylos und Sophokles ihre Dramen aufführten, mit eigenen Augen gesehen, mit Händen gegriffen zu haben, das ist in der Tat etwas Gewaltiges! Auf die Akropolis werde ich möglichst oft wallfahren, auf dass ich sie auswendig kann..."

Gewiß wird hier die "Vorbildlichkeit der griechischen Kultur" betont, freilich in einer Sprache ("die heiligste Stätte", "wallfahren"), die religiöse Verehrung zeigt. Die Kultur ist nicht der Re-

---

[13] Vgl. Hoffmann (s.o.Anm.3) 12ff. u.ö.

[14] Die Wertungsmuster sind instruktiv dargestellt bei Chr. Hoffmann, Das Judentum als Antithese. Zur Tradition eines kulturellen Wertungsmusters, in: W.Bergmann, R.Erb (Hg.), Antisemitismus in der politischen Kultur nach 1945, 1990, 20-38.

[15] Das Zitat bei Hoffmann (s.o.Anm.3) 155.

ligion entgegengesetzt, sie ist Religion geworden.[16] Diese Religion ist nicht etwa die Religion der *Antike* (es gab wohl immer wieder einmal Altertumswissenschaftler, die, wie es von W.F.Otto berichtet wird, in einem unmittelbaren Sinne an die Götter der Antike "glaubten", doch sind sie auch innerhalb der eigenen Zunft eher liebevoll belächelt) - es ist die Religion der Antiken*rezeption*. "Kultur" ist einer ihrer Glaubensartikel, "Nation" und "Persönlichkeit" sind die beiden anderen. Für alle drei Artikel dieses "Credo" bildet das "Jüdische" das Gegenbild.

V.

Die Rolle der Nation läßt sich idealtypisch an jenem ersten (seiner Neuauflage vor einigen Jahren fatal ähnelnden) "Historikerstreit" ablesen, in dem Heinrich von Treitschke und als sein prominentester Gegner Theodor Mommsen als Protagonisten auftraten. Themen, Thesen und Verlauf der Auseinandersetzung wurden in den letzten Jahren wiederholt ausführlich dargestellt und kommentiert[17], so daß ich mich auf wenige Hinweise beschränke. Dennoch sei der den Streit eröffnende Artikel Treitschkes in seinem Argumentationsduktus skizziert[18]. Treitschke veröffentlichte seine Attacke im November 1879 (wenige Wochen nach der ersten offen antisemitischen Kampagne des Hofpredigers und Sozialpolitikers Stoecker) in den "Preußischen Jahrbüchern" und zielte damit von vornherein auf politische Wirkung. "Unterdessen arbeitet in den Tiefen unseres Volkslebens eine wunderbare, mächtige Erregung." Das ist der Einleitungssatz in Treitschkes Artikel, der wie die Überschrift "Unsere Aussichten" das zentrale Thema noch nicht erkennen läßt. Auf die Beschwörung jener "wunderbare(n), mächtige(n) Erregung" folgt zunächst eine Kritik der Presse, die von all dem nichts widerspiegele, vielmehr noch immer die "liberalen Wunschzettel der sechziger Jahre" und den Glauben an die "Macht der 'Bildung'" enthalte. (Die Fortschreibung der "liberalen Wunschzettel der sechziger Jahre" bedauert Treitschke am Ende der siebziger Jahre, die "Achtziger" und "Neunziger" mit dem Kampf gegen die Sozialisten und dem Griff nach der Weltmacht folgen - wir befinden uns, wie ausdrücklich erinnert werden muß, im 19. Jh. ...) Nach der Presse kommt die Kirche in den Blick; Treitschke kritisiert die dort noch immer anzutreffende "alte Theologensünde, die Gleichgiltigkeit gegen das positive Recht des weltlichen Staates", lobt jedoch (typisch für nicht nur sein doppeltes Kirchenbild) den "sittlichen Ernst(...)" in der Kirche, die "festgewurzelt im Volke" lebe.

Noch immer ist Treitschke nicht beim eigentlichen Angriffsziel angekommen, doch gehören die "Vorgeplänkel" durchaus zum Schlachtplan und verraten überdies einiges von dem Gebräu, dessen wichtigste, doch niemals einzige Ingredienz der Antisemitismus ist. Auf Pressekritik, Kirchenkritik und Kirchenlob folgt ein Hinweis auf die gegenwärtig propagierte "Verhätschelung und Verzärtelung der Verbrecher", jene "weichliche Philanthropie", die "zur Grausamkeit gegen die rechtschaffenen Leute" werde und gegen die sich "das erwachte Gewissen des Volks" wende. (Hier und in manch anderer Hinsicht sind uns die Stichworte und Argumentations- bzw. Suggestionsmechanismen so vertraut, daß die aktuellen Parallelen nicht eigens betont werden müssen.) Nun kommt Treitschke zum Hauptthema, die "leidenschaftliche Bewegung gegen das Ju-

---

[16] Dazu R.Schlesier, Religion als Gegenbild. Zu einigen geschichtstheoretischen Aspekten von Eduard Meyers Universaltheorie, in: Eduard Meyer. Leben und Leistung eines Universalhistorikers, hg. v. W.M.Calder III u. A.Demandt (Mnemosyne Suppl.), 1990, 368-416.

[17] Die zentralen Texte sind zusammengestellt und mit einem (in der Tb.ausgabe erweiterten) Nachwort versehen von W.Boehlich, Der Berliner Antisemitismusstreit, 1965 (Tb.ausgabe insel 1098, 1988); Zur Auseinandersetzung vgl. Hoffmann (s.o.Anm.3) bes. das Kapitel über Mommsen (87ff.); Liebeschütz (s.o.Anm.2) bes. 192 ff.; H.Greive, Geschichte des modernen Antisemitismus in Deutschland, 1983, bes. 58ff.; F.Battenberg, Das europäische Zeitalter der Juden, 1990, Teilbd. 2, bes. 184ff.

[18] Boehlich (s.o.Anm.17) 7-14 (die folgenden Zitate aus diesem Artikel nach dieser Ausgabe).

dentum", von der (wie der Gelehrte, wie er nicht müde wird zu betonen, nicht ohne Sorge wahrnimmt) die Volksmassen ergriffen sind. Treitschke gibt sich bedächtig, verurteilt alle Aufwallung des Pöbels, und auch den berühmtesten bzw. berüchtigsten Satz seines Artikels ("Die Juden sind unser Unglück") teilt er in demagogischer Technik nicht etwa als seine eigene Meinung mit, sondern als das, was man allenthalben hören könne. Gleichzeitig läßt der Autor keinen Zweifel an der Berechtigung der Volksaufwallungen. Der Hauptgrund für den deutschen Antisemitismus ist seine demographische und geopolitische Notwendigkeit. Anders als in England und Frankreich ist Deutschland bedroht: "über unsere Ostgrenze ... dringt Jahr für Jahr aus der unerschöpflichen polnischen Wiege eine Schar strebsamer hosenverkaufender Jünglinge herein, deren Kinder und Kindeskinder dereinst Deutschlands Börsen und Zeitungen beherrschen sollen; die Einwanderung wächst zusehends, und immer ernster wird die Frage, wie wir dies fremde Volksthum mit dem unseren verschmelzen könnnen." Auf die (vorgebliche) Bestandsaufnahme - in die Treitschke durchaus die "vielhundertjährige(.) christliche (.) Tyrannei" einbeziehen kann, die zur Fremdheit "jene(s) polnischen Judenstamme(s)" beigetragen habe -, folgt die Forderung: "Was wir von unseren israelitischen Mitbürgern zu fordern haben, ist einfach: sie sollen Deutsche werden, sich schlicht und recht als Deutsche fühlen - unbeschadet ihrer alten heiligen Erinnerungen, die uns Allen ehrwürdig sind; denn wir wollen nicht, daß auf die Jahrtausende germanischer Gesittung ein Zeitalter deutsch-jüdischer Mischcultur folge". (Es handelt sich - in der Sprache Edmund Stoibers - um ein Plädoyer gegen eine durchrasste und durchgemischte Gesellschaft.) Keineswegs aber will Treitschke die Judenemanzipation rückgängig machen (er ist ja, wie er deshalb betont, kein Antisemit!), allerdings: "Kaum war die Emancipation errungen, so ... forderte (man) die buchstäbliche Parität in Allem und Jedem und wollte nicht mehr sehen, daß wir Deutschen denn doch ein christliches Volk sind und die Juden nur eine Minderheit unter uns; wir haben erlebt, daß die Beseitigung christlicher Bilder, ja die Einführung der Sabbathfeier in gemischten Schulen verlangt wurde." (Emanzipation ja - Gleichberechtigung nein, ein erstaunlicher und für manch andere Chauvinismus geradezu verführerischer Emanzipationsbegriff!) Treitschke urteilt zusammenfassend: "So erscheint die laute Agitation des Augenblicks doch nur als eine brutale und gehässige, aber doch natürliche Reaction des germanischen Volksgefühls gegen ein fremdes Element, das in unserem Leben einen allzu breiten Raum eingenommen hat." "Gehässig, aber natürlich" - so kann er sich elitär vom Volksgefühl absetzen und es gleichwohl ins Recht setzen. Und so auch stimmt der Autor ein in den Satz, den er doch nur zitiert: "Die Juden sind unser Unglück". Am Ende des Artikels folgt mit der Bekräftigung, er wolle die Emanzipation weder zurücknehmen noch auch nur schmälern, noch einmal die Begründung, warum sich die Deutschen mehr als andere Völker gegen die Juden abzusetzen hätten. Im Gegensatz zu den alten Kulturvölkern gilt: "Unsere Gesittung ist jung; uns fehlt noch in unserem ganzen Sein der nationale Stil, der instinctive Stolz, die durchgebildete Eigenart, darum waren wir so lange wehrlos gegen fremdes Wesen". Also bleibt, da weder eine Mischkultur akzeptabel noch es möglich sei, die "harten deutschen Köpfe jüdisch zu machen", "nur übrig, daß unsere jüdischen Mitbürger sich rückhaltlos entschließen Deutsche zu sein". Freilich: "Die Aufgabe kann niemals ganz gelöst werden. Eine Kluft zwischen abendländischem und semitischem Wesen hat von jeher bestanden, seit Tacitus einst über das odium humani generis klagte; es wird immer Juden geben, die nichts sind als deutsch sprechende Orientalen; auch eine spezifische jüdische Bildung wird immer blühen, sie hat als kosmopolitische Kraft ihr gutes historisches Recht." (Auf diese Formulierung werden wir noch zurückkommen, da sie ein Mommsen-Argument aufnimmt.) Noch einmal beklagt Treitschke das "Toben und Zanken" (aber die Deutschen seien "nun einmal das leidenschaftlichste aller Völker") und schließt mit einem Satz, der in wünschenswerter Klarheit Religion und Nation vereint: "Gebe Gott, daß wir aus der Gährung und dem Unmuth dieser ruhelosen Jahre eine strengere Auffassung vom Staate und seinen Pflichten, ein gekräftigtes Nationalgefühl davontragen."

Zu denen, die Treitschke öffentlich widersprachen, gehört als entschiedenster nichtjüdischer Opponent Theodor Mommsen, der 1880 eine Schrift mit dem Titel "Auch ein Wort über unser

Judenthum" verfaßte.[19] Ich möchte mich in der Darstellung der Position Mommsens, wie sie in dieser Veröffentlichung und in zahlreichen, von Chr. Hoffmann[20] sorgfältig zusammengetragenen und kommentierten weiteren Äußerungen Mommsens deutlich wird, auf drei Aspekte beschränken und auch diese nur summarisch darstellen, nämlich (1.) die Ebene der Kontroverse, (2.) die Relation zwischen Mommsens Position im Antisemitismusstreit und seiner Sicht des antiken Judentums und (3.) die Rolle der Religion in Mommsens Argumentation.

Mommsen kritisiert, das ist als erstes festzuhalten, mehr den Stil und die "Öffentlichkeitsarbeit" Treitschkes als die Inhalte seiner Polemik. Einschlägig ist die Bemerkung, Treitschke habe das alles sehr wohl als Kapitel seiner Geschichte (d.h. im Hörsaal oder in einer wissenschaftlichen Veröffentlichung) sagen können, nicht aber in dieser auf öffentliche politische Wirkung zielenden Form.[21] Es ist, wie Mommsen mehrfach bekundet, die Reaktion des "Pöbels", die er fürchtet und der Treitschke Vorschub leiste. In der Grundauffassung aber besteht größere Übereinstimmung, als es die Schärfe der Entgegnung vermuten läßt: Für ein Judentum als Teil der deutschen Bevölkerung gibt es auf Dauer keine Berechtigung. Der Übertritt der Juden zum Christentum als Ausweis des Niederreißens der trennenden Schranken ist wünschenswert. Wer das aus Gewissensgründen nicht könne, so Mommsen, der sei zu respektieren, solange er das als Entscheidung im privaten Kämmerlein trage und keinen öffentlichen Gebrauch davon mache. Einzelne Menschen jüdischen Glaubens respektiert er (mit kaum größerem Befremden als er es auch gläubigen Christen gegenüber empfindet), das Judentum aber sollte sich auflösen. Mit der Zustimmung verbindet sich allerdings eine (neben dem auch von anderen Gegnern Treitschkes erhobenen Widerspruch gegen die These von der angeblichen jüdischen Masseneinwanderung[22]) weitere wichtige Differenz zu Treitschkes Bestandsaufnahme. Erscheint für jenen das Judentum als ein Fremdkörper gegenüber den Deutschen insgesamt, so sieht Mommsen in den deutschen Juden (denen er deshalb das Deutsch-Sein gerade nicht abspricht) eine Art Stamm unter den anderen deutschen Stämmen. Das Ziel der deutschen Einheit fordert die Auflösung aller Stammesgegensätze, der Eigenarten der Sachsen und Pommern wie der Juden. Treitschkes Attacke wirkt in den Augen Mommsens im Blick auf dieses Ziel kontraproduktiv, indem es zur Verstärkung statt zur Auflösung bestehender Gegensätze beiträgt. Mommsen bekämpft den Antisemitismus, den er "die Mißgeburt des nationalen Gefühls" nennt, also im Namen der Nation. Eingestreut in die Argumentation sind zahlreiche Bemerkungen über die Juden, die um Verständnis und Nachsicht werben und gerade so als Vorurteil befestigen, was verstanden und toleriert werden solle. Für ihre unangenehmen Charakterzüge seien nicht sie, sondern ihre tragische Geschichte verantwortlich; der jüdische Wucher sei keine Legende, aber es gebe auch nichtjüdische Wucherer usw. Diese und viele andere Äußerungen Mommsens lassen erkennen, daß er die Juden, um es knapp zu formulieren, nicht mag. Kurz: Mommsen ist kein Antisemit - freilich nur dann, wenn man die resignativ sarkastische Definition Henrik Broders zugrunde legt, nach der "Antisemitismus ist, wenn man die Juden noch weniger leiden kann, als es an sich natürlich ist".[23]

---

[19] Boehlich (s.o.Anm.17) 212-227 (die folgenden Zitate aus diesem Artikel nach dieser Ausgabe).

[20] S.o.Anm.3, bes. 123ff.

[21] Beleg bei Hoffmann (s.o.Anm.3) 124f. Anm. 113 (Brief an H.Grimm).

[22] Diese Behauptung kritisiert auch der Breslauer Rabbiner und Religionsphilosoph Manuel Joel in seinem offenen Brief an Treitschke (Boehlich, s.o.Anm.17, 15ff. hier 20f.). Joels Antwort ist zugleich ein Beleg dafür, daß eine "rassistische" Ebene der Polemik (man möchte sagen "fatalerweise") auch in den jüdischen Antworten auf Treitschkes Attacke begangen wird, so wenn Joel sarkastisch - und Treitschkes "Argumentation" durchaus in einer "opposition par imitation" entgegentretend - fragt: "Wollen Sie, Herr Professor, einen körperlichen Eid leisten, daß Sie ein wirklicher Nachkomme der Germanen sind, die einst in den deutschen Eichenwäldern gelebt?" (S.22) Die Replik "sitzt", allein, es ist die "Imitation" in der "Opposition", die zum Problem wird, weil sie die "rassistische" Ebene konterkarriert und beschreitet.

[23] H.Broder, Der ewige Antisemit. Über Sinn und Funktion eines beständigen Gefühls, 1986 (in der Überschrift zum 2.Kapitel).

Die eigentümliche Doppelgesichtigkeit im Urteil über Juden und Judentum bildet das Grundgerüst auch für Mommsens Urteil über die Juden im römischen Reich. In diesem Zusammenhang (zuerst im 3.Bd. der Römischen Geschichte <1856>; später mehrfach aufgenommen und expliziert) bezeichnet Mommsen das Judentum in der frühen Kaiserzeit als "ein wirksames Ferment des Kosmopolitismus und der nationalen Decomposition"[24]. Diese Formulierung hat (in der Regel verstümmelt zitiert und aus dem Kontext gerissen) ein Eigenleben bekommen. Hitler gebraucht sie bereits in "Mein Kampf", aber auch in der Schlußrede des Parteitags von 1935, der die "Nürnberger Rassengesetze" verabschiedet hatte. Zweck und Entwicklung des "Zitats" bei Hitler und nahezu allen Nazipropagandisten sind bei Hoffmann präzise dargestellt[25]: Ging es zunächst darum, sich der Autorität Mommsens zu bedienen, so wurde es schließlich von jedem argumentativen historischen Zusammenhang getrennt zur Chiffre für das "Zersetzende" des Judentums schlechthin. Mit guten Gründen nimmt Hoffmann Mommsen gegen diese Vereinnahmung in Schutz. Gleichwohl bleibt zu fragen, wie weit Mommsens in diesem Zitat gebündelte Auffassung von ihrer bösen Rezeptionsgeschichte zu trennen ist. Mommsen bezeichnete mit seiner Formulierung die Rolle des Judentums in der römischen Reichsgeschichte. Hier habe es in seiner Tendenz zur "nationalen Decomposition" dazu verholfen, die vielen Nationalitäten aufzulösen und damit zur höheren Einheit des Reiches beizutragen. Diese Fermentwirkung betrachtet Mommsen - sowohl im Blick auf die römische Geschichte als auch auf die gegenwärtige deutsche - als etwas historisch Notwendiges, läßt aber keinen Zweifel daran, daß ihm solche Auflösungsvorgänge zutiefst unsympathisch sind. "Decompositionsvoränge sind oftmals nothwenig, aber nie erfreulich und haben unvermeidlich eine lange Reihe von Uebelständen im Gefolge", schreibt Mommsen in der Anti-Treitschke-Schrift und fügt hinzu: "der unsrige weniger als der römische, weil die deutsche Nation keineswegs ein so blasser Schemen ist wie die caesarische Reichsangehörigkeit; aber so sehr bin ich meiner Heimath nicht entfremdet, daß nicht auch ich oft schmerzlich empfände, was ich gehabt habe und was meinen Kindern fehlen wird." Die "Decomposition" des "Schleswig-Holsteinischen", so kann man das verstehen, ist im Prinzip nichts anderes als die des "Jüdischen"; Mommsen fordert beides im Namen der größeren Nationalität. Doch wird die Betrachtung der deutschen Juden als einer der mannigfaltigen in Deutschland anzutreffenden Nationalitäten nicht durchgehalten. Ihre "Decompositionskraft" wird vielmehr auch in dieser Schrift besonders betont und gerät dadurch in eine besondere, allem Germanischen entgegengesetzte Rolle. So schreibt Mommsen: "... und bin überhaupt der Ansicht, daß die Vorsehung weit besser als Herr Stöcker begriffen hat, warum dem germanischen Metall für seine Ausgestaltung einige Procent Israel beizusetzen waren". Abermals die Grundidee aus der "Römischen Geschichte": das Judentum hat eine historisch notwendige Funktion bei der Auflösung von Nationen in die Nation. (Ob diese Aussage historisch plausibel ist, sei jetzt dahingestellt.) Deutlich scheint mir, daß diese Funktion nur so lange für das Judentum in seiner je gegenwärtigen Existenz angeführt werden kann, so lange es darum zu tun ist, die neue größere Nation zu bilden. Was aber, wenn sie als erreicht ausgegeben wird, wenn, um Mommsen Metaphorik aufzunehmen, das germanische Metall ausgestaltet ist? Dann ist, auch und gerade nach Mommsens Logik, die Rolle des Judentums zuende, das Judentum ist - bestenfalls - überflüssig. Muß dann nicht, um Mommsens Begrifflichkeit in ihrem antitheologischen und religiösen Duktus aufzunehmen, "die Vorsehung" anderes vorsehen? So unredlich es wäre, Mommsen für den im Namen der Vorsehung verübten Massenmord an den europäischen Juden verantwortlich zu machen, so verharmlosend wäre es, das Plädoyer für die Selbstauflösung des Judentums, wie es bei Treitschke und Mommsen (in unterschiedlicher Vornehmheit) ausgesprochen ist, so zu lesen, als habe sich die spätere Praxis der gewaltsamen Auflösung des Judentums nicht darauf berufen können.

---

[24] Das Zitat zuerst in RG III, 550; eine ausführliche und sehr genaue Analyse dieses Satzes, seines Kontextes bei Mommsen und der Verselbständigung der Formulierung in der Folgezeit und ihren Polemiken bei Hoffmann (s.o.Anm.3) 87ff.

[25] Ebd., aber auch (unter methodologischem Aspekt) 3f.

Eine letzte Bemerkung zu Mommsens Judentumsrezeption soll sich auf seine Einschätzung des Christentums beziehen. Ich beschränke mich wiederum auf einen Abschnitt aus der Schrift gegen Treitschke, füge aber hinzu, daß die Heranziehung weiterer Bemerkungen Mommsens das Bild differenzieren, aber nicht grundsätzlich ändern würde. Zum Thema des "Gefühl(s) der Fremdheit und Ungleichheit, mit welchem auch heute noch der christliche Deutsche dem jüdischen vielfach gegenübersteht", schreibt Mommsen: "Was das Wort 'Christenheit' einstmals bedeutete, bedeutet es heute nicht mehr voll; aber es ist noch immer das einzige Wort, welches den Charakter der heutigen internationalen Civilisation zusammenfaßt und in dem Millionen und Millionen sich empfinden als Zusammenstehende auf dem völkerreichen Erdball". "Christenheit" ist hier ein theologisch enleerter Begriff; nicht der gemeinsame Glaube macht die Christen aus, sondern ein Gefühl, ein empfundener Zusammenhang einer Zivilisation. Die Auskunft dieser 'civil religion' ist letztlich tautologisch: Das Gefühl der Fremdheit gründet im Empfinden gegenüber denen, die nicht als dazu-gehörig empfunden werden. (Es ist diese Tautologie, die mich zunehmend skeptisch macht gegen die gegenwärtige Inflation des Begriffs "Identität"[26].)

Sowohl bei Treitschke wie bei Mommsen ist, wie schon oft bemerkt und beschrieben wurde, das historische Interesse von einem Gegenwartsinteresse nicht zu trennen. Gerade Mommsen geht in der Eintragung der Gegenwart in die Vergangenheit sehr weit, wie im Zusammenhang unseres Themas nicht zuletzt die Begriffswahl zeigt. So nennt er das nachexilische Judentum "Kirchenstaat" oder auch "Kirchenunstaat", spricht von einem jüdischen "Oberkonsistorium" usw. Indem in der Geschichte die Gegenwart zur Debatte steht, ist der Historiker auch Volkserzieher und soll politisch wirken. Wie aber verträgt sich die in diesem Sinne geforderte (und vor allem von Treitschke auch programmatisch eingenommene) Parteilichkeit zu der vom Wissenschaftler geforderten Objektivität?[27] Die Antwort lautet (knapp zusammengefaßt): Als Wissenschaftler soll und kann der Historiker objektiv sein; als politischer Erzieher soll und kann er parteilich sein; zwischen diesen beiden Haltungen gibt es keinen Widerspruch, wenn das, wofür er sich politisch einsetzt, den objektiven Entwicklungsgesetzen der Geschichte entspricht. Die objektive Entwicklung der Geschichte zielt auf nationale und staatliche Einheit; das Judentum steht seinem Wesen nach diesem Ziel im Wege. Darum, so lautet das Fazit, entspricht die Kritik des Judentums der objektiven Verpflichtung des Historikers.

VI.

"Kultur" und "Nation" fungieren als Zentralbegriffe bürgerlicher Religion im 19. Jh. Mit einer Verschiebung der Dominanz von der "Kultur" zu "Staat" und "Nation" in den Altertumswissenschaften des 19. Jh. geht eine Verschiebung des Hauptinteresses von der griechischen zur römischen Antike einher. Um es etwas salopp zu formulieren: Die edle Einfalt und stille Größe der griechischen Kultur mochte ein geeignetes Erinnerung- und Normenemblem für "Dresden" und "Weimar" sein; für den preußisch-deutschen Staat und seine zunehmenden Weltmachtansprüche war der auf Militär, Weltwirtschaft und Technik gegründete römische Staat das brauchbarere Vor-Bild.

---

[26] Verf., Erinnerung (s.o.Anm.9) bes. 102ff.; ders. 'Christenheit oder Europa' - Europa ohne Judenheit, in: Pastoraltheologie 80 (1991) 434 - 445.

[27] Dazu W.Mommsen, Objektivität und Parteilichkeit im historiographischen Werk Sybels und Treitschkes, in: Objektivität und Parteilichkeit. Theorie der Geschichte. Beiträge zur Historik Bd.1, hg. v. R. Koselleck u. J.Rüsen, 1977, 134-158.

Zum dritten "Glaubensartikel" des 19. Jh., in dessen Zentrum der Begriff "Persönlichkeit" steht, möchte ich nun (den Aufbau des Vortrags verkürzend) die Judentumsrezeption der Theologen, bzw. der protestantischen Exegeten des 19. Jh. in den Blick nehmen.

Die protestantische Bibelwissenschaft im 19. Jh. entdeckt und definiert die jüdische Religion als historische Größe. Die historisch-kritische Methode der Bibelauslegung löst den biblisch-kanonischen Blick zugunsten eines auf die Entstehungsgeschichte der biblischen Texte gerichteten historischen Blicks ab. Das Alte Testament wird interpretiert als Zeugnis einer vergangenen Religion, genauer zweier historischer Religionen, nämlich (bis zu Jehu im 9.Jh. <so bei Ed.Meyer>, allenfalls bis zum Ende der vorexilischen Zeit) der Religion Israels, von da an der Religion des (wie es programmatisch und verräterisch hieß) Spätjudentums. (Heute nennt man das "Spätjudentum" meist "Frühjudentum"; das ist ein Fortschritt, weil damit markiert ist, daß es auch in nachbiblischer Zeit ein Judentum gab und gibt, freilich bleibt terminologisch die Trennung von Israel und Judentum problematisch.) Die Unterscheidung zwischen "Israel" und dem "Judentum" wird historisch getroffen, doch von vornherein mit Wertungen verbunden, ja aus Wertungen abgeleitet. Kurz skizziert: Israel bedeutet Ursprung, Wildheit, Natürlichkeit, Größe; Judentum bedeutet Verfall, Gesetzlichkeit, klerikale Enge. Diese Sicht ist in der Exegese vor allem mit Julius Wellhausen verbunden und wurde richtungsgebend für nahezu die gesamte Exegese und Altertumswissenschaft des 19. Jh. Es ist bemerkenswert, in welchem Maße sowohl Mommsen als auch Ed. Meyer (letzterer ungeachtet seiner grundsätzlichen methodologischen Kontroversen mit Wellhausen[28]) nahezu vollständig Wellhausens Wertung übernahmen. Die "Lösung" der Judenfrage liegt in der Theologie des 19. Jh. (jedenfalls in ihren dominanten Linien) in ihrer Historisierung. Die Entdeckung des Judentums als historischer Religion ermöglicht aber jetzt, aus der Bibel einzelne Texte, vor allem aber individuelle Persönlichkeiten gleichsam herauszudestillieren, indem man sie gegen das Judentum konturiert.

In diesem Sinne "nicht-jüdisch" sind die großen Propheten, die als sittliche Persönlichkeiten über das Judentum hinaus-, ins Christentum hinüber- und in die Gegenwart hineinreichen. Denn erst jetzt, wo man den Wert der sittlichen Persönlichkeit erkannt habe, könne man sie richtig verstehen.

In diesem Sinne nicht-jüdisch ist aber auch Hiob. Zugespitzt könnte man sagen: In dem Maße, in dem das Hiobbuch als historisch zu verortendes Buch ins Judentum verwiesen wird, wird das Individuum Hiob christlich, mehr noch, eine Figur des 19. Jh.[29]

In diesem Sinne nicht-jüdisch ist schließlich Jesus, die große von den Juden abgelehnte sittliche Persönlichkeit schlechthin. Das 19. Jh. ist die große Zeit der Leben-Jesu-Forschung, das Interesse an der individuellen Persönlichkeit Jesu überragt die christologische Frage. Die Juden erscheinen in dieser auf die individuellen Persönlichkeiten gerichteten Sicht stereotyp als die, die sie nicht verstanden (die Propheten), die sie mit ihren gesetzlichen Doktrinen traktierten (Hiob), die sie verwarfen (Jesus).

Als ein Beispiel für diese Sicht sei der Anfangssatz aus Bernhard Duhms Jeremia-Kapitel in seinem Werk "Die Propheten" ([2]1922) zitiert, in dem der Ertrag der Forschung des 19. Jh. zu einem neuen Prophetenbild zusammengefügt wird. Das Zitat zeigt zudem, daß das Interesse an den individuellen Persönlichkeiten das an der historischen Periodisierung der Geschichte Israels überwiegt. Duhm stellt nach den frühen Propheten die "neue Kultreligion" dar, jenen Verfall, der in Ezechiel als Tiefpunkt endet, um dann das Kapitel über den historisch späteren Jeremia so einzuleiten: "Es ist ein Aufatmen, wenn man von dieser absteigenden Entwicklung zu einem echten Propheten zurückkehren darf, zu Jeremia, der zu den größten Propheten Israels und

---

[28] Dazu die o.Anm. 2.3 genannten Arbeiten von Liebeschütz und Hoffmann mit den jeweiligen Kapiteln über Meyer, verwiesen sei auf den o.Anm.15 genannten Sammelbd.

[29] Im einzelnen dargestellt bei J.Mertin, Hiob - religionsphilosophisch gelesen. Rezeptionsgeschichtliche Untersuchungen zur Hioblektüre Herders, Kants, Hegels, Kierkegaards und zu ihrer Bedeutung für die Hiobexegese des 18. und 19. Jahrhunderts, diss.phil. Paderborn 1991.

zugleich zu seinen größten Dichtern gehört, der der wahre Nachfolger des Amos, Hosea, Jesaja, Micha und doch auch ein völlig selbständiger Geist ist."[30] (Allerdings haben sich nach Duhm auch dieses großen Geistes Epigonen bemächtigt, die sein kleines Heft zu einem großen Buch haben anschwellen lassen und ihm auch die Klagelieder beigelegt haben, zu "benutzen" seien nur die echten jeremianischen Stücke...)

Die individuelle Persönlichkeit, die echten Stücke, der selbständige Geist - aus solchen Begriffen setzt sich das Vokabular der historisch-kritischen Exegese des 19. und beginnenden 20. Jh. weithin zusammen.

Es ließe sich leicht zeigen, wie sehr auch die Altertumswissenschaften vom Interesse an den großen Persönlichkeiten geleitet waren. Ebenfalls nahezu stereotyp (und weit über Theologen und Historiker hinaus) verbindet sich das Interesse an den Individuen mit der Kritik des Jüdischen. Erinnert sei nur an das vielgelesene Buch von Julius Langbehn, Rembrandt als Erzieher (1880 zuerst erschienen, in den weiteren seiner vielen Auflagen mit zunehmendem Antisemitismus), in dem der "Titelheld" als die große volkserzieherische Persönlichkeit gefeiert und gegen das Judentum abgesetzt wird, mit dem sowohl der schädliche Kapitalismus als auch der schädliche Sozialismus als Vermassungsbewegungen verbunden werden. Es fehlt jetzt an Zeit, den Persönlichkeitskult im Blick auf die deutschen Altertumswissenschaftler des 19. Jh. genauer darzustellen und zu analysieren. Doch sei wenigstens auf die Rezeption einer Rezeption verwiesen. Im Jahre 1972 erschien in der Wissenschaftlichen Buchgesellschaft unter dem Titel "Von Gibbon bis Rostovzeff. Leben und Werk führender Althistoriker der Neuzeit" ein aus zwölf biographischen und werkgeschichtlichen Studien bestehendes Buch von Karl Christ, in dem u.a. B.G. Niebuhr, Th. Mommsen und Ed. Meyer dargestellt sind. Christ behandelt im Zusammenhang mit Mommsen auch den Antisemitismus-Streit (u.a. mit dem, vorsichtig formuliert, irritierenden Satz: "Mommsen war von Haus aus kein Philosemit")[31]. Zitieren möchte ich das Motto des Buches. Es stammt von Goethe (Maximen und Reflexionen) und lautet: "Zu allen Zeiten sind es nur die Individuen, welche für die Wissenschaft gewirkt, nicht das Zeitalter. Das Zeitalter war's, das den Sokrates durch Gift hinrichtete, das Zeitalter, das Hussen verbrannte: die Zeitalter sind sich immer gleich geblieben."

Diese Rezeption einer Rezeption (und einer weiteren Rezeption - denn der Goethekult des 19. Jh. gehört unmittelbar, vielleicht als ihr Höhepunkt, in die Geschichte der "Persönlichkeit", der großen Individuen[32]) zeigt das Andauern des Problems, das zumindest auch ein Problem der Selbstwahrnehmung von Geisteswissenschaftlern ist.

VII.

Zum Schluß dieses Referats, in dem nur einige wenige Linien des großen und in vieler Hinsicht verwickelten Themas angedeutet werden konnten, möchte ich eine zusammenfassende Zuspitzung versuchen.

"Kultur", "Nation", "Persönlichkeit" zeigten sich als Schlüsselkategorien der geschichtsrezeptorischen Selbstdefinition im 19. Jh. sowohl in der Theologie als auch in den Altertumswissenschaften. In beiden Bereichen dominiert eine negative Wertung des Judentums. Die Historisierung des Judentums in der theologischen Exegese und die weithin vollzogene Ausblendung des

---

[30] S.242.

[31] S.91.

[32] Zu diesem Aspekt und zur Übertragung der Frage nach der "Persönlichkeit" auf die Frage nach dem historischen Jesus D. Schellong, "Was sucht ihr den Lebendigen bei den Toten?", in: Einwürfe 6. Die Bibel gehört nicht uns, 1990, 2-47, bes. 31f.

Judentums in den Altertumswissenschaften verhalten sich komplementär zueinander. Die Exegese wird bzw. bleibt hof- und diskursfähig, indem sie die dem historisierten Judentum entwundenen großen Persönlichkeiten als Träger von Sittlichkeit, Kultur und nationaler Verantwortung als Morgengabe in ihr "Aggiornamento" einbringt. Die Altertumswissenschaften beziehen die Schlüsselkategorien gleichsam unmittelbar aus der Antike, aus ihrer Antike. Für alle drei Kategorien bildet das Judentum das stereotype Gegenbild. Es gilt als kulturlos, heimatlos und antiindividualistisch. Der Antijudaismus ist in beiden Bereichen mehr als eine Zutat aus gewohnter Gesinnung; er ist ein konstitutives Element des elitären Gestus (das Volk - historisch und zeitgenössisch - firmiert in der Regel als "Pöbel"), der nationalen Gesinnung und der Überzeugung, dem Ziel der Geschichte nahe zu sein.

Ganz zum Schluß komme ich noch einmal auf die Überschrift zurück. "Amputierte Antike" - ein Sinn der Formulierung bezieht sich auf die Abspaltung des Judentums aus dem, was man aus der Antike rezipieren will. Aber die Überschrift läßt sich nun noch anders lesen. Kultur, Nation, individuelle Persönlichkeit - die tragenden Begriffe der Antikenrezeption des 19. Jh. sind keine Begriffe der Antike selbst, auch der griechisch-römischen nicht. Es ist eine gründliche amputierte Antike, eine Antike ohne Hände und Füße. Was ihr Beine macht, sind künstliche Gliedmaßen, moderne Konstruktionen. Die Richtung, in die der amputierte Antikencorpus bewegt werden sollte, war die nationaler Einheit und die staatlicher Größe. Es waren die großen Persönlichkeiten (Bismarck voran), die die Einheit schufen; das Volk (heute nennt man es nicht mehr Pöbel, aber schätzt es ausweislich der Wahlkämpfe eher noch dümmer ein als vor hundert Jahren) - das Volk hat seine Aufgabe erfüllt, wenn es glücklich ist. Abermals ist die Aktualität so mit Händen zu greifen, daß sie nicht ausgeführt werden muß. Stattdessen schließe ich mit einem Zitat, das geeignet sein mag, die Methode und das Interesse der tonangebenden Historiker des 19. Jh. (der bürgerlichen Theologen und der "zivil-religiösen" Geschichtswissenschaftler) zu beschreiben. Ich nenne den Leitsatz des "Wahrheitsministeriums" aus George Orwells "1984", der die Aufgabe der "Historiker" bezeichnet. Er lautet: "Wer die Vergangenheit beherrscht, beherrscht die Zukunft. Wer die Gegenwart beherrscht, beherrscht die Vergangenheit."

Vergil nach Auschwitz.
Zum 100. Geburtstag von Ludwig Strauß
von
Richard Faber

"Fustel de Coulanges empfiehlt dem Historiker, wolle er eine Epoche nacherleben, so solle er alles, was er vom spätern Verlauf der Geschichte wisse, sich aus dem Kopf schlagen. Besser ist das Verfahren nicht zu kennzeichnen, mit dem der historische Materialismus gebrochen hat."

"Nur dem Geschichtsschreiber wohnt die Gabe bei, dem Vergangenen den Funken der Hoffnung anzufachen, der davon durchdrungen ist: auch die Toten werden vor dem Feind, wenn er siegt nicht sicher sein. Und dieser Feind hat zu siegen nicht aufgehört."

Walter Benjamin, Thesen "Über den Begriff der Geschichte"

Einleitung

"Vergil nach Auschwitz", macht das einen Sinn? So werden (sich) selbst die fragen, die - immer noch eine Minderheit - zugestehen, daß es sinnvoll sein könnte, "Vergil-Rezeption" und vielleicht sogar "Vergil-Philologie nach Auschwitz" zu problematisieren. Ich muß auch auf *diese* Fragestellungen eingehen, sind sie doch untrennbar vom Thema "Vergil nach Auschwitz", das sich - unmittelbar nach dem industriellen Genozid am jüdischen Volk - der seit 1935 in Palästina lebende deutsch-jüdische Dichter Ludwig Strauß gestellt und in seinem "Chorisch-dialogischen Gedicht 'Fahrt zu den Toten' " behandelt hat.

Das Thema "Vergil nach Auschwitz" ist also seit über vierzig Jahren gestellt *und* überzeugend abgehandelt[1], wenn das Vergil-Rezeption(sforschung) und Vergil-Philologie auch nicht zur Kenntnis genommen haben. Sie haben schon Walter Benjamins fulminante Kritik an Theodor Haeckers Traktat "Vergil. Vater des Abendlands" von 1931 nicht rezipiert; auch deswegen ist Haecker immer noch der (mehr oder weniger) heimliche "Vater" (bundes-)deutscher 'Vergilpflege' und diese fasziniert vom Thema "Vergil nach Christus".

Ich möchte mit diesem *Paradigma* gerade auch wegen seines Anachronismus in Ansehung von *Auschwitz* brechen und fühle mich dabei Strauß verpflichtet, aber auch Benjamin, dessen "Thesen 'Über den Begriff der Geschichte'" in Entscheidendem mit Strauß' "Fahrt zu den Toten" konvergieren. Schließlich fuße ich auf Dan Diner, der mir (Ende der 80er Jahre) in unübertrefflicher Weise formuliert zu haben scheint, was dieses "Nach Auschwitz" bedeutet: daß es sich bei diesem "Wendepunkt der Geschichte"[2] um "die wirkliche Kreuzigung" gehandelt und sich dadurch der christliche Kreuzigungsvorwurf an die Juden "umgekehrt realisiert" zu haben scheint. "Von solch emotionaler Tiefendisposition ausgehend, müssen alle Versuche, das Leben nach und

---

1 Dies positive Urteil schließt Kritik an Strauß' literarischer Leistung, ja seiner Sprache überhaupt, nicht aus. (Jean Bollack hat solche Kritik - allerdings im Blick auf den unvergleichlichen Paul Celan - nachdrücklich geübt, während der Tagung "Antike heute" in Bad Homburg 1990.) Strauß hätte seine Gedanken wohl besser als Philologe und Publizist geäußert, welche Professionen eher die seinen waren.

2 D. Diner, Aporie der Vernunft. Horkheimers Überlegung zu Antisemtismus und Massenvernichtung, in: ders. (Hrsg.), Zivilisationsbruch. Denken nach Auschwitz, Frankfurt 1988, S. 33.

trotz Auschwitz zu normalisieren, aus dem Schatten dieses monströsen Ereignisses zu treten, notwendig scheitern."[3]

Ich mache, um Mißverständnissen vorzubeugen, darauf aufmerksam, daß Diner, indem er von einer "emotionalen Tiefendimension" ausgeht, keinen theologischen, sondern einen (sozial-)-psychologischen Diskurs führt[4], so wie er die Charakteristik von Auschwitz als "Wendepunkt der Geschichte" Horkheimers und Adornos "Dialektik der Aufklärung" entnommen hat[5], also einem profan-philosophischen Text. Für uns allerdings, die wir uns damit beschäftigen, daß Vergil-Rezeption und -Interpretation nach Auschwitz so fortgeführt werden, als habe sich "das Ereignis" gar nicht zugetragen[6], ist Diners theologische Konnotation von unmittelbarerer Bedeutung, stellt sich doch jene ungebrochene Rezeption weithin als interpretatio christiana dar.

Pointe dieser Pointe ist noch einmal, daß sich die interpretatio christiana Vergils als interpretatio romana sive imperialis des (frühen) Christentums erweist, das generell "romanisiert" und "imperialisiert", um nicht zu sagen "vergilisiert" worden ist.[7] Dieser Vorgang läßt "Vergil nach Christus" als "Vergil nach Vergil" lesen oder, weniger tautologisch, nämlich politisch statt literarisch, als "Vergil nach Augustus" bzw. "Constantinus".

1. Vergil nach Konstantin

Die auch innerkirchlich gut vorbereitete "Konstantinische Wende" war - unter dem Eindruck des "Synchronismus Augustus-Christus"[8] - eine vergilische. Der "apostelgleiche" Kaiser Konstantin selbst hat sie in einem repräsentativen Synodalschreiben so interpretiert und also "römisch" legitimiert. Konstantin zuerst hat hier, unter dem Einfluß seines polyhistorischen Theologen Laktanz, Vergils vierte Ekloge als römische Prophetie des "puer" Christus gelesen (dessen Vertreter auf Erden erneut der Caesar-Augustus ist).[9] Die Funktion eines Schlüsselverses übernimmt dabei bis ins zwanzigste Jahrhundert hinein der siebte Vers: "Iam nova progenies caelo demittitur alto". Noch das faschistische Italien - dem Erbe des zweiten und päpstlichen Rom propagandistisch verbunden[10] - setzte diesen Vers aus Anlaß des zweitausendsten Jahrestages des Augustus auf eine Briefmarke, zusammen mit dem Wort des Monumentum Ancyranum: "Censum populi egi." Die Marke zeigt eine Erdkugel, auf dem Bethlehem in Judäa von einem Lichtkreuz beleuchtet wird, das vom Himmel strahlt. Damit wird als drittes "Zeugnis" jenes Evangelium des Lukas nahegelegt, das mit dem Vers beginnt: "Es erging der Befehl vom Kaiser Augustus ..." (2,1).[11]

Die lukanische Weihnachtsgeschichte mit ihrer Friedensverheißung und der Erwähnung des augusteischen Zensus, der Jesus selbst zu einem römischen Untertanen macht, ist die entscheidende biblische Basis dessen, was der zeitweilige Haecker-Freund Erik Peterson als "politische

---

[3] D. Diner, Negative Symbiose. Deutsche und Juden nach Auschwitz, in: Babylon. Beiträge zur jüdischen Gegenwart 1/1986, S. 15.

[4] Nicht zufällig hat mich die Sozialpsychologin Sigrun Anselm auf Diner aufmerksam gemacht.

[5] M. Horkheimer u. Th.W. Adorno, Dialektik der Aufklärung, in: M. Horkheimer, G.S. Bd.5, Frankfurt 1987, S. 230.

[6] Vgl. D. Diner, Vorwort des Herausgebers, in: Zivilisationsbruch ..., S. 8.

[7] Vgl. R. Faber, Die Verkündigung Vergils: Reich - Kirche - Staat. Zur Kritik der "Politischen Theologie", Hildesheim/New York 1975, Kap. I, 3/4.

[8] Fr. Klingner, Römische Geisteswelt, 1965 (5. Aufl.), S. 656.

[9] Vgl. "Aus Kaiser Konstantins Rede an die Versammlung der Heiligen", in: Eusebius' Werke I. Urtext und · Übersetzung bei: A.Kurfess (Hrsg.), Sibyllinische Weissagungen, 1951, S. 208ff.

[10] Vgl. R. Faber, Roma aeterna. Zur Kritik der "Konservativen Revolution" Würzburg 1981, Kap. II, 14-25.

[11] Vgl. Karl Fürst Schwarzenberg, Adler und Drache. Der Weltherrschaftsgedanke, 1958, S. 304 Fn. 37.

Imperium- und Augustus-Theologie" bezeichnet hat, wobei er nicht nur an Konstantins (anderen) Hoftheologen Eusebius denkt, sondern an eine jahrtausendelange Tradition, die für ihn - im Jahre 1933 - von Eusebius' Lehrer Origines bis Carl Schmitt reicht: "Politische Theologie ist nicht erst ein Erzeugnis der Neuzeit. Nicht de Maistre oder Donoso Cortés ... sind die Schöpfer einer politischen Theologie gewesen" - wie es in Schmitts "Politischer Theologie" den Anschein hat -, "nein, schon die christliche Antike, d.h. das im Imperium Romanum lebende Christentum hat das Bedürfnis nach einer politischen Theologie empfunden"[12].

So lautet Petersons These aus durchaus aktuellem Anlaß: dem einer katholisierenden "Reichstheologie" in Deutschland (und Österreich). Peterson kritisiert sie an dem "Punkt ... wo sie gleichsam ihr Zentrum hat: an der Beurteilung des Augustus und seiner historischen Schöpfung"[13]. Dabei ist Peterson aber nicht radikal genug; denn die politische Theologie der christlichen Antike war ihrerseits von der Imperium- und Augustus-Theologie des "Heiden" Vergil präjudiziert, wie schon 1931 der "christliche ... Virgil-Verehrer" Haecker[14] hervorgehoben hat, mit seinem "Vergil. Vater des Abendlands" einer der führenden "Reichstheologen", der *Ideologen* eines neuen "Sacrum Imperium" Romanum.

Es *muß* festgehalten werden, bevor Haecker selbst referiert wird, daß bereits das antike "Imperium Romanum" ein "Sacrum Imperium" war; eben Vergil kanonisierte es ausdrücklich. Was er in der "Aeneis" dichterisch systematisierte, war eine "politische Religion" (E. Voegelin) und er ein "politischer Theologe" (C. Schmitt), altertümlicher und "moderner" zugleich: ein sozialer Mythologe (G. Sorel), in dem euhemeristischen Sinne, daß er bewußt religiöse Mythen und nationale Legenden politisch funktionalisierte: Ideolgien *fabrizierte*. Das hinderte aber nicht, daß seine "Botschaft" (O.B. Roegele) künftigen Jahrhunderten als "Uroffenbarung" galt und Gegenstand einer sich als Theologie verstehenden Rezeption wurde. Das trifft vor allem auf die vierte Ekloge zu, die "Geburtsurkunde der abendländischen Kaiseridee"[15], ja den "Aufgesang des Abendlandes" überhaupt[16] - wie 1915 Franz Kampers und 1949 Friedrich Heer formuliert haben.

Letzterer, durchaus ein Kritiker der Abendland-Ideologie, nennt Vergil 1967, eben im Blick auf die vierte Ekloge, den "ersten Dichter-Propheten"[17] des "Sacrum Imperium" und setzt dabei selbstverständlicherweise "Konstantinische Wende" (und "translatio imperii") voraus. Ich erinnere meinerseits - nach Konstantin selbst - Prudentius, den (laut Karl Büchner) "christlichen Vergil". Er konnte (mit Worten desselben Vergil-Philologen) "noch einmal am Ziel der Vorsehung in Rom die Verkörperung allen Sinns der Geschichte sehen"[18].

"Wie Vergil in der Aeneis nach dem Sieg der Waffen mit den Waffen des Geistes die Bevorzugung und Berufung Roms zur Herrschaft über den Erdkreis begründete, so leistet Prudentius nach dem Sieg des christlichen Kaisers über seine Feinde und nach der Garantie des Christentums durch die Macht des Kaisers ... die ideologische Rechtfertigung der Berufung Roms zur Herrschaft Christi."[19]

---

[12] E. Peterson, Kaiser Augustus im Urteil des antiken Christentums. Ein Beitrag zur Geschichte der politischen Theologie, in: Hochland 30, II, S. 289.

[13] Ebd.

[14] C. Schmitt, Politische Theologie II. Zur Legende von der Erledigung jeder politischen Theologie, Berlin 1970, S. 49/50, Fn.2.

[15] Vgl. F. Kampers, Die Geburtsurkunde der abendländischen Kaiseridee, in: Historisches Jahrbuch der Görres-Gesellschaft, Bd. 36, 1915, S. 233ff.

[16] Fr. Heer, Gespräch der Feinde, 1949, S. 49.

[17] Fr. Heer, Das Heilige römische Reich ..., 1967, S. 9.

[18] K. Büchner, P. Vergilius Maro, der Dichter der Römer, in: RE 8A, 1/2 (1955/58), Sp. 1466/7.

[19] V. Buchheit, Christliche Romideologie im Laurentius-Hymnus des Prudentius, in: Polychronion. Festschrift Franz Dölger ..., 1966, S. 125.

So hat 1966 der Latinist Vinzens Buchheit formuliert, einen affirmativen Begriff "ideologischer Rechtfertigung" immer noch nicht scheuend. Damit ja kein Zweifel am *apologetischen* Sinn seiner Ausführungen bleibt, schreibt Buchheit einige Seiten weiter, für Prudentius sei "stets ... als einem Christen und Römer Vergil neben der Bibel ein Weggefährte gewesen und geblieben: eine täglich neu zu erfahrende Beglückung für den, der ebenfalls gewillt ist, auf den Spuren Vergils und der Bibel zu wandeln."[20]

Buchheit gibt sich als mehr oder weniger direkter Schüler Haeckers zu erkennen, wie vor ihm bereits Friedrich Klingner, Büchner, Viktor Poeschl und heute noch Marion Giebel und Antonie Wlosok[21]. Doch damit endlich zu Haecker selbst:

"Vergil und sein Werk" gewähren "die Möglichkeit eines natürlichen innerlichen Verständnisses ... für das zwar am Anfang den eigentlich und unmittelbar Beteiligten und auch noch Jahrhunderte später einem Augustinus und noch später Dante anscheinend gar keine Schwierigkeiten bereitende, später aber mit zaudernden und fallenden Jahrhunderten immer größere Ärgernis erregende, immer unzulänglicher und unfähiger erklärte, ja scheinbar überhaupt unerklärliche Faktum, daß aus dem heidnischen Rom ein christliches Rom wurde und ein christliches Abendland, dem wir angehören, daß das Imperium Romanum, nachdem es sich grausam mit allen Mitteln seines allmächtigen, die Gottheit selber usurpierenden Staates gewehrt hatte, schließlich doch freiwillig, durch einen freien Akt der Zustimmung, sua sponte, aus seinem Innersten heraus - und sein Innerstes war der Staat -, eine Religion, die von Anfang und in alle Ewigkeit über dem Staat steht - zur Staatsreligion machte."[22]

Als Realsymbol dieses Faktums kann "zuinnerst" - denn auch der "christliche" Humanismus ist, als römischer, ein "staatlicher" Humanismus[23] - das "Lotharkreuz" gelten, *das* Symbol der politischen Imperium- und Augustus-Theologie. Reinhold Schneider interpretiert realtypisch - er legt seine Worte Kaiser Otto IV. in den Mund: "Wo die Balken sich treffen, leuchtet das Antlitz des Kaisers Augustus. Gleicht er nicht Christus? Das wäre die Lösung gewesen. Es sollte geschehen, was nicht möglich ist"[24] und doch nicht aufgegeben werden darf, weil ihm die "Verheißung" gehört - so wie sie Schneider versteht: die Verheißung des "Evangelischen" und "Römischen" Friedens zugleich.

2. Vergil und die Deutschen

Der Haecker, aber auch Heer verbundene und deswegen - nach 1945 - zwischen Affirmation und Kritik hin- und hergerissene Schneider will von der christlich-römischen, der *römisch-christlichen* Synthese gleichfalls nicht lassen, doch hat er sie als Quadratur des Zirkels erkannt. Haecker dagegen verkennt den "Virgilius christianus", wenn er sich in seinen "Tag- und Nachtbüchern" 1940 notiert: "Der Abscheu vor dem Krieg, den Vergil, der Freund des Augustus, des Erhabenen, des größten Kaisers jenes Imperiums, das aller weltlichen Imperien Muster ist, so offen äußern durfte, brächte ihn heute zum Schweigen in einem Konzentrationslager. Das ist

[20] Ebd., S. 144.

[21] Vgl. R. Faber, Présence de Virgile: Seine (pro-)faschistische Rezeption, in: Quaderni di storia 18 (1983), S. 233-71, sowie Vergil, mit Selbstzeugnissen und Bilddokumenten dargestellt von Marion Giebel, Reinbek 1986, bes. S. 51 und 129/30.

[22] Th. Haecker, Werke 2, München 1959 (3.Aufl.), S. 26.

[23] Vgl. E.R. Curtius, Kritische Essays zur europäischen Literatur, Bern 1963 (3. Aufl.), S. 12.

[24] R. Schneider, Innozens und Franziskus, Wiesbaden 1952, S. 259.

ein Charakteristikum dieses fluchbeladenen (dritten) Reiches, das durch den ausdrücklichen Abfall vom 'Glauben' abgrundtief unter dem adventistischen Heidentum steht."[25]

Haecker halbiert Vergil unzulässigerweise; der ganze Vergil, der die römische *Macht*-Friedens-Konzeption vertreten hat, ist den Nazis gar nicht fremd.[26] Der durchaus von Haecker beeinflußte Georg Moenius hat schon im Blick auf das Zweite Reich bestätigt:

"Aus dem 'Tu regere imperio populus ...' wurde der Wahn von der deutschen Weltaufgabe und der Wille zur deutschen Hegemonie."[27] "Nicht umsonst" - schreibt schließlich, sub specie Tertii Imperii, H. Schaefer - "steht das römische Volk spontan im Theater auf, wenn Vergils Verse rezitiert werden: 'hinter dem machtvollen Heldenpanzer seinr Rede hört es den ehernen Tritt römischer Legionen dröhnen und die erbarmungslose Herrschergewalt Roms seine Kommandoworte sprechen'."[28]

Man kann nicht genug betonen, daß allein schon diese Sprache nicht die Haeckersche ist, vom weltanschaulichen Antinationalsozialismus des Mentors der "Weißen Rose" ganz abgesehen[29], doch auch er hat (mit Worten Manfred Fuhrmanns) "das historische Exempel" Vergil "als Medium eigener (politischer) Wunschvorstellungen" benutzt - "in der (präfaschistischen) Zeit nach dem ersten Weltkrieg"[30] und im konservativ-revolutionären "Vergiljahr 1930" speziell[31]. - Haecker stand ganz außerordentlich unter dem Eindruck der (reichs-)apokalyptischen Stimmung dieses und der darauf folgenden Jahre[32] und hat sie kräftig gefördert, eben mit seinem Vergil-"Traktat"[33].

Dieser stellt ein bedeutendes Zeugnis der "Abendländischen Revolution"[34] jener Jahre dar und hat auch nach 1945, als der Haecker wie Schmitt verbundene Jesuit Erich Przywara eine "Abendländische *Restauration*"[35] forderte, nichts von seiner Ausstrahlungskraft verloren.

Wie kaum in einem anderen Fall trifft bei Haecker Jürgen Habermas' Wort von den "literarischen Erfolgen" zu, die in "Westdeutschland ... posthum die zerborstene Revolution von rechts über die von links" feiert(e)[36]. Dem Autor der "Revolution von Rechts", Hans Freyer, erscheint Vergils "Gott" Augustus noch 1955 als "Typus des konservativen Revolutionärs"[37]. Damit zeigt Freyer, daß es ihm auch jetzt nicht nur um literarische Erfolge geht. Bevor sie Kulturrevolution ist, ist die "Revolution von Rechts" Restauration des autoritären Staates: Augustus ist Gott und Vergil (nur) sein Prophet - um den Titel von Wilhelm Webers Vergil-Buch aus dem Jahre 1925 zu paraphrasieren.

Haeckers (literarische) Erfolge nach 1945 hängen wesentlich mit dem zusammen, was Hans Maier die " - vielfach unbewußte - katholische Zeittendenz" der "Ära Adenauer" genannt hat[38].

[25] Th. Haecker, a.a.O., S. 94.

[26] Es ist vergilisch, wenn Bischof "Konrad von Speyer", der Kanzler dreier Kaiser, zu "Otto IV.", als dem "Erben aller Kaiser", sagt: "Deine Macht wird der Friede sein mitten unter den Völkern." (R.Schneider, a.a.O., S. 98)

[27] G. Moenius, Einführung zu H. Massis, Verteidigung des Abendlandes, 1930, S. 21.

[28] H. Schaefer, Horaz und Vergil im Dritten Reich, in: Das humanistische Gymnasium 47, 1936, S. 205.

[29] Vgl. Theodor Haecker, 1879-1945. Bearbeitet von H. Siefken. Marbacher Magazin 49/1989, S. 57ff.

[30] M. Fuhrmann, Die Antike und ihre Vermittler. Konstanzer Universitätsreden 9 (1969), S. 28.

[31] K. Büchner, a.a.O., Sp. 1486.

[32] Vgl. R. Faber, Abendland. Ein "politischer Kampfbegriff", Hildesheim 1979, S. 17ff.

[33] W. Benjamin, Privilegiertes Denken, in: Angelus Novus. Ausgewählte Schriften 2, Frankfurt 1966, S. 468.

[34] Vgl. E. Franzel, Abendländische Revolution, 1936.

[35] E. Przywara, Abenländische Restauration, in: Besinnung 15, 1960, S. 110-18, 174-82, 306-16.

[36] J. Habermas, Theorie und Praxis, 1967 (2. Aufl.), S. 338.

[37] H. Freyer, Theorie des gegenwärtigen Zeitalters, 1955, S. 240.

[38] H. Maier, Der politische Weg der deutschen Katholiken nach 1945, in: Deutscher Katholizismus nach 1945, 1964, S. 202; vgl. auch S. 214, sowie, kritisch-bestätigend, G. Kraiker, Politischer Katholizismus in der BRD. Eine ideologiekritische Analyse, Stuttgart 1972.

Das darf aber nicht dazu verführen, bloß philologisch kritisch, von einer ungerechtfertigten "interpretation christiana" sive "catholica" Vergils zu sprechen. Nicht nur, daß der hier einschlägige Katholizismus dezidiert *politischer* Katholizismus ist; die politische Vergil-Rezeption ist vor und nach 1945 nicht auf diesen beschränkt, wie Freyer, ein führendes Mitglied der "Konservativen Revolution" im engeren - politischen - Sinn[39] und Weber, der spätere Althistoriker der Nationalsozialisten, zeigen. Ob er, Freyer, die katholischen Integralisten Haecker und Otto B.Roegele[40] oder die Liberal-Konservativen Klingner und Ernst Robert Curtius, liberal in litteris, Vergil beschwören, jedesmal geschieht es in konservativ-revolutionärer Absicht. Bei Curtius unter ausdrücklichem Verweis auf Hugo von Hofmannthals Münchener Rede von 1927, die für Armin Mohlers affirmative Systematik der "Konservativen Revolution" programmatisch werden sollte[41]: "Das Schrifttum als geistiger Raum der Nation"[42].

Der Nationalsozialismus war und ist nicht die einzig Form des Faschismus, auch in Deutschland nicht. Um bei einigen Philromanisten der "Konservativen Revolution" zu bleiben: War der Hofmannsthal-Freund Rudolf Borchardt als Jude (notgedrungen) gegen Hitler[43], dann doch der Freund Mussolinis, nicht anders als der Haecker verpflichtete Moenius, war Curtius überhaupt antivölkisch eingestellt, dann sympathisierte er doch - wie auch Moenius - mit einer "Action francaise" à l'allemande[44], und hatte schließlich Haecker - aus rein theologischen Gründen - selbst gegen sie etwas[45], dann schrieb er eben - repräsentativ für einen das 'Hochland'[46] lesenden Akademiker-Katholizismus - 1940 in seinen "Tag und Nachtbüchern": "Es gibt immer mehr Politiker, die philosophieren, aber keine Philosophen, die Staaten lenken. Vielleicht ist *Salazar* einer"[47].

Der Haecker und vor allem Moenius verbundene Gonzague de Reynold ist schon zwei Jahre früher ganz sicher, daß der "Römer" Salazar der "Mann der Vorsehung"[48] ist. Der Portugiese wird also, bis in diese hitlerdeutsche Formulierung hinein, als Alternative zum "Führer" aufgebaut, damit aber doch propagiert und über 1945 hinaus, was Umberto Eco noch jüngst "*lateinischen* Faschismus vom portugiesischen Typ" genannt hat[49]. Ich muß das gerade auch erwähnen, um Ludwig Strauß deutlicher profilieren zu können, den ich generell Haecker zu kontrastieren habe: als einem Autor, mit dem Strauß manches zu verbinden scheint und nicht nur der rechtskatholische "Hochland"-Verlag, in dem 1963 die "Fahrt zu den Toten" posthum erschienen ist.

Vorausschicken möchte ich, daß Strauß' fast einmalige Leistung[50] umso bemerkenswerter wird, je mehr man sich klar macht, wie sehr er *auch* ein Konservativer gewesen ist. In einem seiner Gedichte ließ er sich sogar von der konservativ-*revolutionären*, nämlich reichsapokalyptischen Stimmung der frühen dreißiger Jahre bestimmen und dadurch Autoren à la Haecker geradezu

---

[39] Vgl. H.J. Schwierskott, Arthur Moeller van den Bruck und der revolutionäre Nationalismus in der Weimarer Republik, 1962.

[40] Vgl. O.B. Roegele, Die Botschaft des Vergil, 1947.

[41] A. Mohler, Die konservative Revolution in Deutschland. Ein Handbuch, Darmstadt 1972 (2.Aufl.).

[42] H.v. Hofmannsthal, Das Schrifttum als geistiger Raum der Nation, Berlin 1933 (2. Aufl.).

[43] Borchardts ungemein zögerliche Haltung gegenüber Hitler noch Ende 1939 bezeugt ein Brief Franz Bleis vom 7.12.39 an seine Tochter Sibylle von Lieben, zuerst abgedruckt in: Der Aquädukt 1963, München 1963, S. 167; vgl. auch F. Blei, Talleyrand oder der Zynismus, München 1984, S. 368/9.

[44] Vgl. E.R. Curtius, Deutscher Geist in Gefahr, 1932, S. 43.

[45] Vgl. R. Faber, Die Verkündigung Vergils ..., S. 219ff.

[46] Vgl. K. Ackermann, Der Widerstand der Monatsschrift Hochland gegen den Nationalsozialismus, 1965, S. 183.

[47] Th. Haecker, a.a.O., S. 65.

[48] G. de Reynold, Portugal. Gestern - heute ..., 1938, S. 275,9.

[49] U. Eco, Das Foucaultsche Pendel, München 1988, S. 369.

[50] Unbedingt hinzuweisen ist noch auf: M. Horkheimer, Zur Kritik der instrumentellen Vernunft, Frankfurt 1967, S. 120.

assoziieren: im - Hans Carossa gewidmeten und in altgermanischen Rhythmen geschriebenen - Gedicht "Hochmünster zu Aachen" von 1932[51].

Schon die Widmung ist erstaunlich, auch wenn sich Carossa erst etwas später in den Dienst der Nazis stellte; Strauß verehrte Carossas Werk *über* die persönliche Distanzierung *hinaus*[52], die zunächst unvermeidlich war. Strauß hätte *nie* Nazi werden können, auch wenn er kein Jude gewesen wäre. Und doch hat der Schriftsteller Walther Ehlers bezeugt, daß kurz nach 1933 in Hamburg während einer Ausstellung "junger" deutscher Lyrik der zuständige Kulturdezernent fragte, ob es hier auch Bücher von Ludwig Strauß gäbe, dem "größten neueren deutschen Lyriker", und wie er verstummte, als er hörte, daß Strauß ein Jude sei. - Sein Herausgeber und Biograph Werner Kraft schließt nicht aus, daß jener "nationalsozialistische Schwärmer" seine Verehrung für den Dichter speziell auf das Gedicht "Hochmünster in Aachen" bezogen hat[53]. Und ist dieses Mißverständnis nicht verständlich?[54]

Wie kaum in einem anderen seiner Gedichte erhebt sich Strauß hier zum "vates", wie sein Schwiegervater Martin Buber das, allzuwenig problematisierend, ausgedrückt hat[55]. Strauß, der sich durchaus über "dröhnenden" und "rollenden Georgelton" mokieren konnte[56] und dafür vom "Meister" *bestraft* wurde[57], zeigt sich im "Aachener" Gedicht diesem nicht nur stilistisch, sondern auch inhaltlich verpflichtet - Georges letzter Gedichtsammlung "Das neue Reich"[58] ganz speziell. - In ihr nimmt der "Poeta vates", wie Maximilian Harden George schon früh genannt hat[59], die Rolle Vergils gegenüber einem neuen Augustus ein, und sollte der auch nur ein "junger Führer" sein[60]. George, dem sein Hagiograph Friedrich Wolters selbst ein "heimliches Kaisertum" zugesprochen hat[61], beanspruchte die übervergilische Rolle eines Vates-*Deus*[62]. Doch bleiben wir bei Strauß' Gedicht "Hochmünster zu Aachen":

In ihm erinnert der Autor, wie Carossa und er stumm "standen an der Könige Stuhl", dem Thron Karls des Großen, und ihr Schweigen klang wie "Lehmanns Schwur". Es scheint Strauß, als ob sie "ungeborenem Herren" gehuldigt hätten und "namenlosem König": als neovergilische Adventisten eines neuen Kaisertums. An seiner nationalen, ja imperialen Konnotation wird kein Zweifel gelassen: Als Carossas "südliches" und Strauß' "östliches Blut" im Münster-Raum "rauschte", "dämmerte" nicht nur "deutscher *Laut*", sondern "In den Raum gesogen um italische Säulen/ Wuchs da Sonne ewigen *Süds*./ Zum Meer der Mitte ging das Münster auf." - Nur konsequent fragt Strauß unmittelbar anschließend: "Will nicht das Reich umringen seine Flut mit deutschem Dienste heut wie damals?"[63] Auch Strauß hätte zur Gruppe jener Georgianer gehören können, die Anfang der zwanziger Jahre in Palermo am Sarg Friedrichs II. von Hohenstaufen einen Kranz niederlegte, mit der Schleifenaufschrift: "Seinen Kaisern und Helden das heimliche Deutschland". Jedenfalls *heißt* es in Strauß' letzter Strophe, daß sich "neues Reich" bereiten wolle: "Seinen Grund ahnst du, seine Grenze nicht."[64]

---

[51] Vgl. L. Strauß, Dichtungen und Schriften. Hrsg. von W. Kraft, München 1963, S. 128/9.

[52] Vgl. W. Kraft, Ludwig Strauß, in: Rheinische Lebensbilder, Bd. 4, Düsseldorf 1970, S. 283.

[53] Vgl. ebd. S. 274/5 und 277.

[54] Strauß befürchtete es immerhin selbst und hat das Gedicht erst auf den Zuspruch Bubers hin publiziert. (Vgl. Briefwechsel Martin Buber - Ludwig Strauß ..., Frankfurt 1990, S. 164.

[55] Vgl. W. Kraft, a.a.O., S. 292.

[56] L. Strauß, Kleine Nachtwachen. Sprüche in Versen, Berlin 1937, S. 28.

[57] Vgl. W. Kraft, Nachwort, in: L. Strauß, Dichtungen ..., S. 799.

[58] St. George, Das neue Reich, Berlin 1928.

[59] Vgl Fr. Wolters, Stefan George und die Blätter für die Kunst ..., Berlin 1930, S. 180.

[60] St. George, a.a.O., S. 43.

[61] Fr. Wolters, a.a.O., S. 527.

[62] Vgl. R. Faber, Politische Idyllik. Zur sozialen Mythologie Arkadiens, Stuttgart 1977, S. 168.

[63] L. Strauß, Dichtungen ..., S. 128.

[64] Ebd.

Mit dieser Zeile wird, so wie mit der vorherigen George, *Vergil* zitiert: die Jupiter-Prophezeiung, er wolle den Römern ein "Imperium sine fine" geben[65]. Ich erwähne nur noch, daß das Buch des Georgianers Ernst Kantorowicz von 1928 über "Kaiser Friedrich den Zweiten", das uns die zitierte Schleifenaufschrift überliefert, nicht zuletzt eines über mittelalterliche Vergil-Rezeption ist, um mich dann wieder *Haeckers* "Vergil" zuzuwenden, dem Kapitel "Vergil und die *Deutschen*" konkret. Dort finden sich unter anderem diese Sätze:

"In Aachen steht der Stuhl Karl des Großen ... Er ist aufgerichtet aus Marmorplatten, die aus der Stadt Rom nach Aachen gebracht worden waren ... Der Stuhl Karl des Großen steht in einer Kirche, und vor und über ihm wölbt sich die Kuppel mit der thronenden 'Majestas Domini'. Aus dem 'Imperium Romanum' ward das 'Sacrum Imperium' des christlichen Abendlandes". Und, diese deutschnationale Pointe ist entscheidend, "der Stuhl des Karls des Großen steht auf deutschem Boden. Dieser Stuhl ist das schauererregendste, inhaltvollste Nationalheiligtum der Deutschen ... Aachen ist für ... (ihr) Fatum ... mehr als Weimar und Potsdam. Hier senken sich Wurzeln in realen, nicht erdichteten, in heiligen, in irdischen und ewigen Boden."[66]

Lassen wir die Weimarer Republik, die nur zwei Jahre nach dem Erscheinen des Haeckerschen "Vergils" zerstört sein wird, auf sich beruhen; bemerkenswert ist, daß in den frühen dreißiger Jahren von seiten der katholischen Reichstheologie wie einem sich preußisch gerierenden Nationalsozialismus ein Gegensatz zwischen Aachen und Potsdam konstruiert wurde und dem, wofür die beiden Städte standen. So heißt es noch 1941 im "Reichs"-Buch des NS-Historikers Otto Westphal: "Aachen wurde ... zur politische Kultstätte des Ersten Reiches etwa in dem Sinne, wie es Potsdam durch den Staatsakt von 1933 für das dritte Reich geworden ist."[67] Doch schon in der Einleitung seines umfangreichen Buches hat Westphal geschrieben: "Während der Fahrt, auf der er im Frühjahr 1938 die deutschen Gaue zur 'heiligen Wahl' aufrief, betrat der Führer und Reichskanzler zum erstenmal den Saal des Römers zu Frankfurt am Main. Der Schöpfer des Großdeutschen Reiches trat den Bildern der großen germanischen Kaiser gegenüber. In Frankfurt, wo neunzig Jahre zuvor die denkwürdigen Parlamentskämpfe zwischen Großdeutschen und Kleindeutschen ausgefochten worden waren, sprach er von der Notwendigkeit auch des Zweiten, kleindeutschen Reiches. Die drei Reiche - das heilige römische Reich deutscher Nation, das evangelische Kaisertum deutscher Nation, wie Bismarck sein Werk, und das germanische Reich deutscher Nation, wie Hitler das seinige genannt hat - erschienen vor seinem Auge als ein großer, heiliger, notwendiger Zusammenhang."[68]

Man kann noch hinzufügen, ohne Westphals hymnischen Ton teilen zu wollen, daß sich die nationalsozialistische Reichskonzeption über die "großdeutsche" Variante von 1938-40 immer deutlicher zu einem rassistischen, aber am Mittelalter orientierten Reich "Europa" weiterentwickelte und so das "Aachener" Paradigma über das "Potsdamer" triumphieren ließ. Eine Entwicklung, die, wie gesagt, von Haecker nicht geteilt, ja aufs schärfste bekämpft wurde. Dies ist schon seinem Aufsatz von 1932 "Betrachtungen über Vergil. Vater des Abendlands" zu entnehmen, doch gerade auch hier - seinen gnadenlosen Antiprotestantismus und Antiliberalismus aus vorgeblich antinationalsozialistischen Gründen erwähne ich nur - verkündet Haecker das "Heilige Reich der *Deutschen*"[69], so wie damals staatsoffiziell der Reichkanzler von Papen[70] und -

---

[65] Aeneis I, 279.

[66] Th. Haecker, Werke 5, München 1967 , S. 128/9.

[67] O. Westphal, Das Reich. Aufgang und Vollendung. Bd. I: Germanentum und Kaisertum, 1941, S. 238.

[68] Ebd., S. 5.

[69] Vgl. L. Ziegler, Das Heilige Reich der Deutschen. Drei Bücher in zwei Bänden, Darmstadt 1925; was Haecker angeht, ist allein schon aufschlußreich, daß die "Betrachtungen über Vergil, Vater des Abendlands" ursprünglich "Gedanken über Vergil und das 'Reich'" heißen sollten (vgl. Theodor Haecker 1879-1945 ..., S. 45).

[70] Vgl. H. Weinzierl, Herr von Papen proklamiert das sacrum imperium ..., in: Allgemeine Rundschau XXIX, 1932.

sehr persönlich - Ludwig Strauß. Auch er, dem die einschlägigen Reden von Papens nicht unbekannt geblieben sein können, ist offensichtlich der grassierenden Reichsapokalyptik erlegen, wenigstens im Gedicht "Hochmünster zu Aachen". Und auch Strauß ist einer sich *vergilisch* artikulierenden Reichsapokalyptik anheimgefallen, so wie sie christkatholisch Werner Bergengruen noch 1937 und Carl Schmitt nationalsozialistisch sogar noch 1939/40 vertreten werden[71].

3. Ludwig Strauß zwischen völkischem Konservatismus und anarchistischem Sozialismus

Es bleibt letzlich unverständlich, warum Strauß' "östlichem Blut" - schon diese Formulierung ist problematisch -, warum dem überzeugten Juden und Zionisten, warum dem religiösen Sozialisten und ökumenischen Internationalisten Strauß dies 'passieren' konnte. Ich werde auf den volkhaften, um nicht "völkisch" zu sagen, und auf den gemeinschaftlichen: den *volks*gemeinschaftlichen Charakter des durchaus *libertären* Sozialismus von Strauß einzugehen haben. Doch bevor ich ihn problematisiere und zugleich von jedem Faschismus-Verdacht, wie er auch Straußens Mentor Buber entgegengebracht wurde[72], befreie, muß noch darauf verwiesen werden, daß der deutsche - später auch hebräische - Dichter, daß der habilitierte *Germanist* Strauß ein Germanophiler hohen Grades und, als ehemaliger Frontsoldat, ein deutscher *Staatsbürger*[73] war. Weder sein Judentum und Zionismus, noch sein späterer Pazifismus im Anschluß an Leo Tolstoi und Gustav Landauer hinderte das - bis 1933.

Selbst als Strauß - wie es in der "Fahrt zu den Toten" heißt - ein Jude ist, "ausgespien aus Deutschlands Krater/ Zum Felsen meines langersehnten Strandes" Palästina[74], bleibt er "jüdisch, römisch, deutsch zugleich", wie es ein anderer rheinländischer Jude, Karl Wolfskehl, gleichfalls beansprucht hat[75]. Erschütternd bestätigt *Strauß'* Anspruch folgendes Traumprotokoll; der launige Titel "Billige Reime auf das Wort Lebendig" kann die Betroffenheit nur steigern:

"Als ich schon einige Jahre lyrische Gedichte kaum mehr in deutscher, sondern fast immer in hebräischer Sprache geschrieben hatte und dabei freilich viel sagen konnte, was mir das Deutsche nie hatte zu Wort kommen lassen, aber doch auch von meiner Unsicherheit auf den Wegen der neugewonnenen Sprache viel leiden mußte, - und als ich eben zum erstenmal das angenehme Sichverlieren in einem Ätherrausch erfahren hatte, aus dem ich dann, nach einer kleinen Operation, mit heftigem Schmerz aufgewacht war, - da träumte ich folgenden Traum:

Ich sollte sterben, und als Todesengel war der heilige Franz von Assisi an mich gesandt. Er stand vor mir wie ihn Fra Angelico gemalt hat. Weil er aber unter all den plastischen Erscheinungen umher, die von seiner Liebe strahlten, selber flach gemalt erschien, meinte ich ihn fast unerreichbar und mühte mich verzweifelt, von ihm vernommen zu werden. Mit den Resten meines lange nicht mehr geübten Latein versuchte ich ihm zu sagen, daß ich nicht sterben wolle, ehe meine Schmerzen nachgelassen hätten; bei solchen Schmerzen könne man sich ja gar nicht konzentrieren!

---

[71] Vgl. W. Bergengruen, Der ewige Kaiser, 1950 (2. Aufl.), sowie C. Schmitt, Positionen und Begriffe im Kampf mit Weimar, Genf, Versailles 1923-1939, Hamburg 1949, S. 312.

[72] Vgl. W. Benjamin/G. Scholem, Briefwechsel 1933-1940 ..., Frankfurt 1980, S. 228.

[73] Vgl. Briefwechsel Martin Buber - Ludwig Strauß ..., S. 26.

[74] L. Strauß, Dichtungen ..., S. 222.

[75] K. Wolfskehl, Gesammelte Werke I, Hamburg 1960, S. 191.

Während ich nach Worten suchte, sagte mir jemand zu meiner großen Erleichterung: 'Er versteht doch kein Latein. Du mußt zu ihm in deutschen Versen reden!'

Unverzüglich rief ich:

'Franziskus, sei verständig,/ Mein Leben noch nicht endig!'

und wachte auf."[76]

Das Erschütternde dieses Textes liegt zweifellos in der deutsch-hebräisch-deutschen Sequenz, verweilen wir jedoch einen kurzen Augenblick beim lateinischen oder insgesamt antiken Element. Die defizitären Latein- und wohl auch Griechisch-Kentnisse können dabei unberücksichtigt bleiben; bemerkenswert ist, daß Strauß als erster eine sapphische Strophe in neuhebräischer Sprache gedichtet und ihr auch die alkäische und asklepiadeische einverleibt hat[77]. Noch bemerkenswerter ist, daß er in seinen Gedichtzyklus "Land ISRAEL" ein umfangreiches Gedicht aufgenommen hat mit dem Titel "Panshaupt im Fels"[78] *und* daß für dieses "Land Israel" das von Friedrich Hölderlin geschilderte *Griechenland* den Goldgrund abgibt[79].

Zugleich heißt das aber, daß in dem sowieso deutsch geschriebenen Gedichtzyklus der *deutsche* Dichter Hölderlin Maßstäbe für Sicht und Präsentation des "gelobten Landes" setzt.[80] In gewisser Weise ist auch Strauß' neue Heimat eine "zwiefache" geblieben, um sein 1930 abgeschlossenes und 1933 veröffentlichtes Gedicht "Die zwiefache Heimat" zu apostrophieren. Seine dritte und letzte Strophe lautet:

"Dem Tabor sang ich, den des Juden Hymne weiht:/ Gleich dir des Herrn Gerechtigkeit./ Und sang dem Rheine, den des Deutschen Hymne preist:/ Des Landes flutender Heldengeist./ Wie schied ich noch den Kuß/ Von Himmels Glut auf Berges Haupt, von Himmels Glanz im Fluß?/ In meinem Blut und Geist und Wort/ Wie schied ich je die Kraft von da und dort?/ Wo sichs bestreitet, klirrts mir mitteninne,/ In mir kniet Sieg bei Untergang und weint./ Und weht um beide Friedenshauch der höchsten Minne,/ Bin ich geeint."[81]

Geeint sind für den Strauß von vor 1933 das jüdische und das deutsche Volk - selbst dann noch, wenn sie sich bestreiten - in ihrer allein miteinander vergleichbaren, weil *paradoxen* Auserwähltheit:

"Die Völker rafften ein mit vollen Händen/ Von Volk nach Volk sein schaffend Herzverschwenden./ Wem boten sie wie euch den kalten Haß zu Dank?/ Wem ward der kleinste Kranz/ So schwer gewogen und so leicht gediegene Spenden?/ Seid des getrost:/ Ihr beiden habt das

[76] L. Strauß, a.a.O., S. 659.

[77] Vgl. Ludwig Strauß. Dichter und Germanist. Eine Gedenkschrift. Hrsg. von B. Witte, Aachen 1982, S. 27.

[78] Seine dritte Strophe fragt: "Hat er Opfer hier gewonnen,/ Wo der Grund voll Marmor ruht/ Und gestürzte Säulen sonnen/ Sich in Sand und flacher Flut?" - Strauß verkennt nicht, daß das Land Israel auch griechisch-römisch war und geblieben ist; er fragt weiter (in der 7.Strophe): "Fuhr denn nicht zu Recht der Hirten/ Gott hinab in ewigen Bann?" Und: "Hebt aus Trümmern, lang zerklirrten,/ Uns sein Reich von neuem an?" Ja, Strauß schreibt, als wenn er Wolfskehl wäre, der nicht nur zeitlebens Georgianer, sondern - mehr oder weniger heimlich - auch Kosmiker geblieben ist: "Wie die Brandung uns zu Füßen/ Tanzt und donnert, wenn er singt,/ So will unser Blut ihn grüßen,/ Der den großen Reigen schlingt." (L. Strauß, Dichtungen ..., S. 187; vgl. auch S. 48/9) Doch, so fährt Strauß fort, "Doch du weißt, daß wir ihn kännten,/ Gab ein Größrer uns den Blick./ Feiernd mit den Elementen/ Wahren wir das Mensch-Geschick." / Nicht mehr opfern mit Gebeten/ Wir uns hin in seinen Tanz,/ Liebend nur und dankend treten/ Wir in den lebendigen Kranz." (Ebd., S. 187/8) - Entscheidend ist, um die Grenze gegenüber Wolfskehl deutlich zu markieren, Pans und der Elemente Humanisierung: "Feiernd mit den Elementen/ Wahren wir das Mensch-Geschick." Auch ein Vergleich von Strauß' Gedicht "Das Weinen um Balder" (ebd., S. 124-6) mit Wolfskehls "Ur-Odin" (G.W. I, S. 73) stieße auf diesen fundamentalen Unterschied, ganz davon abgesehen, daß Strauß im Gegensatz zu Wolfskehl nie hätte behaupten können, Odin sei ihm mehrfach ganz leibhaftig erschienen. Andererseits hätte auch er den Nazideutschen sagen können, was Wolfskehl ihnen nach 1933 gesagt hat: "Eure Mär ist auch die meine./ Vom helldüstern Bruderpaar,/ Blindem, der den Blanken töte,/ Hoeder-Vult, von Speer und Flöte/ Flüstert' ich euch" (G.W. I, S. 217) - wie Ludwig Strauß.

[79] Vgl. Ludwig Strauß. Dichter und Germanist ..., S. 56.

[80] Vgl. ebd.

[81] L. Strauß, Nachtwache. Gedichte 1919-1933, Hamburg 1933, S. 170.

strengste Maß erlost./ Und das mit glühem Eisen euch in Stirnen sie gemarkt,/ Das Mal der Fremdlingschaft -/ Wer Gottes Zeichen ahnt, der liest es: Volk der Kraft, Verfemt, in Fluch, in Haft,/ Volk, drin das *Reich der Völker* still zu sich erstarkt."[82]

So heißt es bereits in der ersten Strophe der "Zwiefachen Heimat", wobei vor allem ihr letzter Vers erneut die (katholische) Reichstheologie jener Jahre assoziieren läßt. Eben Haecker schrieb damals: Die "katholischen Deutschen" wurden im Mittelalter "die Erben des römischen Reiches", und das "bleiben" sie "bis ans traurige Ende, wiewohl" sie ihre Erbschaft schon dadurch "verwirkt" haben, "daß sie Luther, den Häresiarchen, mehr liebten als Christus, so wie die Juden das Volk der Auserwählten bleiben bis ans Ende, wiewohl sie einen Aufrührer mehr liebten als Christus, oder auch Christus mehr haßten als einen Aufrührer."[83] Je mehr sie Christus "hassen", desto mehr "nähern sich ... die Deutschen ... den Juden und deren Schicksal. Sie kreuzigen ja Christus zum zweitenmal, als Volk", wie es dann in den antinationalsozialistischen "Tag- und Nachtbüchern" der Kriegsjahre heißt: "Ist es nicht wahrscheinlich, daß sie auch ähnliche Folgen durchzuleben haben werden"[84] wie dieses *jüdische* Volk?

Reinhold Schneider beantwortet Haeckers Frage gleich 1946 und ganz in dessen Sinn: "Gesendet waren beide. Heil und Macht/ Der Welt zu tragen waren sie berufen. /Und beide widersagten dem Gebot."[85] Doch bleibt unbeschadet dessen als "metaphysische" Tatsache bestehen: Wie die Juden haben auch die Deutschen "eine Beziehung zum Reiche - ein Wort das nur ihnen gehört, als eine politische Analogie in via zu dem ewigen Reiche"[86] - wie wiederum Haecker formuliert hat, in einer seiner "Vergil"-Studien.

In der zweiten Strophe von Strauß' Gedicht "Zwiefache Heimat" heißt es: "Euch standen Seher auf und kündeten,/ Wie Gottes herbstes Recht und Gottes gnädige Wahl/ Sich zum Geschicke euch verbündeten." Nach einem Gedankenstrich fährt Strauß allerdings fort, prophetischer und selbstkritischer noch als der Schneider von 1946:

"Erwählte heißen heut die Völker allzumal,/ Und jedem wuchs vom Innersten ein Schein,/ Der lohte himmelwärts/ Und wehte aus ein selig Prophezein/ Und eigner reiner Waltung Weltgeschichte./ Doch welches bebte so im inneren Gerichte/ Und welchem kehrte sich so wie euch zwein/ Die eigene Sprache furchtbar gegens Herz, Mit Feuer es durchbohrend und mit Lichte?"[87]

Nach 1935 gibt es einen ausdrücklich jüdischen und zionistischen: einen israelischen Selbstkritiker Strauß, aber problematisch ist und bleibt sein Volksbegriff als solcher, auch diesseits jeder - noch so paradoxen - Auserwähltheit. Problematisch ist die Unterstellung eines kontinuierlichen und einheitlichen Kollektivsubjekts aus völkischer Substanz an sich. Sie ist es in innenpolitischer, in *sozialer* und *kultureller* Hinsicht; die affirmative Art und Weise ist fragwürdig, in der Strauß' verehrter Lehrer und Freund Friedrich Mordechai Kaufmann vom "*Organismus* des jüdischen Volkes" und vom "Volk ... als gewaltigem, von *Säften* und *Leben* strozendem Organismus" spricht. Problematisch ist schließlich, wie Kaufmann für die "*Heimkehr* zum Volke", zum "*ganzen* Volk" plädiert: dem "*ewigen* großen Volk", welches gleichbedeutend ist mit dem "gewaltigen *Organismus* des ewigen Volks". [88]

Nur konsequent durchherrscht ein tiefer Affekt gegen die moderne westliche Zivilisation und ihre "volks(ent)fremd(et)e", "entwurzelte" Intelligenz Kaufmanns - von Strauß herausgegebene - Schriften, die statt ihrer auf die "unverfälschten Emotionen der (ostjüdischen) Volksmassen"

---

[82] Ebd. S. 169.

[83] Th. Haecker, Werke 1, München 1958, S. 459.

[84] Th. Haecker, Werke 2 ..., S. 263.

[85] R. Schneider, Apokalypse ..., 1946, S. 21.

[86] Th. Haecker, Werke 1 ..., S. 462.

[87] L. Strauß, a.a.O., S. 169/70.

[88] Fr. Mordechai Kaufmann, Gesammelte Schriften. Hrsg. und eingeleitet von L. Strauß, Berlin 1923, S. 58-60 und 67.

setzen.[89] Nur *scheinbar* ebenso konsequent feiert Kaufmann als "erster Westjude, der im östlichen Judentum heimisch wurde", die (deutsche) Hochromantik: Ihre Vertreter hätten "in das Leben, in ihre Volksgemeinschaft hinein(gebaut). Nicht einzelne waren sie, nicht Grenzfälle einer soziologischen Erscheinung, - in ihnen verdichtete sich die Leidenschaft und das Glühen eines ganze Volkes; das Soziale hatte in ihnen seine Exponenten und seine Erfüller."[90]

Die Einwände gegen solche Affirmation liegen auf der Hand, der aktuell dringlichste Einwand ist jedoch, daß Kaufmann sein - man muß es zur Kenntnis nehmen - sozialistisches "Volksgemeinschaft"-Konzept auf das ständisch-hierarchische der Hochromantik *reprojiziert*. Zugleich heißt das aber, daß Kaufmann, dessen Begeisterung für einen "jüdischen Sozialismus" im allgemeinen und die ostjüdisch-sozialistische Partei "Bund" im besonderen unübersehbar, der in Deutschland Mitglied der USPD gewesen ist[91], nicht einfach als Reaktionär oder gar Faschist eingestuft werden kann[92] - trotz seiner zweifellos *auch* romantischen, ja völkischen Vorstellungswelt.

Alles entscheidet sich am *Gemeinschaft*sbegriff, wie er auch für den communitären Sozialismus Bubers und seines Schwiegersohnes Strauß von zentraler Bedeutung gewesen ist.[93] Nicht zuletzt er, der 1932 von unseren "Zeiten zerfallener Gemeinschaftsbindung" schreibt[94], will "neue Gemeinschaft ... versuchen", wie er schon 1927/28 formuliert hat und es dann ab 1935 in Palästina tun wird: an auch "neuem *Ort*", um nochmals "Natur und Gemeinschaft" von 1927/28 zu apostrophieren[95]. In diesen "Stücken einer Hölderlin-Biographie", die Strauß' Habilitationsschrift "Das Problem der Gemeinschaft in Hölderlins 'Hyperion'" von 1929 bzw. 1933 präludieren, ist auch von "Volksgemeinschaft" die Rede, synonym allerdings von "neuer *Menschen*gemeinschaft". Und in ihr soll es, obwohl "das neue Reich" geheißen, "kein Nebeneinander geben, nur ein unendliches Füreinander"[96].

Was es mit dieser, dem späten Hölderlin zugesprochenen Absicht auf sich hat, erhellt unmißverständlich die kritische Abgrenzung von Hölderlins Widersacher Goethe: "Mit zunehmender Macht prägte *sein* Werk eine statische Ordnung der Stände und Werkkreise, der Zeiten und Kulturen aus. Tasso und die Prinzessin scheidet ein ewiges Gesetz, Weise und Narren eine reinliche Schranke. Das Nebeneinander erfüllter Einzelpflichten ... verbürgt die Musterhaftigkeit des Ganzen."[97]

Solch statischem, ja "ewigem" Nebeneinander sagt Strauß den Kampf an, ohne auf die "Ganzheitlichkeit" an sich verzichten zu wollen und wieder unter Berufung auf Hölderlin: "Die Poesie vereinigt die Menschen" - wie dieser an seinen Bruder geschrieben hat -, "mit allem Großen und Kleinen, das unter ihnen ist, immer mehr, zu einem lebendigen, tausendfach gegliederten, innigen Ganzen"[98]. - Strauß gibt der Hoffnung Ausdruck, daß "das Gedicht, über alle Gemeinschaftsbestrebungen, die in ihm ausdrücklich gestaltet sind, hinaus, als die vollkommene Gemeinschaft lebendiger Elemente, die es ist, dem Menschen Vorbild werden könne zu eigener *Einordnung* in Gemeinschaft."[99] Doch Strauß hofft dies, indem er keinen Zweifel daran läßt,

[89] Ebd., S. 65, 77, 203 und 81.
[90] Ebd., S. 12/3.
[91] Vgl. ebd., S. 133, 15.
[92] Eine "Wissenschaft von der Rasse" lehnt er ausdrücklich ab. (Ebd., S. 158)
[93] Was M. Buber angeht, vgl. ders., Pfade in Utopia. Über Gemeinschaft und deren Verwirklichung ..., Heidelberg 1985 (3. Aufl.).
[94] L. Strauß, Tat und Dichtung, 1932, in: Ludwig Strauß. Dichter und Germanist ..., S. 15.
[95] L. Strauß, Dichtungen ..., S. 457.
[96] Ebd., S. 477.
[97] Ebd.
[98] Ebd., S. 456.
[99] Ebd.; vgl. auch S. 516, wo Strauß Hölderlin ausdrücklich mit Buber korreliert.

daß "Zeiten eines ungebrochenen Gemeinschaftslebens"[100] nicht "zurückbefohlen" werden können und allenfalls "in Generationen eine von *neuem* Sinn beseelte Gesellschaft wieder erwachsen" könne[101]:

"Gemeinschaftsgestaltungen früherer Zeiten ... haben ... etwas *Vorläufiges* für uns, weil sie vom Babaren oder vom Sklaven, vom Bauern oder vom Arbeiter, von der Frau oder vom Kinde als Menschen absahen und sich mit dieser Beschränkung des Stoffes seine Bewältigung erleichterten. Uns ist die vielleicht unlösbare, aber auch unumgängliche Aufgabe gestellt, im Angesicht der unverkürzten Wirklichkeit eines jeden Menschen Gemeinschaft zu gestalten."[102]

Auf diesen Straußchen Universalismus, wenn nicht Sozialismus, kommt es entscheidend an: Erst "an der Aufnahme des *Armen* in die Gemeinschaft findet diese ... ihre praktische Bewährung; der Arme hat gewissermaßen *Amt* und *Würde* als der, der zu dieser Bewährung auffordert. So kann ein Jesaja-Wort gedeutet werden: Die Armen sind Gottes Volk ... Ja, Gottes und der Menschen Gemeinschaft *vollendet* sich in der Hilfe am Armen", wie Strauß 1931 im Nachwort zu seiner und Norbert Glatzers Auswahl "Aus dem Schrifttum des nachbiblischen Judentums" schreibt[103].

Schon in seinem "Tiberius"-Drama von 1924 und nochmals in der Bauernkriegs-Tragödie "Der Hirt von Nickelshusen" hat Strauß diese Auffassung vertreten. Beide Dramen erweisen schließlich auch das Freiwilligkeits-Prinzip von Strauß *neuem* Gemeinschaftskonzept; nach ihm geht es um ein "Ganzes", "zu dem wir *frei* uns einen"[104] - seien es zur Zeit des Augustus und Tiberius die "Essäer" genannten Essener oder im 15.Jh. die hussitisch beeinflußten Bauern. - Andererseits, doch auch das ist nicht unbedingt unsozialistisch, hält Strauß an der "Unverträglichkeit der ... umfassenden Gemeinschaftvollendung mit einer ... Wahlgemeinschaft von *Einzelnen*" fest[105]. Wir sollen uns *frei* einen, doch *wir*, nicht er, sie, es oder gar A,B,C ...

Strauß' Sozialismus, wie er sich theoretisch vor allem in seinen frühen Aufsätzen in "Die Arbeit" niedergeschlagen hat[106], dem von ihm herausgegebenen Organ der zionistischen volkssozialistischen Partei Hapoel Hazair, der Vorgängerin der israelischen Arbeitspartei, und praktisch in seiner aktiven Mitgliedschaft im Kibbuz Hasorea und im Kinderdorf Ben Shemen[107], war nicht liberal, aber auch nicht irgendwie "totalitär", sondern auf spezifische Weise *anarchistisch*. Strauß' "heimlicher Führer" war - mehr als Gustav Landauer - Tolstoi. Doch hat er jenem noch 1945 im "Hirt von Nickelshusen" ein Denkmal gesetzt. Und auch dieser *Revolutionär* hatte aus mittelalterlichen Formen des Zusammenlebens verschüttete Gemeinschaftskräfte für die eigene Zeit zu aktivieren gesucht: den Geist der alten *Dorfgemeinden* und die brüderlich-*kommunistische* Gesinnung christlich-*häretischer* Bewegungen[108].

Auf *Strauß'* Vorliebe für ein anderes Mittelalter, als anderes Christentum *und* Deutschland können wir hier nicht näher eingehen: auf seinen *Messianismus*, der ihn mit (Landauer und) Buber, aber auch Benjamin verbindet. An dieser Stelle geht es um Strauß' Anarchismus, doch der prägt noch seinen Messianismus: "Die erflehte Erlösung, die der Messias bringen soll, bedeutet

---

[100] L. Strauß, Tat und Dichtung ..., S. 15.

[101] L. Strauß, Dichtungen ..., S. 761.

[102] Ebd., S. 755.

[103] Vgl. Sendung und Schicksal. Aus dem Schrifttum des nachbiblischen Judentums. Mitgeteilt von N.N. Glatzer und L. Strauß, Berlin 1931, S. 360.

[104] L. Strauß, Wandlung und Verkündigung. Gedichte, Leipzig 1918, S. 121.

[105] L. Strauß, Das Problem der Gemeinschaft in Hölderlins "Hyperion", Leipzig 1933, S. 11.

[106] Es handelt sich um folgende Beiträge: Der Sozialismus und die Klasse, Zur Frage nach Volkstum und Staat, Die Bedeutung der Kwuzah, Vom Bolschewismus, Unsere Konferenz, Die Weltrevolution und wir (I, 1919); Zum Gedächtnis A.D. Gordons (IV, 1923).

[107] Vgl. L. Strauß, Dichtungen ..., S. 114ff., sowie W. Kraft, Nachwort, in: L. Strauß, ebd., S. 797.

[108] Vgl. Ludwig Strauß. Dichter und Germanist ..., S. 89/90.

nicht Herrschaft des Volkes, das ihrem Kommen entgegengeht, sondern Herrschaft Gottes."[109] *Ihm* gebührt das "Königtum", um Bubers berühmten Buchtitel von 1932 zu apostrophieren, und keinem sonst. Diesseits der Gottesherrschaft gilt Herrschafts*losigkeit*: das nur scheinbare Paradox eines "*theokratischen* Anarchismus"[110]; so auch, wenn der "Hirt von Nickelshusen" deklariert - in Befolgung des neutestamentlichen Wortes vom Nicht-Richten: "Wer Gericht sucht, *scheidet* sich aus der Bruderschaft." (295[111])

Der Hirt "Hans Beheim", durchaus eine "*politisch*-theologische Person" (312), wenn auch eher *Mariokrat* denn Theokrat, läßt seine "Muttergottes" verkünden:

"Ihr habt als Knechte geschafft und mit knechtischen Herzen. Dies Jahr sollt ihr ernten als Freie von freiem Boden. Kehrt eure Herzen ins Reine, so will ich eure Hände lenken, den Zwang zu stürzen und das Reich zu bauen, das tausend Jahr währt. Da es keinen Herrn geben soll und keinen Knecht, keinen Kaiser noch Papst, keinen Junker noch Pfaffen, sondern mich die Mutter und euch die Kinder und zwischen allen ein heilig Freuen." Denn: "Mein und keines Menschen ist das Feld, mein das Getier im Wald und die Fische in der Flut. Mein seid ihr wie die Kinder ihrer Mutter, und euch geb ich zur Speis, was wächst und was lebt." (263/4)

4. Vergil nach Auschwitz

Wir stoßen noch einmal kurz auf solch urkommunistischen Chiliasmus bzw. *Messianismus*, wenn wir Strauß' "Fahrt zu den Toten" analysiert haben. Wir können dies jetzt endlich tun, nachdem wir seine Affinität zu einer Vergil-Rezeption à la Haecker aufgezeigt und ein Stück weit ihre Motive benannt haben, aber auch die, die die Vergil-*Kritik* des "chorisch-dialogischen Gedichts" nahelegen. In ihm spricht "Der Lebende", welcher Strauß selbst ist (222), ganz und gar als *sozialistischer* und *anarchistischer* Humanist. Doch selbst jetzt noch, wo er (im Traum) zu den "antiken *Sklaven*" und "toten *Empörern*" in die Unterwelt hinabgestiegen ist und sich unter die "Ermordeten der *Hitlerlager*" rechnet (213/4) - vor denen er nur zufällig bewahrt geblieben ist -, noch als ihr *Über*lebender spricht Strauß auch als ein *Verehrer* der Antike, allerdings als ein sehr wehmütiger und alles andere denn unkritischer:

Wie wenn er die "Dialektik der Aufklärung" gelesen hätte[112], redet dieser kritische, ja *sarkasti*-*sche* Humanist einen "häßlichen Sklaven" an als "du, *gerecht* Geknechteter": "Um dich war Nacht das strahlende Athen,/ Du, verzehrt von dem Rechte, das Sokrates/ Mit unsterblichem Tode verherrlicht,/ Du, mit dem anders als in Befehlen zu reden,/ Platon, mein Platon verbot" (213). - Andererseits bleibt Sokrates' Zeugen-Tod *für* dieses Recht "unsterblich", und sein Testamentsvollstrecker Platon bleibt *Strauß'* Platon. Ja, Vergil, den er - wie Haecker[113] - neben und vor Platon(-Aristoteles) stellt, wird angesprochen als "der Reiche, der Verehrte, Jahrtausenden Bildner und Lehrer *wie* mir" (228). Strauß bekennt sich als "Ein scheuer *Ehrer* jenes rollenden Brandes,/ Drin rasende und reine Bilder wohnen,/ Den *du* entfacht aus kühlen Römerworten/ Und den dir *stets* erfrischte Kränze lohnen." (222)

Noch für Strauß ist Vergil "*unser* Klassiker, der Klassiker von *ganz* Europa"[114]. Doch wenn er auch den seinen sich als "heiligen Heiden der Getauften" bekennen läßt (222): als "*adventisti*-

---

[109] Sendung und Schicksal ..., S. 358.

[110] G. Scholem, Walter Benjamin - die Geschichte einer Freundschaft, Frankfurt 1975, S. 108.

[111] Die Seitenangaben des "Hirts von Nickelshusen" und der "Fahrt zu den Toten" werden ab jetzt in Klammern fortlaufend im Text erscheinen; sie beziehen sich auf L. Strauß, Dichtungen und Schriften ...

[112] M. Horkheimer und Th.W. Adorno, Dialektik der Aufklärung ..., Frankfurt 1971, S. 23.

[113] Th. Haecker, Werke 5 ..., S. 132.

[114] T.S. Eliot, Was ist ein Klassiker? in: Wege zu Vergil. Hrsg. von H. Oppermann, Darmstadt 1966, S. 27.

schen Heiden", wie Haecker formuliert hat[115], oder als "anima naturaliter christiana", wie die gesamte christlich-abendländische Tradition - von Tertullian bis Haecker und Roegele -, für Strauß sind andere "mehr als Väter" (241), also mehr auch als dieser "Vater des *Abendlands*". Ganz davon abgesehen, daß Strauß nie ein Getaufter war und deswegen mit Vergil als "Dichter der *Kirche*"[116] wenig anfangen konnte, sind für ihn "mehr als Väter" die "toten Empörer".

"Gegen des Weisen (Platon) Gesetze" gesellt er den von ihm eingangs angesprochenen Sklaven seinen "skytischen Landsleuten .../ Zu stygischem *Aufruhr* ... / Platon wandelte ja auf elysischen Wiesen/ Und bemerkte nicht mich und nicht euch" (213), wie "Der Lebende" hinzufügt. - Ich erinnere, daß auch die Unterwelt, die *Äneas* besucht, arkadisch ist[117], um dann aber zu referieren, daß weder die antiken Sklaven noch die Ermordeten der Hitlerlager *den* als Bündnispartner akzeptieren, der doch nur "im Traum" zu ihnen "geworfen" worden ist. Nicht, daß nicht auch sie (an-)erkennten, daß "das Grauen der Jahrtausende" "erwachsen" und "mündig" geworden ist (214), aber Strauß trägt *das* Zeichen nicht, das "über die Zeiten hin" die Gemeinsamkeit zwischen antiken Sklaven und Ermordeten der Hitlerlager stiftet: das Brandmal bzw. die eintätowierte Nummer. Indem er insofern immer noch auf der Sonnenseite des Lebens steht, rufen ihm "Die antiken Sklaven" zu: "Räume Roms Glanz,/ Lösch Hellenenlicht, die dein Auge nährten,/ Aber das unsere nicht, räume sie, lösche sie fort!/ Dann vielleicht erreicht uns dein Ruf nicht im Traum allein." (214-6)

Diese Aufforderung ist so deutlich wie generell, geht konkret aber dem Zusammentreffen mit *Vergil* voraus. Diesen hat der Lebende nach "Jahrhunderten der Ruhe" wiedergeweckt, als erster nach Dante, Vergils "größtem Sohn", wie Moenius ihn noch 1948 genannt hat, im selben Jahr, in dem Strauß' "Chorisch-dialogisches Gedicht" zum ersten Mal als Privatdruck in Jerusalem erschienen ist. - Moenius' vormaligem Mitarbeiter Halflants zufolge hat Dante für Vergil vollbracht, was Thomas von Aquin für Aristoteles getan.[118] Dante verbindet mit jenem "der leidenschaftliche Wille zur Ordnung", wie Erich Auerbach 1929 geschrieben hat[119]. Doch nicht darauf kommt es Strauß primär an, wenn er als *paradoxer* Dante redivivus figuriert: nicht auf dessen "*Diesseits*ordnen". Wen Strauß konterkarieren will, ist der "*Jenseits*wanderer" Dante, der gleichfalls mit dem "großen römischen Heiden" Vergil "in unauflöslichem Bunde vereint ist", wie Curtius versichert hat[120].

Strauß erklärt seinem Vergil unumwunden:

"Führe mich nicht, denn der Himmel, o Mantuaner, an dessen/ Tor du den Florentiner geführt, du fändest ihn nimmer,/ Wie du nicht fändest mehr den Hades, welchen Äneas/ Auf dem prangenden Schiff deiner Verse befuhr, Aber", so fährt "Der (Über-)Lebende" fort, "fändest/ Du noch Himmel und wolltest mich führen und wollt ich dir folgen, -/ Ach die Lethe versagte an mir, denn solcherlei Grauen/ Sah ich, daß nicht sein Gedenken vom Leib mehr abspült die Gnade,/ Und ich käme, das Herz voll Hölle, zu Pforten des Himmels, -/ Mir nicht gingen sie auf. Doch empfingen mich selber die Engel/ Und der geliebtesten Toten verklärte Gestalten, ich dürfte/ Nicht ihnen folgen. Verhärten müßt ich das Herz mir und fragen:/ 'Sagt mir, ihr Seligen, doch: woher erwarbt ihr die Härte,/ Euch am Leuchten der Gottheit zu laben, zu Füßen die Qualen/ Aller Zeiten und Zonen?'" (223)

"Nein, du/ entdeckst mir/ Nirgendmehr Himmel", wie sich "Der Lebende" wieder an Vergil persönlich und resümierend wendet: "Allein die Hölle, - die Hölle, sie lebt noch,/ Lebt als die Unauslöschbarkeit des gelebten Entsetzens,/ Hölle der Toten und Hölle der Lebenden, Hölle der Bösen/ All und der Guten." (224) - Es ist, als ob Strauß vorweg Cordelia Edvardson zitieren

[115] Th. Haecker, a.a.O., S. 26.

[116] E. Kamnitzer, Vergil und die römische Kirche, in: Der katholische Gedanke 4 (1931), S. 193.

[117] Vgl. Aeneis VI, 638ff, aber auch L. Strauß, Dichtungen ..., S. 232/3.

[118] Vgl. Vergil und das Christentum, in: Allgemeine Rundschau XXVII (1930), S. 847.

[119] E. Auerbach, Dante als Dichter der irdischen Welt, 1929, S. 91.

[120] E.R. Curtius, Kritische Essays zur europäischen Literatur ..., S. 12.

würde, die Auschwitz als jüdische Schreibgehilfin Dr.Mengeles überlebt und die eintätowierte Häftlingsnummer als "Unauslöschliches *Siegel*" empfunden hat - so wie die christ-katholische Theologie und Liturgie das Taufsakrament. - Edvardson bezieht sich konkret auf den Roman-Titel ihrer christ-katholischen, ihrer christlich-*abendländischen* Mutter Elisabeth Langgässer, wenn sie das KZ-Mal so benennt und gleichfalls als "Theologe nach Auschwitz".[121]

Es ist, als ob Strauß, ein erster Vertreter solcher *Antitheologie*, überhaupt an Edvardson gedacht hätte, schon als er seinem Dialog mit Vergil denjenigen mit einer "Stimme aus dem Nichts" unmittelbar vorhergehen ließ. Auch der Besitzer dieser Stimme, ein zehnjähriger *Junge* - inzwischen sechzehn Jahre alt -, ist am Leben geblieben, doch als der zehnjährige Junge läuft er immer noch und ohne Ende mit dem Handkarren "Von der Totenkammer zum Kleidermagazin". (218-20) - Die Stimme dieses zweiten Sysiphus berichtet von sich - in der dritten Person:

"Er fuhr, er fuhr immer gleiche Spur./ Eines Tages lagen/ Vaters und Mutters Kleider und Schuh/ Oben auf dem Wagen./ Er fuhr sie hin die gewohnte Spur,/ Er kannte die Sachen genau,/ Sie lagen da nebeneinander/ Wie Mann und Frau./ Aber ohnmächtig darf man hier nicht werden,/ Das Gesicht wird nur grau./ Er fiel nicht, er schwitzte, sein Karren flitzte/ So schnell wie noch nie vom Fleck,/ Und als er ankam, rannte er abseits/ Und erbrach sich in einem Versteck./ Er blieb am Leben, er wurde befreit,/ Er wird noch ein ganzer Mann./ Doch da läuft auch noch das Kind und fährt die Ewigkeit/ Ewig mit dem Karren an." (219/20)

Wie "Der Lebende" kommentiert, ist in solcher Ewigkeit "keiner" bei dem Jungen. "Auch von Gott/ Kommt ihm keine Nachricht./ Der hat ihn gemacht und sich anderem zugewandt./ Gott hat ihn stehen lassen/ Wie einen vergessenen Gegenstand./ Da steht er nun in seinem Fahren,/ Keiner kann ihn gewahren:/ Ein Denkmal, so hoch überm Grauen, -/ Niemand kann es schauen,/ Unselig aber ist es in ihm selbst./ Wer weist mir Hölle, die dies umschlösse, Himmel, dessen Glanz dies tilgte/ Wie Kuß und Schmerz?" (220/1)

So fragt Strauß, keine Antwort erwartend, mit diesem seinem Schreien aber weckend, Vergil, dem er seine Theologie der (allein) lebenden Hölle weiter entwickeln wird, Dantes "Divina Comedia" dementierend und Goethes spätbarocken Himmel gleich mit:

"Steige nur aufwärts! Du findest nicht Grenze mehr deinem Anstieg./ Schwelle der Wüste, die einmal/ Himmel war, ist zerstört, die wachsamen Tore/ Liegen im Schutt. Während du träumtest, zerbrachen/ Alle neun Sphären des Paradieses/ Wie die Ränge eines überfüllten Theaters./ Die Leiber des Seligen wirbelten/ Nieder in rosenem Untergang./ Die große Himmelsrose hat ein Volltreffer zerschmettert,/ Bice erwies sich als aus Glas gebildet,/ Sie zerklirrte in prallenden Regen von Scherben, der riß/ Gretchen mit sich und zurück in ihren Kerker./ Denn die Erde, an der sie litt, die ist geblieben./ Niemals wird sie auf den Mord verzichten,/ Den sie hat doch verübt hat mit Händen./ Schau, wie sie mit diesen Händen sich klammert/ An den Fußboden ihres Gefängnisses/ Wie an letzte Heimat./ Ihr graut vor jedem Befreier,/ Auch vor dem himmlischen./ Wir alle sind gerichtet, nicht gerechtet./ Aber selbst Kerkerboden zerbricht,/ Der Sturz ist stärker./ Das Ewig-Weibliche wirft sich/ Klagende dem Urgrund der Qualen zu./ In mütterlicher Verzweiflung Strudel/ Zieht es uns alle hinab." (225)

"Siehe", so antwortet Vergil dem "Lebenden", "die ruhenden Kreise des Höllentrichters/ Heben zu kreisen an wie ein hoher Wirbel im Wasser/ Unmeßbarer Meere." - "Er reißt mich ins Rund. Deine Hand!" ruft daraufhin "Der Lebende", doch nur um die - Vergils absolute Machtlosigkeit bestätigende - Antwort zu erhalten: "Nicht halten kann ich, dem kein Halt blieb, dich./ Uns beide saugt der sausende Raum,/ Schluckt schon ... der unterste Schlund." (226)

" 'Sic transit gloria mundi', terrae *et* coeli", so ließe sich unsererseits das Ende des Strauß'chen Vergil kommentieren, insofern er - wie bisher - der Dantesche gewesen ist: der Virgilius chri-

---

[121] Vgl. R. Faber, Vom Dazugehören. Über Cordelia Edvardson, geb. Langgässer, in: Loyalitätskonflikte in der Religionsgeschichte. Festschrift für Carsten Colpe. Hrsg. von C. Elsas und H.G. Kippenberg ..., Würzburg 1990, S. 42-57, sowie was die "Theologie nach Auschwitz" überhaupt angeht, G.B. Ginzel (Hrsg.), Auschwitz als Herausforderung für Juden und Christen, Heidelberg 1980.

stianus par excellence. Dem Virgilius *romanus*, der uns mindestens so interessiert, gibt "Der Lebende" den Bescheid - konkret als Antwort auf die Frage: "Willst du vom Kaiser Augustus wissen?": "Er wohnt in seinem Reich wie du in deinem Gesang. Nach/ *andern* zog es mich hin und hinaus. Lieber erzähl mir vom/ letzten *Sklaven*, der in Ketten des Kaisers Acker hackte,/ vom aussätzigen *Bettler* erzähl mir am Tor der Kaiserstadt!" (230)

"Immer hattet ihr Juden seltsame Gelüste. Glaubst du, ich/ hätte jene beachtet? Nicht einmal im Hades", wie Vergil Strauß' Generalangriff unfreiwillig das Stichwort gibt:

"Waren sie eingekehrt in den Hades? Las ich in deinem/ Eigenen Gesang nicht, daß Charon/ Fahren darf über die tosenden Flüsse Begrabene einzig,/ Aber nicht die, deren Gebeine unter/ Gleichmütig blauenden Himmeln verstreut sind, Fraß der Schakale,/ Der stinkenden, und der stinkenden Geier. Ja/ Jetzt, jetzt weiß ichs: Ihr wohnt in der Werke prächtigen Gräbern,/ Dein Kaiser und du, und in der Vollendung euerer Leben ruht ihr, drum ging die Heimat des Hades euch auf. Aber jene andern/ Irrn ohne Fährmann wie Blätter im Sturm vor den Wassern des Hades,/ Über die euch der Knecht Charon mit allen Ehren gefahren hat./ Alle die, die ihr Leben nicht leben konnten, ihr Werk nicht/ Wirken konnten, weil es dafür keine Zeit noch Raum gab: man brauchte ihre Kraft für Herrendienste, oder sie waren der Mühe nicht wert, sie störten, sie waren auszurotten,/ Alle die komm ich zu suchen und ihr Gedächtnis zu ehren,/ Sklaven, Bettler, Ketzer, Bauern, Neger, Arbeiter,/ Jene, die sich empörten und niedergehaun von der Herren/ Blutigen Waffen gefallen sind, und die anderen auch, die zu schwach oder zu schlecht waren, sich zu empören, aber/ Eingeschaffen war ihnen von Gott lebendige Seele,/ Und die irrt nun ohne Behausung umher in der staubigen Luft vor dem vernebelten, schwarzen Fluß./ Unbegraben schau ich sie all, die Toten, die ohne Vollendung endeten./ Ich aber weiß: an mir ists, ihnen das Grabmal zu türmen,/ Wie Äneas dem Sohn Priams, dem unbeerdigt, dem verstümmelt Gefallenen, Deiphobus, dem Freund, dessen Leichnam er nicht fand,/ Türmte aus Blöcken am Strande das Mal und zur Einkehr lud er/ Die dreimal gerufenen Manen des Toten und ließ den Bau leer und hoffte/ Einkehr und endlichen Frieden dem Freund, - so türm ich am Strande/ Meines Verlangens ein leeres Grabmal,/ Ihnen, den Unbegrabenen zu Einkehr." (231/2)

Der springende Punkt dieses langen, "die Tradition der Unterdrückten"[122] ehren wollenden Monologs ist, was Vergil "Den Lebenden" unfreiwillig gelehrt hat: "ihren *Widerstand* zu ehren". Dieser Gegenstand scheidet Strauß zusätzlich von Vergil und "all" seinen "Meistern". Strauß' Tote sind ganz spezifische - und er will sie sich "nachziehn zum Leben" (234). - Auch insofern ist seine "Totenbeschwörung" eine besondere, von Odysseus', Äneas' und Dantes fundamental unterschiedene. Hat Benjamin zu Beginn des Zweiten Weltkriegs und der Judenvernichtung formuliert: "Wer immer bis zu diesem Tage den Sieg davon trug, der marschiert mit in dem Triumphzug, der die heute Herrschenden über die dahin führt, die heute am Boden liegen"[123], so flutet "Des ewigen *Aufruhrs* Strom" Strauß "Ins innig Irdische der Menschenwelt ... hinüber": " ... die Gesichter der *Elendesten* werden in die Ge-/ walt ihres Grauens dich greifen und ihrer Waffen/ Vergangnes Klirrn ins Künftige dich wirbeln". So verkündet ihm - Pointe der Pointe - Vergil, um *unmittelbar* danach zu versinken. Laut hat ab jetzt nur noch der Ruf, mit dem "Der Lebende" und *alle* Lebende gerufen sind: der Ruf der "toten Empörer". (239)

Wieder ist es, als ob Strauß Benjamins "Thesen 'Über den Begriff der Geschichte'" gelesen hätte, was durchaus möglich ist.[124] In der II. heißt es nämlich: "Es besteht eine geheime Verabredung zwischen den gewesenen Geschlechtern und unserem. Wir sind auf der Erde erwartet worden. Uns ist wie jedem Geschlecht, das vor uns war, eine *schwache* messianische Kraft mitgegeben, an welche die Vergangenheit Anspruch hat."[125] Vor allem aber deklarieren "Die toten Empörer"

122 W. Benjamin, Illuminationen. Ausgewählte Schriften, Frankfurt 1969, S. 272.
123 Ebd., S. 271.
124 Er war mit den Jerusalemer Benjamin-Freunden Scholem und Kraft bekannt, mit letzterem sogar seinerseits befreundet.
125 W. Benjamin, a.a.O., S. 269.

in einem *anti*römischen Triumphgesang, mit dem ich nochmals auf Benjamins VII. These zurückkomme:

"Wie den gewaltigen Balken, den eisenköpfigen Sturmbock/ Die Römer rennen ließen gegen Mauern/ Lang belagerter Stadt, so schwingt aus der äußersten Frühe,/ In alter Treue Seilen sicher hangend,/ Unser Zug an die Wand der Todnacht und prallt wieder rückwärts,/ Wir schleppen ihn zum Orte des Ursprungs,/ Dem an gespannten Seilen er wieder entspringe und schwinge/ Von neuem gegen die erschütterte Mauer,/ Bis sie stürzt. Und sie stürzt. Und da: ein Tor, und des Lichtes/ Sturm fährt uns übers Haupt. Wir schaun den Tag." (239)

"Wir schauen den Tag", wie "Der Lebende" bestätigt. "Ich fühle, wie mich der Strom ins/ Tor (zum Leben) reißt. Mich aber,/ Mich zwingt es, umzuschaun und noch einmal/ Euch alle zu ahnen, die ihr mir nie mehr so nah sein werdet,/ Die jetzt der Strahl der Oberwelt erhellt,/ Strahl, verwitternd in gespaltenen Schädeln, in Schluchten rotklaffender Brüste ... / Aber der Strahl ermattet nicht, in harter Freude erblitzt er/ Auf Bajonetten naher Bataillone/ von marschierenden Arbeitern und tiefer im Zug auf Sensen singender Bauern, Erglimmt noch fern im Dunkel auf den Schwertern/ Der empörten Sklaven und loht auf dem nackten Holz ihrer Keulen und feiert mit kränzendem Licht sie wieder Sieger und kann doch/ Nie mehr vernichten ihre Niederlage." (240)

Strauß stellt dem "Triumphzug" derer, "die je gesiegt haben", und ihrer Erben: dem Triumphzug der "jeweils Herrschenden"[126], den Protestzug derer entgegen, die - seit den antiken Sklaven über die (spät-)mittelalterlichen Bauern bis zu den Arbeitern seiner Zeit - Widerstand geleistet haben. Wie Benjamin weiß er, daß sich "Haß" und "Opferwillen ... an dem Bild der geknechteten Vorfahren" nähren. Die *Nach*fahren müssen, wie der "Spartacus" noch wußte, "das Werk der Befreiung im Namen von *Generationen* Geschlagener zu Ende" führen[127] und deswegen *notwendigerweise* zurückschauen, wie "Dem Lebenden" die "toten Empörer" bestätigen: "Nur wer rückwärts schaut, trägt unser heimlichstes Hoffen,/ Das unerlöste, mit sich in den Tag,/ Breitet der Brüder, die elender noch als wir die Empörung/ Nicht wagten, grauen Schmerz der Sonne vor,/ Weiß, wo wund einer fiel in der künftigen Schlacht, und erkühnt sich,/ Zum unscheinbarsten Grauen hinzuknien/ Noch aus dem Marsch des Triumphs in den Graben der strahlenden Straße." (240/1)

Strauß fügt mit diesen Worten zu Benjamins "Haß" ausdrücklich "die Liebe": "Du trag im Kampf die *Liebe* unterm Rock/ Eingefaltet wie eine gerettete Fahne, sie immer/ Neu zu entfalten in den neuen Tag." (241) So fordern ihn "Die toten Empörer" auf: "Jedem ist andres Gebot und dir der Blick in die Tiefe/ Verhängt. Du tatest ihn. Kehr dich ins Licht!" (241) Und auch mit dieser Aufforderung ist eine Differenz zu Benjamins "Thesen" gesetzt: nicht nur gegenüber dem "Engel der Geschichte", dessen "Antlitz der Vergangenheit zugewendet" ist und bleibt, sondern auch gegenüber Benjamins "befreiten Enkeln"[128]. *Ihnen* kehrt sich Strauß zu, indem er sich "ins Licht" wendet. "Die Toten" selbst "schnellen" ihn zu den "Ungeborenen", durchaus damit er, jenen "näher nah im Feld", darauf sie fielen, fortkämpft ihren Kampf. Und auch "Die Ungeborenen" begrüßen ihn als den, der taucht "aus den Leiden der Tiefe/ mit Kräften der wogenden Zeiten", fordern ihn aber gleichzeitig auf: "Du bau uns die Länder zur endlichen Einkehr,/ des *Morgens* mündigen Völkern!" (242)

Strauß selbst beschwört anschließend das - von Benjamin tabuisierte - "Ideal der befreiten Enkel"[129]: "Freiheit", "Frieden" und "Gemeinsamkeit" (243). Für ihn haben Vergangenheit *und* Zukunft "Anspruch" auf die "schwache messianische Kraft", die "jedem Geschlecht", also auch dem

126 Ebd., S. 271
127 Ebd., S. 275.
128 Ebd.
129 Ebd.

seinen und Benjamins, "mitgegeben" worden ist - um ein letztes Mal die II. der "Thesen" zu apostrophieren und mit diesem Zitat zu terminieren.

Utopisches Versprechen irdischer Glückseligkeit.
Ernst Blochs Rezeption der Antike

von

Hanna Gekle

"Wieviel mußte dies Volk leiden, um so schön werden zu können!" - Dieser Satz Nietzsches am Schluß seiner "Geburt der Tragödie" erschließt als Leitmotiv die Art des Interesses, das Blochs Auseinandersetzung mit Nietzsche durchgängig bestimmte.

Die Entdeckung einer Welt vor dem Bewußtsein, die das Denken selber bestimmt, hat das gesamte 19.Jahrhundert in Aufregung versetzt. Sie erschloß jedoch nicht nur eine neue Wirklichkeit, sie eröffnete auch einen ganz neuen Blick auf das Denken selber. Plötzlich schienen sich zwei ganz unterschiedliche Wege neu aufzutun. Da ist die Faszination von einer neu erschlossenen, dem Bewußtsein vorgängigen fremdartigen Welt - gleichgültig ob als Weltwille, Trieb, als das Dionysische oder das Unbewußte definiert. Von Anfang an unterlag diese Faszination der Gefahr, dogmatisch diese neu entdeckte Welt als die einzig wahre zu behaupten, aus der alle Kraft und Vitalität kommen sollte. Konsequent mußte man dann zu diesem verlorenen Ursprung wieder zurückkommen wollen. Die gefährlichen Folgen dieses Denkens sind in diesem Jahrhundert offenbar geworden. Ohne Zweifel half es, den Faschismus ideologisch möglich zu machen.

Der zweite Weg eröffnete die Möglichkeit einer neuen Form der Kritik der Vernunft. Nachdem die Vernunft die Hybris ihrer Autonomie hatte aufgeben müssen, gleichwohl aber die einzige theoretische Instanz blieb, mußte sie sich nicht nur neu begründen, sondern auch bewähren.

Diese Spannung läßt sich seit Nietzsche als Spannung zwischen dem Dionysischen und dem Apollinischen bestimmen. Der damit gesetzte Bruch gegenüber der Tradition, die dadurch neu eröffneten Möglichkeiten wie die Gefahren einer Preisgabe der Vernunft aus Sehnsucht nach Erlösung aus den Differenzen der Moderne bildet den Hintergrund der hier versuchten Rekonstruktion von Blochs Nietzsche-Rezeption. Sie versucht jedoch, die Vergangenheit um der Gegenwart willen zu rekonstruieren. Die Hochkonjunktur, die der Mythos plötzlich wieder hatte, der neu möglich gewordene Rückgriff auf Autoren, die man früher des Faschismus bezichtigt hatte, die Eiligkeit, mit der viele ehemaligen Linken sich an Autoren wie Marx und Engels nicht mehr erinnern mochten, schien erst in jüngster Zeit wieder Ausdruck einer neu erwachten Sehnsucht nach dem verlorenen Ursprung, in dem das Heil liegen soll.

Das theoretische Problem indes blieb davon unberührt, die Spannung zwischen dem Dionysischen und Apollinischen ungelöst; ungelöst auch, wie die theoretische Parteinahme für das eine und gegen das andere mit jeweils politischen Positionen zusammenhing.

Aber zurück zu Bloch. Es begann mit einem Aufsatz 1906 mit dem Titel: "Der Impuls Nietzsche"[1]. Und in der Tat wird die erst noch zu schaffende Philosophie Blochs insgesamt um die Verwandlung des Dionysischen ins Apollinische durch das Zwischenreich des Dämonischen hindurch kreisen. Apollo-Dionysos werden allerdings noch viele Namen bekommen.

Das können sie jedoch nur deswegen, weil Bloch an eine wichtige Vorgabe Nietzsches anknüpft: schon bei Nietzsche wurde aus Apollo und Dionysos, einem griechischen Gott und einem Halbgott, ein universeller Gegensatz. Aus den konkreten Gestalten der griechischen Mythologie wurden *Idealtypen*, in denen sich gewisse typische und als überhistorisch betrachtete Figuren der menschlichen Geschichte verkörpern ließen. Daher interessieren sich weder Nietzsche noch

---

[1] Über das Problem Nietzsches, in: Das Freie Wort 6 (1906), S. 566–570, wiederabgedruckt in: Bloch–almanach, 3. Folge, 1983, hg. vom Ernst–Bloch–Archiv der Stadtbibliothek Ludwigshafen durch K. Weigand, S. 78ff.

Bloch für diese Götter und deren Geschichte in der Mythologie. Aus den abgrenzbaren Gestalten von Apollo und Dionysos wird "das Apollinische" und "das Dionysische": weicher in der Bestimmung, aber zugleich umfassender. Sie sollen als Kategorien für unterschiedliche Wunschbilder menschlicher Möglichkeiten fungieren. Und das leisten sie auch. Ihr Mangel ist zugleich ihr Vorzug: gerade ihre verschwimmenden Konturen lassen in ihnen, über alle Veränderungen der Zeiten hinweg, eine sich erhaltende Gestalt erkennen. Schärferes, präziseres Denken dagegen müßte in den Unterschieden untergehen. Apollo-Dionysos teilen jedoch in dieser weichen Bestimmtheit rückwirkend die Zweideutigkeit ihres Gehalts: sie sind immer in Gefahr, selber phantastische Kategorien zu werden. Als solche können sie die in ihnen jeweils gefaßten menschlichen Wunschbilder quer durch die Geschichte hindurch ebensosehr erfassen - wie sie sie aus genau dem gleichen Grunde zugleich verpassen müssen.

Nietzsche - so darf man Bloch hegelisch übersetzen - hat am besten seine Zeit in Gedanken gefaßt. Daher seine Größe. Der Zerrissenheit der Zeit entsprach die Zerrissenheit seines Denkens. Gegen die falschen Propheten, die fertigen Wahrheiten, die vollendeten philosophischen Systeme - gegen all das ist Nietzsche die zeitgeschichtliche Wahrheit: "So hat Nietzsche immer nur präludiert, und als er zum Thema übergehen wollte, riß die Saite. Das letzte Wort wird nie gesprochen. Es sind in seinen Büchern immer nur dämmernde Andeutungen zu finden. (...) Und gerade darin ist die Bedeutung dieses Denkens zu suchen. Seine Größe liegt durchaus nicht in seinen Werken, sondern viel mehr in seinen Wünschen. Mit einem Wort: er ist kein Erfüller, sondern ein Prophet."[2] Dieser letzte Satz Blochs paßt auf ihn selber kaum weniger gut als auf Nietzsche, auf den er gemünzt ist.

1. Dionysos in der Gotik: Der Antiklassizismus von "Geist der Utopie"

Messianismus und Revolution sind zentrale Themen auch von Blochs "Geist der Utopie". Thema und Duktus bezeichnen damit eine unüberwindbare Grenze zur akademischen Philosophie.

In der Form sind die Unterschiede groß. Aber in seiner philosophischen Konstruktion kann man dieses Buch kaum revolutionär nennen. Der Duktus des Wilden, Ungebärdigen verbirgt, daß es theoretisch weit mehr in der damaligen, auch akademischen Philosophie steckt, als es Bloch wahrhaben wollte.

Theodor Lipps, Alois Riegl, Wilhelm Worringer - das ist die Linie der Rezeption der damaligen theoretischen Ansätze. Dahinter türmen sich die philosophischen Riesen Nietzsche und Schopenhauer, die Blochs damaliges Denken und seine Auseinandersetzung mit der Kunst bestimmen.

Wenn Theodor Lipps den ästhetischen Genuß als objektivierten Selbstgenuß definierte, so vertrat er damit einen Vorrang des Subjekts vor dem Objekt, der in der damaligen Philosophie fast selbstverständlich war. Der Vorrang des Subjekts steckt nicht weniger im Begriff des absoluten Kunstwollens bei A. Riegl; und noch die Erweiterung der These von der Einfühlung durch das entgegengesetzte Bedürfnis der Abstraktion bei Worringer läßt sich nur verstehen, sofern man es als konsequente Fortführung dieses sich im Prinzipiellen gleichbleibenden Ansatzes liest: Nun entdeckt das Subjekt sich nicht mehr nur dort, wo ihm sein Spiegelbild entgegenlächelt, es findet sich auch noch dort, wo es zuvor nicht war: als Gegenentwurf der Abstraktion. Das Ich ist überall: ebensosehr in einem anderen Ich wie auch noch im Anderen des Ich.

---

[2] ders. aaO., S. 78

Genau daran knüpft Blochs erster großer Teil in "Geist der Utopie" mit dem Titel "Selbstbegegnung" an. Konstruktionsprinzip seiner Philosophie der Kunst wie seiner Musikphilosophie ist das *Ich*. [3]Was immer in der Welt vorkommen mag, es dient einzig und allein der *Expression des Ich*. Seine Erlösung wäre auch die Erlösung der Welt. Neu daran ist nicht die Subjektzentriertheit, neu ist die Wende ins Utopische und Realistische, die Bloch ihr gibt. In seiner bestehenden Wirklichkeit ist dieses Subjekt ein leidendes, in seiner Wahrheit ist es nicht - noch nicht - erschienen. Aber, so die laut intonierte Sicherheit des Autors, sie wird und sie muß erscheinen.

An dieser realistischen Wende Blochs entzündet sich zugleich das Faszinierende wie das Befremdliche, ja vielleicht sogar das Abstoßende seines Ansatzes. Lipps, Riegl und Worringer sprechen als Theoretiker, die sich ein ästhetisches Problem gestellt haben, sich am konkreten Gegenstand abarbeiten und ihre Thesen mit dem kunstgeschichtlichen Material in Einklang bringen müssen. Blochs mystisch-metaphysischer Ansatz dagegen macht sich frei von dieser wissenschaftlichen Beschränkung. Er übernimmt diese Ansätze, weil sie in sein philosophisches Konzept passen. Und er übernimmt sie nur so weit, als sie passen. Was immer in "Geist der Utopie" an sachlichen und theoretischen Problemen erörtert wird, niemals geht es um ein Studium des Gegenstands als eines solchen. Dinge wie Theorien zeugen immer nur entweder für oder gegen ein mögliches Sein wie Utopie. Verbunden mit einer revolutionären Mystik, ergibt dies die Sprache des Propheten, mit der Bloch in diesem Erstlingswerk spricht. Heilig und zornig, orakelnd und orgelnd, gewaltig und gewalttätig zugleich. Aber immer auf den Glauben des Zuhörenden angewiesen.

Weit mehr noch als seine theoretischen Vorgänger macht sich Bloch von der realen Geschichte unabhängig. Häufig und gerne gesteht er seinen Kategorien in diesem Werk ein vornehmes "a priori" zu, so daß er z.B. von einem "spiritualen Apriori des Bauens"[4] sprechen kann. Diese Kategorien lassen sich jedoch nur als *idealtypische Konstruktionen* rechtfertigen, die irgendwann in der Geschichte am reinsten ausgeprägt aufgetreten sein mögen, aber nun, unabhängig von ihrer historischen Basis, als bleibende Ausdrucksmöglichkeiten umhergeistern, bis sie an den abgelegensten Stellen wieder auftauchen können. Wie anders sonst könnte man erklären, daß Mozart für Bloch unter "griechisch" fällt?

Die Idealtypen der Kunstgeschichte schrumpfen auf drei reine Ausprägungen: die griechische, die ägyptische und die gotische Kunst.[5] Die Anordnung ist *keine historische*, sie folgt vielmehr dem *Wertrang*. In seiner inhaltlichen Charakterisierung bleibt Bloch völlig von Worringer abhängig. Er nimmt jedoch eine entschieden stärkere Wertung vor.

"Geist der Utopie" ist gänzlich antiklassisch. "Griechisch gefällt" - das ist Blochs nicht eben positiv gemeinte zusammenfassende Einschätzung der Antike wie auch der Renaissance.[6] Unfromm, unernst, entscheidungslos und eudämonistisch - so beschimpft der junge Bloch diese weltimmanenten, lebenszugewandt-heiteren Epochen der Kunst. Es ist das *Apollinische*, was ihn abstößt: "Hier ist alles gedämpft, aus Pflanzlichem und Starrendem so apollinisch gemischt, daß das ruhige Wetter bloßer Schönheit entstehen konnte, gestalthafte Fassade."[7]

Der Vorwurf, den Bloch gegen die griechische Kunst erhebt, zielt auf eine zu frühe Beruhigung, die hier vorgegaukelt werde. Notwendig bleibe sie daher Schein - falscher Schein. Der griechische Mensch sei dem chaotischen Schrecken entlaufen, habe sich eine heitere Welt zurechtgestellt, in der er dem Ernst der Entscheidung jederzeit ausweichen konnte.[8] Das ist die theoretische Position Worringers, geblasen auf Moral. Aber im Hintergrund steht neben der Rezeption

---

[3] Geist der Utopie (GdU), S. 27, 180f.

[4] GdU, S. 28

[5] GdU, S. 30–40

[6] GdU, S. 31

[7] GdU, S. 31

[8] GdU, S. 31

Schopenhauers durch Worringer und Bloch auch Nietzsche, der hinter der griechischen Vollkommenheit als erster etwas Antiklassisches wahrzunehmen meinte: hinter dieser Schönheit
höhle sich der Schrecken.

Diese *Figur der Entlarvung* verdanken wir Nietzsche: hinter dem Text des Bewußtseins liegt ein
ganz anderer, gegensätzlicher Text verborgen. Dessen Verhüllung wird nötig, teils weil er zu
schrecklich, teils weil er zu triebhaft ist. Bloch folgt der Linie dieser Denkfigur in seiner gesamten Philosophie des Noch-Nicht: Was immer er interpretiert, kann nicht einfach als
Tatsache des Bewußtseins oder der Welt aufgefaßt werden. Bloch liest alles entweder auf sein
Überschreitendes oder aber - wenngleich weniger ausgeprägt - auf sein Zurückbleibendes hin:
Möglichkeit oder Unmöglichkeit von Utopie, das, nicht die Analyse der bestehenden
Wirklichkeit, liegt im vorrangigen Interesse Blochschen Denkens. Damit jedoch reicht der
traditionelle Begriff des Bewußtseins für diese Philosophie nicht mehr aus.[9]

Man kann schwerlich bestreiten, daß im Blochschen Werk vor allem die Möglichkeiten eines
positiven Überschreitens thematisiert werden. Das *Negative* findet weit weniger Beachtung.
Aber hinter der forcierten Suche nach dem Glück des erfüllten Augenblicks steht die Angst vor
dem Nichts des unerträglichen Augenblicks.[10] Je länger desto mehr hat Bloch in der konzentrierten Analyse und Betonung der Möglichkeiten utopischen Überschreitens diese Drohung, gegen
die er doch ein Leben lang schrieb und dachte, in den Hintergrund gedrängt.

Die *Spuren des Negativen*, einer *philosophischen Melancholie* ziehen ihre trauernden Bahnen
durch das gesamte Werk Blochs. Aber sie verwischen sich im Sand, den ein milder Wind aus der
Zukunft über die harten Konturen der Wirklichkeit bläst. Das Studium der Anfänge von Blochs
Philosophie unter dem Aspekt des Dualismus von "Apollo-Dionysos", speziell im "Geist der
Utopie", ist von Interesse nicht in der Rekonstruktion eines Ansatzes, dessen Unhaltbarkeit
Bloch selber bald darauf einsah und überwand. Diese Anfänge dokumentieren deutlicher als das
gerundetere Spätwerk, daß der allzu energische Wurf der Blochschen Philosophie in eine bes-
sere Zukunft seine Kraft nicht zuletzt aus einer heftigen *Abwehrbewegung* bezog, *die den ver-
folgenden Dämonen des Negativen zu entkommen suchte.*

Aber zurück zum ersten Kapitel von "Geist der Utopie". Auch in seiner Analyse der zweiten
Stufe über "das Ägyptische" bleibt Bloch Worringer treu. Doch nimmt er eine andere Betonung
vor, die sehr aufschlußreich ist für seine Art zu denken. Worringer stellt die *Formprinzipien* von
Abstraktion und Einfühlung ins Zentrum, Bloch dagegen betont den jeweiligen *Wunschgehalt*,
der in diesen Formprinzipien ausgedrückt wird, hier: "Werdenwollen wie Stein"[11]. Er betont vor
allem die namenlose Angst vor dem Tode, die in allen ägyptischen Gebilden stecke und die durch
Flucht in das Gegenteil einer unfreundlichen Geometrie oder dem Kristallinischen der Pyramide
besänftigt werden sollte.

In der Blochschen Interpretation ist es auch hier der Umgang eines Schrecklichen, den die gestalteten Wunschfiguren überschreitender künstlerischer Produktion im gleichen Akt bannen und
überwinden.

Ist die Pyramide, wie Bloch Hegel zitiert, ein Schrein, darin ein Toter haust[12], so beweist sich der
Vorrang der Gotik, als der dritten Stufe, gerade an der *Behandlung des Steins*. Nicht mehr ge-
rinnt die Angst vor dem Tode in die steinerne Herrschaft der anorganischen Natur über das Leben. Im Gegenteil: die Gotik zerbricht die Undurchdringlichkeit des Steins, entmaterialisiert alle

---

[9] Genaueres dazu in: H. Gekle, Wunsch und Wirklichkeit, – Blochs Philosophie des Noch–Nicht–Bewußten und Freuds Theorie des Unbewußten, Ffm 1986, S. 17–31; S. 71ff.

[10] In Blochs "Literarischen Aufsätzen" (GA Bd. 9, S. 220ff.) findet sich ein kurzer, jedoch sehr dichter Essay
mit dem Titel: "Der unerträgliche Augenblick". GdU, S. 32

[11] GdU, S. 32

[12] GdU, S. 33

220

Masse und gestaltet in ihren Kathedralen "ein steinernes Schiff, eine zweite Arche Noah, die Gott entgegenfliegt"[13].

Die gotische Kunst, so Blochs Interpretation, kann so gerade auch im äußeren Material den Exodus in ein Sein wie Utopie darstellen. Daher kommt sie der Expressivität der Musik am nächsten, denn sie erreicht die höchste Stufe der Expressivität: das Innere hat sich selbst noch in den Stein eingebildet. Alles wird Ausdruck der menschlichen Seele, das Material behält nicht den Rest eines Widerstands gegen die Expression. Vom Konstruktionsprinzip des Ich her gedacht, spricht dieses exzessive Ornament von dem "leise(n) Wiedersehen des Ich mit dem Ich, der Ich sein werde: als gotische Entelechie der gesamten bildenden Kunst."[14] Das organische Innere hat seinen Siegeszug gegen alles Anorganische angetreten.

Auch in seiner Charakterisierung der Gotik folgt Bloch Worringer, den er im übrigen nur beiläufig erwähnt. Aber auch hier die größere Betonung des zentralen Wunschinhaltes vor der künstlerischen Form, den Bloch in der Gotik dargestellt sieht: "Werdenwollen wie Auferstehen"[15].

Es ist der Tod als die Form größter Negation, stärkster Gegenutopie, die Bloch in der Gotik als überwunden gestaltet sieht. Wieder ein Negatives also, sogar die äußerste Negation. Es ist gerade diese Doppelung von entschiedener Darstellung des Negativen und dem verzweifelten Ringen mit ihm, was Bloch so sehr an der Gotik fasziniert.

Die Antike hatte die Negation überwunden. Die Verherrlichung menschlicher Jugend und Schönheit in ihrer Plastik lasse jeden sprengenden Hinweis vermissen. Die Erinnerung an den überwundenen Schmerz ist in der Glätte der schönen Oberfläche gelöscht.

Die Gotik dagegen ringt verzweifelt und gläubig, aber auch am Glauben verzweifelnd mit der Negation. Überwunden hat sie sie jedoch allenfalls, indem sie das Negative künstlerisch gestalten kann und damit die Unmittelbarkeit ihres Leidens überschreitet.

So weit, so gut. Aber aus der *Möglichkeit künstlerischer Darstellung* schließt Bloch auf die *Möglichkeit praktischer Auflösung*, aus dem *Wunsch auf* eine *künftige Möglichkeit* - das nicht zuletzt ist ein Resultat seiner rigorosen Vorrangstellung nicht nur - wie in der philosophischen Tradition - des denkenden Ich vor dem gedachten Objekt, sondern des wünschenden Ich vor der Wirklichkeit insgesamt.

Bloch vergleicht die griechische Linie mit der ägyptischen und gotischen - und natürlich liegt alle Wahrheit in der gotischen: "Dagegen die gotische Linie hat den Herd in sich; sie ist ruhelos und unheimlich wie ihre Gestalten: die Wülste, die Schlangen, die Tierköpfe, Wasserläufe, ein wirres Sichkreuzen und Zucken, in dem das Fruchtwasser und die Brutwärme stehen und der Schoß aller Schmerzen, Wollüste, Geburten und organischer Bilder zu reden beginnt; nur die gotische Linie trägt so das Zentralfeuer in sich, auf dem sich das tiefste organische und das tiefste geistliche Wesen zugleich zur Reife bringen."[16]

War die *griechische Kunst apollinisch*, so schildert Bloch hier die *gotische dionysisch. Und im Dionysischen nur, nicht im Apollinischen, scheint ihm die Wahrheit der Utopie zu liegen.*

Die Lösung dagegen, die Bloch sich vorstellt, erscheint im *Zeichen Apolls*: zwar liegt im Dionysischen alle Tiefe, aber es geht um ein Werden zum Geiste: zwar soll ein neuer Mythos entstehen, der die Menschen aus ihrer Vereinzelung erlöst, aber es ist ein "Logosmythos". Und die Gotik ist, in dieser Interpretation und Konzentration auf die Lösung des rätselhaften Ichs gebracht, ein *Konstrukt der Romantik*. Ein Konstrukt der Romantik ist es nicht zuletzt in seiner Konzentration auf das *wahre Wort*, das, einmal gefunden, alle bisherige Falschheit in Luft

---

[13] GdU, S. 40
[14] GdU, S. 39
[15] GdU, S. 35
[16] GdU, S. 37

auflösen würde und dessen utopische Vorwegnahme wir bisher einzig und allein in der Chiffre der Musik haben.[17]

2. Das Bruderpaar Apollo - Dionysos im Sturm gegen die Ordnung des Zeus: "Erbschaft dieser Zeit".

"Dorthin - will ich; und ich traue/ mir fortan und meinem Griff./ Offen liegt das Meer, ins Blaue/ treibt mein Genueser Schiff./ Alles glänzt mir neu und neuer/ Mittag schläft auf Raum und Zeit.:/ Nur dein Auge ungeheuer,/ blickt mich's an, Unendlichkeit."[18] - Auf der Fluchtlinie dieses Gedichtes von Nietzsche lag für Bloch immer die Möglichkeit eines positiven Erbes an Nietzsche - geschrieben aus der Perspektive des Weltumseglers Kolumbus vor Antritt seiner Reise, mit Blick auf das Segelschiff, das sich bis heute im Hafen von Genua auf den blauen Wogen des ligurischen Meeres sacht im Wind bewegt und das gewiß der Italienreisende Nietzsche wie der seinen Spuren folgende Bloch dort besichtigt haben. In diesen Versen verbinden sich die suchenden, teils modern experimentierenden, teils dem Blau der Romantik verpflichteten Aspekte der Philosophie Nietzsches, die sich aus einer erdrückenden Gegenwart auf die Schiffe ins Offene rettet. Sehnsucht muß in Nietzsche erwacht sein beim Anblick dieses heute so winzig wirkenden Schiffes, das Kolumbus an den Säulen des Herkules vorbei - diesen Grenzen, die alle Früheren magisch gebannt hatten - weit über den atlantischen Ozean führte, aus dem ihm schließlich ein noch gänzlich unbekannter Kontinent auftauchen sollte: die Neue Welt.

Kein Wunder, wenn auch in Bloch sich Gefühle der Sehnsucht bei der Lektüre dieses Gedichts regten, denn es blies nicht nur Fahrtwind in die utopisch gebauschten Segel seiner Philosophie, sondern sprach in fast schon wundersamer Verdichtung nahezu alle zentralen Topoi seines eigenen Denkens an: Da war die stolze Orientierung an einem praktischen Wissen, das alle tote Reflexionen hinter sich gelassen hatte, der energische Wille eines tatkräftigen, eroberungsbewußten Mannes: "und ich traue mir fortan und meinem Griff"; da lag die Offenheit und Unbestimmtheit des Ozeans verheißungsvoll vor dem menschlichen Auge, das seinen eigenen Blick in die Ferne an der Grenze der Sichtbarkeit mit dem Blau des Horizonts verschmilzt und sich dieser gewaltigen Naturkraft mit der Hoffnung anvertraut, daß ihn die Fremdheit des Elements nicht abstoßen, sondern sich ihm verbünden und als tragfähig erweisen werde; da war die soziale Gemeinsamkeit des Abenteuers, das "Genueser Schiff": die Stadt Genua unterstützt das Unternehmen, schickt ihre Besten diesmal nicht ins Feld, sondern an die Front des gesellschaftlichen Prozesses: das Leiden an den Mängeln der Zivilisation verbündet sich mit Mut, Tatkraft und Wissen zur Ausfahrt in ein neues - und erhofft - besseres Land. - Dann der Augenblick, in dem diese Entscheidungen fällt: "Mittag liegt auf Raum und Zeit". Der Plan wird gefaßt in der Windstille einer absoluten Gegenwart; im Zenit des Mittags und des höchsten Sonnenstandes ist der Morgen ebenso verschwunden wie die Zukunft des Nachmittags noch weit, der lösende Abend fern: zitternder Moment der Ewigkeit, eingekeilt zwischen die Figuren von Nicht-Mehr und Noch-Nicht; aber in seiner brüchigen Kostbarkeit bereits die utopische Vorwegnahme des Ziels dieser Sehnsucht, um derentwillen Gefahr und Mühsal auf sich genommen werden: Ankunft in der Unendlichkeit als dem eigentlich ersehnten Land. Unendlichkeit aber kann nicht gedacht werden. So bleibt bisher allein der vorwegnehmende Blick: "nur dein Auge". Nicht mit dem milden Schein der Erlösung sieht indes dieses Auge auf uns; "ungeheuer" ruht es auf dem Wünschenden und erweckt in ihm nicht nur den Gedanken heiterer Erfüllung, sondern auch

---

[17] Daher die ausführliche Philosophie der Musik im GdU, vgl. dazu Genaueres in: H. Gekle: Die Tränen des Apoll – Zur Bedeutung des Dionysos in der Philosophie Ernst Blochs, Tübingen 1990, S. 35–47

[18] F. Nietzschem, Werke in 5 Bde., hg. v. K. Schlechta 1956, Bd. 2, S. 549: Nach Neuen Meeren

Angst und Gefahr vor einem Scheitern. Ja, vielleicht sogar den metaphysischen Schrecken der Unendlichkeit, das Zurückschaudern vor einem Sein wie Utopie, das Zeit und Vergänglichkeit tatsächlich aufgehoben hätte. Von diesem Schrecken indes ist bei Bloch kaum die Rede; er findet keinen adäquaten Ort in seiner Interpretation Nietzsches.

Statt dessen erinnert Bloch entschieden an Dionysos als den Gott, der aus der Fremde kommt, den Gott, der in der griechischen Mythologie in jedem Frühjahr erneut von Indien nach Griechenland zieht und den Menschen die Segnungen des Weinstocks bringt. Das ist für Bloch der eigentliche Dionysos; ja, formuliert er sogar, souverän alle Bedenklichkeiten der Hermeneutik überspringend: der "wirkliche" Dionysos.[19] Der Dionysos Nietzsches bleibe dagegen in der schwülen, blutrünstig-fruchtbaren Dunkelheit des Dschungels.

Im Gegensatz zu Nietzsche sind für Bloch die Gestalten leuchtender Intelligenz nicht Ruin der göttlichen Instinktsicherheit des Dionysos durch die zersetzende Reflexion; es seien vielmehr die "aufgeschlagenen Augen des Dionysos (des gärenden Mensch-Subjekts)"[20] selber. Dionysos ist daher bei Bloch nicht Feind und Gegner Apolls, Apoll nicht sein Gegenprinzip, das seinen Untergang will. Bloch wirft Nietzsche gerade hier eine falsche Interpretation von Apollo vor; er habe den strahlenden Gott Apoll, der der Antike als der "Fernhintreffende" galt und daher für Bloch ohne weiteres, ja sogar direkter und selbstverständlicher utopische Züge trägt als Dionysos - diesen lichtumglänzten Gott der Utopie habe er, Nietzsche, zum Gott "des menschlichen Haustiers" degradiert, aber "Dionysos ist in Wahrheit der Bruder Apolls, und seine Spannung ist die zu 'Zeus', zu Druck, Gesetztheit und Bann, zur Ruhe, nicht zum Licht."[21]

Dionysos gegen Zeus - das ist die Zuordnung, die für Blochs folgende, verblüffende Interpretation zum wesentlichen Scharnier wird. Dionysos als lebendiger Protest gegen alle falschen Formen der Ankunft, Dionysos als "eines der kräftigsten, wenn nicht das kräftigste Zeichen des Menschen, der noch außer sich ist und falsche Formen zerbricht"[22] - dieser Dionysos ist präsent in allen Formen des Protestes. Er verbündet sich daher nicht mit den Herren, die die Welt behalten wollen, sondern mit den Unzufriedenen, die gegen die bestehende Ordnung angehen.

Mit dieser Bestimmung schließlich hat Bloch Dionysos nicht nur aus dem Verdacht der Zugehörigkeit zum bluttrunkenen Rasen der blonden Bestie befreit, es ist ihm eine weitreichende Verkehrung gelungen: " 'Dionysos' ist gerade der 'Sklavenmoral' ein nicht unbekannter, ein fröhlicher, vor allem ein sprengender Gott. Saturnalien hießen die Feste der antiken Sklaven, und der Weinstock Jesus, so völlig ihn die Kirche ermäßigt hat, zeigte im allerchristlichsten Bauernkrieg weniger Sklavenmoral als den Herren lieb ist."[23]

In kühner Verkürzung der historischen Perspektive biegt Bloch ganz unterschiedliche historische, soziale und politische Bewegungen zusammen - und verwandelt schließlich den Gott der Griechen in einen Archetypus: so macht er diese mythologische Gestalt unabhängig von ihrer historischen Beschränktheit; Dionysos ist nicht länger ein bestimmter Gott der griechischen Mythologie; durch seine Verwandlung in einen Archetypus von seinem historischen Ort befreit, kann er statt dessen nun alle Wendestellen der menschlichen Geschichte bezeichnen, in denen sich der Mensch gegen Unterdrückung erhob.

Dionysos als Weinstock des aufgehenden Lebens, als Metapher für das noch nicht gewordene Subjekt ist eine Figur des Protestes. Daher - so Blochs Diagnose - muß er allen reaktionären Vereinnahmungen Nietzsches zum Stein des Anstoßes werden. Es erscheint daher nur konsequent, wenn Alfred Bäumler, zur Zeit des Dritten Reichs offizieller Bevorworter und Herausgeber von Nietzsches Werken, in seinem Buch "Nietzsche, der Philosoph und Politiker" von 1931

---

[19] Erbschaft dieser Zeit, GA bd 4 (EdZ), S. 360

[20] Edz, S. 360

[21] Edz, S. 361

[22] Edz, S. 362

[23] Edz, S. 362

Nietzsches Philosophie auf den Willen zur Macht verkürzt und in ihr nichts als heroischen Realismus sehen will, der sich gegen das Dionysische wehre.[24]

Bloch indes will im folgenden in seiner Interpretation des Dionysischen nur das Revolutionäre sehen, das alle Herrschaft Sprengende, weil es sich und den anderen eine wirklich bessere Zukunft versprechen zu können glaubt. Er sperrt sich letztlich gegen das Moment von Schmerz und Leid, das die Gestalt des Dionysos von Anfang an zeichnet, statt dessen wirft sich Bloch entschieden auf die Seite eines utopischen Überschreitens *aller* dem Menschen bisher auferlegten Hemmungen. Menschliches Leiden indes reicht weiter als die schlechte Einrichtung seiner politischen und sozialen Welt.

Und an dieser Stelle, an der Bloch mit Dionysos noch das letzte, messianische Ziel seiner Philosophie formuliert, macht er mit dieser Gestalt eine atemberaubende Wende: Dionysos ist nicht nur der Gekreuzigte. Dionysos wird noch zum Antichrist!

Zeus, alles Oben, einschließlich des christlichen Himmels und seiner mittelalterlichen Statik, bildet den Angriffspunkt alles Dionysischen und muß daher bei korrekter Interpretation des Blochschen Textes mit "Christ" gemeint sein.

Wer aber ist dann der Antichrist? Blochs Antwort ist paradox genug: Es ist Jesus. Nicht der duldende Jesus, das Lamm, das sich schlachten läßt, sondern Jesus der Ketzer. Und diese Geschichte der Ketzerei beginnt bereits im Paradies: "Antichrist dieses Sinns ist die erste Schlange, welche vom Apfel essen ließ, indes auch jene zweite, lichtbringende, welcher 'Zeus' am Kreuzesstamm zum zweitenmal den Kopf zertrat, der wahre 'Antichrist' des dionysischen Sinns, des Eritis sicut Deus ist - Jesus. Das ist 'Dionysos der Gekreuzigte', darauf dringt die einzige Erkenntnis, aus den Tiefen der christlichen Ketzerei, und zwar der ältesten, 'ophitischen', schlangenkundigen, welcher der 'Auferstehung und dem Leben' gemäß wird."[25]

So gelingt es Bloch, das Christentum aus der Kritik Nietzsches wieder herauszuretten, indem er es in ein reaktionäres und ein revolutionär-utopisches trennt. Und er braucht diese Wendung. Denn nur durch die Gleichsetzung von Dionysos gleich der Gekreuzigte gleich der Antichrist gelingt es Bloch, aus dieser komplexen Gestalt der griechischen Mythologie, die nicht nur mit den Zügen überschäumenden Glücks und rauschhafter Entgrenzung bekannt macht, sondern auch die tragischen Züge einer schmerzhaften Rückbindung an die Gewalten der Natur und des Todes niemals gänzlich abstreifen kann - nur so kann es ihm gelingen, aus Dionysos eine Figur absoluter Utopie zu machen, die ein irdisches Paradies am Ende der Zeiten verspricht, in der Tod und Schmerz nicht mehr vorkommen.

Das Programm von "Erbschaft dieser Zeit" bekam - allerdings einige Jahre später, bereits im gemeinsamen amerikanischen Exil, Unterstützung von ebenso berühmter wie unverhoffter Seite: es war Thomas Mann, der es sich in seinem Josephs-Roman zum Ziel gesetzt hatte, dem Faschismus den Mythos aus der Hand zu nehmen. Dazu jedoch schien ihm die Zurückweisung jedes Ursprungsdenkens an erster Stelle zu stehen. "Tief ist der Brunnen der Vergangenheit"[26], - unauslotbar tief. Das ist das eine. Aber: Es ist auch eine "Höllenfahrt" - Auferstehung am Dritten Tag nicht automatisch mitverbürgt - "Höllenfahrt" - So lautet die Überschrift zum Vorwort der Josephs-Romane. Und hier liegt Blochs - seltene - Übereinstimmung mit Thomas Mann.

Denn Thomas Mann ironisiert hier kunstvoll und gelehrt alle Suche nach der Vergewisserung in einem ersten historischen Ereignis als naiv. Er entlarvt es als in sich unmögliches Unterfangen. Jede menschliche Sinnstiftung - und dazu zählt der Mythos nicht zuletzt - stößt entgegen ihrer Intention nicht auf einen Uranfang, sondern *macht nachträglich zum Uranfang, was ihr selber vorausliegen* soll. Hinter jedem Ersten erhebt sich in der Ferne des historischen Horizonts ein

---

[24] Edz, S. 362

[25] Edz, S. 365

[26] So der berühmte erste Satz von Thomas Manns: Joseph und seine Brüder, erstmals erschienen 1933, Frankfurt

weiteres Erstes und noch ein Erstes - solange bis sie sich alle im Sand des Einst verwischen. Jeder Anfang wird zu einer Setzung, zur Orientierung an dem, was sich gerade noch den Nachgeborenen erschließt: nicht die Formel: "am Anfang war", sondern: "In den Tagen des Seth" bestimmt die Ursprungssuche des Menschen. In den Tagen des Seth - das ist sehr lange her, es hat die Gegenwart dessen, der diese Formel gebrauchte, ins Werk gesetzt: aber es ist kein Allererstes. "Einst" - dieses Wort selber ist schon doppeldeutig, so doppeldeutig wie die Bewegung, in der sich jede Suche nach dem wahrhaft wirklichen und alleranfänglichsten Anfang verwirren muß: "einst" meint einen im Dunkel historischer Vergangenheit sich verlierenden Ursprung ebenso wie ein aus der Dämmerung künftiger Zeiten heraufsteigendes Ziel der Geschichte: Traum- und Wunschbilder beides, lediglich unterschieden in der Richtung ihres utopischen Wünschens, das einmal rückwärtsgewandt seine Erfüllung sucht, wie es sie das zweite Mal einer glücklicheren Zukunft einschreiben will.

3. Gegenwart der Antike: Das "Prinzip Hoffnung"

Es sind drei wesentliche Einsätze, an denen Bloch den Dualismus von Apollo-Dionysos im "Prinzip Hoffnung" erneut aufnimmt. Alle drei Einsätze verweisen sofort auf den Bedeutungsraum, in dem diese beiden Gestalten angesiedelt sind: Sie finden eine dezidierte Rolle nur im fünften Teil des "Prinzip Hoffnung" mit dem Titel "Identität": d.h., sie stehen von vornherein auch in der Philosophie Blochs in einem religiösen Gesamtzusammenhang.

Es ist unverkennbar Bloch, der den Wunschbildern von Apollo und Dionysos den Platz zuweist, den er ihnen in seinem eigenen philosophischen System zubilligt. Aber dennoch spricht er über weite Strecken in Ton und Duktus, als sei seine Interpretation jenseits aller hermeneutischen Reflexion die Wirklichkeit der Griechen selbst. Das ist neu. Denn bisher war immer unübersehbar gewesen, daß Blochs Zugriff auf die Antike ein vermittelter war - und fast immer war sein Gewährsmann Nietzsche gewesen. Apollo - Dionysos kamen zu Wort als ein Gegensatzpaar, in dessen Dualismus die ideologischen Probleme einer eminent politisch verstandenen Gegenwart geronnen zu sein schienen.

Dieser zeitgeschichtliche Bezug erscheint im "Prinzip Hoffnung", im wesentlichen entstanden in den Jahren des amerikanischen Exils von 1936-47, paradoxerweise gelöscht. Nun scheint Bloch von der Antike selber zu sprechen. Wir und die noch unabgegoltene Utopie in der Antike - so die Themenstellung des "Prinzip Hoffnung".

Ganz so unvermittelt ist indes auch jetzt der Zugriff nicht. Blochs Interpretation der Antike lebt gänzlich von den Studien Johann-Jakob Bachofens, den er seit dem "Geist der Utopie" und "Erbschaft dieser Zeit" neu kennengelernt zu haben scheint.

3.1. Sinnenglück und Seelenfrieden

Der erste Einsatz ist moralisch: Hier stehen Dionysos-Apollo für den Gegensatz von Sinnenglück und Seelenfrieden. Dabei erinnert Bloch an die spätantike Fabel von Herkules am Scheideweg, den ein breiter Weg mit irdischen Gütern, allen Verführungen der Sinnlichkeit und der Sexualität lockt, während ihm der Weg daneben, karg, hart und steinig erst am Ende das Glück der Tugend gewährt. Zwei Frauengestalten sind es, die den zögernden Herakles jeweils auf ihren Pfad überreden wollen: die keusche Tugend und die sinnliche Lasterhaftigkeit, die, obwohl "auch eine Unsterbliche"[27] aus dem Kreise der Götter verstoßen wurde und deren Genußsucht als in sich kreisendes Raffinement stets auf der Suche nach neuen Genüssen in zunehmende Absurdität getrieben wird, bis sie schließlich - wie die Gestalt der Tugend höhnt - im Sommer herumläuft und Schnee sucht. Herkules wählt den zweiten Weg der Tugend als den Weg, der ihm am Ende eines zwar anstrengenden, aber erfüllten Lebens, die "vollkommene Glückseligkeit"[28] gewähren wird.

Über Nietzsche hat Bloch beides, das Begehren wie die raffiniert gewordene Askese, als *Wunschphantasien* zu dechiffrieren gelernt: nicht nur die irdische Lust versteht zu locken, auch das Versprechen der Tugend verfügt über eine nicht geringe Verführungskraft, verheißt sie doch Freiheit vor den Konflikten unterschiedlicher Triebe, Ruhe und Beherrschung, Konzentration und das Glück der Arbeit. In den Kategorien Freuds: es ist der Dualismus zwischen den imperativen Forderungen des Es und der Triebe, die nach Abfuhr und Befriedigung drängen, gegenüber den Ansprüchen des Über-Ich, der Tradition und Moral, an denen der Mensch sich selber mit einer Strenge mißt, die den Trieben in nichts nachsteht. Die Wahl zwischen Sinnenglück und Seelenfrieden, in deren Dualismus Schiller den Konflikt des modernen Menschen goß, folgt den Wunschvorstellungen der beiden psychischen Instanzen von Es und Über-Ich.

Neu ist der Dualismus also nicht, neu ist allerdings die erst seit Nietzsche denkbar gewordene Erweiterung einer *Lesart der Welt unter der Perspektive des Wunsches* noch im *Reich der Moral.* Nur allzu gern übernimmt Bloch hier diese Lesart von Nietzsche - wenn er auch letztlich die traditionell unangreifbare Position der Moral am utopischen Schluß seiner Philosophie wieder ungebrochen erneuert - ermöglicht sie ihm doch, den Wunsch als dasjenige Moment darzustellen, das sich durchgängig in allen Manifestationen menschlicher Wirklichkeit durchhält.

Es ist mindestens als eine theoretische Leerstelle bei Bloch zu beklagen, daß er Nietzsche nicht auf der Linie einer Problematisierung der Moral folgt. Doch hat sie, so meine ich, einen immanent unabweisbaren Grund: Daß die traditionell so weit von allen triebhaften Verwirrungen entfernt gedachte Moral selber den Imperativen des Triebes unterliegt, wissen wir seit Nietzsche und Freud. Für beide, Nietzsche und Freud, ist die Moral Resultat und Niederschlag ehemals äußerlich gewesener Macht, sei es die Macht der blonden Bestie bei Nietzsche oder die Macht der Eltern bei Freud. Beidesmal resultiert ihre Macht letztlich aus einer Todesdrohung gegenüber dem hilflosen und abhängigen Ich. Die Moral - einst als Ort der Autonomie des Subjekts über die Fremdbestimmung seiner körperlichen Abhängigkeit und Bestimmtheit gefeiert - wird spätestens mit Nietzsche zum Ausdruck einer fremden Macht im Ich, zur Gestalt seiner Fremdbestimmung, die sich als Selbstbestimmung verkennen muß; in diese Figur eines - wörtlich zu nehmenden - Über-Ichs hat sich die radikale Gewalt eines mächtigen Anderen so früh und so konsequent eingraviert, daß das Individuum sie für seine eigene, innerste Bestimmung halten muß. Die Moral als Repräsentant menschlicher Kultur im Inneren der Subjekte verweist immer auch auf ihre Fremdbestimmung, auf die permanente Beibehaltung und Erneuerung der Macht des Anderen selbst noch in der Freiheit der Selbstbestimmung, gespeist aus der Angst vor dem Tode.[29]

Solch finstere Aspekte der Kulturstiftung läßt Bloch beiseite. Und er tut das nicht nur an dieser Stelle. Diese Figur der Argumentation - genauer: die Figur einer Auslassung von Negativität, ihrer freundlichen Entspannung in einer besseren Zukunft - wird dem Leser an allen entschei-

---

[27] Xenophon, Memorabilia II, S. 31f.

[28] ders. aaO., S. 34

[29] So Nietzsche vor allem in seiner "Genealogie der Moral". Vgl. dazu: G. Kimmerle: Die Aporie der Wahrheit – Anmerkungen zu Nietzsches "Genealogie der Moral", Tübingen 1983

denden Stellen der Blochschen Philosophie erneut begegnen. Und dies mit gutem Grund. Denn nähme er Nietzsches Argument wirklich ernst, so könnte Bloch seine Darlegung menschlicher Hoffnungsinhalte nicht mehr mit dem ebenso stolzen wie strengen Anspruch gestalten, die Hoffnung als ein philosophisches *Prinzip* darzustellen. Er hätte sich mit einer *Phänomenologie* menschlicher Hoffnungsinhalte begnügen müssen.[30]

3.2.: *Die Resignation Apolls vor der Moira*

Ein seltener Fall, daß Apollo zum eigentlichen Gegenstand Blochs wird. Aber er muß es unvermeidlich werden, wenn Bloch die Religion des klassischen Griechenlands thematisiert.

In der Nachfolge seines Kronzeugen J.-J. Bachofen - und hier zusätzlich unter dem Einfluß von Walter F. Otto "Die Götter Griechenlands" - stehend, konstruiert Bloch zunächst eine frühe, mutterrechtlich bestimmte Welt, zu denen die Götter Dionysos und Demeter gehörten und aus der noch, wenn auch nicht sehr deutlich, gewisse ambivalente Gestalten in die Reinheit des apollinischen Tages und die Heiterkeit dieser aufgeklärten Religion hinüberreichen. Es sind dies Gestalten wie Kalchas, der die Opferung Iphigeniens anordnete, Teiresias, der blinde Seher, der zeitweise eine Frau gewesen war und die dunkle Macht des Todes ebenso wie die des Blutes kennt. Gestalten wie diese ragen zwar noch als fremde Boten einer mittlerweile untergegangenen chthonischen Welt in die neue Religion der Aufklärung hinein; sie bestimmen sie jedoch nicht mehr. Über diese Zeugen einer früheren mutterrechtlichen Zeit und ihrer Gottheiten hat sich nun die Glätte des Vaterrechts und seiner taghellen Ordnung gelegt: "so machte dieser Tag nun allen unübersichtlichen Wesen ein apollinisches Ende."[31] Die Götter Homers sind in den Augen Blochs nicht einfach schön; die sprachliche Formulierung denunziert diese Vollkommenheit sofort als falschen Schein; sie tragen "die Maske der Schönheit, mindestens der Urbanität."[32] Das erweckt sofort die Frage, was eine solche Maske verbergen muß.

Zwar ist der Ton insgesamt bei weitem nicht mehr so scharf wie in "Geist der Utopie", wo Bloch das klassische Griechenland mit einem "griechisch gefällt" achselzuckend als gefällig und flach beiseite schob. Doch zunächst erneuert er seine frühere abgrenzende Position. Bloch beginnt mit der Kritik einer Vernunft, die, wie diese klassische Form griechischer Rationalität, das ihr zugrundeliegende Unvernünftige nur unterwirft, ohne es beerben und wirklich aufheben zu können: Die ganze dunkle Unterwelt, so seine Klage, wurde eingemeindet "oder vom Dreifuß Apollos besiegt."[33] *Unterwerfung statt Überwindung* ist also das Zeichen der griechischen Klassik. So wird es zum Zeichen dieser vaterrechtlich organisierten Welt, daß Pallas Athene, die Tochter des Vaters, die von keinem Weib geboren wurde, die Akropolis beherrscht. Die Erdgötter sind verdrängt, das Chthonische soll nicht erscheinen, die Mütter bleiben unter die Erde verbannt, alle doppeldeutigen Zwitter, alle Tier-Mensch-Gestalten haben in Athen, Akrokorinth oder Olympia, selbst im dämonischen Delphi keinen Ort mehr. Die Naturgötter wie Gaia oder Saturn sind unterworfen und verbannt; nun herrscht Zeus.

Genau darin verbirgt sich jedoch das Neue und das Utopische der griechischen Klassik; sie steht völlig im Dienste der Aufklärung. Homer ist ein Stifter, in der Tat, aber einer der "Aufhellung".[34]

---

[30] Vgl. H. Gekle: Das Prinzip Hoffnung als Phänomenologie des Wunsches, in: Wunsch und Wirklichkeit, Ffm 1986, S. 71ff.

[31] Das Prinzip Hoffnung (PH), S. 1420

[32] PH, S. 1420

[33] PH, S. 1421

[34] PH, S. 1421

Die Götter tragen zum erstenmal menschliche Gestalt. Implizit formulieren sie damit bereits den menschlichen Anspruch, nicht nur Gläubiger, sondern selber *Schöpfer des Glaubens* zu sein und in den Gestalten seiner Gottheit die Utopie des Menschen selbst sinnlich-konkret darzustellen. Hell leuchtet diese "Kunstreligion des Vordergrunds"[35] und überstrahlt alle Schatten. In ihrem Glanz zersetzen sich alle aus der Dunkelheit drohenden Gestalten des Grauens. Der Schrecken der Negativität zerstreut sich in der Lichtfeier der Aufklärung.

Ihren adäquatesten Ausdruck findet diese Religion daher ganz konsequent - so Bloch in der Nachfolge Hegels - in der Plastik als der vollkommenen Darstellung menschlicher Gestalt. Es ist eine "Religion aus lauter Tagplastik"[36], so das etwas säuerlich geratene Lob. Aber dann, als sei auch das schon zuviel, folgt sofort die deutliche Kritik: Es ist eine Religion aus "kurzer Menschentag-Plastik; wobei alles Ungeformte, hier Unformbare, verschwiegen oder der Moira zugewiesen wird."[37]

Das Utopische in dieser Religion war die konsequente *Vermenschlichung der Götter*, die damit im gleichen Akt die *Vergöttlichung der menschlichen Kreatur* darstellten. Das ist ihr geschichtsphilosophischer Auftrag und das Neue, das sie in die Welt gebracht hat. Aber damit scheint sie Bloch erschöpft, mehr an noch nicht beerbten utopischen Inhalten besitzt sie nicht für ihn. Statt dessen droht sie tendenziell in der Klarheit ihrer unsterblichen Schönheit zu unfruchtbarer Statik zu erstarren, gerade weil sie alles noch Ungeformte aus sich verbannt, anstatt die darin schlummernden Möglichkeiten in das Licht der Versöhnung von Natur und Geist heben zu wollen.

Die in der aufklärerischen Kunstreligion Homers erreichte Form von Versöhnung kann Bloch nicht zufriedenstellen. Er interpretiert sie - in der Nachfolge Nietzsches, den er etwas gönnerisch zitiert - nach dem Schema der *Verdrängung*. "Das Furchtbare hinter der Maske des Schönen ist geblieben, hier hat Nietzsche teilweise richtig gesehen und die Tiefe in dieser Oberflächlichkeit, das bewußt Überdeckte in dieser lokal-humanen Schönheit entdeckt"; schwer und bedrohlich bricht die Fortsetzung des Satzes ein: "hinter den Göttern ist die Moira, in ihnen steht das Numinose."[38]

Die Moira bezeichnet die Grenze der apollinischen Götterwelt; mit ihr bricht das Furchtbare in diese Welt der Schönheit ein und denunziert sie rückwirkend als bloßen Schein. Als eine Macht ohne Persönlichkeit im Gegensatz zu den individuell gestalteten Göttern steht die Moira für das Negative in der Welt der Lebendigen. Sie muß diesen dunklen Part umso deutlicher abgegrenzt spielen, als die homerischen Götter selbst nur im ungetrübten Licht des Positiven stehen wollen. Und die äußerste Negation ist für diese Religion der Tod. Er ist es, muß es sein, solange ein prinzipieller Dualismus im Denken nicht aufgehoben ist. "Wo aber das Göttliche mit der Lebensfülle eins ist, da muß der Tod durch eine tiefe Kluft von ihm getrennt sein. Denn das Lebendige empfindet den Tod als das Fremdeste und vermag nie zu glauben, daß er im Sinn und Plan des Lebens selber liegen könnte."[39] So Walter F. Otto, aus einer völlig mit den Griechen identifizierten Sicht.

---

[35] PH, S. 1423

[36] PH, S. 1423

[37] PH, S. 1423

[38] PH, S. 1422

[39] W. F. Otto: Die Götter Griechenlands, 3. Auflage 1947, S. 259

Bloch übernimmt diese Momente der griechischen Religion nur allzu gerne von Otto als gegeben: ihren aufklärerischen Habitus ebensosehr wie ihren abstrakten Dualismus von der Negativität des Todes gegen die ewige Jugend der Götter wie die Identifizierung der Moira mit dem Tod. Während Otto jedoch ein fast schon verblendeter Liebhaber seines wissenschaftlichen Gegenstandes bleibt, werden diese Momente für Bloch zugleich zum Anlaß seiner Kritik: Der abstrakte Dualismus verhindert, daß die dunkle Macht der Moira in irgendeine Form der Vermittlung mit der schönen Oberfläche kommen könnte. Die Moira, als aus dem chthonischen Mutterrecht stammende, nicht zu leugnende und nicht zu integrierende Gestalt, kann dann nur verdrängt werden.

So wird sie zur Gestalt reiner Negation. Umgekehrt fehlte der schönen Maske der griechischen Götter die Differenziertheit durch Integration der dunklen, schmerzhaften Macht der Moira: diese Götter sind nichts als schön - und als solche bleiben sie in der Glätte ihrer perfekten Oberfläche letztlich flach. "Die Kraft dieser Frohbotschaft, der bis hierher und nicht weiter eindringenden, ist die der vergöttlichten Lebensschönheit und der an den Rand gedrängten, noch am Rand verhüllten Tiefe."[40]

Gemeint ist damit nicht zuletzt die Ausgrenzung des Todes, dieser radikalen Negation, die alle menschlichen Zweckreihen jäh abschneidet und - in den Augen Blochs - als sinnlos erklärt. An der Macht des Todes kapituliert diese Religion. Die Götter sind nicht allmächtig, denn über ihnen herrscht die Moira. Ihm beugt sich noch der oberste Herr des Himmels, Zeus. Trauer nur bleibt ihm angesichts der Vollendung des Geschicks, das nicht einmal er aufzuheben sich erkühnen darf.

Nichts belegt das schöner als der Beginn der "Ilias": Lange schon weiß Zeus, daß Hektor unrettbar dem Tode verfallen ist. Den Glanz Hektors vor seinem völligen Verlöschen noch einmal hell aufscheinen zu lassen, das ist alles, was Zeus noch für seinen Liebling tun kann. Dennoch wird der große Gott im Augenblick der Entscheidung schwankend: Hektor, diesen untadeligen Helden, der es nie an Ehre für seine Gottheit fehlen ließ, seinen Liebling, soll er dem Tod überantworten? Als er es wagt, sich gegen die Moira zu kehren und die anderen fragt, ob die unsterblichen Götter Hektor nicht doch erretten könnten, tritt ihm mahnend seine Tochter Athene entgegen: "Welch ein Wort hast du gesprochen! Einen sterblichen Mann, der längst dem Sterbeschicksal verfallen ist, willst du aus der Macht des Todes erlösen?"[41] Aufgerüttelt aus seiner Verblendung, nimmt Zeus Abstand von seinem Vorhaben. Wenig später fällt Hektor, dem die Kraft nun genommen war, von der Hand Achills. Zeus - und Apollon, dem Beschützer Hektors - bleibt der trauernde Vollzug eines Verhängnisses, das stärker ist als sie.

Bloch erwähnt dieses Moment von Trauer mit keinem Wort. Er nimmt nicht die Trauer der Götter als mögliche Vermittlung zwischen dem Reich der Moira und dem ihrigen. Auch kann er ihm nicht die Antizipation eines Verzichts abgewinnen, der für sich doch zumindest die Würde des Diesseitigen verlangen dürfte: trauernde Anerkennung der unüberwindlichen Macht des Endlichen. Den Satz Nietzsches, den er am Schluß seiner "Geburt der Tragödie" einem greisen Athener mit dem "erhabenen Auge des Aischylos" in den Mund legt: "Wieviel mußte dies Volk leiden, um so schön werden zu können!", nimmt Bloch nur zur Hälfte auf. Wichtig ist für ihn nur, daß Nietzsche eine Welt des Grauens hinter der schönen Maske entdeckt hat. Wichtig, weil hier unter der geschlossenen Oberfläche dieser rationalen Kunstreligion des Schönen eine andere Welt auftaucht. An ihr will Bloch ein Erbe antreten. Ohne Schaden für seinen letztlich überschwänglichen Entwurf von Utopie, der sich nicht damit bescheiden will, die Negation des End-

---

[40] PH, S. 1423
[41] Homer, Odyssee I, S. 32ff; zitiert nach W. F. Otto aaO., S. 266f.

lichen zu akzeptieren, kann er das nur, wenn es ihm gelingt, selbst noch diese dunkle Welt als Übergangsphänomen zu erklären.

Und dies gelingt ihm mit einem doppelten salto mortale. Der erste: das Leid wird produktiv, eingemeindet in das Reich des Schönen, wo seine Schatten die hellen Farben der Schönheit vertiefen. Der zweite: der Tod erweist sich nicht als das unaufhebbare Geschick, als das er noch den griechischen Göttern erscheint. Er ist vielmehr ein vorläufiges Ende, Ausdruck des Mangels, in dem das Irdische noch steht. Und für diese Vorläufigkeit des Todes zeugt Bloch die Gestalt des Dionysos. Dieser Gott, der aus der Fremde kommt, gehörte nie gänzlich in den griechischen Götterhimmel. Immer blieb er mit der mutterrechtlichen Sphäre verbunden, aus deren Schoß er die Fruchtbarkeit des Weinstockes entbinden konnte. Und er ist die erste Figur eines großen Leidenden, ja mit Wahnsinn Geschlagenen, der gerade in und durch sein Leiden den Tod überwand. So war Dionysos schon *vor* den griechischen Götter - und er wird *nach* ihnen sein: als die Gestalt, die aus der Schönheit dieses heiteren Götterhimmels hinausführt, wie die Menschen den Schrecken des Todes erleidet und schließlich, in neugeborener Unsterblichkeit, die Welt in einen Taumel der Sinnlichkeit versetzen wird.

Bevor jedoch die in Dionysos bedeutete Erlösung gefunden sein wird, braucht Bloch Figuren der Rebellion gegen die bestehende Ordnung. Und der eigentliche Repräsentant aller abendländischen Gestalten menschlichen Protests gegen einen harten Himmel und seine unbarmherzige Ordnung kann niemand anderer sein als - Prometheus. Er ist zugleich die letzte Gestalt, in der uns die Antike den leidenden Gott Dionysos als utopisches Erbe übermittelt hat.

3.3.: Die Rebellion des Prometheus aus dem unterdrückten Mutterecht

Prometheus wird für Bloch - und noch hier folgt er Nietzsche - zum Kulturstifter überhaupt. Darin können sich beide, Bloch wie Nietzsche, auf den griechischen Dichter der ersten Prometheus-Tragödie berufen. So hat ihn bereits Aischylos verstanden, der den im Mythos erzählten Akt des Feuerraubes sehr weit interpretiert. Alles Wissen haben die Menschen nach ihm von Prometheus, nicht von Zeus.

Geradezu grenzenlos ist die Liebe zu den Menschen, die Prometheus bei Aischylos zeigt; er beschenkt sie mit allen Gaben, deren er habhaft werden kann. Was Nietzsche jedoch zum Grund für die furchtbare, niemals endende Qual des Prometheus wird, seine maßlose Liebe zu den Menschen, die ihn in einen unlösbaren Konflikt mit den Göttern treiben muß, verdient bei Bloch keine weitere Erwähnung. Die Liebe des Prometheus zu den Menschen kann ihm gar nicht groß genug sein. Seine Interpretation, seine Hoffnung liegt gänzlich auf der Prophezeiung in der Tragödie, Prometheus werde bis zum Rang des Zeus emporsteigen, hat er sich erst befreien können.[42] Freiheit von Unterdrückung, Abstreifen der Ketten, die Prometheus in direktem wie in symbolischem Sinn leidend an den Kaukasus heften, Rebellion gegen despotische Herrschaft, die die Menschen in den von ihm gesetzten Kreis einzwängt und für immer zu seinem Untertan machen will - das ist für Bloch der Inhalt dieser Tragödie. So wird sie zum Ur- und Vorbild aller Revolutionsstücke überhaupt.

Freiheit ist auch das Fanal für diesen Akt von Kulturstiftung: Sie macht die Menschen auf einen Schlag in doppelter Hinsicht frei: Frei von den Göttern und frei von den Zwängen der Natur. Prometheus bricht als erster in den heiligen Bezirk ein und stiehlt den Menschen die bisher den Göttern vorbehaltenen Gaben. Damit kann sich der Mensch selber unabhängig von den

---

[42] Aischylos, Prometheus, in: Gesamtausgabe der griechischen Tragödien, übersetzt von E. Buschor, II, S. 107

Göttern machen, ohne ihnen weiterhin dankbar und unterwürfig opfern zu müssen, weil er sich in seiner irdischen Not gänzlich von ihrer Gunst abhängig glauben mußte. Als Lehrer des Handwerks und aller praktischen Künste wirkt Prometheus indes nicht so sehr als griechischer Titan denn als der erste homo faber. - Einbruch des Menschen in die göttliche Sphäre, Auflösung des starren Banns des Astralmythos und das große Versprechen an die Menschheit, selber dem Gotte ähnlich zu sein - dafür steht Prometheus in der Interpretation Blochs.

Wie Nietzsche sieht Bloch in Prometheus eine Gestalt des Dionysos. Die Herleitung davon ist - zunächst - einfach: die griechische Tragödie insgesamt ist Kultus des Dionysos, dargestellt in apollinischen Bildern. Aischylos gestaltet seinen Prometheus als eine Tragödie. Also ist Prometheus eine Figur des Dionysos. So weit, so logisch. Als spätere Figur des Dionysos indes wird Prometheus für Bloch auch die wahrere: Dieses Mehr an historischer Wahrheit hat Prometheus vor Dionysos, weil in seiner Gestalt nicht nur der zerrissene, leidende Dionysos dargestellt wird, sondern auch der gärende, "der in den tragischen Masken des Prometheus aufbegehrt: ein kollisionsvolles Pathos insgesamt gegen den bisher gewordenen Himmel."[43] In Prometheus kommt so die Religion des Dionysos zu ihrem adäquaten Ausdruck: als Rebellion gegen Zeus, als "widerolympische Prophetie"[44].

In der verlorenengegangenen Tragödie des Aischylos "Prometheus der Feuerbringer" sollte der Titan für dreißigtausend Jahre festgebunden bleiben; so die Metapher für die damals längste Weltperiode. In der erhaltenen Tagödie, dem "Gefesselten Prometheus", wird die Befreiung bereits für die dreizehnte Generation prophezeit. Befreit hätte den Titan erneut sein großes Wissen; diesmal stammte der wissensmäßige Vorsprung aus den Quellen der Tiefe: seine Mutter, keine Geringere als Themis-Gaia selber, hatte es ihm verraten. Die Erdmutter Gaia wird hier mit Themis, die die alte Satzung hütet, gleichgesetzt; sie ist die Trägerin eines prophetischen Wissens, von dessen Quellen die neuen, vaterrechtlichen Götter, die mit Zeus zur Herrschaft gelangten, abgeschnitten bleiben.

Entscheidend tritt damit in diese Tragödie ein mutterrechtliches Moment, dessen Verkörperung im Wissen des Prometheus der neue Gott des Vaterrechts, Zeus, eifersüchtig verfolgt. Die Tragödie des Aischylos wird so zum Zeugen des Kampfes zwischen dem alten Mutterrecht, das zum Untergang verdammt ist, und dem neuen vaterrechtlichen Prinzip, das mit dem Mord von Zeus an seinem Vater Kronos vor noch nicht allzu langer Zeit zur Herrschaft gekommen ist. Wie "alle neuen Herrn" glaubt auch Zeus sich in seiner noch ungesicherten Herrschaft nur halten zu können, wenn er die unterworfenen Mächte gnadenlos verfolgt. Unterwerfung, nicht Erbantritt ist das Gesetz solcher Herrschaft. Die Helligkeit des neuen apollinisch klaren Gesetzes verdankt sich einem rigiden Verdrängungs- und Ausgrenzungsprozeß alles Früheren, das an die blutige Herkunft seiner eigenen Herrschaft nicht erinnert werden will. Sie würde seine wacklige Legitimität erschüttern.

Das wirft ein neues Licht auf Prometheus: er ist nicht einfach der mutige Rebell gegen Zeus. Der Titan ist eine Gestalt der Vermittlung: als einziger könnte er die Extreme verbinden, die auf der einen Seite von dem alten chthonischen Wissen der Erdmächte mit ihren erbarmungslosen Blutsbindungen und auf der anderen Seite von der ausgrenzenden Aufklärung des neuen Vaterrechts, für dessen Ordnung Zeus steht, repräsentiert werden. Wissend, daß die historische Stunde für Zeus gekommen war, hatte Prometheus ihm einst zur Herrschaft verholfen. Aber als Repräsentant der alten Götter ließ er sich von Zeus nicht vereinnahmen; unerbittlich trat er für die Rechte derjenigen ein, die wie er noch aus dieser untergegangenen Welt stammten.

So auch für die Menschen. Dieses Geschlecht der Sterblichen hatte neben den alten Erdgöttern dumpf dahingelebt; deshalb hatte Zeus seinen Untergang bestimmt. Ein neues, besseres Geschlecht sollte als das Werk des Zeus an die Stelle dieser geistlosen Geschöpfe treten. Davor be-

---

[43] PH, S. 1429
[44] PH, S. 1429

schützt sie Prometheus, der ihre älteren Rechte vertritt und einklagt und sie mit all den Gaben ausstattet, die sie bisher nicht hatten und die Zeus selber ihnen vorenthalten wollte, um sie seinem eigenen Geschlecht zu übergeben. Prometheus erhebt sich zum mächtigen Gegenspieler des Zeus und seiner neuen Herrschaft im Namen derer, die *vor* Zeus waren. Das bezeugt auch die Gestalt, die ihm Aischylos in seiner Tragödie verleiht.

Der Wissendste ist Prometheus bei Aischylos, weil er nicht nur durch Athene in alle Kenntnisse des apollinischen Wissens des Vaterrechts, dessen erster Repräsentant Zeus selber ist, eingeweiht wurde; der Wissendste ist er, weil er über seine Mutter Themis die Verbindung zu den alten Erdmächten behalten hat; er kennt deren Weisheit wie ihre mutterrechtlichen Ansprüche und versucht sie noch unter dem harten Recht des Vatergottes zu vertreten. Wie Dionysos, dem auch Prometheus dient, erscheint seine Gestalt als Mittler zwischen dem untergegangenen, von den neuen Machthabern verpönten Reich des Mutterrechts und dem siegreichen, aber mit Herrschaftswissen alle anderen Formen des Wissens vertreibenden apollinischen Geist des Vaterrechts.

Nirgends kommt Bloch auf dieses Motiv des Mutterrechts in der Tragödie zu sprechen. Auch Nietzsche schenkt ihm weiter keine Beachtung. Das ist merkwürdig genug, denn beide hätten dieses Moment in ihre eigene Theorie gut integrieren können. Hätte es doch nicht nur das Dionysische in Prometheus neu und stärker beleuchtet, sondern beide, Nietzsche wie Bloch, hätten hier Material finden können, das ihre Kritik der traditionellen Vernunft und Metaphysik zusätzlich begründen kann. Klagt nicht Aischylos in der Gestalt des Prometheus, diesem Titanen, der nicht mehr zu den alten Erdmächten, aber auch nicht zu den neuen Göttern gehört, die Versöhnung zwischen Natur und Vernunft ein? Steht Prometheus nicht ebensosehr für das alte Recht und seine Weisheit, die noch nicht untergegangen ist? Und zeugt er nicht für die völlige Unmöglichkeit, die von der Vernunft des Vaterrechts ausgegrenzten früheren Gewalten einfach zu unterdrücken? Mahnt diese Gestalt nicht, daß das Verdrängte nur als Verdrängtes, nicht aber als Aufgehobenes unvermeidbar wiederkehren wird, weil Wiederholung das Gesetz einer solchen Existenz beschreibt: eine Existenz in der Verbannung, die ihm die Vernunft zwar zuweisen konnte, gegen deren subversiven Umgang sie aber letztlich ebenso hilflos bleibt wie gegen seine gewaltsame Wiederkehr?

Die Tragödie des Aischylos bezeugte demnach im Medium der Kunst einen Verdrängungsprozeß, in dessen Verlauf die Macht der Frauen wie des Dionysischen zugunsten des patriarchalischen Vaterrechts überwunden wurde. Bachofen, der ja bekanntlich auch keine realgeschichtlichen Quellen hatte, auf die er sich stützen konnte, sondern sich gerne mit literarischen und religiösen Texten zufriedengab, hatte daraus den Schluß gezogen, daß diesem ideologischen Verdrängungsprozeß ein realer vorausgegangen sein mußte, kurz: daß es eine historische Phase gab, in der das Mutterrecht herrschte, bis es schließlich durch eine vaterrechtlich-patriarchalische Ordnung ersetzt wurde. Spuren dieses gewaltigen Kampfs fänden sich eben in der Mythologie.

Die Bedeutung, die das Werk Bachofens für Bloch hat, kann nicht so leicht überschätzt werden. Er hat Bachofens Forschungen, trotz seiner Kritik an dessen allzu persönlich getöntem Interesse an seinem Stoff, dem theologischen Mystizismus, dem ambivalenten Schwanken zwischen der Vormacht der Frauen und der Überlegenheit des Vaterrechts und - nicht zuletzt - der Kritik an seinem idealistischen Grundkonzept im wesentlichen zugestimmt. Die Entdeckung eines untergegangenen Mutterrechts und seiner realgeschichtlichen Ordnung, dechiffriert aus mythologischen Texten, die unter der präsentierten vaterrechtlichen Gesamtkonstruktion immer wieder eine andere, frühere Ordnung durchschimmern ließ, mußte auf Bloch den größten Eindruck machen. Hier schien es frühe Zeugen für einen anderen, nicht-herrschaftlichen Umgang mit der Natur zu geben, mit der die mutterrechtliche Ordnung besser vertraut zu sein schien. Umso erstaunlicher, daß Bloch hier, am Beispiel seiner Interpretation des "Gefesselten Prometheus" das deutlich vorhandene mutterrechtliche Moment entgeht.

Ganz und gar interpretiert er diese Tragödie auf der Linie des Protestes gegen Zeus - im Namen der Menschenliebe. In der Tat, Prometheus ist unbeugsam; noch in Fesseln prahlt er damit, Zeus sei nicht nur durch ihn zum Herrscher geworden, er wisse auch, wer ihn einst stürzen werde. Weil er sein Wissen in dieser ersten Tragädie der Trilogie nicht preisgibt, erhöht Zeus die ihm auferlegten Qualen. Schmerz zeichnet das Gesicht des Titanen, Grausamkeit entstellt das Antlitz des Gottes. In den Augen Blochs denunziert damit die Tragödie des Aischylos jeden Herrschaftsanspruch, der in religiöser Gestalt vorher wie nachher aufgetreten ist. Im gleichen Atemzug formuliert sie den Triumph des Menschen über seinen Gott: noch in der scheinbaren Schwäche seines Schmerzes denunziert Prometheus seinen Gott als grausam; gegen die Liebe des Prometheus kommen Rach- und Herrschsucht des Zeus nicht auf. Wohl unterliegt Prometheus der Macht des obersten Herrschers, aber die Unterwerfung, die Zeus für sich erzwingen kann, ist nur die von außen auferlegte körperliche Züchtigung, nicht die geistige Unterwerfung des Titanen. Im Gegenteil: gerade die Verschärfung der körperlichen Qualen bestärkt ihn in seinem Widerstand. Prometheus hängt ebensosehr als leibgewordene Anklage gegen seinen grausamen Gott wie als Triumpf des Geistes über Gott und die eigene Natur in seinem unbeugbaren Protest gekreuzigt am Kaukasus. Niemals aber kriecht er zu Kreuze.

Damit wird die Tragödie des Prometheus für Bloch zum "größten Einbruch ins Jenseits, der bis Jesus geschah".[45] Sie ist es, weil Prometheus zum erstenmal eine Bewegung formuliert, die Bloch für die letzte Grundfigur aller Religion hält: die Bewegung eines Exodus aus der Gottesidee selber. Die Rebellion des Prometheus gegen Zeus, besonders eindrucksvoll dargestellt in der Tragödie des Aischylos, wo über alle Szenen hinweg der riesige Körper des Prometheus - eine fellbekleidete Puppe - im Hintergrund der Bühne seinen geschundenen Leib als Drohung gegen den Himmel warf, heißt für Bloch nicht weniger als: Angriff auf den Gott und die Statik seiner ewigen Ordnung, im Namen der Menschen und um der Menschen willen.

Damit wäre die Subjektivierung der Religion an ihr Ende gekommen: der Mensch legt seine besten Gaben, seine größten Wünsche nicht mehr in einen jenseitigen Himmel, sondern erkennt sie als sein eigenes Werk: In der Tat, alles Utopische an der Religion ist in dieser Tragödie des Aischylos auf der Seite des Prometheus versammelt, wohingegen das Moment von Herrschaft, Unfreiheit und mangelnder Aufklärung, das in aller Religion immer auch mitbedeutet war, sich gänzlich in der Gestalt des Tyrannen Zeus verdichtet zu haben scheint. Prometheus ist besser als sein Gott. Zeus wird eine ebenso überflüssige wie schädliche Hypothese, von dem nur die Brutalität der Macht bleibt, wohingegen Prometheus einsteht für "ein kollisionsvolles Pathos insgesamt gegen den bisher gewordenen Himmel. Dazu bestimmt, als Teil des öffentlichen Gottesdienstes im Heiligtum des Dionysos aufgeführt zu werden, wird so die attische Tragödie, am sichersten bei Aischylos, zur widerolympischen Prophetie."[46]

Verdichtet sich jedoch in der Gestalt des Prometheus der Anspruch des Menschen, durch sein Wissen werden zu können wie Gott, so nimmt - in der Interpretation Blochs - "Dionysos die von seinem Blut Trunkenen mit in die Unsterblichkeit."[47] Das Versprechen der Unsterblichkeit jedoch ist das Zeichen, in dem auch Jesus gesiegt hat. "Selbst Jesus siegte im Wettkampf mit den Mysterien nicht als Messias der Mühseligen und Beladenen, sondern als der 'Erstling von den Toten', und sein Charakter war die Auferstehung und das Leben." Hinter Blochs Beharren auf einem Sein wie Utopie, einem Anspruch auf Vollkommenheit, den er nie und nimmer mit einer materialistischen Theorie oder gar marxistischem Denken untermauern konnte, steckte immer, so meine These, seine Verleugnung des Todes als ein dem Menschen für alle Zukunft unabwendbar auferlegtes Schicksal. Das Versprechen der Unsterblichkeit machte ihn daher dem Christentum geneigt. Zeigt es doch Erbarmen mit menschlichem Leiden, Verständnis für die Tiefe eines Unglücks, das Bloch so früh schon an den Darstellungen der Gotik fasziniert hatte, verbunden mit

---

[45] PH, S. 1429
[46] PH, S. 1429
[47] PH, S. 1313

dem zum Bau geronnenen Versprechen, die irdische Schwere selbst des Steins auflösen und den Dom als Arche Noah in ein Himmlisches Jerusalem verwandeln zu können.

Es ist gerade die Vollkommenheit ihrer Schönheit, die für Bloch die Grenze des utopischen Versprechens der Antike beschreibt. "Die antike Liebe war Eros zu dem Schönen, Glänzenden, die christliche wendet sich statt dessen nicht bloß dem Gedrückten und Verlorenen, sondern darin dem Unscheinbaren zu. Nur diese Bewegungsumkehr der antiken Liebe gibt der Parteiischkeit für die Armen nun doch einen Selbstzweck, eben den aus ihrer Erwählung folgenden, aus dem Aufenthalt im Kleinen."[48] Das Reich Gottes ist für alle da, nicht nur für die Reichen, die Klugen und die Schönen. Die Parteinahme des Christentums für die Armen läßt sich nicht nur über die Bergpredigt mit dem marxistischen Versprechen für das Proletariat verbinden; es klagt das Leiden als konstitutiv für die Gegenwart ein in der Hoffnung, daß sie an dieser Klage zerbreche. Nur Leiden führt in die Tiefen menschlichen Seins, so die allzeit beibehaltene Meinung Blochs.

Aber es soll sich als ein nur vorübergehendes erweisen, als schärfste Kritik an der Gegenwart überhaupt. Leiden wird ihm damit zum paradoxen Versprechen einer Zukunft, die davon befreit wäre. Produktiv kann daher die Gegenwart vor allem auf diejenigen Gestalten der Antike zurückgreifen, die selber bereits von Leiden gezeichnet waren. Das gilt für Prometheus ebenso wie für Dionysos. Mit Dionysos jedoch verbindet sich das Versprechen der Unsterblichkeit. Daher läßt sich leichter eine Verbindungslinie von Dionysos zu Jesus ziehen als eine, die von Prometheus ausginge.

4. Kritik an Bloch via Nietzsche und Freud

Noch im "Prinzip Hoffnung" bleibt Bloch völlig an Nietzsches "Geburt der Tragödie" orientiert. Davon zeugen nicht zuletzt die zahlreichen Anspielungen; vor allem zeigt es sich jedoch an seiner ansonsten so gut wie nie vorkommenden Erwähnung des Ödipus von Sophokles. Aber selbst noch diese - in den Worten Nietzsches - "leidvollste Gestalt der griechischen Bühne, der unglückselige Ödipus", zeugt Bloch für die utopische Möglichkeit, die von Zeus gesetzte Ordnung überwinden zu können. Bis in die Wortwahl hinein übernimmt er Nietzsches Charakterisierung des Prometheus von Aischylos und der beiden Ödipus-Dramen von Sophokles - und macht doch etwas ganz anderes. Was bei Nietzsche tragisch ist und es auch bleibt, das wird bei Bloch utopisch entspannt: Je qualvoller das Leiden, je heftiger der Schmerz, desto größer das Versprechen einer künftigen Lösung: Wo Gefahr ist, wächst das Rettende auch - als könnte mit wachsender Verzweiflung das irdische Paradies geradezu erzwungen werden.

In einem jedoch hat Bloch gewiß recht. Eine solche Tiefe menschlichen Leidens hat etwas sprengend Subversives. Es verweist auf eine zweite vorgängige Wirklichkeit, die die alltägliche Gegenwart und das ihr zugordnete Bewußtsein Lügen straft und die Ausschließlichkeit, mit der sich das Bewußtsein anmaßt, über eine von ihm definierte Wirklichkeit wissend verfügen zu können, als grandiose Verkennung zurückweist. Doch mit einer solch kritisch-reflexiven Position hat Bloch sich nie begnügen mögen. Seinem Blick auf die Leiden des Dionysischen, eines unterdrückten und mißhandelten Nicht-Mehr, begegnet auf der Tiefe dieses dunklen Grundes ein erlösendes Noch-Nicht. Aus dem Abgrund des Dionysischen soll, wenn auch durch den zerreißenden Schmerz der Gegenwart hindurch, wie in einem gewaltigen Geburtsakt eine neue Welt entspringen, in der die zuvor antagonistischen Prinzipien von Apollo und Dionysos versöhnt wären. Je größer der Konflikt in der Gegenwart, desto stärker das Versprechen künftiger Lösung. So jedenfalls im Denken Blochs, der dem logischen Prinzip des Widerspruchs auch in

---

[48] PH, S. 1488

der Wirklichkeit denselben immanenten Zwang zu Aufhebung und Lösung auf neuem, widerspruchsfreien Niveau zutraut.

An dieser realistischen Wende bricht das eigentliche Problem der Blochschen Philosophie auf. Der Schluß vom Noch-Nicht des Bewußtseins auf ein künftiges Noch-Nicht-Sein in der Realität kann allenfalls ein hypothetischer sein. Das gesteht auch Bloch ein, aber er strapaziert diesen problematischen Zusammenhang so oft und so lange, bis er ihn schließlich - fundamental gestützt durch eine Ontologie des Noch-Nicht-Seins sowie die Kategorien von Tendenz und Latenz - in seinem Begründungszusammenhang verkehrt: Das Noch-Nicht des Bewußtseins wird zum Ausdruck des Noch-Nicht-Seins. Die unüberbrückbare Kluft zwischen Sein und Bewußtsein wurde gewaltsam geschlossen. Die Denk-Möglichkeit verlangt für sich Wirklichkeit - wenn auch erst künftige.

Solche Überschätzung des Denkens hat Freud der Magie zugeschlagen; begegnet ist er ihr zuerst am individuellen Beispiel des nächtlichen Traums, der ja, während wir träumen, mit allen Sicherheiten realen Seins auftritt und erst, nachdem wir wieder aufgewacht sind, das überrumpelte Bewußtsein zu nachträglicher Korrektur aufruft mit der Feststellung: Es war ja nur ein Traum. Mit seinem Programm des Tagtraumes hat Bloch der Gefahr, weltferner Wahnhaftigkeit entkommen zu können, gemeint, ohne die Absolutheit menschlichen Wünschens, das auf ein Sein wie Utopie zielt, aufheben zu müssen. Beschwört er - mal raunend, mal lärmend - diesen Menschheitstraum des Glücks, so spricht er doch, wider Willen, mit der Veführungskraft des Wunsches aus dem Unbewußten, dem jeder Verzicht empörende Zumutung ist, der sich mit der Endlichkeit nicht versöhnen kann und für sich Unsterblichkeit fordert.

Eine Wirklichkeit immerhin kann man dem Noch-Nicht-Bewußten auf keinen Fall absprechen: die Wirklichkeit des Psychischen. Denken heißt Überschreiten - dieser Leitsatz des "Prinzip Hoffnung" ist allemal wahr, zumal als Programm einer Sublimierung innerer psychischer Bestimmtheiten in und durch das Denken. Dann aber beschreibt das "Prinzip Hoffnung" nicht mehr das Werden der Welt zum Wunsch, sondern die Verwandlung des Naturwesens Mensch zum Geschöpf der Kultur. Sinnvoll ist diese Lesart für das "Prinzip Hoffnung" im ganzen; vollends jedoch eine Interpretation solch mythischer und literarischer Gestalten wie Apollo und Dionysos, Prometheus und Ödipus ist gut beraten, sie in ihrer unabgegoltenen Bedeutsamkeit als *ästhetische Darstellung psychischer Konflikte* zu interpretieren; Konflikte, mit denen wir uns - wundersam genug - auch noch heute identifizieren können.

Dafür berufe ich mich im folgenden auf Nietzsche - als Kritiker an der Position Blochs. Das mag etwas einseitig ausfallen, zumal Nietzsche bereits in der "Geburt der Tragödie" im Dionysischen nach dem Urgrund sucht, aus dessen Wiederkehr er allein das Heil erwartet. J. Habermas diagnostiziert dies mit dem Vorwurf an Nietzsche, wonach mit ihm das Denken der Moderne zum ersten Mal auf seinen emanzipatorischen Gehalt verzichte, indem Nietzsche die Dialektik der Aufklärung insgesamt verabschiede.[49] Das harsche Urteil scheint mir, auf das philosophische Werk Nietzsches insgesamt bezogen, nicht zu entkräften zu sein. Doch erschwert es, das produktiv Neue zu entdecken und zu entfalten, das Nietzsche als Kritiker der traditionellen Metaphysik zweifellos hatte. Ich reklamiere hier einen durch Freud gelesenen Nietzsche gegen Bloch als einen *Denker des Konfliktes*. Nicht um Nietzsche willen, sondern um der Sache willen: erlaubt es doch am Übergang von Natur zu Kultur die theoretische Unmöglichkeit eines ersten Ursprungs zu zeigen, eines Ursprungs jedoch, den es dennoch gegeben hat und den wir permanent neu schaffen[50]. Dafür soll im folgenden Nietzsches Interpretation von Prometheus und Ödipus einstehen.

---

[49] J. Habermas: "Der philosophische Diskurs der Moderne: 12 Vorlesungen". Frankfurt/M. 1985, S. 106f.

[50] Im Denken Freuds bin ich dem nachgegangen in: "Nachträglichkeit des Ursprungs – Das Trauma des Wolfmannes in: Luzifer–Amor – Zeitschrift zur Geschichte der Psychoanalyse, Heft 4, S. 89–130

Schuld ist es, was beide großen Gestalten der antiken Tragödie, Prometheus wie Ödipus, in den Augen Nietzsches auf sich laden. Sie, die beiden großen Kulturstifter, können in grausamer Paradoxie den Übergang von Natur zu Kultur für die Menschheit eröffnen, indem sie einen höchsten letzten Frevel auf sich laden. Dadurch - und nur dadurch -, daß sie bereit sind, diese Schuld auf sich zu laden, werden sie zu Stiftern der Kultur.

Prometheus, der aktive Licht- und Feuerbringer, frevelt, indem er dieses wilde, vom Menschen ungezügelte und bisher unzügelbare Element seiner ebenso gewaltigen wie gewaltsamen Erhabenheit beraubt; zur Glut minimiert, schließt er es in eine Fenchelknolle ein und bringt es in dieser ungefährlichen Form den Menschen, die sonst nicht mit ihm umzugehen wüßten, als Geschenk: "daß aber der Mensch frei über das Feuer waltet und es nicht nur durch ein Geschenk vom Himmel, als zündenden Blitzstrahl oder wärmenden Sonnenbrand, empfängt, erschien jenen beschaulichen Ur-Menschen als ein Frevel, als ein Raub an der göttlichen Natur".[51]

Die Bezähmung des Feuers, notwendige Voraussetzung jeder Kultur, erkauft das Menschengeschlecht um den Preis eines ersten Schuldgefühls, das es nicht mehr verlassen wird. "Und so stellt gleich das erste philosophische Problem einen peinlichen unlösbaren Widerspruch zwischen Mensch und Gott hin und rückt ihn wie einen Felsblock an die Pforte jeder Kultur. Das Beste und Höchste, dessen die Menschheit teilhaftig werden kann, erringt sie durch einen Frevel und muß nun wieder seine Folgen dahinnehmen, nämlich die ganze Flut von Leiden und Kümmernissen, mit denen die beleidigten Himmlischen das edel emporstrebende Menschengeschlecht heimsuchen - müssen...[52]"

Diese erste kulturstiftende Tat, möglich nur dem Mutigen, der sich über die Angst vor Strafe hinwegsetzte, indem er seinen Willen der bisher unüberwindbaren Naturordnung aufprägt, setzt eine unaufhebbare Differenz zwischen dem Ich des entschieden Handelnden und den beleidigten Mächten der Natur, personifiziert dargestellt in den Göttern: deren Repräsentanz im Inneren des Menschen nennt Freud bekanntlich das Über-Ich. Und erst die permanent aufrecht erhaltene Differenz, die schmerzhafte Kluft zwischen den Wünschen des Menschen und den Ansprüchen der Moral, schaffte die innere Bereitschaft zu dem, was die Voraussetzung jeder Kultur bildet: Triebbeherrschung. Hat die Menschheit die Gewinnung des Feuers erst einmal zum Frevel erklärt, so hat sie damit sich selbst im gleichen Akt den Gott geschaffen, der sie von nun an durch ihr nicht zu beschwichtigendes schlechtes Gewissen unterdrücken kann - und soll.

Der Konflikt verdient wahrhaft die Kennzeichnung tragisch. Gezwungen durch die Not seiner eigenen Natur, stellt sich der Mensch in einem ersten Akt gegen dieselbe - schützt von nun an sich als das besonders hilflose Wesen, das er im Vergleich mit den Tieren ist, durch den Einsatz seines Wissens und begeht mit diesem Wissen, das ihn aus der Zugehörigkeit zu den anderen Naturwesen schlagartig und für immer herausheben wird, einen ersten Frevel: als letzten Akt seiner Zugehörigkeit zum Naturzusammenhang wie als ersten seiner neugewonnenen kulturellen Freiheit - gebeugt von nun an nicht mehr von den Mächten der Natur, sondern von der niemals schlafenden Macht des Gewissens.

Was für Prometheus in der Auseinandersetzung mit der äußeren Natur gilt, was die Erfindung der Technik von vornherein zeichnet in den Augen Nietzsches, das findet seine soziale Entsprechung im Bereich der Familie in der Gestalt des Ödipus. Dieser Klügste der Menschen, der das Rätsel der Natur - "jener doppelgearteten Sphinx" - löste und alles tat, um der Weissagung des delphischen Orakels zu entkommen, dieser unglückliche Mann "muß auch als Mörder des Vaters und Gatte der Mutter die heiligsten Naturordnungen zerbrechen."[53] Das Wissen des Ödipus, das die Kraft hat, die Natur mit ihren Schrecken in den Abgrund der Vernichtung zu stürzen, erfährt rückwirkend die Auflösung der Natur an sich selbst: durch die selbst vollzogene

---

[51] Nietzsche aaO., S. 59

[52] Nietzsche aaO., S. 59

[53] ders. aaO., S. 59

grausame Auslöschung des Augenlichts. Nietzsche interpretiert den Inzest als eine "ungeheure Naturnotwendigkeit".[54] Der magische Bann der Natur kann gebrochen nur dort werden, wo eine ungeheure Naturwidrigkeit als "Ursache" ihren ewig wiederkehrenden Kreislauf zerbricht: "Denn wie könnte man die Natur zum Preisgeben ihrer Geheimnisse zwingen, wenn nicht dadurch, daß man ihr siegreich widerstrebt, d.h. durch das Unnatürliche?"[55]

Das Besondere der Antike liegt für Nietzsche in deren *Bekenntnis* zu ihren *kulturstiftenden Freveltaten*. Im *Eingeständnis ihrer Schuld* liegt für ihn ihre Erhabenheit. Darin sieht er gar die "eigentliche prometheische Tugend", die ihm zugleich als der "ethische Untergrund der pessimistischen Tragödie" erscheint: "Rechtfertigung des menschlichen Übels, und zwar sowohl der menschlichen Schuld als des dadurch verwirkten Leidens."[56] Stolz, nicht Unterwerfung ist das Zeichen dieser Anerkennung.

Man mag darin eine in Grandiosität und Heroismus gewendete Form von Lust am Leiden, eine Form von moralischem Masochismus erblicken, der eher einem im strengen Schulpforta erzogenen, abtrünnigen Pfarrerssohn entspricht als den Griechen, auf die er gemünzt ist, man mag den selber wieder mystifizierenden Ton bedauern, das Pathos hohl und die Konstruktion zu abstrakt finden - bedeutend an dieser *Theorie von Kulturstiftung* ist die *Dimension eines prinzipiellen Konflikts*, der dem Menschen mit Eintritt in die Sphäre der Kultur notwendig auferlegt ist. Er läßt eine Vorgeschichte zurück, in die er nicht mehr zurückkehren kann und darf, nachdem das Wissen in ihm erwacht ist. Dieses Wissen, Unterpfand seiner Kulturfähigkeit, macht ihn schuldig: schuldig an der Vorgeschichte, deren Untergang er ebenso unvermeidbar wie aktiv betrieben hat, schuldig auch gegenüber den Göttern, die das Wissen selbst inthronisiert, nachdem es doch ursprünglich ihren Sturz als vornehmste Aufgabe betrieben hatte.

Die *Wiederkehr der Götter in Gestalt des Über-Ich*: das nicht zuletzt beschreibt die Macht der Moral und die Grenze der Vernunft. Entstanden aus einer für das Bewußtsein nicht mehr zugänglichen, allenfalls nur in Spuren greifbaren Vorgeschichte, aufgetreten mit dem Wahn, autonom sein und die Herrschaft der Natur bannen zu können, scheitert sie in ihrer Hybris schließlich an sich selbst, indem sie den von ihr selbst geschaffenen Konflikt zwischen sich und den Göttern nicht überwinden kann.

Auch Freud, kühler und im Unterschied zu Nietzsche immer eindeutig der Aufklärung verpflichtet, liest den Ödipuskomplex eines jeden Individuums als eine Tragödie. Nicht weniger als Nietzsche versucht er, weit über die Individualpsychologie hinaus, mit seinem Konstrukt des Ödipuskomplexes den Übergang von Natur zu Kultur zu beschreiben. Jedes neurotische Symptom kündet demnach vom Scheitern dieses Kulturprozesses: ebensosehr Ausdruck einer Rebellion des Triebes, der sich in seinem Glücksstreben nicht unterjochen lassen will, wie Eingeständnis der Macht eines tyrannischen Über-Ichs, unter dessen Peitsche sich das Ich resignierend gebeugt hat. Jedes Symptom bezeugt denn auch die mangelnde Kraft eines Wissens, das sich zum Vollstrecker der Wünsche des Über-Ich macht und die ebenso untergegangene wie gleichwohl noch wirksame Vorgeschichte der Kindheit - die Erinnerung an eine in Unglück und Kränkung untergegangene Liebe, an Todesangst und Abhängigkeit, an Empörung und gescheiterte Rebellion, an Inzestwünsche und Mordgelüste - nicht in die Autonomie seines erwachsenen Ich aufnehmen kann. Das Resultat ist bekannt: der Bereich des Wissens wird immer schmäler, der Anteil des Verdrängten vergrößert sich zunehmend, das Über-Ich herrscht mit der Macht aller verpönten grausamen Triebe. Und immer lauter preist das verarmte Ich sich selbst als frei und selbstbestimmt.

Gestalten wie Ödipus und Prometheus, so läßt sich im Umweg über diese kleine Freud-Lektüre Nietzsche interpretieren, Gestalten wie sie, rücken nicht nur durch ihr Tun und Leiden "einen

---

[54] ders. aaO., S. 57

[55] ders. aaO., S. 57

[56] ders. aaO., S. 59

Felsblock an die Pforte jeder Kultur".[57] Sie sind dieser Felsblock selber. Unverrückbar bewachen sie die Grenze, hinter der alle Sterblichen hervorkommen wohin sie jedoch niemals mehr zurück dürfen - es sei denn um den Preis von Tod oder Wahnsinn. Als Zeugen, in die der Mensch seinen prinzipiellen Konflikt als Natur- und Kulturwesen zugleich eingraviert hat, künden sie von einem hinter ihnen liegenden Kontinent, der in der Dunkelheit der Vorgeschichte untergegangen ist. Von dessen direkten Quellen mußte sich die menschliche Kultur selbst abtrennen. Wie die Säulen des Herkules bewachen diese Gestalten nunmehr die Grenze, die Natur von Kultur für immer trennt, nachdem das Bewußtsein entstanden ist, das die alten Mächte der Natur besiegt und unterdrückt hat - und sie rückwirkend als seine bloße Vorgeschichte vergessen machen will.

Unumkehrbar der Prozeß selbst, verweisen die beiden frevelnden Kulturstifter auf eine Herkunft, die weit vor dem Wissen liegt. Es kann sie nicht abstreifen, immer bleibt es von dieser für es selber gleichwohl nur indirekt zu erschließenden Vorgeschichte abhängig. Prometheus wie Ödipus verkörpern ebensosehr die Gefahr im Umgang mit der Natur, ihr Leiden verkündet den Preis der Kulturstiftung, aber indem sie ihr Tun als einen Frevel bezeichnen, klagen sie nicht nur das alte Recht dieser untergegangenen Welt ein, sie sind auch eine mahnende Warnung an das allzu selbstherrliche Bewußtsein, den hinter ihnen liegenden dunklen Kontinent zu unterwerfen.

Zu den Anmerkungen

Ernst Bloch wird durchgehend zitiert nach der "Gesamtausgabe in sechzehn Bänden und einem Ergänzungsband" (GA), Frankfurt/M. 1959ff. Abkürzungen: GdU: Geist der Utopie, PH: Das Prinzip Hoffnung, EdZ: Erbschaft dieser Zeit

---

[57] ders. aaO., S. 59

Utopia.
Antik - Modern - Postmodern
von
Bernhard Kytzler

I. *"Utopia" als Wort und als Begriff*

Zu den meist zitierten Aperçus zum Thema Utopie zählt des geistreichen Oscar Wilde amüsantes Dictum, eine Landkarte, auf der die Provinz Utopia nicht verzeichnet sei, lohne gar nicht erst den Blick. Das brächte, wollte man es ernster nehmen, als es gemeint ist, nicht nur die modernen Kartographen in Verlegenheit - denn wo sollten sie wohl Utopia lokalisieren? Es brächte vor allem mit sich, daß alle vor dem 2. Jahrzehnt des 16. Jahrhunderts gezeichneten Karten in Fortfall kommen müßten. Denn "Utopia", seinem schönen altgriechischen Klang zum Trotz, ist nun einmal keine Wendung aus dem Wortschatz Platons oder Plotins, es gehört weder nach Hellas noch nach Byzanz, sondern in unseren nebligen Norden. Geprägt hat es ein Londoner Sheriff, Ort des Geschehens waren die Niederlande, der Titel gibt sich griechisch, die Sprache ist Latein, erste Druckorte sind in Belgien, Frankreich und der Schweiz die Städte Louvain, Paris und Basel, wo auch schon im Jahre 1524 die erste deutsche Übersetzung erscheint. Bald treten viele weitere Länder hinzu. In unserem Jahrhundert ist der Autor, 400 Jahre nach seiner Hinrichtung, vom Vatikan 1935 heiliggesprochen worden. Wie man sieht, hat ein Gutteil Europas an der Wiege des Wortes und des Werkes gestanden.

Freilich, das Wort, das sich so gut griechisch gibt, ist selbst kein gutes Griechisch. Um ein Substantiv oder Adjektiv zu verneinen, verwendet diese Sprache stets das sog. *alpha privativum*, wie es aus amusisch und apolitisch, arhythmisch und anormal bekannt ist. Die Silbe *ou*, die den ersten verneinenden Bestandteil des Wortes *Utopie* bildet, ist normalerweise dazu bestimmt, Sätze zu verneinen, nicht jedoch Wörter in Zusammensetzungen. Morus also ein sprachlich irrender Wortschöpfer? Ein hilfloser Hellenist?

Die korrekte Wortbildung *atopia* blieb ihm freilich versperrt. Dieses Wort existierte schon in der Antike; dort hat *atopos* die Bedeutung "nicht am rechten Ort", d. h. soviel wie "verkehrt, verwirrt, widersinnig". Es kam also nicht in Frage. Doch war es mehr als nur ein bequemer Ausweg, wenn Morus das sprachlich unpassende Präfix *ou* wählte. Seine Intention wird in einem einleitenden Hexastichon erklärt, welches am Beginn seiner Anfangs- und seiner Schlußzeile zwei Wörter kontrastiert: "'Utopia' nenne ich mich", heißt es da, ich übertreffe sogar Platons Staat, der nur in Worten darbot, was ich "mit Männern, Schätzen und optimalen Gesetzen" darbiete: Drum "ist mein rechter Name nicht 'Utopia', sondern 'Eutopia'". Lesen wir das englisch, so ergibt sich das anvisierte Wortspiel - das *Nichtland* Utopia ist zugleich ein *Wohlland* Eutopia, ein Glücksland; das bezeichnet die Vorsilbe *eu*, das griechische Adverb für "gut" oder "wohl", bekannt aus Bildungen wie Eugenik und Euthanasie, wie Euphemismus und Euphorie.

Mit dem Doppelsinn des Namens zeigt sich auch Doppelsinn der Idee: Gezeichnet wird mit "Outopia" alias "Eutopia" ein unwirkliches Glücksland. Es dient als Gegenmodell zu realen Mißständen, als Wunscherfüllung für die Lösungen eines Unbehagens, das der Autor samt seiner Zeit empfinden mag. Solches Unbehagen kann aus den Beschränkungen der Natur herrühren, es mag sich manifestieren in Hunger und Durst, Hitze und Kälte, Krankheit und Tod, in schwer zu bewältigenden Lasten und mühselig weiten Entfernungen. Andererseits kann solches Unbehagen auch herrühren aus den Problemen des menschlichen Miteinanders, es mag familiäre oder gesellschaftliche Ursachen haben: in harten Gesetzen, Willkür der Obrigkeit, Diktatur oder gar Tyrannei, in belastenden Bräuchen und schwierigen Sittenvorschriften. Daß dieses

Unbehagen von Stamm zu Stamm und Volk zu Volk, von Kultur zu Kultur und Epoche zu Epoche unterschiedlich empfunden werden mag, ist ebenso gewiß wie die Gemeinsamkeit der Wurzel utopischen Kalküls aus dem Widerwillen gegen Mißstände, aus dem Unbehagen an Belastungen und Belästigungen. Und in dem doppelten Ausgangsbereich solchen Unbehagens, in seiner Herkunft entweder aus den Gegebenheiten der Natur oder den Gepflogenheiten der Gesellschaft, zeichnet sich der alte griechische Gegensatz von *physis* und *nomos* ab, von 'Natur' und 'Satzung'.

Nun mag ein solches unwirkliches Glücksland in räumlicher Ferne angesiedelt sein, so wie ja des Morus Utopia eine entlegene Insel ist, unerreichbar und unauffindbar gleich den alten mythischen Inseln der Seligen oder dem Lande der Hyperboreer. Andererseits ist auch statt der räumlichen eine zeitliche Distanz denkbar, eine Entfernung des Traumlandes entweder in grauer Vorzeit, also im Paradies, vielleicht auch in der 'Goldenen Zeit', in der Ära des Kronos resp. des Saturn, oder aber in fern entlegener Zukunft, weit voraus in der Zeit, wenn nicht gar am Ende aller Zeit. Als Anfang des 16. Jahrhunderts seine humanistischen Zunftkollegen Morus tadelten, daß er ein so ungeschicktes griechisches Wort geprägt hatte für sein zunächst so schön lateinisch formuliertes *Nusquama* = Nirgendland, da brachte der Humanist Budaeus eine interessante Wendung in Vorschlag: *Oudepotia* solle das Land heißen, also nicht *Nirgendsland*, sondern *Nimmerland*. Das sprachlich korrekt geprägte, gedanklich reiche Wort hat sich jedoch nicht durchgesetzt, die leicht liederliche, lustig doppelsinnige Formulierung des Morus hat sich behauptet und so bewirkt, daß wir nicht über *Nusquamie* diskutieren oder über *Oudepotie* disputieren, sondern unser Diskurs der *Utopie* gilt.

Nun gilt es weiterhin noch zu unterscheiden zwischen zwei kontrastierenden Formen utopischen Denkens. Die eine wird am besten durch das Schlaraffenland verdeutlicht: In der Tat, ein unwirkliches Glücksland, ganz wie die Definition es gebeut. Doch ist solch kindlich voraussetzungsloser Traum nicht mehr als eine simple Beschreibung eines bestimmten Glückszustandes - der Weg zu ihm wird nicht gewiesen. So möchte ich das Gegensatzpaar von *deskriptiven* Utopien auf der einen Seite gebrauchen und von *konstruktiven* auf der anderen, jenen nämlich, die das Glück für machbar erklären, die den Weg weisen wollen, welchen wir wählen sollen, um es zu erreichen.

Lassen wir es nun genug sein mit diesen drei Kategorisierungen der Provinz Utopia, sei sie deskriptiv oder konstruktiv gesehen, sei sie ein Wunschraum oder eine Wunschzeit, eine Kritik an der *physis* oder am *nomos*. Wenden wir unseren Blick auf die Hauptalternative dieses Essays:

II. Antike versus moderne Utopie

Hier begegnen uns bereits im Vorfeld zwei Schwierigkeiten. Die eine ist die der Chronologie: Wann wandelt sich die 'Antike' zur 'Moderne'? Und zweitens, grundsätzlicher noch: Wenn die Utopie erst 1516 von Thomas Morus geschaffen wurde, wie können wir dann von 'antiker Utopie' überhaupt zu reden wagen?

Zur zweiten Frage zuerst: Wie spät immer das inkorrekte *Wort* geprägt sein mag, der von ihm bezeichnete *Inhalt* existierte schon Jahrhunderte zuvor. Die Vorstellungen trugen andere Namen, bezeichneten mit diesen aber die nämliche Glückserwartung: Die Inseln der Seligen, die Gärten der Hesperiden, das Land der Hyperboreer im Norden, das so glückselige wie unzugängliche Thule oder auch das Paradies des Ostens, daneben dann die frühe Goldene Weltzeit, die Herrschaft des Kronos oder Saturn. Mythisches Gut, gern wiederholt von den Poeten, gelegentlich zitiert von den Philosophen, bot deskriptive Utopien genug. Das konnte sich auf den gesamten Lebenszustand beziehen, konnte aber auch nur ein einzelnes Unbehagen bildlich überwinden: Die Flügelschuhe des Hermes im Mythos, der Lufttransport im Greifenwagen der

Alexander-Legende seien stellvertretend genannt; dazu all die Automaten und Roboter, die wir in Homers Werk[1] antreffen - und zwar in Form von selbständig sich bewegenden, die Gäste bedienenden Dreifüßen - wie ebenso in den Phantasien der alten Komödie[2] - in Form von selbsttätig sich wendenden Bratspießen u. dergl..

Neben solcher bis zur Skurrilität gehenden deskriptiven Utopie steht dann aber der große Bereich der konstruktiven. Von dieser sei andeutend einiges erwähnt. Schon vor Plato waren verschiedene Denker dabei, Modellgesellchaften zu entwerfen. Im zweiten Buch seiner *Politik* referiert Aristoteles über die Entwürfe des Phaleas von Chalkedon und des Hippodamos von Milet. Der erstgenannte, so hören wir in Kap. 7, "fordert nämlich, daß der (Grund)besitz der Bürger gleich sein müßte. Die (Besitzgleichheit) ließe sich, so meinte er, in Staaten gleich bei ihrer Gründung nicht schwer herstellen, in schon bestehenden sei das zwar schwieriger, dennoch könnte der Besitzunterschied dadurch sehr schnell ausgeglichen werden, daß die Reichen wohl Mitgift geben, aber nicht bekommen, die Armen zwar nicht geben, jedoch bekommen."[3] Phaleas präsentiert sich uns so als Stammvater der Losung "Make love not war" - Aristoteles widmet der Widerlegung dieses Theorems immerhin viereinhalb Seiten. Ähnlich steht es auch mit dem Architekten Hippodamos von Milet: "Dieser hat", wie Aristoteles bemerkt, "es als erster unter denen, die nicht aktive Staatsmänner waren, unternommen, den Entwurf eines besten Staates zu geben". Hippodamos, nach dessen Rastermodell für Städte noch heute Orte wie Mannheim und Manhatten angelegt sind, wird von Aristoteles kritisch gesehen: Er sei eitel gewesen, habe geckenhaft gewirkt, sein Haar, so wird mißbilligend erwähnt, sei lang und wohlgepflegt gewesen, auch die auffallende Kleidung wird kritisiert und schließlich vor allem die Anmaßung, als Naturphilosoph gelten zu wollen. Immerhin referiert Aristoteles eingehend über den Entwurf des Hippodamos. Dieser legte seinem Staatsmodell die Zahl von 10 000 Bürgern zugrunde und teilte dann jegliches in drei Gruppen oder Teile ein: drei Stände, nämlich Handwerker, Bauern, Krieger; drei Landklassen, nämlich privates, öffentliches, heiliges; drei Arten von Gesetzen, nämlich gegen Ehrverletzung, Schädigung, Totschlag.

Nun geht Aristoteles bekanntlich nicht nur mit diesen beiden Vor-Denkern ins Gericht, er wendet sich auch kritisch gegen die Thesen der *Politeia* Platons, an deren Diskussion er gleich auch noch einige Punkte aus dem späteren Werke Platons, den Gesetzen = *Nomoi*, anschließt. Es ist immer wieder bezweifelt worden, daß in Platons Staatsschrift wirklich eine Utopie vorliegt. Doch wird sich daran nicht zweifeln lassen. Während der Autor der *Gesetze* immer wieder den Blick auf die Wirklichkeit und ihre Möglichkeiten bzw. Unmöglichkeiten richtet, heißt es in der *politeia* eindeutig[4], der hier diskutierte Staat "liegt in unseren Gedanken (= *logois*), denn ich glaube nicht, daß er auf der Erde irgendwo zu finden sei. Aber im Himmel ist doch vielleicht ein Muster (= *paradeigma*) aufgestellt für den, der sehen und nach dem, was er sieht, sich auch selbst einrichten will. Es gilt aber gleich, ob ein solcher irgendwo jetzt lebt oder jemals leben wird." Es scheint, hier ist das U-topische - das "keinen-Platz-in-der-Welt-haben" - mit aller wünschenswerten Deutlichkeit vom Autor selbst ausgesprochen.

Umgekehrt ist auch von den antiken Rezipienten Platons *res publica* als utopisch gesehen worden, so sehr, daß dieses Werk zu einer Art Gattungsbezeichnung geworden zu sein scheint. Mark Aurel[5] etwa warnt: "Warte nicht auf Platons Staat!" Μὴ τὴν τοῦ Πλάτονος πολιτείαν ἔλπιζε! Desgleichen spricht Cicero[6] von der Phantasiestadt Platons = *illa commenticia Platonis civitas* und von dem neuen fiktiven Staatsgebilde in den Büchern des Griechen = *novam quandam finxit in libris civitatem*. Damit ist zugleich eine erste Antwort gegeben auf die Frage, wie

---

[1] Ilias 18, 373–377; 417–420

[2] Athenaios, Deipnosophistoi 6, 267ff.

[3] Aristoteles, Politik Buch II/III, übersetzt und erläutert von Eckart Schütrumpf, Berlin 1991

[4] 592 ab

[5] 9. 29, 5

[6] de or. 1, 224 und 230

die Antike ihr utopisches Gedankengut selbst benannte, da doch das jetzt gängige Wort noch gar nicht geprägt war. Neben Platons Staat, jenem *paradeigma*, finden dann andere Namen oder Umschreibungen ihren Platz, etwa des Aristophanes drolliges Wortgebilde "Wolkenkuckucksheim" = *nephelokokkygia*, oder aber der von den Protagonisten seiner Komödie *Die Vögel* gesuchte "ungestörte friedliche Ort", der *topos apragmon*[7], wovon sich ein Echo findet in der Bezeichnung *apragopolis*: Diese gab Augustus[8] einer Nachbarinsel von Capri, womit er das idyllische Faulenzerleben jener seiner Hofleute umschrieb, die sich dorthin zurückgezogen hatten. Neben solche mehr spielerische Substantive treten dann auch die ernsthafteren Wendungen aus Philosophenmund, wo die beste Verfassung, die *ariste politeia*, Thema ist, andernorts die Bezeichnungen *Mythologiai* oder *Mythologoumena*, also etwa 'Sagen' und 'Sagengeschichten', wie Diodor[9] die Erzählungen von den Hyperboreern nennt. Schließlich ist es auch seinerzeit schon das verneinende umschreibende Wort oder Satzgebilde, das die Unzugänglichkeit der fernen Traumwelt andeuten soll, so wenn Pindar, ebenfalls über die Hyperboreer, sagt[10]:

Nicht zu Schiff noch wandernd zu Fuß fändest du wohl
Zu der Hyperboreer Fest den wunderbaren Weg.

So ähnlich hat auch schon Homer bei der Beschreibung der Phäaken gesprochen, die sich in seinem Epos folgendermaßen vorstellen[11]:

Fernab wohnen wir hier, umringt vom rauschenden Meere,
Ganz am Rande, und keiner der anderen Menschen besucht uns.

Anstatt nun die - meist gewiß gut genug bekannten - Grundzüge von Platons Staatskonstrukt samt Korrekturen in den *Gesetzen* ein weiteres Mal zu referieren, seien lieber einige weitere weniger bekannte Texte skizziert, um so das Panorama zugleich breiter und bunter werden zu lassen. Hier soll eine Pentade von *poleis* portraitiert werden, die sich nur aus Fragmenten bei späteren Referenten erkennen lassen, als Gesamtbild aber untergegangen sind. Es sind dies die Darstellungen des Euhemeros und Jambul, Theopomp und Hekataios sowie schließlich der *expositio totius mundi et gentium*.

Euhemeros, der Namensgeber der mythenerklärenden Methode des Euhemerismus, um 300 v. Chr. lebend, verfaßte eine Schrift *hiera anagraphe*, "Die heilige Inschrift". Das verlorene Werk war von Ennius latinisiert worden, die Kirchenväter schöpften gern aus dieser Quelle, und auch Diodor[12] gibt eine genügend gute Zusammenfassung. Danach liegen laut dem Bericht des Euhemeros die wunderbaren Inseln "am äußersten Ende von Arabia Felix, dem Land gegenüber", so daß man an guten Tagen sogar Indien in der Ferne sehen kann; sie sind durch Fernhandel unmittelbar mit Phönizien, Koile-Syrien und Ägypten verbunden und dadurch mittelbar mit der ganzen Oikumene verflochten, sie werden von weithergereisten Ausländern besucht, von Kretern und Skythen, Indern und Okeaniten. Die Hauptsache: "Eine bemerkenswerte Stadt befindet sich auf der Insel, mit Namen Panara. Sie genießt ungewöhnlich glückliche Zustände" (= *eudaimonia*).

---

7 Vers 44
8 Sueton 98, 4
9 2, 47
10 Pyth. 10, 29f.
11 Od. 6, 204f.
12 5, 41f.

Diese *Eudaimonia*, ihr glücklicher Zustand, ist es also, der diese zunächst so real eingeführte Inselgruppe zu einer besonderen macht. Zu ihren Vorzügen gehören zweierlei Besonderheiten: Da ist einmal die gütige Natur, die alles reichlich spendet: Quellwasser, wohlschmeckend und auch gesundheitsfördernd, Bäume mit Nahrung in Hülle und Fülle, dazu Weinstöcke mit edlen Trauben. Viele Vögel erfreuen durch ihren Gesang, reichliche Vorkommen von Silber und Gold, Zinn, Kupfer und Eisen, aber auch von besonders feiner Wolle zeichnen den Archipel aus. Neben solcher von der *physis* gewährten Vorsorge steht aber auch die - wie Euhemeros meint - optimale Regelung des *nomos*. Außer Haus und Garten gibt es keinen Privatbesitz. Die Bevölkerung ist in drei Klassen gegliedert, unterscheidet aber fünf Stände: Zur ersten Klasse zählen die Priester samt den Handwerkern, zur zweiten die Bauern, zur dritten Soldaten und Hirten. Die Priesterkaste verdient besondere Aufmerksamkeit: "Sie fungieren als Führer in allen Fragen, in Streitfällen treffen sie die Entscheidungen und bestimmen alle öffentlichen Angelegenheiten". Hinzu kommt noch eine besonders delikate Funktion: Bauern und Hirten müssen ihre Produkte an die Gemeinschaft abführen; für erfolgreiches Arbeiten erhalten die Produzenten eine Sonderprämie, und "die Priester entscheiden, wer als erster gilt und wer als zweiter und die übrigen bis zum zehnten, um sie anzuspornen. Alle Produkte und Einkünfte werden von den Priestern in Empfang genommen und von ihnen an alle gleich verteilt; allein die Priester erhalten einen doppelten Anteil." *Difficile est saturam non scribere* - diese Privilegierten sehen sich nicht nur von der allgemeinen körperlichen Arbeit der anderen vier Stände freigestellt, sie erhalten dafür auch noch doppelte Löhnung. Diese Führungskader stehen "hoch über allen im Luxus, in der Eleganz und dem Aufwand ihrer Lebensführung. Sie tragen Gewänder aus Leinen von der feinsten und weichsten Sorte, mitunter auch Kleidung gefertigt aus weichster Wolle. Ihre Kopfbedeckung ist mit Gold geziert, ihr Schuhwerk farbenfroh und besonders kunstvoll gearbeitet." Nicht genug damit, diese Oberschicht hat sich auch ihre spezielle Wandlitz-Siedlung reserviert: "Der hügelige Bezirk, auf dem sie wohnen, ist für das Volk streng verschlossen." Realistisch genug fügt Euhemeros hinzu: "Die Priester dürfen ihren heiligen Bezirk auf keinen Fall verlassen. Geht dennoch einer heraus, so darf ihn jeder, der ihn trifft, totschlagen."

Interessant an diesem Entwurf des Euhemeros erscheinen zwei Punkte: a) Zur Sicherung der Eudaimonie seiner Geschöpfe fügt der Autor sowohl deskriptive Elemente mit schlaraffenlandartigen Zügen ein wie auch konstruktive Überlegungen, in dem jeder seinem Stand entsprechend eingesetzt ist; b) gemeinsamer Besitz, Arbeitszwang und Kastenwesen sollen Eudaimonie herbeiführen, doch ist andererseits auch erkannt, daß die Abschaffung von Privateigentum zu Schlendrian und Gleichgültigkeit führt, so daß dagegen ein Prämiensystem Anreize zu engagierterer Pflichterfüllung setzen muß; das 20. Jahrhundert hat europäische Länder gesehen, die diese Züge der Utopie verwirklichten und sie unter dem Namen Stachanow- resp. Hennecke-System einsetzten.

Diodor, der uns von Euhemeros so schöne Details erhalten hat, hat auch 6 1/2 Seiten über Jambul zu erzählen gewußt. Dieser Autor des 3. Jahrhunderts v. Chr. berichtet als Ich-Erzähler über seine Gefangennahme erst durch Räuber in Arabien, hernach durch Äthiopier, die ihn zusamt einem Gefährten zwecks kultischer Reinigung des Landes auf einer Barke ins Meer aussenden, wo sie eine "glückliche Insel" finden würden mit "guten Menschen", wo sie dann auch selbst ein glückseliges Leben führen würden. Dieses Glück werde auch dem Lande ihrer Aussendung zuteil werden. Der Rahmenerzählung am Beginn korrespondiert eine andere, kürzere am Ende: Die beiden Sündenböcke haben tatsächlich die Glücksinsel erreicht und dort selig gelebt, sie werden aber nach sieben Jahren vertrieben "als notorische Übeltäter, erzogen zu schlechten Sitten." Beim Schiffbruch vor Indien kommt der Begleiter ums Leben, Jambul aber kann sich retten und heil nach Hellas heimkehren.

Auch hier begegnen wir wiederum der nämlichen Mischung von schlaraffenländischer Phantastik und staatstheoretischem Kalkül. Obschon am Äquator gelegen, genießt das Land eine wunderbar ausgeglichene Temperatur, das ganze Jahr hindurch reifen ganz von selbst (= *automa-tos*) die Früchte in bunter Fülle und verwirklichen so den Homervers aus dem Phäakenbericht[13]:

Birne reift auf Birne heran und Apfel auf Apfel,

Traube gelangt auf Traube und Feige auf Feige zum Vollwuchs.

Hinzu treten nun bizarre Besonderheiten skurriler Körperformen. Am reizvollsten das Detail, daß die Bewohner eine gespaltene Zunge besitzen und so simultan synchrone Gespräche mit zwei verschiedenen Partnern zu führen vermögen - welcher Politiker wäre da nicht neiderfüllt? Die gütige Mutter Natur hat dazu auch noch für einen Ausgleichsmechanismus gesorgt: Wen solch zwiefältiges Geschnatter und Geräusch unangenehm belästigt, der kann einen beweglichen Ohrendeckel zuklappen und sich so zu seliger Ruhe abschirmen.

Interessanter als derart pittoreske Partikularitäten sind die politischen Praktiken auf dieser Glücksinsel. Die Bevölkerung ist in Großfamilien gegliedert bis zu jeweils maximal 400 Mitgliedern. Erziehung und Ausbildung, *paideia*, sowie Sternkunde, *astrologia*, stehen hoch im Kurs. Das Alphabet besteht aus sieben Zeichen mit jeweils vier Abwandlungen; die 28 Charaktere werden senkrecht von oben nach unten geschrieben. Auch hier ist Weiber- und Kindergemeinschaft der Brauch, dazu die Euthanasie: Zwar reicht die Lebensdauer bis zu 150 Jahren, doch scheidet dann jedermann durch Freitod aus dem Leben, desgleichen schon zuvor, wer an einer Verkrüppelung oder an einem Gebrechen leidet. Die Führung obliegt dem jeweils Ältesten der Gruppe, bis er nach den Regeln der Konvention seinem Leben ein Ende setzt und der Nächstälteste nachrückt - d. h. daß bei ca. 200 männlichen Mitgliedern jeder ca. ein dreiviertel Jahr als Führer fungiert. Auch die Diät ist gut und gründlich geregelt: Es gibt einen Rotationsplan für alle Speisen, die aus Gesundheitsgründen täglich wechseln und zyklisch wiederkehren, einen ebensolchen Plan auch für alle Arbeiten und Verrichtungen, die umschichtig jedem einzelnen aufgegeben sind.

Dieses Land ist, wie man sieht, weit mehr rationalen Regelungen unterworfen, als es sonst bei anderen derartigen Phantasieländern der Fall ist. Insofern hat die Beweisführung von Widu-Wolfgang Ehlers viel für sich[14], hier einen in der Form der *interpretatio graeca* gegebenen Reisebericht über Ceylon zu sehen. Doch gleich ob umschriebenes Abbild der Wirklichkeit oder freies Phantasieren - in jedem Fall ist die Darstellung insgesamt einer entscheidenden Systematisierung unterworfen und zu einem theoretischen Konstrukt verarbeitet worden.

Wir wollen uns bei den drei verbleibenden Fabelländern kürzer fassen. Theopomps Bericht über die Meroper, aus dem achten Buch seiner *Philippika*, bei Ailian in der *Varia Historia* zusammengefaßt[15], erzählt von einem weit entfernten Festland von unvorstellbarer Größe, das den Weltstrom Okeanos umgibt, in welchem wiederum Europa, Asien und Afrika nur kleine Inseln sind. Dort ist alles größer als hier, die Menschen werden doppelt so groß und leben doppelt so lang. Sie werden ihres eigenen Glückes erst so recht inne, als sie bei einer Expedition in unsere Weltgegend als erste auf die Hyperboreer trafen, die ja hierseits als die Glücklichsten aller Sterblichen gelten, jenen aber als so ganz und gar miserabel erschienen, daß sie erschrocken umkehrten und stracks wieder heimfuhren. Ebenfalls über die Hyperboreer berichtet auch Hekataios. Wie wir bei Diodor erfahren[16], sind sie Bewohner jener Nordinsel, die sich eines sehr ausgeglichenen Klimas erfreut, so daß jede Art von Gewächsen gedeiht und die Ernten zweimal

---

[13] Od. 7, 120f.

[14] *Würzburger Jahrbücher* 11, 1985, 73-84

[15] 3, 18

[16] 2, 47

im Jahre Nahrung spenden. Die besondere Beglückung des Landes freilich ist der alle neunzehn Jahre wiederkehrende Besuch des Gottes Apoll.

Zur Abrundung noch ein ergänzender Blick auf die *Expositio totius mundi et gentium*, einen geographischen Traktat wohl aus der Mitte des 4. Jahrhunderts n. Chr. Hier wird schlicht nichts weniger als das Paradies geschildert, jenes, das Moses einst den Garten Eden genannt hat. Jeder Paradiesvorstellung ist da voll Rechnung getragen. Die Bewohner sind überaus fromm und gut, weder Körper noch Geist kennen einen Makel. Nahrung regnet vom Himmel herab, sie säen nicht und ernten nicht; Edelsteine werden von den Flüssen herangeführt; Arbeit, Krankheit und Schwäche sind unbekannt; den Tag des Todes weiß man im voraus, da jeder genau 120 Jahre alt wird und dann in Ruhe und Schönheit dahingeht, auf einem Lager von Blumen, inmitten von Wohlgerüchen, in Frieden ohne jegliche Beunruhigung. Schließlich noch ein skurril anmutender Zug, den wir Heutigen vielleicht nicht mehr so zu schätzen vermögen, wie es noch Shakespeare und Goethe möglich gewesen ist: "Es findet sich bei ihnen kein Floh, keine Laus, keine Wanze, kein Ungeziefer." Ein Paradies der Spätantike ... heute ehestens intensiven Dritte-Welt-Fahrern verständlich.

So gern wir weiter in der Schatztruhe der antiken Erzählkunst wühlen würden und dabei gewiß manches Reizvolle zutage fördern könnten, so ist es doch an der Zeit, die angekündigte Gegenüberstellung anzuvisieren: Utopia antik versus Utopia modern. Hier geraten wir freilich wiederum in fatale Komplikationen - diesmal sind sie chronologischer Natur. Wer wagt es wohl, die Trennlinie zu weisen, den Termin zu setzen, an dem die Antike endete und die Moderne begann? In einem *classroom* auf einem entfernten Kontinent ergab sich mir unlängst bei Behandlung dieses Problems folgender Dialog. Auf meine Frage nach dem Trenndatum wurde mir schülerseits bedeutet, modern sei, was nach 1900 liege. Auf meine Gegenfrage, ob dann wohl Napoleon ein antiker Held sei, brachte ein gewisses Nachdenken die Antwort zutage, antik sei, was vor Christi Geburt liege. Auf meine weitere Gegenfrage, ob dann also Nero ein moderner Mensch gewesen sei, versickerte der Dialog gänzlich. Wenn wir nach den Gründen für dieses dargestellte didaktische Dilemma fragen, so zeigt sich zuvorderst als einer der Gründe das Faktum, daß unserer Anschauung nach ja zwischen Antike und Neuzeit das Mittelalter sich erstreckt, daß insofern die Frage nach einer Trennlinie zwischen 'antik' und 'modern' im gewissen Sinne eine unfaire Frage ist. Nichtdestotrotz ist diese Frage in der wissenschaftlichen Diskussion durchaus gestellt und auch von kompetenter Seite beantwortet worden. Halten wir zunächst fest, daß das Mittelalter, wann immer es auch begonnen und geendet haben mag, in jedem Falle eine im ganzen utopielose Epoche war. Insofern ist im Bezug auf die Utopie die Gegenüberstellung von antiken Vorläufern und humanistischer Blütezeit eine natürlich gegebene.

Zum anderen ist in der Tat von Morus, aber auch von den meisten seiner gelehrten Nachfolger, in vielfacher Hinsicht auf jene antiken Vorformen Bezug genommen worden. Das herauszuarbeiten bleibt Sache von Einzelstudien; es kann hier nur summarisch statuiert werden, daß die ganze erste Epoche der utopischen Literatur der Neuzeit[17] sich in lateinischem Gewande präsentierte, daß dabei die Autoren wie Stiblinus, der erste deutsche Humanist in dieser Gruppe, 1555 mit seiner *Respublica Eudaemonensium*, also dem Staat Glückshausen, daß Kepler 1610 mit seinem *Somnium*, dem Mondtraum, und Andrae 1620 mit seiner *Christianopolis*, daß Campanella mit seiner *Civitas solis* 1602 und manche anderen Werke bis hin zur *Scydromedia* von Legrand 1669[18] nicht sparen an gelehrten Anspielungen und Übernahmen, Imitationen und Zitaten. Für diese Autoren war *Antike Heute* ein alltägliches Programm und alltägliches Tun. Gerade darum aber werden sie - mit der einen Ausnahme von Francis Bacon, von dem noch zu reden sein wird - einer zunächst unerwarteten Zuordnung unterworfen. Moses I. Finley hat sie getroffen in seinem Aufsatz *Utopianism Ancient and Modern*, zuerst veröffentlicht in der Fest-

---

[17] Vgl. zum folgenden Verf., Zur neulateinischen Utopie, in: W. Voßkamp (Hrgb.), Utopie-Forschung, Stuttgart 1982, 2, 197ff.

[18] Vgl. U. Greiff (Hgb.), Antoine Legrand, Scydromedia, Bibliotheca Neolatina 5, Bern 1991.

schrift für Herbert Marcuse *The Critical Spirit*[19] neu abgedruckt und ergänzt in Finleys Sammlung seiner Kleinen Schriften *The Use and Abuse of History*[20]. Finley nun tritt in dieser Untersuchung dafür ein, die Trennlinie zwischen antiker und moderner Utopie zu ziehen mit dem Einsetzen der *industrial revolution* - in dürren Worten: Morus und Stiblin, Campanella und Kepler und Andrea und alle anderen bis hin zu Legrand haben in diesem Schema ihren Platz als Verfasser 'antiker' Utopien. Drei Charakteristica führt Finley dafür ins Feld. Er sieht einen ersten Gegensatz zwischen 'statischen' und 'dynamischen' Utopien; er paraphrasiert dabei 'statisch' als 'asketisch', hingegen 'dynamisch' als ' wunsch-erfüllend', *want-satisfying*. Dabei ordnet er die antiken Utopien dem ersten Typ zu, die modernen dem zweiten. "Antike und frühe moderne Utopien mußten unumgänglich den Mangel an Gütern als Gegebenheit akzeptieren und mußten darum auf Einfachheit, Einschränkung von Wünschen, Askese und eine statische Gesellschaft Wert legen" ("Ancient or early modern Utopias had perforce to accept scarcity of goods as a datum, and therefore stress simplicity, the curbing of wants, ascetism, and a static society").

Wir dürfen uns in diesem Punkte Finley anschließen - freilich mit der Einschränkung, daß hier nur die konstruktiven Utopien gemeint sind. Die deskriptiven hingegen haben auch in der Antike Schlaraffenzustände erträumt, uneingeschränktes Glück imaginiert und unbegrenztes Vergnügen.

Der zweite Gegensatz Finleys spricht von der "Kleinheit des Maßstabes, in dessen Rahmen man damals handelte und dachte" (" the smallness of scale on which men operated and in which they thought"), wobei er dann dieser antiken Enge die moderne Weiträumigkeit entgegensetzt. Wiederum ist ihm, meine ich, unter einer Ausnahme zuzustimmen: Während in der Tat die meisten utopischen Konzepte der Antike ihr Programm auf eine begrenzte Anzahl von Bürgern beschränkten, richteten die kynischen und stoischen Philosophen ihren Blick auf die *Kosmopolis* und auf die Brüderschaft aller Menschen. Freilich zielen diese Denker nicht so sehr auf die Konstruktion von Staatsgebilden ab als vielmehr auf das allgemeine Miteinander der Menschen - Finleys Kategorie bleibt somit für die Staatsutopien im engeren Sinne gültig.

Einen Generalnenner für den Gesamtbereich antiker Utopie sieht Finley nun in seiner dritten Antithese, in welcher er 'egalitäre' und 'hierarchische' Entwürfe einander gegenüberstellt. Hier ist ihm uneingeschränkt beizustimmen, auch wenn Werner Braunert[21] Einwände erhoben hat. So richtig wie wichtig erscheint der Satz von Lewis Mumford in seinem Artikel "Utopia, the City and the Machine"[22]: "It was easier for these Greek Utopians to conceive of abolishing marriage or private property than of ridding Utopia of slavery, class domination and war" ("Es war leichter für diese griechischen Utopiker, sich die Abschaffung der Ehe oder des Privateigentums vorzustellen, als Utopia von Sklaverei, Klassenherrschaft und Krieg zu befreien").

Nach der Musterung der drei Kategorien Finleys wird es auch klar, warum bislang eine wichtige lateinische Utopie hier noch nicht erwähnt und eingeordnet wurde. Kurz vor seinem Tode schuf der damals 63jährige Francis Bacon im Jahre 1624 zunächst in englischer, hernach in lateinischer Fassung die *Nova Atlantis*. Leider Fragment geblieben, beschreibt dieses wichtige Werk den Weg zu allgemeiner Glückseligkeit nun nicht mehr durch Mangelverwaltung, sondern durch Beherrschung der Natur mit Hilfe der Wissenschaften. Die Erschließung neuer Reichtümer und Kräfte aus der Natur vermittels des Wissens der Menschen eröffnet neue Perspektiven, sie sprengt die engen Grenzen der antiken utopischen Entwürfe. Dadurch ordnet sich Bacons Vision eindeutig der modernen Utopie zu, ja sie darf als die erste moderne Utopie hervorgehoben werden. Und man sollte auch nicht vergessen zu betonen, daß Bacon vorsichtig genug ist,

---

[19] Boston 1967, 3-20

[20] London 1975

[21] Utopia, Kiel 1969

[22] *Daedalus* 94, 1965, 277

die Leitung und Entwicklung der technischen Kräfte in die Hände und die Verantwortung des sog. "Hauses Salomon" auf der Insel Bensalem zu legen, einer geistigen und ethischen Elite also, die für das Wohlergehen aller Sorge trägt und dem Mißbrauch jener neuen Kräfte zu wehren versteht. Wie groß heute unser Bedarf nach einem solchen 'Hause Salomon' ist, weiß jederman.

Bevor wir den Abschnitt "Antike und moderne Utopie" abschließen, gilt es noch zwei Entwicklungen in den Blick zu nehmen, die der modernen Utopie während der letzten Zeit ihr Gepräge gegeben haben. Das eine davon ist die sog. Verzeitlichung (Kosellek), jener Vorgang, der im Laufe der letzten Jahrhunderte die Raumutopien hat verstummen und die Zeitutopien an ihre Stelle hat treten lassen. Das mag zunächst einen äußerlichen Grund haben: Die Erde wurde rundum erforscht und kartographiert, einen unbekannten Fleck auf ihr zu beschreiben, wäre widersinnig. So ging denn der Blick je länger umso einseitiger in die nahe oder ferne Zukunft, entweder in die nächsten Jahre, etwa wenn aus 1948 die fatale Jahreszahl 1984 wurde, die dann schon nach einem halben Menschenleben der Realität zum Opfer fiel, oder etwa ins Jahr 100 000 in Franz Werfels grandiosen Gemälde *Stern der Ungeborenen*. Solche Verzeitlichung mag aber auch mit der Funktion der Utopie in ihrem Wandel zu tun haben, die sich mehr und mehr vom unverbindlich geistreichen Spiel der Humanisten zum Programm der Weltverbesserer und Weltveränderer verwandelte. Wurde zunächst aus dem Nirgendwo ein Irgendwann, so hernach aus diesem unbestimmten 'Einstmals' ein programmatisches 'Morgen', ja schließlich die Forderung 'Paradise NOW'. Doch geraten wir hier in Gefahr, die Grenze vom Spiel der Phantasie zum praxisbezogenen Entwurf zu überschreiten. Wir richten darum unser Augenmerk lieber auf die Entwicklung in unserem jetzt auslaufenden 20. Jahrhundert.

Hier ist jene weitere Erscheinung zu beobachten, die mit vielerlei meist mißlautenden und teilweise auch mißgebildeten Namen beschworen wird[23]: Man spricht von der Anti-Utopie, der Dystopie oder Kakotopie, auch von der Gegenutopie usw. usf. Genannt sind damit jene Werke, die nun nicht mehr einen erstrebenswerten Glückszustand vor Augen stellen, sondern vielmehr einen abschreckenden Katastrophenzustand, eine Apokalypse; gemeint sind somit Werke wie das schon erwähnte *1984* von Orwell oder *Brave New World* von Huxley, Werfels schon erwähnter *Stern der Ungeborenen* oder Jewgeni Zamjatins *Wir*. Es ist allzu leicht zu spekulieren, was gerade diesem Genre solche Erfolge gebracht hat, so daß hier davon zu reden nicht nötig ist. Wichtiger scheint die korrekte literarische Einordnung: Während die übliche 'eutopische' Utopie eine Aufforderung enthält, sich also als *Protreptikos* darstellt, sind diese Schriften *apotropäischen* Charakters: Der Mahn-Utopie steht so die Warn-Utopie gegenüber. Sie ist das signifikante Zeichen des 20. Jahrhunderts.

Doch beherrscht sie nicht allein das Feld. Bezeichnenderweise sind es die USA, die zwei weltweit zur Kenntnis genommene positive Utopien hervorgebracht haben, welche, mögen sie literarisch auch geringeren Gewichtes sein, doch die alte Gattung wacker vertreten und sie mit neuem Inhalt füllen: Gemeint sind Skinners *Walden II* und Callenbachs *Öcotopia*. In beiden Werken wird eine Botschaft an den Leser gebracht: Skinner empfiehlt ihm das behavioristische Modell, Callenbach das ökologische. Und damit stehen wir an der Schwelle der Postmoderne, über die das abschließende Corollarium etwas festzuhalten versuchen soll.

III. Zur Postmoderne und ihrem Utopieproblem

Gehen wir abermals den zu Beginn eingeschlagenen Weg und fragen nach dem Sinn des Wortes, zu dem wir unsere Überlegungen anstellen wollen, so sind wir hier bald am Ende. 'Postmodern'

---

[23] Zum folgenden vgl. Verf., Das literarische Genre von 1984, in: Moreana 21, Heft 82, 49 - 54.

ist nicht mehr als eine zeitliche Indikation; freilich enthält sie einen kulturkritischen Anspruch. Dieser läßt sich etwa folgendermaßen fassen: Ungefähr gleichzeitig mit dem Vaticanum II, durch das die katholische Kirche sich von einigen ihrer mittelalterlichen Züge zu befreien suchte, setzte eine andere, weniger zentrale Strömung ein, die sich von den Ansprüchen und Anstrengungen der Aufklärung zu verabschieden trachtete. Vorangegangen war die Musik, die in ihren aleatorischen und stochastischen Tendenzen sich von den allzu strikten Strukturen der Dodekaphonie so wie der Durchorganisierung sämtlicher Materialelemente radikal lossagte. Wie die Architektur gefolgt ist, ist in diesem Bande anderen Ortes betrachtet. Auch das sog. "Absurde Theater" wirkte zu seinem Teil an dieser Entwicklung mit. Jean-François Lyotard, der Philosoph der Nachmoderne, formulierte in *Das Postmoderne Wissen*[24]: "Die Datenbanken sind die 'Natur' für den postmodernen Menschen." Nun sind Datenbanken bekanntlich so klug - bzw. so beschränkt - wie derjenige, der die Dateien eingibt: *plus non datur*. Sind uns die Datenbanken zur Natur geworden, so können diese uns als 'Natur' nicht peinigen - Utopien gegen diese Art von 'Natur' zu konzipieren wäre absurd. Andererseits gilt das so gern zitierte "Anything goes" ja nicht nur für die Bereiche der Kunst, sondern auch für die des Miteinanders von Individuen. Auch hier ist es einsichtig, daß Kritik innerhalb solcher Systeme nicht gegeben ist; möglich wäre allein Kritik an dem Denksystem des "Anything goes" als Ganzem. Solches mag auch wohl von traditionsbedingter, konservativer Seite kommen - eine Nach-Postmodern ist indessen z. Zt. ebensowenig in Sicht wie eine bessere Definition.

Innerhalb solcher Bezüge hat sich nun in den letzten drei oder vier Jahren ein unverhofftes Politicum ereignet: Dieses zu beschreiben wird verschiedentlich unternommen. Der gewiß unbezweifelte allgemeine oder sogar allgemeinste Nenner ist es, vom Ende des Stalinismus zu reden. Abgesehen von einigen noch real existierenden Grenzziehungen, ist das Erbe des Jossip Wissarjonowitsch Dschugaschwili, genannt der 'Mann aus Stahl', im Ganzen verfallen und annulliert, soviel an Einzelelementen, Spuren und Seilschaften auch noch separat vorhanden sein mag. Allzu gern wurde nun dieses Ende des Stalinismus gleichgesetzt mit dem Ende der sozialistischen Utopie. Man wiederholte, was vor 142 Jahren die Väter des Kommunistischen Manifestes bereits verkündet hatten: Das Ende der Utopie sei gekommen. Hatten Marx und Engels damals den "kritisch-utopistischen Sozialismus" der Frühsozialisten im Blick, so ging man nun gegen die "Krücke Hoffnung" an, wie Raddatz sie in Zeitungszeilen geißelte, als gegen die überlebte und widerlegte Formulierung jenes 'Prinzips', das dem Utopischen in der Tat zugrunde liegt - auch wenn nicht alles, was Anteil an 'Hoffnung' hat, dadurch allein bereits 'Utopie' ist. Immerhin wurde mit dem tatsächlichen Ende des Stalinismus auch das postulierte Ende des Sozialismus, des Kommunismus und damit zugleich der Utopie als solcher proklamiert.

Das rief wiederum Gegenstimmen auf den Plan, die sich dieser Fragestellung annahmen. Bei ihren Titeln treten gern Fragezeichen hervor: Johano Strasser publizierte 1990 bei Luchterhand *Leben ohne Utopie?*; Richard Saage[25] veröffentlichte im nämlichen Jahr bei Suhrkamp *Das Ende der politischen Utopie?*. Bekanntlich zielt die rhetorische Frage auf eine umso intensivere Bejahung. Diese wurde denn auch alsbald von Hauke Brunkhorst ausformuliert; sein Kapitel heißt "Die Unverzichtbarkeit der Utopie", es füllt die Seiten 43 - 65 seines kürzlich in der Sammlung Junius erschienenen Werkes *Der entzauberte Intellektuelle* mit dem treffenden Untertitel "Über die neue Beliebigkeit des Denkens".[26]

So jung und so vage die Postmoderne auch ist, in Sachen Utopie läßt sich wohl doch aussagen, daß bei der "neuen Beliebigkeit des Denkens" Utopie nicht mehr Konjunktur hat noch haben kann. Unbehagen und Mißvergnügen sind nicht mehr angesagt, der Beliebigkeit im Bauen und Komponieren, im Theater und in der Wirklichkeit, in Denken und Leben kann eine kritische Uto-

---

[24] Graz 1986, s. 151

[25] Vgl. Richard Saage, Politische Utopien der Neuzeit, 1991. X

[26] Vgl. Joachim Fest, Der zerstörte Traum. Vom Ende des utopischen Zeitalters, Berlin 1992

pie nicht entgegentreten, es sei denn durch Kritik solcher Beliebigkeit. Das wäre freilich ein Zurück zur *ratio*, eine Wiederbeschwörung der Aufklärung, und das gegenwärtige Neue Zeitalter - übersetzt in die Gegenwartssprache: das "New Age" - wendet sich ja, wenn es Sinndefizite und Orientierungsmängel empfindet, nicht zuvörderst dem Intellekt zu, sondern mancherlei vagen Riten und Kulten, Magien und Manipulationen. So nimmt es nicht wunder, wenn es 'Kult'-Bücher und 'Kult'-Filme gibt, auch nicht, wenn ein solches Kultbuch im Titel von der 'Neuverzauberung' der Welt spricht. Zauber aber ist nicht Sache der Utopie; Magisches, Mythisches, Metaphysisches ebenfalls nicht. Wir erinnern uns, daß in dem so stark metaphysisch bestimmten sog. 'Mittelalter' die Utopie nahezu gänzlich zum Verstummen gekommen war. Es sollte nicht wundernehmen, wenn auch in der Postmoderne Utopisches wieder weder Rang noch Raum hat.

Natürlich treibt als gesunkenes Kulturgut utopisches Denken noch hie und da sein Wesen, z. B.:

- in den kommerzialisierten, fast stets steril stagnierenden SF-Produkten;

- in den Rückwärtsbewegungen, z. B. "Zurück zur Natur" in *Ökotopia* oder "Zurück zur Urhorde" in den Kommunen oder in den Sekten-Bewegungen "Zurück zur (mißverstandenen) Metaphysik";

- in den fundamentalistischen, sich religiös gebenden Bewegungen, z. B. in den USA, im Iran und generell im Islam;

- in den technologischen Träumen unerschütterlicher Berufsoptimisten und andererseits den pessimistischen Horror-Visionen überzeugter Schwarzseher.

Das postmoderne Verstummen der Utopie, synchron mit dem Ende der Aufklärung, besiegelt und beendet den Verengungsprozeß (über Verzeitlichung der Utopie und über Dominanz der Warn-Utopie) eines großen europäischen Gedankenstromes von der Antike bis zum Heute. Ob an die Stelle des 'Prinzips Hoffnung' das von Hans Jonas proklamierte 'Prinzip Verantwortung' treten wird, also sein "Versuch einer Ethik für die technologische Zivilisation", ist offen und ist umstritten. Ob wir wirklich, wie er es meint, "im Schatten der Notwendigkeit des Abschieds vom utopischen Ideal" stehen[27], bleibt zu erörtern. Schließen wir hier statt dessen besser mit einer Utopie der Utopie: Sicherlich werden auch weiterhin technische Träume erst geträumt und dann - teilweise - verwirklicht werden. Gewiß werden sich auch weiterhin gesellschaftliche Fragen stellen und - teilweise - durch Utopien beantwortet werden. Bestimmt werden soziale Experimente weiterhin angestrebt, teilweise realisiert und schließlich, als antiquiert, desintegriert werden. Welche all der vielen Spielformen und Möglichkeiten sich in kommenden Zeiten profilieren werden, muß offen bleiben. Das Potential der Utopie ist noch weiterhin auszuschöpfen möglich - aber vielleicht ist das doch nur eine UTOPIE . . .

---

[27] Hans Jonas, Das Prinzip Verantwortung. Versuch einer Ethik für die technologische Zivilisation, Frankfurt a. M. 1979, S. 287ff.

Der Ismus mit menschlichem Antlitz.
'Humanität' und 'Humanismus' von Niethammer bis Marx und heute

von

Hubert Cancik

In Erinnerung an Friedrich Heer

(10.4.1916 - 18.9.1983)

§1 *"Ausgehend von den humanistischen Traditionen ..."*

Vor etwa einem Jahr mußte für die schlichte Wort- und Begriffsgeschichte, die ich in der Ringvorlesung 'Antike heute' über 'Humanität und Humanismus' vortragen wollte, ein draller Obertitel gefunden werden. Der Jahreswechsel 1989/90 war, wie Sie sich erinnern werden, gefüllt mit Sprachspielen, die dem Wort 'Sozialismus' einen neuen Sinn zu geben versuchten. Am leichtesten war auch damals Sinnanreicherung durch Kreuzung mit einer anderen Schablone, hier also 'Sozialismus' mit 'Humanismus', so der damalige Hoffnungsträger, der Vorsitzende des Kollegiums der Rechtsanwälte in Berlin (Ost) und in der DDR am 4. November 1989 auf dem Alexanderplatz.[1] Diese Kreuzung von Ismen hat wenig neuen Sinn, aber doch wenigstens den gesuchten Obertitel erzeugt. Seine verstümmelte Form - 'Der Ismus mit menschlichem Antlitz'- soll auch anzeigen, daß meine Wort- und Begriffsgeschichte zu einem mangelhaften, lückenreichen, aporetischen, ja rätselhaften Schluß führen wird.

Der Rechtsanwalt Dr. Gregor Gysi war nicht der erste oder einzige, der damals das entstellte Wort 'Sozialismus' mithilfe eines anderen, zumindest unklaren und angestaubten, wenn nicht entleerten und verbrauchten Begriffes 'Humanismus' zu retten versuchte. Die neu gegründete KPD/DDR verpflichtete sich in ihrer Gründungsurkunde auf "Humanismus".[2] Andere, etwa Alexander Dubcek und Vaclav Havel, forderten den "Sozialismus mit menschlichem Antlitz". Diese Formel entlarvt die gesichtslosen, unsichtbaren, abstrakten, high-bürokratischen Herrschaftssysteme. Sie nutzt das hohe Wort 'Menschenantlitz' als Auslöser für den Instinkt zum Menschen, zum Nächsten, zur medienfreien, unmittelbaren, wortlosen, optischen Kommunikation: "schauen von Angesicht zu Angesicht und erkennen".[3]

Die Präambel der Verfassung, die die Arbeitsgruppe des Runden Tisches für eine "Neue Verfassung der DDR" beschlossen hat, beginnt mit dem Worten:[4]

---

[1] Gregor Gysi, in: Annegret Hahn, u. a. (Hg.), Protestdemonstration Berlin DDR, 4. 11. 89, Henschel-Verlag 1989, S. 127: "Wir haben inzwischen viele Anglizismen aufgenommen, wogegen ich nichts habe. Aber von der russischen Sprache haben wir nur das Wort Datscha übernommen. Ich finde, es ist Zeit, zwei weitere Worte zu übernehmen, Perestroika und Glasnost. Und nur wenn wir dies auch inhaltlich vollziehen, wird es uns gelingen, die Begriffe DDR, Sozialismus, Humanismus, Demokratie und Rechtsstaatlichkeit zu einer untrennbaren Einheit zu verschmelzen. Vielen Dank." Vgl. André Brie (Stellvertreder Vorsitzender der PDS), in: FR 20. 9. 1990, über die "humanistischen Wurzeln und Inhalte" sozialistischer Politik. - Walter Janka vertritt einen "menschlichen Sozialismus" (Interview im Schweizer Fernsehen, 12. 4. 90). In der evangelischen Kirche der DDR war die Formel "Sozialismus mit menschlichem Antlitz" seit dem Staat-Kirche-Gespräch im März 1988 üblich geworden.

[2] ADN in: Südwest Presse, 2. 2. 1990.

[3] Paulus, 1. Kor. 13,12.

[4] Offizielle Publikation: Neues Deutschland, 18. 4. 1990; hier zitiert nach FR, 18. 4. 1990, S. 10; vgl. DDR-Chronik, April 1990.

"Ausgehend von den humanistischen Traditionen, zu welchen die besten Frauen und Männer aller Schichten unseres Volkes beigetragen haben ..., geben sich die Bürgerinnen und Bürger der Deutschen Demokratischen Republik diese Verfassung."

Der schwer belastete 'Sozialismus' ist nicht genannt, aber 'Humanismus' war - einstimmig - konsensfähig. Wer oder was ist damit gemeint? Der Schuhflickersohn aus Stendal, Winckelmann genannt, oder der fürstliche Park bei Dessau, wo um 1750 Antike und befreite Natur, Klassizismus und Philanthropie in "humanistischer Tradition" verbunden sein sollten?[5] Oder ist auch jene Spekulation über die Entfremdung und Versöhnung von Mensch, Gesellschaft und Natur gemeint, die Dr. Karl Marx - allerdings nur bis etwa 1845 - mit dem Namen "Realer Humanismus" bezeichnete? "Ausgehend von den humanistischen Traditionen" - von woher also?

Das Wort 'Humanismus' ist beliebt und schafft Konsens, weil es eine undeutliche Beziehung auf eine starke und ferne Tradition besitzt. Der leichte antike Faltenwurf verdeckt dabei einen etwa vorhandenen Sachgehalt mehr, als daß er ihn zeigte. Denn die vielen Partei- und Schulprogramme, Festreden und Abendlandrettungskongresse haben einen ewigen Humanismus hervorgebracht - *humanismum perennem*, so edel, hilfreich und gut, so unantastbar und unwiderleglich: Er wird die Menschheit überleben.[6] Gegen diese Erblast ist Polemik nicht mehr nötig.

Um die vermutete Sache zu finden, scheint die Konzentration auf Wort- und Begriffsgeschichte nützlich, die Suche nach dem historischen und dogmatischen Ursprung. Wir beginnen bei einer pädagogischen Bewegung im bürgerlichen Deutschland um 1800, als ein Schwabe und Tübinger Stiftler gar, Friedrich Immanuel Niethammer aus Heilbronn, das Wort 'Humanismus' erfand, als erster, wie die Wörterbücher behaupten.

§2 Humanismus 1808

§2.1: Friedrich Immanuel Niethammer (1766-1848)

§2.1.1: Friedrich Immanuel Niethammer wurde 1766 in Heilbronn geboren.[7] Er stammt aus alter schwäbischer Familie mit langer Pastorentradition. Im Tübinger Stift lernt er 1784-1789 Theologie; er will jedoch nicht Pfarrer werden, so wenig wie seine Kommilitonen Hölderlin, Hegel, Schelling. In Jena findet er "das Reich der wahren Geistesfreiheit" (seit 1790); hier trifft er Hölderlin, Hegel und Schelling wieder und einen anderen Schwaben, Friedrich Schiller, der seit 1789 in Jena lehrt. Niethammer wird Privatdozent und Professor für Philosophie bzw. Theologie. Eine Freundschaft verbindet ihn mit Fichte; F.A.Wolf, W.v. Humboldt, Voß, die beiden Schlegel u.v.a. gehören zu diesem "Jenaer Kreis", in dem Niethammers Vorstellungen von idealistischer Philosophie, klassizistischer Kunst und humanistischer Pädagogik wurzeln. 1804 erhält er einen Ruf nach Würzburg; im Jahre 1808, dem Jahr, in dem seine Programmschrift über Philanthropinismus und Humanismus erscheint, ist Niethammer Studienrat bei dem geheimen Ministerium des Inneren in München. Dort hat er eine pädagogische Richtung angebahnt, die zu einem Sieg des Humanismus im bayerischen Schulwesen führte. Doch Niethammer war keineswegs ein borniert Gymnasiallobbyist. Er hat vielmehr, als überzeugter Humanist, "als erster eine philosophische Begründung des Bildungswertes der Realien versucht und im 'Realinstitut' einen wirklichen Vorläufer der heutigen (1937!) Oberrealschule geschaffen - 100

---

[5] E. Hirsch, Th. Höhle (Hg.), Dessau - Wörlitz, Beiträge I-II, 1988, bes. I S. 45 ff. (Literatur); vgl. E. Hirsch, Experiment Fortschritt und praktizierte Aufklärung, 1990.

[6] Frei formuliert nach Stanislaw Jerzy Lec (+1966), Unfrisierte Gedanken (1959),[11]1968.

[7] Alle folgenden Angaben aus Michael Schwarzmaier, 1937.

Jahre vor ihrer staatlichen Anerkennung."[8] Münchner Schulpolitik, der Jenaer Kreis, das Tübinger Stift: Dies ist der Ursprung des Humanismus, wie Niethammer ihn konstituiert hat.

§2.1.2: Zu Beginn seiner Tätigkeit als Schulpolitiker in Bayern veröffentlicht Niethammer eine Programmschrift: "Der Streit des Philanthropinismus und des Humanismus in der Theorie des Erziehungsunterrichts unserer Zeit" (Jena 1808). Hier werden, in Fortsetzung älterer Ansätze zu einer Geschichte der Pädagogik,[9] zwei "Parteien" unterschieden, die sich über den Gymnasialunterricht entzweit hätten; die Namen Humanismus und Philanthropinismus sollten aber darüber hinaus einen allgemeinen Gegensatz der alten und der modernen Pädagogik selbst bezeichnen:[10]

"Die Benennung des Humanismus paßt keineswegs bloß auf die Partei, welche das Studium der sogenannten Humanioren in den Gelehrten-Schulen gegen übel berechnete Beeinträchtigungen in Schutz nimmt; sie paßt vielmehr in einem noch weit eminenteren Sinne auf die ganze ältere Pädagogik überhaupt, deren Grundcharakter es immer war, mehr für die Humanität als für die Animalität des Zöglings zu sorgen, und die ihre Forderungen gegen die moderne überwiegende Bildung zur Animalität noch immer, obgleich nur als minderzählige Opposition, fortsetzt. Das moderne Erziehungssystem dagegen, welchem vermöge desselben Eintheilungsgrundes die Benennung des Animalismus zukäme, wird schicklicher durch den Namen des Philanthropinismus bezeichnet."

Der Zusammenhang legt nahe, daß Niethammer das Wort 'Humanismus' neu, als Gegenstück zu dem bereits eingeführten Begriff 'Philanthropinismus' gebildet hat.[11] Letzterer bezeichnet die pädagogische Richtung der 'Menschenfreunde', die vor allem in Halle und Dessau für eine aufgeklärte Schulreform im Sinne der bürgerlichen Gesellschaft gewirkt haben: Johann Bernhard Basedow (1724-1790), Joachim Heinrich Campe (1746-1818), Ernst Christian Trapp (1745-1818), Christian Gotthilf Salzmann (1744-1811).[12]

In drei Abschnitten mit je vier Punkten werden für beide Parteien aufgelistet: die Grundsätze über den Zweck des Unterrichtes, die Unterrichtsgegenstände und die Methode. Es ist verständlich, daß zum Zwecke der Kürze und Deutlichkeit beide Positionen überzogen werden. Immerhin findet man so auf nur neun Seiten (S.76-84) das gesamte System des pädagogischen Humanismus, wie es sich 1808 in Münchner Perspektive ausnahm.

Niethammer notiert folgende Grundsätze:[13]

1. Zweck der Erziehung ist die allgemeine Bildung des Menschen; dieser Zweck ist autonom.

2. Die Bildung der Jugend ist nicht Abrichtung zu einem bestimmten Geschäft, zu "gemeiner Brodkenntnis", sondern Bildung des Geistes "für die höhere Welt", zur "Humanität".

---

[8] Schwarzmaier, S. 1; ebd. ein Schriftenverzeichnis; hervorgehoben seien: "Das Gastmahl von Plato oder das Gespräch über die Liebe", ein zentraler Text des Humanismus (in: F. Schiller (Hg.), Neue Thalia, 1792), und die Monographie "Über Religion als Wissenschaft zur Bestimmung des Inhalts der Religionen und der Behandlungsart ihrer Urkunden" (1795), in der er den Begriff "Religionswissenschaft" benutzt (S. 109), eine Skizze ihrer Aufgaben gibt und auf ihren Nutzen für den Religionsunterricht hinweist.

[9] August Hermann Niemeyer, Ansichten der deutschen Pädagogik und ihrer Geschichte im 18. Jahrhundert, II. Abt.: 18. Jh. und einer Weiterführung ins 19. Jh., Halle 1801, S. 378 f.: Die vier Haupt-Richtungen der Pädagogik (zitiert in: Niemeyer, hg. v. H.-H. Groothoff, U. Herrmann, S. 342 f.). Niemeyer unterscheidet die Franckesche oder religiöse Schule, Schule der Humanisten (diese wünsche, "womöglich allen Ständen eine genaue Bekanntschaft mit dem Studium der alten Classiker zu verschaffen, wovon sie fast einzig die rechte Bildung des Kopfes und Herzens erwarteten"), Schule der Philanthropen, Eklektiker. Zu den Humanisten rechnet er: C. Cellarius, J. M. Gesner, J. A. Ernesti, C. G. Heyne, C. A. Klotz, C. G. Schütz, J. H. Voß, G. F. Creuzer.

[10] Niethammer, Der Streit, S. 7 f.

[11] Niethammer erhebt aber, soweit ich sehe, nicht ausdrücklich einen Anspruch auf Erfindung.

[12] U. Herrmann, Die Pädagogik der Philanthropen, in: Scheuerl, 1979, S. 135 ff.

[13] Nach Niethammer, S. 76 ff. (Auswahl). Als Unterrichtsmethode wird bei den Humanisten die Übung des Gedächtnisses hervorgehoben.

3. Diese Bildung vermittelt nicht vielerlei Wissen, sondern beschränkt sich auf die Ideen des Wahren, Guten und Schönen in ihrer "classischen Form".

4. Die Auswahl der Gegenstände "kann eben darum kein anderes Gebiet als das des Alterthums finden, indem unläugbar wahre Classicität in allen Arten der Darstellung des Wahren, Guten und Schönen in ihrer größten Vollendung nur bei den classischen Nationen der Alterthums angetroffen wird."

'Humanismus' also ist nach Niethammer: Bildung zur Humanität durch die Aneignung der Ideen des Wahren, Guten und Schönen in der classischen Form, wie sie bei Griechen und Römern - und nur dort - anzutreffen ist. Alle spezielle Berufsausbildung, in der die Philanthropen die Mitte der Erziehung sehen, ist demgegenüber sekundär; sie darf die allgemeine Bildung der Jugend nicht belasten; zeitlich ist sie nach der Allgemeinbildung anzusetzen.

§2.1.3: Alle Ausdrücke, die Niethammer zur Definition von Humanismus gebrauchte - Humanität, Classicität, Bildung, Ideen des Guten, Wahren und Schönen etc. - müßten und könnten aus Niethammers Schriften und aus denen seiner Freunde in Tübingen, Jena, Weimar, München erläutert werden: 'Humanismus' ist ein pädagogischer Begriff, der in Spätaufklärung, deutscher 'Klassik', Idealismus und Altertumswissenschaft zu begründen ist. Niethammers Text bezeichnet dreierlei: das Ende der kreativen, namenlosen Epoche des 'Humanismus'; den Beginn seiner Verschulung im humanistischen Gymnasium und seiner Verwissenschaftlichung in dem großartigen Entwurf von F. A. Wolfs "Altertumswissenschaft" (1807).

Eine Kritik an Niethammers Begriffsbildung braucht hier nicht durchgeführt zu werden. Schon in seinem Ursprung ist Humanismus ein apologetisch-polemischer Begriff, antimodern und retrospektiv, defensiv und elitär, zumal da die ökonomischen und sozialen Voraussetzungen für eine humanistische Bildung verschwiegen werden; dogmatisch und exklusiv: nur das Klassische zählt, und das gibt es nur bei "den classischen Nationen".

Entscheidend scheint mir das Postulat, humanistische Bildung mit dem Bildungsziel 'Humanität' sei autonom und autark: nicht bloße Vorbereitung auf einen Beruf oder nur ein Teil eines umfassenderen staatlichen, nationalen oder religiösen Sinnsystems. Sozialgeschichtlich ist dieses Postulat ermöglicht durch die Emanzipation der Bildung im 18.Jh.: Lehrer wird staatlich anerkannter Beruf, ein Lehrer muß jetzt nicht mehr Kleriker sein.

§2.2 Zur Systematik von Niethammers Begriffsbildung

Niethammers 'Humanismus' ist keine Philosophie, keine Religion, keine wissenschaftliche Methode, sondern ein pädagogisches Programm, Neuformierung einer Tradition, vielleicht eine Weltanschauung. 'Humanismus' ist meistens - immer? - Teilsystem der mentalen und emotionalen Ausstattung eines Menschen oder einer Gruppe. Ursprung der Tradition ist das Altertum: es ist 'classisch', insofern normativ; seine Sonderstellung in der Kultur der Menschheit wird geschichtsphilosophisch begründet. Die Mitte des 'Humanismus' als Weltanschauung ist 'Humanität'.

Diese wird zur Zeit Niethammers, in losem Anschluß an ciceronische Formulierungen,[14] aufgefaßt als ein universaler, kulturübergreifender Begriff. Er bezeichnet, unter Absehung von Geschlecht, Alter, Klasse, Stand, Rasse, Konfession, (a) die 'Gattung' Mensch, alle Menschen, das *genus humanum* und die *societas humana*, und (b) die (Mit-)Menschlichkeit, die emotionale und

---

[14] M. Tullius Cicero (106 - 43 v. Chr.), de officiis (verfaßt 44 v. Chr.), 1,4,11-12 (der Mensch in der Natur); 1,30,106 (Würde des Menschen); 1,30,107 (*persona*); 3,6,26-28 ("allein aus dem Grunde, weil er Mensch ist") u. a. m.

tätige Zuwendung zu Menschen, die in Not sind. Diese erhalten 'humanitäre' - im Gegensatz etwa zu militärischer - Hilfe. Dies ist der Aspekt '*miseri-cordia*' - 'Barmherzigkeit' des Wortes *humanitas* schon in der Antike.

Niethammers Bestimmung der humanistischen Pädagogik läßt sich also folgendermaßen fassen: 'Humanismus' bezeichnet Weltanschauungen, die (a) ihrem Selbstverständnis nach 'den Menschen in den Mittelpunkt ihres Denkens stellen' ('humanozentrisch') und (b) dabei mehr oder weniger stark an verschiedene Epochen der Antike (klassisch oder archaisch) oder an historische Exempel (das demokratische Athen; das militaristische Sparta; das Lebenswerk von Cicero, Seneca, Marc Aurel) anknüpfen. Hierbei wird Gelehrsamkeit vorausgesetzt und Bildung, meist überwiegend sprachlicher, aber oft auch gymnischer oder musischer Art, gefordert. Dies ist der Aspekt '*eruditio*' - 'Erziehung' des römischen Ausdrucks '*humanitas*'. Dieser 'Humanismus' kann zu einem soziologischen Typus verallgemeinert werden (vgl. 'Salomonischer Humanismus' der altisraelitischen Schreiberintelligenz).

Eine Erweiterung von Niethammers Bestimmung des Begriffs 'Humanismus' läßt sich dadurch gewinnen, daß seine "Ideen des Wahren, Guten und Schönen" ein wenig konkreter gefaßt werden. Aus den Schriften Niethammers und seiner Tübinger und Jenaer Freunde bis etwa 1808 ließe sich ein Katalog von Stichworten erarbeiten wie z.B.: Mensch, Bildung, Natur, Vernunft - Sprache, Person - Gewissen; Freiheit - Gleichheit; Toleranz. Dieser Katalog ist nicht vollständig, nicht systematisch sortiert, nicht abgeschlossen. Aber er dürfte ein zutreffendes Bild geben, was sich Freunde und Gegner des 'Humanismus' zu Beginn des 19.Jh. unter den "Ideen des Wahren, Guten und Schönen" vorstellten, die das 'classische Alterthum', vor allem natürlich die Griechen im 5. bis 4.Jh. v.Chr. dem Abendlande überliefert habe.

§3 Grenzen des bürgerlichen Humanismus

§3.1: Die theologische Grenze gegen das Christentum

§3.1.1: Niethammers Definition von Humanismus umschreibt ein relativ offenes System: Humanismus als pädagogisches Programm, als Tradition und Weltanschauung des deutschen Bildungsbürgertums um 1800. Die Grenzen, Eigenart, relative Konsistenz dieser Tradition sollen nun durch die Gegenüberstellung mit christlicher Dogmatik und dem System, das bei Karl Marx 'realer Humanismus' heißt, erprobt werden.

In drei, vielleicht vier Punkten nur bestehen, soweit ich sehe, dogmatisch unüberbrückbare Spannungen zwischen dem spät- und nachantiken Christentum und denjenigen Richtungen der europäischen Geistesgeschichte, die später, wohl in Analogie zu Niethammers Bestimmung, 'Humanismus' genannt werden:[15]

   a) *peccatum originale (hereditarium)* - Urschuld, Erbsünde;

   b) *creatio ex nihilo* - Schöpfung aus dem Nichts;

   c) Gotteslehre: a') Trinitätslehre: die Natur des Geistes

                b') Christologie: Zweinaturenlehre (Jesus von Nazareth, der Messias, Gott und Mensch).

Hinzu kommt mit Einschränkung:

---

[15] G. Voigt, der die Bezeichnung 'Humanismus' für die Renaissance durchgesetzt hat, bezieht sich <u>nicht</u> auf Niethammer; möglicherweise repräsentiert er eine andere Tradition und eine zweite Wurzel der neuzeitlichen Geschichte des Wortes 'Humanismus'.

d) Seelenlehre: Ewigkeit der Seele im Verhältnis zu ihrer Erschaffung und etwaige Folgen für einen Körper-Seele-Dualismus, Abtötungsaskese (Nekrosis) etc.

Mit diesen drei (bzw. vier) abstrakten Fragen und ihren praktischen Konsequenzen haben sich Humanisten immer wieder auseinandergesetzt. Hier liegen 'Bruchstellen', an denen, wie die Geschichte lehrt - Tötung von Michael Servet durch Calvin (Genf, 1553), von Giordano Bruno durch die heilige Inquisition (Rom, 1600) -, Kompromisse schwer zu finden waren.

§3.1.2

a) *Peccatum originale (hereditarium)*; Die Lehre von der 'Erbsünde' oder der 'Ursprungsschuld' hat zu Beginn des 5.Jh.s Augustinus in der Polemik gegen Pelagius entwickelt. Demnach pflanzt sich die Sünde Adams durch den Akt der Zeugung in seinen Nachkommen fort. Infolge dieser Sünde ist der Verstand des Menschen so getrübt, sein Wille so geschwächt, daß er nicht aus eigener Kraft das Gute erkennen und vollbringen kann. Deshalb ist die Teilhabe an den Sakramenten der Kirche für das Heil seiner Seele notwendig. Die gegenteilige Lehre des Pelagius, die Natur des Menschen sei durch ihre Vernunft sittlicher Vervollkommnung fähig, wurde auf verschiedenen Synoden verurteilt.[16] Dadurch wurde eine partikuläre, persönlich und geschichtlich bedingte Auffassung von Sexualität, Zeugung und Vererbung in der römisch-katholischen Kirche des Westens und - modifiziert - in der Reformation lehrmäßig verfestigt.

Der Streit um diese Lehre, also um den Adam-Mythos und Augustins spätantikes Menschenbild, markiert in den Jahren 1525-1527 den Bruch zwischen Luther und Erasmus, zwischen dem Reformator und den Humanisten. Luther vertritt in *de servo arbitrio* die These: Wenn es einen freien Willen gibt, gibt es keine Gnade; entweder freier Wille, der von sich aus, in Übereinstimmung mit Natur und Vernunft, das Gute tun kann, oder Gnade; Luthers Entscheidung: *servus arbitrium*. Dagegen Erasmus in *de libero arbitrio*: Augustin habe im Eifer des Kampfes gegen Pelagius übertrieben; der freie Wille sei Voraussetzung für eine sittliche Entscheidung; die Menschen besäßen eine Neigung zum Guten; auch die Ungetauften könnten eine gewisse Vollkommenheit erlangen.[17]

b) *Creatio ex nihilo*: Mythen von einer Erschaffung dieser Welt und des Menschen finden sich in mehreren altorientalischen und mediterranen Religionen. Der Vorgang wird meist handwerklich oder biologisch vorgestellt, so auch in der jüdischen Bibel: EX AMORPHOU HYLES.[18] Die alten Symbola der Christianer bekennen Gott als *omnipotentem creatorem caeli et terrae*.[19] Der Begriff 'Nichts' findet sich in diesen Texten nicht. Die Formel von der *creatio ex nihilo* wird, soweit ich sehe, zum ersten Male in der lateinischen Übersetzung eines der jüngsten biblischen Bücher gebraucht. Die Mutter der sieben makkabäischen Brüder erklärt ihrem jüngsten Sohn, angesichts des Martyriums, die Auferstehung des Fleisches:[20] Der die ganze Welt aus dem, was nicht (so) vorhanden war (OUK EX ONTON), geschaffen hat, der wird auch deinen Leib wiederherstellen können. Da der lateinische Übersetzer kein Partizip von 'sein' zur Verfügung hatte, übersetzte er, verschärfend, OUK EX ONTON mit *ex nihilo*. Die Formel ist im 2.Jh.n.Chr. bekannt; auf dem 4. Laterankonzil (1215) ist sie dogmatisiert. Sie steigert die Allmacht des Schöpfergottes der Welt gegenüber. Die Natur wird entgöttert, entzaubert, zu vernunft- und gestaltloser Materie degradiert. Diese Materie ist nicht ungeworden und unvergänglich; auch ihr Sein ist nur verliehen und wird, in einer weiteren Verschärfung dieser Lehre, nur durch die

---

[16] Synode von Mileve (416), von Karthago (418), Konzil von Trient (1546); die augustinischen Texte: CSEL 42 und 60; zu den bibelexegetischen Fragen s. Herbert Haag, Die Bibel und der Ursprung des Menschen, 1966; zu Augustin und Pelagius s. Peter Brown, Augustine of Hippo. A Biography, 1969, ch. 29: "Pelagius and Pelagianism".

[17] Vgl. Fr. Heer, Europäische Geistesgeschichte, 250 ff.; ders., Offener Humanismus, 516 f.

[18] Weisheit 11,18; vgl. 1,14; Paulus, Röm. 4,17; Hebr. 11,3.

[19] Symbolum Nicaenum, 325 n. Chr.; erweiterte Fassung: Constantinopolitanum, 381 n. Chr.

[20] 2 Macc. 7,28; der griechische Text sagt nicht: EX OUDENOS - "aus nichts". Daselbst auch das Gleichnis 'Empfängnis - Geburt'/'Auferstehung'.

andauernde Fortsetzung des Schöpfungswillens (*creatio continua*) im Sein gehalten: ohne diesen würde Alles zu Nichts sich auflösen.[21]

Die Gegenposition, die Welt (Materie) sei ohne Anfang und ohne Ende, wird von allen antiken Philosophen vertreten und von einigen christlichen Theologen (Origenes und seinen Anhängern), die sich nicht durchgesetzt haben. Auch dieser Streit führte, paradoxer Weise, zu einer Verstärkung der historisch-kritischen Philologie, da in der Bibel offenbar nichts über die Herkunft der für die Schöpfung benutzten Materie ausgesagt ist.[22]

c) Trinität- und Zwei-Naturen-Lehre. Der doxographische Kern der jahrhundertelangen, intensiv und verlustreich geführten Diskussionen über Trinität und Christologie sind zwei Fragen: (1) Ist der Geist eine Kraft oder eine Person? (2) Ist der Messias, der in der Bibel den Juden verheißen ist, ein Gott? In religionsgeschichtlicher Sicht geht es in dieser Diskussion um die Gleichstellung des Erlösergottes des Christianer mit dem Schöpfer- und Bundesgott der Juden. Dabei ist, wiederum doxographisch gesprochen, die Person des Gottessohnes als Gott-Mensch in diesem 'transzendenten' System, das den 'Bruch' Gott - Welt eher verstärkt (vgl. *creatio ex nihilo*), besonders heikel zu definieren.

Die Gegenposition zur 'orthodoxen' Trinitäts- und Zwei-Naturenlehre findet sich bei Judenchristen, die, ihrer heiligen Schrift folgend, die Göttlichkeit des Messias nicht anerkennen und das Prädikat 'Sohn Gottes' nicht biologisch auffassen; der Geist ist die Kraft, die die Propheten inspirierte, nicht eine Person. Ähnliche Positionen werden vertreten von Monarchianern (2.Jh. n.Chr.), Arianern (325 in Nicaea verurteilt) und allen Unitariern: die Trinitätslehre sei nicht *supra* sondern *contra rationem*, sei Tri-theismus.

Auch dieser Streit hat die Entfaltung der Humanwissenschaften, der Philologie und der wissenschaftlichen Erforschung von Religion vorangetrieben. Insbesondere Faustus Sozzini (1539-1604) und die nach ihm benannten Sozzinianer haben, zur Widerlegung dieser bibelfremden und vernunftwidrigen Dogmen, die philologisch-historische Bibelexegese und die Dogmengeschichte gefördert; wissenschaftliche Exegese und 'vernünftige' Theologie führten sie zur Dogmenkritik.

Diese Bewegung, von Friedrich Heer als "dritte Kraft" bezeichnet, mündet, an Reformation und Gegenreformation vorbei, in Deismus, Aufklärung, Rationalismus. Sie verstärkt die Ausbildung der Humanwissenschaften im 18.Jh., damit auch, gegen Ende dieses Jahrhunderts, Altertumswissenschaft und Humanismus.[23]

§3.2: Vom 'bürgerlichen' zum "realen Humanismus"

§3.2.1: "Entfremdung" - "Schein der Menschlichkeit"

Eine Generation nach Niethammers Begriffsbildung erkennt Karl Marx, immerhin von 1830-1835 Schüler des humanistischen Gymnasiums in Trier, daß die Verheißungen der Vernunft, die Erklärung der Menschenrechte, die Fortschritte der Human- und Naturwissenschaften die wirklich menschliche Gesellschaft nicht herbeigeführt haben. Die Wirklichkeit war weder christlich noch vernünftig, geschweige denn classisch, gut, wahr, schön oder gar hellenisch geworden. Marx nimmt den Humanismus beim Wort; er will die Realisierung humanistischer Postu-

---

[21] Thomas von Aquino, Summa theol. 1,65,3.

[22] Wollgast, Philosophie, S. 360 f.

[23] Wollgast, Philosophie, S. 349; 357; 359 ff.

late in Gesellschaft, Wirtschaft, Staat, daher sein Schlagwort "realer", d.h. in der Gesellschaft zu realisierender "Humanismus":[24]

> "Der reale Humanismus hat in Deutschland keinen gefährlicheren Feind als den Spiritualismus oder den spekulativen Idealismus, der an die Stelle des wirklichen individuellen Menschen das Selbstbewußtsein oder den Geist setzt."

Der "wirkliche Mensch" aber lebt, nach Marx, in der Entfremdung, und zwar sowohl die Besitzenden wie die Besitzlosen:[25]

> "Die besitzende Klasse und die Klasse des Proletariats stellen dieselbe menschliche Selbstentfremdung dar. Aber die erste Klasse fühlt sich in dieser Selbstentfremdung wohl und bestätigt, weiß die Entfremdung als ihre eigne Macht und besitzt in ihr den Schein einer menschlichen Existenz; die zweite fühlt sich in der Entfremdung vernichtet, erblickt in ihr ihre Ohnmacht und die Wirklichkeit einer unmenschlichen Existenz ... Innerhalb des Gegensatzes ist der Privateigentümer also die konservative, der Proletarier die destruktive Partei."

'Menschlichkeit' meint hier zunächst die konkreten Bedingungen der Wohnung, Ernährung, Kleidung, Arbeit. Zum "Schein der menschlichen Existenz" und zu den Machtmitteln der besitzenden Klasse gehören aber auch die Erzeugnisse von Wissenschaft, Kunst, Philosophie und die Möglichkeiten der Bildung, die den Besitzlosen vorenthalten werden.

Die Entfremdung entsteht, nach Marx, durch das Privateigentum, durch die gesteigerte Arbeitsteilung in den neuen Industrien, durch die Umbildung aller Gegenstände zu Waren und aller menschlichen Beziehungen zu Tauschbeziehungen. Dadurch werde der Mensch - ob Kapitalist oder Arbeiter - von den realen Produkten seiner Tätigkeit getrennt, von den Mitmenschen, von der Natur und schließlich sich selbst entfremdet. Diese Entfremdung ist eine "Entmenschung".[26] Erst die tatsächliche, nicht nur gedachte oder pädagogisch vorbereitete Aufhebung dieser Entfremdung kann den 'Humanismus' real machen:[27]

> "Dieser Kommunismus ist als vollendeter Naturalismus = Humanismus, als vollendeter Humanismus = Naturalismus, er ist die wahrhafte Auflösung des Streites zwischen Existenz und Wesen, zwischen Vergegenständlichung und Selbstbestätigung, zwischen Freiheit und Notwendigkeit, zwischen Individuum und Gattung. Er ist das aufgelöste Rätsel der Geschichte und weiß sich als diese Lösung."

§3.2.2: Die Unterschiede dieses "realen Humanismus" zum Programm Niethammers, seiner Freunde und Gewährsmänner bestehen in folgenden Punkten:

a) Der philosophische Hintergrund und dementsprechend die Ausfüllung der Begriffe Natur, Logos, Gewissen - Bewußtsein u.a. ist nicht kantianisch oder idealistisch, sondern materialistisch.

b) Im Zentrum der wissenschaftlichen Arbeit steht die Gesellschaft, ihre Eigengesetzlichkeit, ihre Verbindungen zu den technischen und wirtschaftlichen Entwicklungen. Zentral werden Begriffe wie Arbeit, Ware, Geld, Entfremdung, Verdinglichung. Ich glaube nicht, daß sich diese Verschie-

---

[24] Fr. Engels, K. Marx, Die heilige Familie (1844/45), MEW 2, S. 7. Vgl. ebd. S. 138 f. (= Landshut, Frühschriften, S. 333 f.).

[25] Ebd. S. 37; vgl. S. 38: "Weil die Abstraktion von aller Menschlichkeit, selbst von dem Schein der Menschlichkeit, im ausgebildeten Proletariat praktisch vollendet ist, ..." Die Worte 'ausgebildet' und 'praktisch' zeigen Bruchstellen zwischen Theorie und Empirie; die Bereiche, Arten, Grade von Entfremdung und sekundärer oder scheinhafter 'Versöhnung' sind innerhalb aller Schichten, auch der 'Arbeiter', nach Quantität und Intensität sehr verschieden und schnellen historischen Wandlungen unterworfen.

[26] Marxens Analyse der 'Entfremdung' hat Restbestände 'natürlichen Lebens', unentfremdeter Tätigkeit etc. zu wenig beachtet.

[27] Karl Marx, [Ökonomisch-philosophische Manuskripte, verfaßt 1844], publiziert 1932 (MEW, Erg. Bd. 1. Teil, S. 536 = Landshut, Frühschriften, 235).

bung innerhalb der oben aufgereihten Grundbegriffe des bürgerlichen Humanismus auffangen läßt:[28]

> "Wenn der Mensch von den Umständen gebildet wird, so muß man die Umstände menschlich bilden. Wenn der Mensch von Natur gesellschaftlich ist, so entwickelt er seine wahre Natur erst in der Gesellschaft, und man muß die Macht seiner Natur nicht an der Macht des einzelnen Individuums, sondern an der Macht der Gesellschaft messen."

c) Die Verwirklichung des programmatischen Humanismus wird eingefordert: Humanismus soll "real" werden für alle Klassen, Menschen mit und ohne Besitz.

Also: 'Materialismus, Gesellschaft / Entfremdung / Versöhnung, Realisierungsdruck' sind die drei Punkte, an denen der "reale Humanismus" das 'System' des bürgerlichen teils modifiziert, teils auf eine ganz andere Ebene stellt. Die materialistische 'Füllung' geht, wie angedeutet, in einzelne Begriffe des 'Systems' ein; die Begriffe 'Gesellschaft / Entfremdung / Versöhnung' sind ein neuer Punkt. Der Leidens- und Handlungsdruck lädt das ganze System politisch ungeheuer auf.

Ab etwa 1846 hat Karl Marx das Wort 'Humanismus' gemieden, wahrscheinlich auch 'Humanität'; die Begriffe waren ihm wohl mit bürgerlicher Ideologie so sehr belastet, daß er sie nicht beerben mochte.

Sein Thema aber hat er, wie ich glaube, durchgehalten: also Wechsel der Terminologie, nicht "anti-humanistische Wende".[29]

Thema bleibt der Mensch in der Entfremdung, deren Entstehung und Aufhebung. Der Diskurs aber wird seit 1845 strikt ökonomisch, soziologisch, historisch oder politisch, nicht anthropologisch oder religionshistorisch in der Fortsetzung von Ludwig Feuerbach. Dazu, ein letztes Mal, das klassische Zitat:[30]

> "Die Kritik der Religion endet mit der Lehre, daß der Mensch das höchste Wesen für den Menschen sei, also mit dem kategorischen Imperativ, alle Verhältnisse umzuwerfen, in denen der Mensch ein erniedrigtes, ein geknechtetes, ein verlassenes, ein verächtliches Wesen ist."

Das ist logisch, philosophisch, geistesgeschichtlich, aber nicht politisch kompatibel mit den frühliberalen Absichten des bürgerlichen Humanismus.

Die Kritik der Religion hatte Ludwig Feuerbach (1804-1872) vollendet; seine Hauptschrift "Das Wesen des Christentums" erschien in zahlreichen Auflagen seit 1841 ([2]1843, [3]1849). Der Ausdruck, der Mensch sei das höchste Wesen für den Menschen, verknüpft sich mit verschiedenen Kulten der Französischen Revolution: dem Kult der Natur, der Vernunft, eines Etre Suprême, eines Grand Etre. Zu derselben Zeit, als Marx in Paris die Kritik der Religion für abgeschlossen erklärt, gründet Auguste Comte ebenda seine "Religion de l'humanité" (1846/47), eine veritable Kirche mit Festkalender, eigener Ära (ab 1789), Kulträumen, Kanon, Katechismus. Eine "Church of Humanity" hat in England bis 1933 bestanden, in Brasilien, aber m.W. nur dort, gibt es die Menschheitsreligion bis heute als eine der öffentlichen Konfessionen.[31]

---

[28] Die heilige Familie, MEW 2, S. 138 f. (Landshut, 333f.).

[29] Anders formuliert z. B. Werner Raith, Humanismus und Unterdrückung, 1985, S. 97 ff.: Die 'anti-humanistische Wende' in der 'Deutschen Ideologie'. Dagegen Erich Fromm, Menschenbild, S. 5: (Marx' Philosophie) "wurzelt in der humanistischen philosophischen Tradition des Westens, die von Spinoza über die französische und deutsche Aufklärung des achtzehnten Jahrhunderts bis zu Goethe und Hegel reicht, und deren innerstes Wesen die Sorge um den Menschen und um die Verwirklichung seiner Möglichkeiten ist." - Zur Kontinuität von Marx' Denken vgl. ebd. S. 71 f. u. ö.

[30] Karl Marx, Zur Kritik der Hegelschen Rechtsphilosophie (1843/44), MEW 1, S. 385.

[31] Vgl. T. R. Wright, The Religion of Humanity, 1986; G. M., Regozini, Auguste Comte's 'Religion der Menschheit' und ihre Ausprägung in Brasilien, Diss., Bonn 1977 (mit reichem Material). Für die Ausstrahlung der Menschheitsreligion nach Rußland vgl. J. H. Billington, Intelligentsia and the Religion of

§4 Drei humanistische Geschichten

§4.1: Die erste Geschichte

Aesop, der Fabeldichter, so wird erzählt,[32] mußte einst seinem Herrn früher als gewöhnlich das Essen machen. Er lief mit einer Laterne umher, um sich Feuer zu besorgen, und kam auf dem Rückweg im hellen Sonnenschein mit brennender Laterne über den von Menschen wimmelnden Markt. Ein Schwätzer hielt ihn an: "Aesop, was willst du mit der Lampe mitten am Tag?" - "Ich suche", sagte der, "einen Menschen", und ging schnell davon, nach Hause, an die Arbeit. Der Schwätzer aber merkte, daß dem Aesop nicht als Mensch erschienen war, wer einen anmacht, der zu arbeiten hat.

Die Moral: Wer so privilegiert ist, daß er über Humanismus forschen und reden darf, soll nie vergessen, wer ihm das Essen kocht.

§4.2: Die zweite Geschichte

Ein Schmetterling sah eine Wespe vorbeifliegen und sprach:[33] "O ungerechtes Geschick! Als die Körper noch lebten, aus deren Resten wir die Seele empfangen haben, war ich ein Mann, beredt im Frieden, tapfer im Gefecht, in jeder Kunst[34] der Erste meines Jahrgangs! Jetzt aber bin ich ganz und gar Leichtigkeit und fliege wie Staub und Asche. Du aber warst nur ein Packesel und verwundest jetzt, wen du willst, mit deinem Stachelstich." Die Wespe aber gab das denkwürdige Wort von sich: "Sieh nicht zurück, was wir einst waren, sondern was wir jetzt sind."

Die Geschichte zeigt: Das humanistische Bildungsideal - beredt, tapfer, in jeder Kunst hervorragend - ist ausgebrannt, mürbe Asche (*putris cinis*), die bare Leichtigkeit (*levitas*),[35] ein Schmetterling, den der Wind dahinschaukelt. Kritischer Humanismus hat die Seele des Packesels (*mulus clitellarius*) und den Stachel der Wespe.

§4.3: Dritte und letzte Geschichte:

Als Oedipus seinen Vater erschlagen hatte und nach Theben wanderte, um seine Mutter zu heiraten, mußte er an der Sphinx vorbei, einer Mischgestalt aus Frau, Löwe und Raubvogel, die an der Straße lauerte und alle zerfleischte, die ihre beiden Rätsel nicht lösen konnten; wenn aber

---

Humanity, in: The American Historical Review 65 (1959) 807 - 821. Diesen Hinweis verdanke ich Hans G. Kippenberg.

[32] Phaedrus 3,19; B. E. Perry, Aesopica I, 1952, nr. 510. Die Fabel ist (ursprünglich ?) als Zeichenhandlung von Diogenes, dem Hund, erzählt. Nietzsche hat sie benutzt für die Suche nach dem toten Gott.

[33] Phaedrus, Appendix 31; Perry, nr. 556; vgl. das Gegenstück bei Babrios, Prolog 1,19 und Prol. 2,14 f. (Biene). Zur Seele als Schmetterling vgl. Amor und Psyche, vgl. Phaedrus 1,19; 3,16.

[34] Die Formel *eloquens, fortis, arte omni princeps* umschreibt das klassische römische Bildungsideal, wie Cicero es in der Grundlagenschrift seines (Proto-)Humanismus "Über den Redner" (de oratore) begründet hat.

[35] *levitas* im Gegensatz zur *gravitas* des echten Römers.

jemand, so lautete der Spruch des Schicksals, die Rätsel löste, sollte sie sich selbst zu Tode stürzen.

Die Sphinx legte also auch Oedipus ihre Rätsel vor, zwei, nicht nur eines, wie manche sagen. Das erste Rätsel lautete: Es ist ein Lebewesen; es hat erst vier Beine, dann zwei, schließlich drei - was ist das?[36] Oedipus dachte nach und fand die Lösung, die Sie kennen. Da sagte ihm die Sphinx ihr zweites Rätsel: Es ist ein Ismus, es hat ein menschliches Antlitz - was ist das?

Oedipus dachte lange nach. Dann ging er von dannen und ließ die Sphinx auf ihrer Säule hinter sich.

Bibliographische Notiz:

Ast, F., Über den Geist des Altertums, Landshut 1805

Betzendörfer, W., Hölderlins Studienjahre im Tübinger Stift, 1922

Euler, P., Pädagogik und Universalienstreit, Weinheim 1989

Fromm, E., Das Menschenbild bei Marx. Mit den wichtigsten Teilen der Frühschriften von Karl Marx, Frankfurt am Main 1963

Graffmann, H., Die Stellung der Religion im Neuhumanismus, Langensalza 1929

Heer, F., Europäische Geistesgeschichte, 1953

ders., Offener Humanismus, 1959

Herrmann, U., Die Pädagogik der Philanthropen (Basedow, Campe, Trapp, Salzmann; Der Übergang zum Neuhumanismus), in: H. Scheuerl (Hg.), Klassiker, 135-158

ders. (Hg.), "Das pädagogische Jahrhundert". Volksaufklärung und Erziehung zur Armut in Deutschland, 1981;

Humboldt, W. v., Über das Studium des Alterthums und des griechischen insbesondere (verf. 1793; Druck 1896), in: A. Flitner, K. Giel (Hg.), Wilhelm von Humboldt. Werke in fünf Bänden, ^{3}1979, Bd.2, S.1 ff.

Huntemann, G. H., Der Gedanke der Selbstentfremdung bei Karl Marx und in den Utopien von E. Cabet bis G. Orwell, in: Zeitschr. f. Religions- und Geistesgeschichte 6 (1954) 138-146

Loewe, H., Die Entwicklung des Schulkampfs in Bayern bis zum vollständigen Sieg des Neuhumanismus, Berlin 1917

Landshut, S. (Hg.), Karl Marx - Die Frühschriften, 1968;

Mehring, F., Feuerbachs Humanismus (1901), in: ders., Gesammelte Schriften 13, 1961, 105-111

Niemeyer, A. H., Grundsätze der Erziehung und des Unterrichts für Eltern, Hauslehrer und Erzieher, 1876 (Ndr., hg. v. H.-H. Groothoff und U. Herrmann, 1970, mit Anmerkungen, reicher Bibliographie, Zeittafel, Register)

Niethammer, F. J., Der Streit des Philanthropinismus und Humanismus in der Theorie des Erziehungsunterrichts unserer Zeit, 1808 (Ndr., hrsg. v. W. Hildebrecht, 1968)

ders., Über Religion als Wissenschaft zur Bestimmung des Inhalts der Religionen und der Behandlungsart ihrer Urkunden, 1795

Prawer, S. S., Karl Marx and World Literature, 1976

---

[36] Das Rätsel ist überliefert in den Handschriften von Sophokles, Oedipus, in einem Scholion zu Euripides, Phoenissen 50, und von Asklepiades bei Athenaios 456 b.

Sannwald, R., Marx und die Antike, 1957

Scheuerl, H. (Hg.), Klassiker der Pädagogik, Bd.1: Von Erasmus bis Herbert Spencer, 1979

Schwarzmaier, M., Friedrich Immanuel Niethammer, Ein bayerischer Schulreformator, 1.Teil, München 1937

Voigt, G., Die Wiederbelebung des classischen Alterthumes oder das erste Jahrhundert des Humanismus (1859), [3]1893

Wolf, F. A., Darstellung der Alterthumswissenschaft, 1807

Wollgast, S., Philosophie in Deutschland zwischen Reformation und Aufklärung, 1550-1650, 1988 (mit reichen Quellen- und Literaturangaben)

Die Würde des Menschen.
Zur Erblast des Stoizismus

von

Norbert Wokart

Am Ende des 15. Jahrhunderts schrieb der Philosoph Pico della Mirandola eine berühmt gewordene Rede für ein wissenschaftliches Symposion, mit der er, in der Überzeugung, daß die überlieferten Meinungen über die menschliche Natur unzulänglich seien, begründen wollte, warum der Mensch "das glücklichste und aller Bewunderung würdigste Lebewesen"[1] sei. Wegen dieser Intention gab man Picos Rede bei ihrer posthumen Veröffentlichung den Titel "De hominis dignitate", und das übersetzt sich so bequem mit "Von der Würde des Menschen". Seither gilt Pico als ein Markstein in der Entwicklung dieses Begriffes, wobei man als selbstverständlich voraussetzt, er habe mit der dignitas des Menschen ungefähr das gemeint, was auch wir noch meinen, wenn wir Menschenwürde sagen. Sieht man aber näher zu, zeigt sich, daß dies durchaus nicht der Fall ist; denn für Pico liegt die Würde des Menschen nicht in einer besonderen Eigenschaft, etwa darin, vernünftig oder moralisch sein zu können, wie es traditionell die Auffassung der Philosophie war und bis heute des Alltagsverständnisses ist. Pico begründet vielmehr die Würde des Menschen mit dessen Wesen, das gerade darin bestehe, daß er überhaupt keine besondere Eigenschaft habe. Er sei auf kein bestimmtes Verhalten festgelegt, könne bald so, bald aber auch anders handeln und empfinden, und diese Wandlungsfähigkeit mache das Wesen des Menschen aus. Wenn der Mensch aber alles Mögliche sein kann, dann kann er auch, wie Pico in der traditionellen Sprache der Philosophie sagt, "zu der niedrigeren Stufe der Tierwelt entarten" (S. 314) oder sich "auf die höhere Stufe des Göttlichen erheben" (S. 314). Das bedeutet natürlich nicht, daß der Mensch Gott oder Tier werden könne, sondern bezeichnet nur in metaphorischer Sprache die extremen Möglichkeiten des Menschen, den weiten Spielraum seines Verhaltens. Pico nimmt mit dieser Bestimmung die ganze Bandbreite menschlicher Möglichkeiten in den Begriff des Menschen auf und rechnet nicht nur die Möglichkeit, daß der Mensch "edel, hilfreich und gut", sondern auch die Alternative, daß er moralisch verkrüppelt und seelisch beschädigt, schlecht und dumm und ein Verbrecher sein kann, zu seinem Wesen und damit zu seiner Würde.

Dieser Begriff der Würde des Menschen widerspricht aber unserem heutigen Verständnis davon; denn wer sich unmenschlich verhält, tierisch oder bestialisch, wie wir ganz unbefangen sagen, der verletzt für uns die Menschenwürde, entweder die der anderen oder durch seine Gesinnung in sich selbst. Eine Auffassung, wie sie Pico vertritt, die auch das niedrigste Verhalten als immer noch *menschliches* Verhalten ansieht, ist in der europäischen Tradition immer anstößig gewesen und hat sich nie durchgesetzt. Das Verwerfliche oder Schlechte wurde nicht als menschliche Möglichkeit akzeptiert und entsprechend darauf reagiert, sondern als *unmenschlich* und der Würde des Menschen widersprechend abgelehnt, wobei die Abwehr des sogenannten unmenschlichen Verhaltens oft barbarischer war als dieses Verhalten selbst. Dieser Begriff des Unmenschlichen wird gern mit dem Hinweis verharmlost, er sei nicht streng zu nehmen, nur eine Redensart, sonst nichts weiter. Richtig ist daran, daß er unüberlegt verwendet wird, daß man sich halt nichts dabei denkt, und dabei wissen wir doch sehr wohl, wie leicht der zum Unmenschen wird, den man einen nennt. Am schnellsten geschieht das dem Triebtäter, sei er nun ein Kinderschänder oder Massenmörder. So einen nennt man selbstverständlich einen Unmenschen, und wie mit solchen zu verfahren sei, hat Volkes Stimme schon immer ungeschminkt artikuliert. Selbst wer anders denkt, anders empfindet und anders lebt, kommt schnell in den Verdacht, auf mindere Weise ein Mensch zu sein. Juden und Türken, Homosexuelle und andere

---

[1] Pico della Mirandola: De hominis dignitate. Opera omnia I. Basel 1557, S. 314.

Minderheiten können davon multikulturelle Lieder singen. Auch wer körperlich, seelisch oder geistig behindert ist und mit den anderen nicht recht mithalten kann, trägt das Kainsmal, vielleicht nicht im vollen Sinne Mensch zu sein. Wir entsetzen uns über diesen Denkansatz immer nur dann, wenn wir ihn bei anderen orten oder gar seine praktischen Folgen besichtigen können. Der rumänische Kinder-Gulag Cighid hat uns das wieder ins Gedächtnis gerufen und zugleich gezeigt, wie sehr wir selbst diesem Denken verhaftet sind, wenn wir die Verantwortlichen dann unsererseits als unmenschlich empfinden. Unser moderner Begriff der Menschenwürde hindert uns also nicht daran, Menschen nicht nur als Unmenschen zu bezeichnen, sondern sie bestimmter Eigenschaften wegen auch so zu behandeln. Wir reduzieren den Begriff des Menschen auf ein bestimmtes positives Bild von ihm, und diese Reduzierung stellt auch die Menschenwürde unter den Vorbehalt, daß sie nicht für alle in gleicher Weise gelten kann.

Welche Bedingungen diese Reduktion einst möglich oder nötig gemacht haben, wissen wir nicht, aber auf den Begriff gebracht haben sie die Stoiker. Daß der Stoa diese, die ganze Geschichte des abendländischen Denkens vergiftende Rolle zufallen würde, war ihr allerdings nicht schon an der Wiege gesungen worden. Sie ging ursprünglich von Ideen aus, die so ein Endergebnis überhaupt nicht erwarten ließen. Man muß sich ja immer bewußt bleiben, daß unter dem Firmennamen "Stoa" rund sechshundert Jahre Philosophiegeschichte und so verschiedene Geister wie Zenon und Chrysipp oder Seneca und Marc Aurel zusammengefaßt werden, so daß von vornherein mit völlig divergierenden Ideen und Theoremen, sogar mit Brüchen und Widersprüchen in der Lehre gerechnet werden muß. Der größte und fruchtbarste Gedanke, den die Stoa in ihrer Morgenfrische hatte, war die Idee der Gleichursprünglichkeit von Vernunft und Unvernunft, von Gut und Schlecht, von Schön und Häßlich. Sie maskierte diese Idee allerdings ein wenig, um Kleinmütige nicht zu erschrecken, und versteckte sie hinter der Vorstellung einer allgemeinen Weltvernunft. Zu erkennen war sie freilich auch in dieser Verkleidung, etwa wenn Kleanthes in seinem Hymnos von Zeus, dem einzigen vollständig erhaltenen Text der alten Stoa, sagt: "Du hast alles, das Gute mit dem Schlechten, zusammengeeint, so daß nur ein einziger und immerseiender Logos ist in allem"[2]. Dieser Logos ist das eine und einheitliche Prinzip, das den ganzen Kosmos regiert. Deshalb ist auch das Schlechte und Unvernünftige nur ein Teil dieser Gesamtvernunft und somit selbst vernünftig. Die Vertreter der älteren Stoa haben in verschiedenen Wendungen immer wieder betont, daß der Logos "jeden Teil der Welt" (SVF II, 192) durchdringe, so daß die Welt in allen ihren Teilen belebt, vernünftig und verständig sei, und daß die Unterschiede zwischen den einzelnen Teilen nur dadurch zustande kämen, daß der Logos die Welt verschieden stark durchdringe, "bei manchem mehr, bei manchem weniger" (SVF II, 192). Dieser Gedanke, daß die Welt das schlechthin Vernünftige und deshalb nichts in ihr zu verwerfen sei, rechtfertigt nicht nur die Welt mit all ihren Erscheinungen, sondern auch den Menschen in seiner Größe wie in seiner Schwäche. Nichts wird hier aus dem Begriff des Menschen ausgeschlossen, was überhaupt menschenmöglich ist; denn als Teil der Welt ist auch der Mensch in die allgemeine Natur eingebunden und hat an deren Gesamtvernunft teil.

Konsequenzen aus diesem Gedanken einer allgemeinen Weltvernunft haben die Stoiker freilich für kein Gebiet zu ziehen gewagt. Vor allem haben die Späteren diesen Haupt- und Grundgedanken nicht mehr verstanden, oder wollten und konnten es nicht mehr, und haben als römisches Parteiprogramm die Losung ausgegeben: Überall soll es nur noch vernünftig zugehen! Mit dieser Forderung ist aber der Gedanke einer allgemeinen Weltvernunft, die auch das Unvernünftige und Irrationale, die destruktiven und zerstörerischen Potenzen in sich enthält, nicht mehr zu vereinen. Wenn daher die römische Stoa die Lehrsätze der alten Stoiker nachplappert, muß man stets beachten, wie sehr sich bei ihr deren Stellenwert verändert hat, und wenn daher Seneca in seinem Traktat "De vita beata" schreibt, die Weisheit läge darin, "von der Natur nicht abzuirren und sich nach ihrem Gesetz und Beispiel zu bilden", dann kann er diese Forderung nicht mehr ernst gemeint haben; denn die Natur ist ambivalent, vernünftig und unvernünftig

---

[2] Stoic. vet. fragm. Hg. H. von Arnim. 4 Bände. Stuttgart 1978 f. Bd. I, S. 122.

zugleich, und moralisch völlig indifferent, so daß sich der Mensch nicht an ihr Beispiel halten kann, wenn er vernünftig oder gut handeln will. Soll die Selbstbehauptung des Menschen als Mensch nicht in seiner primären Natürlichkeit untergehen, dann muß man im Menschen eine Instanz annehmen, die gleichsam *nur* vernünftig ist und die das in der allgemeinen Weltvernunft mitgedachte Unvernünftige und Destruktive zu neutralisieren vermag. Die Stoiker reden deshalb von zwei Naturen beim Menschen, einmal von der durch den allgemeinen Logos bestimmten und dann von einer ihm eigentümlichen, rein "vernünftigen". Diese nennen sie mit einem von Platon beziehungsweise der Alten Akademie übernommenen Begriff ὀρθὸς λόγος oder recta ratio, richtige oder rechte Vernunft. Dieser Begriff wird zwar schon in der alten Stoa verwendet, ist aber dort noch nicht recht ausgebildet, weshalb er in den Texten, soweit sie überhaupt greifbar sind, terminologisch noch nicht fixiert ist. Seine Bedeutung schwankt am Anfang ganz erheblich. So wird er nicht immer exakt von der allgemeinen Weltvernunft unterschieden, und an einigen Stellen scheint er sogar im Sinne eines bloßen Wahrheitskriteriums gebraucht zu sein. Erst die späteren Stoiker verstehen darunter, wenn sie begrifflich genauer reden (was bei ihnen leider nicht sehr häufig der Fall ist), immer die besondere Natur des Menschen, seine rechte geistige Einstellung zu den Dingen und Werten, seine vernunftgemäße theoretische und praktische Grundhaltung. Vernunftgemäß im Sinne des ὀρθὸς λόγος sind also nicht alle Sachverhalte, sondern nur eine Auswahl aus der allgemeinen Weltvernunft, nämlich die im ausgezeichneten Sinne vernünftigen Teile daraus. Der Stoiker Diogenes von Babylon, der im 2. Jahrhundert v. Chr. starb, schreibt ausdrücklich, entscheidend sei "das vernünftige Verfahren *bei der Auswahl* dessen, was der Natur gemäß ist" (SVF III, 219). In dieser Auswahl liegt aber das große Problem; denn was wird von wem nach welchen Kriterien als vernünftig und der Natur gemäß ausgewählt? Dieses Problem, das selbst nicht vernünftig zu lösen ist, weil das Vernünftige erst durch seine Lösung herausdestilliert werden soll, lösten die Stoiker, wie wir es noch heute lösen, indem sie, ganz ohne methodische Skrupel, der allgemeinen Vernunft die eigene Meinung über das, was richtig oder vernünftig sein soll, unterschoben. Die subjektive Meinung war und ist bis heute die Instanz bei der Auswahl des richtig Vernünftigen.

Wenn der Mensch der recta ratio gemäß leben soll, muß er alles Unvernünftige, alle Antriebskräfte des Un- und Unterbewußten in sich kontrollieren, weshalb die Stoiker immer wieder betonen, man dürfe sich nicht seinen Trieben, Affekten und Leidenschaften überlassen. Wenn uns dieses Argument von der Unvernunft des emotionalen Lebens, die man nur ausschalten müsse, um eine reine Vernünftigkeit zu erhalten, heute noch überzeugt, dann zeigt dies, wie sehr wir immer noch in dieser Tradition befangen sind. Die recta ratio verengt also den Begriff des Menschen und reduziert ihn auf eine subjektive Vorstellung von dem, was eigentlich menschlich sein soll. Deshalb wird für die Stoiker der Mensch nicht unmittelbar als Mensch und Mitmensch geboren, sondern erst dadurch wirklich Mensch, daß er die nicht im engen Sinn vernünftigen Momente an sich abarbeitet. Der eigentliche Mensch ist daher nicht der konkrete Mensch mit seinen Schwächen und Unzulänglichkeiten, sondern ein konstruiertes Ideal, der sogenannte stoische Weise, ein Ideal übrigens, das nach Auffassung mancher Stoiker vielleicht nie ein Mensch erreichen kann. Mit diesem Ideal erweisen sich all die schönen Worte, die gerade die römischen Stoiker über die Gleichheit und Gleichwertigkeit der Menschen und über deren Würde gefunden haben, als leeres Geschwätz. So findet Seneca nichts dabei, im 50. Brief an Lucilius über eine schwachsinnige Sklavin zu schreiben, sie sei "als lästiges Erbstück" in seinem Hause zurückgeblieben, und zu bekennen: "Ich selbst bin solchen Mißgeburten sehr abgeneigt." Bei solchen Aussagen, die angesichts der gegenwärtigen Diskussion über Probleme im Umgang mit behinderten Menschen sehr modern klingen, kann natürlich von einer selbst nur schwachen Vorstellung von Menschenwürde nicht gesprochen werden. Mißgeburten gleich welcher Art, körperliche wie moralische, können noch nicht einmal mehr mit der Duldsamkeit und Nachsicht der anderen rechnen; denn "der Weise läßt sich durch die Gnade niemals rühren, er kennt keine Nachsicht für irgendein Vergehen", wie Cicero ausdrücklich schrieb. Seneca, für viele immer noch ein Vorbild an Humanität, hat dies bündig in dem Satz zusammengefaßt: "Barmherzigkeit wird der rechte Mensch meiden." Er hat es in der Tat immer getan!

An diesen Konsequenzen des Begriffes ὀρθὸς λόγος beweist sich praktisch, was sich schon in seinem Widerspruch zur stoischen Grundidee einer allgemeinen Weltvernunft theoretisch gezeigt hat, daß nämlich dieser Begriff der große weltanschauliche Sündenfall der Stoa ist. Während die Stoiker über ihn das vernünftige Leben begründen wollten, rechtfertigten sie unabsichtlich mit ihm, was schon immer üblich war, nämlich das Ausgrenzen von Menschen, ihre Diffamierung als minderwertig, ihre Verfolgung und schließlich ihre Vernichtung. Alle gesellschaftlichen Strukturen, die Politik sowohl wie die Justiz, die Wissenschaft und die Moral wurden im Laufe der Zeit diesem Prinzip der richtigen Vernunft unterworfen und mußten sich nach seinen Bedingungen richten. Sie wurden zu Disziplinierungsinstrumenten im Namen einer Vernunft, die glaubt, die Wahrheit zu besitzen und sich daher für berechtigt hält, alles zu kontrollieren und zu eliminieren, was sich ihr nicht unterwerfen will. So wurde der Begriff, der dazu dienen sollte, menschenunwürdiges Dasein zu verhindern, zum Mittel der Apologie für die bestehende schlechte Praxis, und das Inhumane, das die Stoiker aus dem privaten wie aus dem gesellschaftlichen Leben beseitigen wollten, kehrte als konstitutives Element ihrer Humanität wieder. Das ist das grundsätzliche stoische Dilemma, das wir von ihnen übernommen haben und das immer noch unsere Vorstellung von Humanität bestimmt.

Daß der Faden dieser Tradition, die später die Aufklärung verdunkelte und uns noch heute prägt, nicht abriß, dafür sorgten immer wieder geistige Bewegungen, die sich ausdrücklich auf die Stoa und ihre Begrifflichkeit bezogen. Besondere Bedeutung hat dabei die Reanimation stoischer Philosophie im späthumanistischen Denken des ausgehenden 16. und beginnenden 17. Jahrhunderts, die nun "Neustoizismus" genannt wird. Ein bedeutender Vertreter dieses Neustoizismus ist der Niederländer Justus Lipsius (1547-1606), der im Jahre 1584 das neustoische Hauptwerk mit dem Titel "De constantia" veröffentlichte. Lipsius hat darin die römisch-stoische Tugendlehre mit ausdrücklicher Berufung auf die recta ratio zur politischen Ethik seiner Zeit erhoben. Er spricht schon ganz modern, wenn er die recta ratio auch sana ratio, gesunde Vernunft oder gesunde Einstellung, nennt, und diese Metapher vom Gesunden und Kranken läßt schon ahnen, daß die *Ausgrenzung* der nicht auf rechte Weise vernünftigen Menschen so leicht zu ihrer *Ausrottung* werden kann. Dieses Interesse am Ausgrenzen ist auch einer der Gründe dafür, daß die stoische Anthropologie bis heute so gern als zeitlos gültige Ethik ausgegeben und immer wieder neu belebt wurde; sie eignet sich besonders für dessen Rechtfertigung. Weitere bekannte Vertreter des Neustoizismus sind Hugo Grotius (1583-1645) oder Samuel Pufendorf (1632-1694), dem wegen seiner Wirkung auf die amerikanische Verfassung wohl einflußreichsten Vertreter dieser Zunft. Neustoische Ideen beschränkten sich aber nicht auf ausgewiesene Neustoiker, sondern verbreiteten sich über die ganze europäische Aufklärung. In diesen Zusammenhang gehören Pufendorfs Schüler Christian Thomasius (1655-1728) oder Christian Wolff (1679-1754). Selbst Kant war noch infiziert, und außerhalb der engen wissenschaftlichen Grenzen Friedrich der Große. Dieser ist deswegen so interessant, weil er, Pragmatiker, der er war, das Ideal des stoischen Weisen, immerhin einen zentralen Punkt der Lehre, als eine bloße Chimäre ablehnte, da es sich über die Grenzen der menschlichen Natur hinwegsetze. Unabsichtlich wiederholte er damit eine Kritik, die schon im 15. Jahrhundert der Humanist Lorenzo Valla in seiner Schrift "De voluptate" geäußert hatte, nämlich daß der stoische Vernunftbegriff bloß ideale Verhältnisse proklamiere, weshalb die stoischen Tugenden auch nicht auf die erfahrbare Realität bezogen und in der Wirklichkeit nicht eingelöst werden könnten; denn die wirklichen Menschen zielten eher auf ihren Nutzen als auf die Tugend. Damit wird durch Valla zum ersten Mal wieder reflektiert, daß das Irrationale, das die Stoiker aus der Vernunft ausschließen wollten, in ihr selbst enthalten sei und deswegen berücksichtigt werden müsse.

Trotz der überall hervortretenden Widersprüche wurde der auf die recta ratio reduzierte Begriff von Vernunft die Grundlage aller moralischen und rechtlichen Überlegungen der bürgerlichen Aufklärung. Doch indem die Aufklärung die Welt erst richtig vernünftig und menschlich zu machen versuchte, trieb sie den Teufel durch Beelzebub aus. Das belegt schon ihre nur scheinbar menschenfreundliche Idee, daß der Mensch sittlich bildungsfähig und die menschliche Gemeinschaft besserungsfähig sei, wobei man natürlich davon ausgehen muß, irgend jemand wisse schon, was das Bessere sei. Dieser Idee verdanken Schulen, Waisenhäuser und Gefängnisse, die bis in unser Jahrhundert hinein ausdrücklich als *Besserungs*anstalten gedacht und auch so benannt waren, ihre Existenz. Daß dadurch Menschen auch schikaniert, indoktriniert und in ihrer menschlichen Würde verletzt wurden, empfand aber niemand als problematisch. Dennoch muß man sich immer bewußt bleiben, daß in solchen Ansätzen Reformideen steckten, die gegen die zuvor bestehenden Zustände doch noch einen Fortschritt bedeuteten; denn gegen das Schlechte ist das weniger Schlechte natürlich besser, gut muß es deswegen aber noch lange nicht sein. Der Verstrickung aller aufklärerischen Tendenzen in den Irrweg der recta ratio sind wir uns freilich nicht mehr sehr bewußt, weil wir den Ausdruck der recta ratio nicht mehr verwenden, nachdem ihn schon Christian Wolff eliminiert hat; denn, so sein mißverständliches Argument, "die Vernunft existiert nicht, wenn sie keine richtige ist"[3]. Dieses Argument diente aber nicht dazu, die Rede von der richtigen Vernunft überhaupt aufzugeben, weil eine nicht richtige gar keine Vernunft, sondern Unvernunft wäre, sondern dazu, Vernunft immer nur dann als vernünftig anzusehen, wenn sie richtige, das heißt, subjektiv für richtig befundene Vernunft ist. Vernunft ist seither gleichbedeutend mit richtiger Vernunft, und die recta ratio ist die Ratio selbst. Schon bei Kant und allen Späteren spielt der Ausdruck der recta ratio daher keine Rolle mehr. In Gebrauch blieb nur, vor allem im deutschen Sprachraum, das Epitheton *gesund*, nicht nur in Bezug auf den Verstand, wo es als gesunder Menschenverstand seine etwas zweideutigen Geschäfte betreibt, sondern auch in der Wendung von der gesunden Einstellung oder den gesunden Ansichten, in der sich die recta ratio außerhalb des philosophischen Sprachgebrauchs bis heute in ihrer ursprünglichen Bedeutung erhalten hat.

Die Vorstellung, daß nur ein im rechten Sinn verstandener Mensch wirklich Mensch sei, hat sich so in unser Bewußtsein eingefressen, daß sie uns ganz natürlich zu sein scheint und schließlich Bestandteil unserer Mentalität geworden ist. Als beliebiges, seiner Struktur nach uns allen vertrautes Beispiel nehme ich einen Leserbrief aus der Ulmer "Südwest Presse" vom 12. April 1990, der die Verurteilung eines jungen Mannes, der drei Menschen ermordete, kommentiert und zu der achtjährigen Gefängnisstrafe, die der Verfasser des Briefes als zu gering empfindet, bemerkt: "Bürger mit einem gesunden Rechtsempfinden können da wirklich nur noch ungläubig den Kopf schütteln." Diese Berufung auf das gesunde Rechtsempfinden ist üblich und wird genauso üblicherweise verurteilt. Aber der Schreiber dieses Leserbriefes hat recht; denn das gesunde Empfinden, die sana ratio, hat noch nie einsehen können, weshalb jemand, der sich durch seine Tat, "außerhalb der menschlichen Gesellschaft stellt", wie der Schreiber anmerkt, noch menschlich behandelt werden soll. Für eine solche "Bestie", wie er ihn nennt, sei es nicht angebracht, "wenigstens einen Rest von etwas Gutem, Entschuldbaren zu finden". Wenn ein solcher Täter kein Mensch mehr ist, dann ist es in der Tat nicht angebracht, bei ihm noch Gutes zu suchen oder auf ihn anzuwenden. Wir wissen ja seit Seneca, daß bei solchen Kreaturen Barmherzigkeit zu meiden ist. In solcher Stammtischprimitivität verachten wir diese Haltung, die aber auch sublimere und aufgeklärtere Erscheinungsformen kennt. Als etwa die Insassen englischer Gefängnisse rebellierten, ihre Anstalten besetzten und von den Dächern riefen: "Wir wollen endlich wie Menschen behandelt werden!", da fragten Kommentatoren bei Zeitungen und Rundfunkanstalten zweifelnd, ob man denn "menschlich" nennen dürfe, wenn sie ihre Behausungen verwüsteten, ja sogar Mithäftlinge umbrächten. Ihnen antwortete der Schatten-Innenminister der Labour Party: 'Wenn wir Leute wie Tiere behandeln, dürfen wir uns nicht darüber wundern, daß sie sich dagegen wehren.' Dieser Satz drückt die Einsicht aus, daß die Gefangenen auf ihre Würde als Mensch bestehen, auch wenn sie keine allgemein akzeptierten und dennoch wirksamen Mittel haben, um deren Beachtung durchzusetzen. Doch der Schatten-Minister hat diesen Satz so gar nicht gesagt, wirklich gesagt hat er vielmehr: "Wenn wir Leute wie Tiere behandeln, dürfen wir uns nicht darüber wundern, daß sie sich wie Tiere verhalten." Der Satz ist gewiß gut gemeint, und so versteht man ihn beim ersten Lesen auch, aber man sollte

---

[3] Chr. Wolff: Philosophia practica universalis methodo scientifica pertractata. Frankfurt und Leipzig 1738, §456.

doch genauer hinhören, was er denn wirklich sagt. Er sagt, daß sich wie ein Tier verhalte, wer sich mit allen Mitteln dagegen wehrt, daß ihn die Gesellschaft wie ein Tier behandelt. Das tierische Verhalten liegt also beim Opfer, das Verhalten der Täter gilt weiterhin als menschlich. Damit erweist sich dieser Satz als nur scheinbar einsichtig. In Wahrheit offenbart er dieselbe Gesinnung, die für die Zustände in diesen Gefängnissen und für die bestimmte Art der Kommentierung der Revolte gegen diese Zustände verantwortlich ist. Solange aber einer mit einem Tier verglichen wird, wenn er für seine Würde als Mensch kämpft, so lange wird sich gar nichts an solchen Zuständen ändern, in denen Menschen anderen wie Tiere erscheinen.

Dieses Problem, daß nicht jeder Mensch auf gleiche Weise als Mensch anerkannt wird, bestand schon immer, doch hat es heute wegen des Wachstums des naturwissenschaftlichen Wissens und ihm entsprechender Technologien eine ganz neue Dimension gewonnen. Pränatale Chirurgie und Organverpflanzungen, Reproduktionstechniken und Gentechnologie manipulieren Beginn und Ende des menschlichen Lebens, die Lebensqualität und schließlich sogar die Gattung Mensch selbst. Vor allem diese letzte Möglichkeit macht neue Antworten auf die Frage, was der Mensch sei, nötig. Doch diese Frage, *was* der Mensch sei, wird in der gegenwärtigen ethischen Diskussion in die Frage verwandelt, *wer* ein Mensch sei, wobei nicht bestritten wird, daß natürlich alle Menschen Menschen seien, doch glaubt man angesichts der heutigen Möglichkeiten fragen zu dürfen, welche Menschen denn wirklich Menschen seien und ob zum Beispiel komatöse Patienten oder Präembryonen im gleichen Sinne Menschen seien wie alle anderen. Gewöhnlich werden solche Fragen von industriebeauftragten oder selbsternannten Gutachtern mit einem eindeutigen Nein beantwortet. Es gibt, schreibt etwa der amerikanische Wissenschaftler Engelhardt, "keine generelle, weltliche, philosophische Basis für die Haltbarkeit der These, daß der Präembryo oder der frühe Embryo eine Person ist"[4]. Die anstehende Frage, ob einer ein Mensch sei, ist also schon einmal auf die Frage, ob ein Mensch eine *Person* sei, reduziert, und das läßt sich natürlich einfach beantworten; denn zum Personsein gehören für uns Bewußtsein und freie Entscheidung, und beides kann der frühe Embryo noch nicht haben. Wenn daher Engelhardt fortfährt: "Präembryonen zeigen in keiner Weise das Verhalten von moralischen Subjekten" (S. 181), dann kann er daraus folgern: "Fazit ist, daß Embryonen als Zustandsformen menschlich biologischen Lebens, aber nicht menschlich personalen Lebens betrachtet werden können" (S. 181). Wenn man so das menschliche Leben in ein biologisches und ein personales aufteilt und wenn nur ein personal existierender Mensch im vollen Sinne Mensch sein soll, dann kann man auf nichtpersonale menschliche Wesen natürlich keine menschlichen Rechte oder gar den Begriff der Menschenwürde anwenden. Daher zieht Engelhardt den aus seiner Sicht konsequenten Schluß: "Da Embryonen keine Personen sind, folgt, daß sie entweder weggeworfen, anderen zur Verfügung gestellt oder zu Forschungszwecken verwendet werden können" (S. 183).

Man kann sich über solche Sätze moralisch empören, aber es geht hier nicht um die Moral, sondern um den Denkansatz, der solchen Schlußfolgerungen überhaupt erst den Anschein gibt, Ergebnisse ethischer Überlegungen zu sein. Was die Moral bei solchen Theorien betrifft, möchte ich nur darauf hinweisen, daß nach herkömmlichem Verständnis an sich schon diese Frage, welcher Mensch denn wirklich ein Mensch sei, unmoralisch ist. Doch dieser Frage widmen sich heute all die neuen Ethiken, die in so großer Zahl auf den Markt geworfen werden und deren gemeinsamer Hauptunterschied zur bisherigen Ethik ihre rational begründete Unmoral ist, weil sie die moralische Begründung, die bisher für alle Entscheidungen über den Menschen gefordert wurde, durch eine rationale ersetzen. Deshalb trifft die Vertreter einer solchen Ethik auch nicht der Vorwurf der Unmoral. In ihrem Verständnis handeln sie moralisch, gerade weil sie *vernünftig* handeln. Auf fruchtbaren Boden fallen solche Theorien vor allem in Deutschland, wo schon aus Tradition die einen die anderen zu Untermenschen und dafür wieder andere jene zu Un-

---

[4] H. Tristram Engelhardt jr.: Ethische Akzeptanz menschlicher Fertilisationstechniken. In: H.-M. Sass (Hg.): Bioethik in den USA. Methoden, Themen, Positionen. Mit besonderer Berücksichtigung der Problemstellungen in der BRD. Berlin u.a. 1988, S. 180 f.

menschen erklären. So hat sich bei uns eine ganz besondere Seilschaft aus Philosophen, Medizinern und Juristen gebildet, die unter dem Deckmantel wissenschaftlicher und bioethischer Forschung eine schlichte Ausmerzideologie propagieren. Diese Ideologie beansprucht und besitzt ihrer rationalen Tünche wegen eine gefährliche Autorität. Ihre Vertreter verwenden zum Beispiel den Begriff "lebensunwertes Leben", als sei er ein ganz neutraler und unbelasteter Begriff. So schreibt Norbert Hoerster: "In diesem Zusammenhang muß mit aller Deutlichkeit gesagt werden: Natürlich gibt es so etwas wie 'lebensunwertes' Leben. Ich vermag keineswegs notwendig etwas Inhumanes oder Verwerfliches darin zu erblicken, über das Leben eines bestimmten Menschen zu sagen, es sei 'nicht lebenswert'."[5] Hoerster weist zwar darauf hin, daß jeder nur für sein eigenes Leben entscheiden könne, ob es lebenswert sei oder nicht, aber wenn das ernst gemeint wäre, gälte es auch für ihn selbst. Er könnte daher niemals sagen, das Leben eines bestimmten Menschen sei nicht lebenswert, sondern höchstens, sein eigenes sei es womöglich nicht. Mit seiner Meinung vom lebensunwerten Leben steht Hoerster aber nicht allein. Christoph Anstötz, immerhin Professor für Sonderpädagogik, hat ja auch bestimmte Behinderte "seelenlose Fleischklumpen" genannt. Diese Formulierung zeigt, welche Ungerührtheit darüber herrscht, daß Menschen überhaupt in solch extreme Lebenslagen hineingeboren werden können. Da ist keine Trauer mehr zu spüren über die Bedingungen, unter denen das menschliche Leben steht, sondern nur der Versuch erkennbar, die Probleme hinweg zu rationalisieren, um sich mit den Kranken und Behinderten die stete Mahnung an Leid und Vergänglichkeit des Lebens vom Hals zu schaffen. Mit der Propagierung des Gnadentodes will man gnädig zu sich selber sein. Da reden keine Mitmenschen, sondern Technokraten, die das menschliche Leben und seine bestimmte Qualität nach ihrer Vorstellung von Gewinn und Verlust berechnen. Es ist die recta ratio im Gewand der Ökonomie.

Bei uns ist das gegenwärtig Theorie, Praxis ist es anderswo. "Irecuperabil", "unwiederbringlich" hieß die Diagnose, die für rumänische Kinder den Verlust der Menschenwürde und schließlich das Todesurteil bedeutete. Die Ärzte, die für diese Diagnose zuständig waren, das sogenannte Pflegepersonal und die rumänische Öffentlichkeit hielten die Aussonderung der "Unwiederbringlichen" einschließlich der Umstände ihres Wartens auf den Tod für völlig gerechtfertigt. Das ergibt sich aus allen Stellungnahmen und Interviews, die man in der Presse hat lesen können. Zu der unehrlichen Erschütterung des Auslandes über diese Zustände hat Lothar Evers, der Geschäftsführer der Deutschen Gesellschaft für Soziale Psychiatrie, bemerkt, die deutschen Ärzte seien in Rumänien, "weil wir die Verstrickung deutscher Ärzte und Psychiater in die Euthanasie der Nazi-Zeit studiert und erst Jahrzehnte später erkannt haben, daß sie keine spezifische Monstrosität war, sondern in den Bereich der Verhaltensweisen gehört, die es geben kann"[6]. Er setzte hinzu, daß das, was in Deutschland geschehen sei, nicht wieder geschehen dürfe, und doch sei es wieder geschehen. Es ist wieder geschehen und wird, bei uns oder anderswo, immer wieder geschehen, solange Menschen glauben, es sei normal und vernünftig, sich bei der Beurteilung anderer auf eine "richtige" oder "vernünftige" Einstellung berufen zu dürfen, so daß es Menschen im eigentlichen und in einem weniger eigentlichen Sinne gibt. So lange ein solches Denken normal ist, werden auch die scheinbar monströsesten Verhaltensweisen völlig normal sein.

In der Geschichte gibt es nicht viele Belege für ein anderes Denken. Eine der wenigen Ausnahmen neben dem eingangs zitierten Renaissancephilosophen Pico della Mirandola war Michel de Montaigne (1533-1592), der immerhin die menschlichen Monstren, die Krüppel und Andersgearteten, mit in den Begriff des Menschen aufgenommen sehen wollte. Er berief sich dabei auf einen Vernunftbegriff, den er selbst "universell und natürlich" nannte. Damit ging er, der die Stoa und vor allem Seneca bewundert hat, weit über die Vorstellung einer recta ratio hinaus und griff wieder die ursprüngliche stoische Idee einer allgemeinen Weltvernunft auf. An die

---

[5] N. Hoerster: Tötungsverbot und Selbsthilfe. In: H.-M. Sass (Hg.): Medizin und Ethik. Stuttgart 1989, S. 292.

[6] "Warum sollen wir schuld sein?" In: Der Spiegel. Nr. 17, 44. Jahrgang, 23. April 1990, S. 206.

Beschreibung eines mißgestalteten Kindes fügt er die Betrachtung an: "Was wir Monstren nennen, ist nicht monströs für Gott, der in seinem ungeheuren Werk die Unendlichkeit von Formen einbegreift, die er darin selbst entwarf."[7] Daraus folgert Montaigne: "Wir nennen naturwidrig, was regelwidrig ist; nichts ist regellos. Möge diese universelle und natürliche Vernunft uns das Irren und das Erstaunen über die Neuartigkeit vertreiben" (ebd.). Doch auch Montaignes Menschenbegriff ist in Wahrheit noch nicht universell, auch wenn er die bisher verachteten monströsen Formen des Menschseins einbezieht. Das wird deutlich, wenn man die programmatischen Worte des Adolph Freiherr von Knigge (1752-1796) in seinem 1788 erstmals erschienenen Traktat "Über den Umgang mit Menschen" liest, daß sich nämlich der Umgang mit Menschen auf Pflichten gründe, "die wir *allen Arten von Menschen* schuldig sind"[8]. Hier sind nicht nur die Monstren im Begriff des Menschen mitgedacht, sondern alle Außenseiter jeder Couleur, so daß die Unterschiede von Alter, Geschlecht, Stand oder Bildung im Namen einer allgemeinen Rationalität tendenziell eingeebnet sind. Mit diesem Begriff vom Menschen wird ein universelles Gleichheitsgebot für alle in all ihrer Verschiedenheit gefordert.

Dieser Begriff enthält eine sozialrevolutionäre Potenz, die auch heute noch nicht eingelöst ist. Sie ist selbst dort, wo ein aufrichtiges Interesse an der Behebung menschenunwürdiger Zustände besteht, nicht verwirklicht. Diese Tatsache kann man leicht an unserem Grundgesetz demonstrieren. Bei der Beratung dieses Gesetzes hatte man die Erfahrungen aus der unmittelbaren Vergangenheit vor Augen und wollte ihre Wiederholung wenigstens für den Geltungsbereich des Grundgesetzes unmöglich machen. Deshalb hat man die Verfassung auf den sittlichen Wert der Menschenwürde begründet und schon im Artikel 1 bestimmt: "Die Würde des Menschen ist unantastbar." Mehr wird zu diesem Begriff freilich nicht gesagt, vor allem wird nicht erklärt, worin denn diese Würde bestehen soll. Für nähere Auskünfte ist man daher auf die Kommentare zum Grundgesetz verwiesen, die diese Lücke zu schließen versuchen. Dabei zeigt sich aber überall, wie schwierig es ist, den hochherzigen Begriff der Menschenwürde rechtlich, politisch und moralisch zu konkretisieren. Der maßgebende Kommentar von Maunz und Dürig macht daher ausdrücklich auch nur den "*Versuch*, die Menschenwürde zu definieren"[9]. Ausgangspunkt ist dabei die Überlegung, daß der grundgesetzlichen Wertaussage über die Würde des Menschen eine Seinsgegebenheit zugrunde liege, die implizit die Menschenauffassung des Grundgesetzes enthalte. Sie soll darin bestehen, daß der Mensch Mensch sei "kraft seines Geistes, der ihn abhebt von der unpersönlichen Natur und ihn aus eigener Entscheidung dazu befähigt, seiner selbst bewußt zu werden, sich selbst zu bestimmen und sich und die Umwelt zu gestalten" (Art. 1, 18). Der Mensch ist also nur unter der Bedingung Mensch, daß er sich seiner selbst bewußt werden, sich selbst bestimmen und seine Umwelt gestalten kann.

Das sind Bedingungen, die zum Beispiel Anenzephale oder Geisteskranke nicht erfüllen können. Um sie nicht von vornherein aus dem Begriff des Menschen herausfallen zu lassen, braucht man eine begriffliche Hilfskonstruktion, die auch ihnen die Menschenwürde garantiert, die sie nach der Definition nicht haben können. Deshalb erklärt der Kommentar weiter, daß die Freiheit der Selbst- und Weltgestaltung "denknotwendig nur eine abstrakte Freiheit, d. h. eine *Freiheit als solche* sein kann, die 'dem Menschen an sich' eigen" (Art.1, 18) sei. Diese unsäglichen Ausdrücke von der Freiheit "als solche" und dem Menschen "an sich" machen die Würde des Menschen zu einem Wert, der so nichtssagend und verschwommen ist, wie diese Ausdrücke selbst. Die Menschenwürde hat jetzt nur noch einen "allgemein menschlichen Eigenwert" (Art. 1, 18) und kann daher "von vornherein nicht in der jederzeitigen gleichen Verwirklichung beim konkreten Menschen bestehen, sondern in der gleichen abstrakten Möglichkeit (*potentiellen Fähigkeit*) zur

[7] M. de Montaigne: Oeuvres complètes. Paris 1962, S. 691.

[8] A. Freiherr von Knigge: Über den Umgang mit Menschen. Frankfurt/M. 1977, S. 10 (Herv. von mir).

[9] Maunz-Dürig: Kommentar zum Grundgesetz. München 1989. Art. 1, 18 (Herv. von mir).

Verwirklichung" (Art. 1, 19). Diese Unterscheidung der bloß potentiellen Fähigkeit zur Verwirklichung der Menschenwürde von ihrer Verwirklichung selbst hat zwei Auswirkungen. Einerseits hat sie die gewünschte Wirkung, daß man keinem bestimmten Menschen die Fähigkeit, aber eben auch nur diese, zur Verwirklichung der Menschenwürde absprechen kann. Daher ist der allgemein menschliche Eigenwert der Würde "auch als vorhanden zu denken, wenn ein konkreter Mensch (etwa der *Geisteskranke*) die Fähigkeit zur freien Selbst- und Lebensgestaltung von vornherein nicht hat" (Art. 1, 20). Andererseits hat diese begriffliche Konstruktion aber auch eine Nebenwirkung, die in Wirklichkeit ihre Hauptwirkung ist; denn wenn die Menschenwürde zwar bei allen potentiell vorhanden, aber nur bei einigen verwirklicht sein soll, dann gibt es zwei Sorten von Menschen, die sich hinsichtlich der Menschenwürde unterscheiden. Es verwundert nicht, daß die Menschen, die die Menschenwürde nur potentiell haben, von dem Kommentar zu den Gruppen gezählt werden, die schon immer die Außenseiter und Randgruppen bildeten. Er nennt ausdrücklich Geisteskranke oder Verbrecher. Die Lebenswirklichkeit kennt darüber hinaus noch ganz andere Gruppen, etwa Asylbewerber oder Homosexuelle.

Nun hatte schon Cicero in seiner Schrift "De officiis" die Begriffe der Menschheit und der Menschenwürde auf die Gleichheit aller Menschen als deren wichtigstes Moment gegründet, ohne freilich den Widerspruch zwischen dieser These und dem durch die recta ratio bestimmten Menschenbild zu bemerken. Es hat lange gedauert, bis man sich allgemein darauf verständigt hatte, die Menschen rechtlich und politisch als gleich ansehen zu wollen. Doch diese Auffassung hat sich in fast allen nationalen Verfassungen und internationalen Konventionen durchgesetzt, weshalb auch unser Grundgesetz in Artikel 3 bestimmt: "Niemand darf wegen seines Geschlechtes, seiner Abstammung, seiner Rasse, seiner Sprache, seiner Heimat und Herkunft, seines Glaubens, seiner religiösen oder politischen Anschauungen benachteiligt oder bevorzugt werden." An diesem Satz ist aber das Wichtigste dasjenige, was er verschweigt; denn in dieser Aufzählung, die gewissen groben Ungleichheiten vorbeugen kann, sind bestimmte Eigenschaften nicht enthalten, nämlich körperliche, psychische und moralische Eigenheiten, wodurch viel feinere, verstecktere Ungleichheiten sanktioniert und gerechtfertigt werden können. Ihretwegen darf ein Mensch sehr wohl bevorzugt oder benachteiligt werden. Relativ harmlos mag noch sein, daß Blinde ihrer Behinderung wegen vom Schöffenamt ausgeschlossen werden können (während sie durchaus Richter sein dürfen), problematischer wird es, wenn Menschen ihrer geistigen oder moralischen Eigenheiten wegen sogar die Menschenwürde abgesprochen wird. Der zitierte Grundgesetz-Kommentar geht ganz selbstverständlich davon aus, daß zum Beispiel ein Verbrecher "die Möglichkeit der Freiheit zur Selbsterniedrigung mißbraucht" (Art. 1, 21). Dieser Begriff des Mißbrauchs der Freiheit ist ein Zitat aus der Verfassung; denn der Art. 18 des Grundgesetzes bestimmt, wer die Grundrechte "mißbraucht, verwirkt diese Grundrechte". Diese Festlegung berührt aber unmittelbar die Menschenwürde; denn die Grundrechte sind nur die in Einzelrechte aufgelöste Menschenwürde, deren Wertanspruch in die Teilrechte auf Freiheit und Gleichheit *"inhaltlich* näher präzisiert" (Art. 1, 10) wird. Über diesen Begriff des Mißbrauchs der Freiheit wird die grundgesetzliche Unantastbarkeit der Menschenwürde für Manipulationen verfügbar, wenigstens bei denen, die die Menschenwürde nicht konkret verwirlichen, sondern bloß potentiell haben. Das ist echtes, wenn auch schlechtes, stoisches Erbe und gilt spätestens seit Cicero und Seneca, die, entsprechend ihrem Verständnis vom wahren und rechten Menschen, die Menschenwürde an bestimmte Voraussetzungen knüpften. Diese setze nämlich Charakter und Selbstbeherrschung voraus und komme deshalb nur Menschen mit diesen Eigenschaften zu. Für die Stoiker war dies *der Weise*, für den heutigen Bioethiker ist es *der personal existierende Mensch* und für den Grundgesetzkommentator ist es *der Mensch, der die Menschenwürde konkret verwirklicht*.

Deshalb kann unsere Vorstellung von Menschenwürde den Anspruch nicht erfüllen, den wir ihr unterstellen. Der Begriff der Menschenwürde kann zwar nicht mehr aufgegeben werden, ohne daß die Menschheit wieder in Barbarei versinkt, er wird aber der Idee der *Würde* so lange nicht gerecht werden können, so lange mit dem Wort *Mensch* nicht alle Menschen in all ihrer Verschiedenheit auf die gleiche Weise umfaßt werden; denn zum Begriff und zur Wirklichkeit des

Menschen gehören auch das Mangelhafte und Unvollkommene, das Versehrte und Krankhafte, das Schändliche und Schlechte, und wer Menschen dieser Eigenschaften wegen aus der Gemeinschaft der Menschen ausschließt, will keine menschliche Welt. So lange das nicht begriffen ist, ist auch der Begriff der Menschenwürde nur ein beliebig verwendbarer Baustein für eine menschenunwürdige Welt. Im Hinblick auf die Folgen der stoischen Erbschaft einer recta ratio und des daraus abgeleiteten Menschenbildes stellt es sich als leichtfertig heraus, wenn man unbekümmert von der Lebendigkeit der Antike spricht und von ihrer großen Bedeutung für die moderne Kultur. In Wahrheit hat das Erbe des traditionellen Humanismus bis heute die Entwicklung eines besseren blockiert.